U0217659

「十三五」国家重点出版物出版规划项目

中国中药资源大典

②

黄璐琦 / 总主编
曲晓波　姜大成　于俊林 / 主　编

北京科学技术出版社

图书在版编目（CIP）数据

中国中药资源大典．吉林卷．2 / 曲晓波，姜大成，于俊林主编．— 北京：北京科学技术出版社，2022.1

ISBN 978-7-5714-1809-0

Ⅰ．①中… Ⅱ．①曲… ②姜… ③于… Ⅲ．①中药资源－资源调查－吉林 Ⅳ．①R281.4

中国版本图书馆 CIP 数据核字（2021）第 218191 号

策划编辑：李兆弟　侍　伟

责任编辑：侍　伟　王治华　李兆弟　陈媞颖

责任校对：贾　荣

图文制作：樊润琴

责任印制：李　茗

出 版 人：曾庆宇

出版发行：北京科学技术出版社

社　　址：北京西直门南大街16号

邮政编码：100035

电　　话：0086-10-66135495（总编室）　0086-10-66113227（发行部）

网　　址：www.bkydw.cn

印　　刷：北京捷迅佳彩印刷有限公司

开　　本：889 mm × 1194 mm　1/16

字　　数：1076千字

印　　张：48.5

版　　次：2022年1月第1版

印　　次：2022年1月第1次印刷

审 图 号：GS（2021）8727号

ISBN 978-7-5714-1809-0

定　　价：490.00元

《中国中药资源大典·吉林卷 2》

编写人员

主　　编　曲晓波　姜大成　于俊林

副 主 编　孙云龙　肖井雷　翁丽丽　蔡广知　张　强　王　哲

编　　委（按姓氏笔画排序）

于　澎　于文强　于俊林　马　全　王　哲　王自梁　王兆武　王英平

王英哲　王建勃　牛志多　尹广旭　尹春梅　邓　浩　卢俊鹏　白　洋

包海鹰　朴明杰　毕　博　曲　墨　曲晓波　吕龙石　吕惠子　年明慧

朱键勋　庄　鑫　刘　三　刘　霞　刘芳馨　刘学周　刘捍宁　刘翠晶

齐伟辰　衣春光　闫　莉　安海成　许佳明　孙　雨　孙云龙　孙仁爽

牟良玉　李　波　李　剑　李　勇　李　婧　李天生　李成华　李若彤

李金钰　李宜平　李剑男　李银清　李福子　杨世海　杨利民　杨佳音

肖　丹　肖井雷　肖春萍　吴　杰　吴　勇　吴　媛　吴望蕊　汪　娟

宋利捷　张　涛　张　浩　张　辉　张　强　张天柱　张凤瑞　张立秋

张彦飞　张海弢　张景龙　张舒娜　陈佳雯　邵　财　林　贺　林　喆

国　坤　和东亮　周　繇　庞　博　郑永春　郑春哲　孟芳芳　赵　磊

赵长跃　胡　星　胡权德　胡彦武　侯晓琳　律广富　姜大成　姜鸿运

祝洪艳　秦汝兰　秦佳梅　贾纪元　夏冬秋　翁丽丽　高　雅　高晨光

郭俊杰　唐　堂　容路生　黄虹瑞　黄晓巍　曹　路　董方言　雷钧涛

路　静　褚　颖　蔡广知　熊　状　樊湘泽

《中国中药资源大典 · 吉林卷 2》

编辑委员会

目录 Contents

蕨类植物

石杉科 Huperziaceae 石杉属 *Huperzia*

东北石杉 *Huperzia miyoshiana* (Makino) Ching

东北石杉

| 药材名 |

东北石杉（药用部位：孢子）。

| 形态特征 |

多年生土生草本。茎直立或斜生，高 10 ~ 18cm，中部直径 1.5 ~ 2.5mm，枝连叶宽 0.7 ~ 0.9cm，2 ~ 4 回二叉分枝，枝上部常有芽胞。叶螺旋状排列，密生，略斜向上或平直或略反折，钻形，向基部不变狭，基部最宽，通直，长 4 ~ 6mm，基部宽约 0.8mm，截形，下延，无柄，先端渐尖，边缘平直不皱曲，全缘，两面光滑，有光泽，中脉不明显，草质。孢子叶与不育叶同形；孢子囊生于孢子叶的叶腋，两端露出，肾形，黄色。

| 生境分布 |

生于海拔 700m 以上的针叶林下、干燥苔藓处。分布于吉林白山（抚松、长白、临江）、吉林（桦甸）、延边（安图、和龙）等。

| 资源情况 |

野生资源稀少。药材主要来源于野生。

| 采收加工 | 秋季孢子未脱落时采割，晒干藻体，打下孢子，除去杂质，晒干。

| 药材性状 | 本品呈粉末状，淡黄色，质轻，无吸湿性。

| 功能主治 | 甘，温。祛湿解毒，温肾壮阳。用于小儿湿疹，疮痈肿毒，男子阳痿，女子宫冷，下焦虚寒，腰膝冷痹。

石杉科 Huperziaceae 石杉属 *Huperzia*

小杉兰 *Huperzia selago* (L.) Bernh. ex Schrank et Mart.

| **植物别名** | 石杉、伏贴石杉、小接筋草。

| **药 材 名** | 小接筋草（药用部位：全草。别名：卷柏状石松、龙胡子、岩石松）。

| **形态特征** | 多年生土生草本。茎直立或斜生，高 3 ~ 25cm，中部直径 1 ~ 3mm，枝连叶宽 5 ~ 16mm，1 ~ 4 回二叉分枝，枝上部常有芽胞。叶螺旋状排列，密生，斜向上或平伸，披针形，基部与中部近等宽，通直，长 2 ~ 10mm，中部宽 0.8 ~ 1.8mm，基部截形，下延，无柄，先端急尖，边缘平直不皱曲，全缘，两面光滑，具光泽，中脉背面不显，腹面可见，革质至草质。孢子叶与不育叶同形；孢子囊生于孢子叶的叶腋，不外露或两端露出，肾形，黄色。

小杉兰

| 生境分布 | 生于高山草甸、石缝中、林下、沟旁等。分布于吉林白山（抚松、靖宇、长白）等。

| 资源情况 | 野生资源较少。药材主要来源于野生。

| 采收加工 | 夏、秋季采收，除去泥土及其他杂质，晒干。

| 功能主治 | 微苦，平。归心经。祛风除湿，续筋接骨，消肿止痛，止血。用于跌打损伤，风湿疼痛，荨麻疹，外伤出血，毒蛇咬伤。

| 用法用量 | 内服煎汤，3 ~ 6g；或浸酒。外用适量，研末；或捣敷。

石杉科 Huperziaceae 石杉属 *Huperzia*

蛇足石杉 *Huperzia serrata* (Thunb. ex Murray) Trev.

| **植物别名** | 蛇足草、千层塔。

| **药 材 名** | 千层塔（药用部位：全草。别名：蛇交子、毛青杠、蛇足草）。

| **形态特征** | 多年生土生草本。茎直立或斜生，高 10 ~ 30cm，中部直径 1.5 ~ 3.5mm，枝连叶宽 1.5 ~ 4cm，2 ~ 4 回二叉分枝，枝上部常有芽胞。叶螺旋状排列，疏生，平伸，狭椭圆形，向基部明显变狭，通直，长 1 ~ 3cm，宽 1 ~ 8mm，基部楔形，下延，有柄，先端急尖或渐尖，边缘平直不皱曲，有粗大或略小而不整齐的尖齿，两面光滑，有光泽，中脉凸出明显，薄革质。孢子叶与不育叶同形；孢子囊生于孢子叶的叶腋，两端露出，肾形，黄色。

| **生境分布** | 生于林下、灌丛、路旁、林缘、沟边或石上阴湿处等，常与金发藓

蛇足石杉

等苔藓类植物伴生。以长白山区为主要分布区域，分布于吉林延边、白山、通化、吉林、辽源（东丰）等。

| 资源情况 |

野生资源较少。药材主要来源于野生。

| 采收加工 |

夏、秋季采收，除去泥土及其他杂质，晒干。

| 药材性状 |

本品根须状。茎 2 ~ 4 回二叉分枝，先端常具生殖芽。叶片完整者披针形，长 1 ~ 3cm，宽 2 ~ 4mm，头锐尖，边缘有不规则的尖锯齿，基部渐狭，楔形，仅有主脉 1，纸质。孢子叶和营养叶同形，绿色。气微，味略苦、辛。

| 功能主治 |

辛，平；有毒。归肺、大肠、肝、肾经。清热解毒，生肌止血，散瘀消肿，杀虫。用于跌打损伤，瘀血肿痛，坐骨神经痛，神经性头痛，内伤吐血。外用于痈疖肿毒，毒蛇咬伤，烫火伤，除虱及臭虫。

| 用法用量 |

内服煎汤，5 ~ 15g；或捣汁。外用适量，煎汤洗；或捣敷；或研末撒、调敷。

石松科 Lycopodiaceae 扁枝石松属 *Diphasiastrum*

高山扁枝石松 *Diphasiastrum alpinum* (L.) Holub

| **植物别名** | 高山石松。

| **药 材 名** | 高山扁枝石松（药用部位：全草。别名：高山石松）。

| **形态特征** | 小型至中型土生草本，主茎匍匐状，长 30 ~ 70cm。侧枝近直立，高 6 ~ 10cm，多回不等位二叉分枝，小枝扁压状，有背腹之分。叶螺旋状排列，密集，鳞片状，紧贴小枝而使小枝呈绳索形，长 0.7 ~ 1.5mm，宽约 0.8mm，基部贴生在枝上，无柄，先端尖锐，略内弯，全缘，中脉不明显，草质。孢子囊穗双生于短小的孢子枝先端，圆柱形，长 1.1 ~ 2.5cm，淡黄色；孢子叶宽卵形，覆瓦状排列，长约 2mm，宽约 1.2mm，先端急尖，尾状，边缘膜质，具不规则锯齿；孢子囊生于孢子叶的叶腋，内藏，圆肾形，黄色。

高山扁枝石松

| **生境分布** | 生于海拔 1700 ~ 2400m 的高山草原、苔原地带、小灌丛下，或于混交林内土生或生岩石上。分布于吉林延边（安图、和龙）、白山（抚松、长白、临江）等。

| **资源情况** | 野生资源稀少。药材主要来源于野生。

| **采收加工** | 夏、秋季采收，除去泥土及其他杂质，晒干或鲜用。

| **药材性状** | 本品主茎细长，长 30 ~ 70cm。小枝扁压状，有背腹之分，长 6 ~ 10cm，深绿色，多回不等位二叉分枝。鳞片状叶螺旋状排列，密集，紧贴小枝而使小枝呈绳索形，长 0.7 ~ 1.5mm，基部贴生在枝上，无柄。圆柱形孢子囊穗双生于短小的孢子枝先端，长 1.1 ~ 2.5cm，淡黄色。质韧。气微，味淡。

| **功能主治** | 淡，平。归肝经。活血，止痛。用于关节痹痛，跌打损伤。

| **用法用量** | 内服煎汤，10 ~ 15g。外用适量，捣敷。

| **附　　注** | 在 FOC 中，本种的拉丁学名被修订为 *Lycopodium alpinum* L.。

石松科 Lycopodiaceae 扁枝石松属 *Diphasiastrum*

扁枝石松 *Diphasiastrum complanatum* (L.) Holub

| 植物别名 | 地蜈蚣、铺地虎、长蔓石松。

| 药 材 名 | 过江龙（药用部位：全草。别名：地刷子石松、舒筋草、地蜈蚣）。

| 形态特征 | 小型至中型土生草本，主茎匍匐状，长达 100cm。侧枝近直立，高达 15cm，多回不等位二叉分枝，小枝明显扁平状。叶 4 行排列，密集，三角形，长 1 ~ 2mm，宽约 1mm，基部贴生在枝上，无柄，先端尖锐，略内弯，全缘，中脉不明显，草质。孢子囊穗（1 ~ ）2 ~ 5（ ~ 6）生于长 10 ~ 20cm 的孢子枝先端，圆柱形，长 1.5 ~ 3cm，淡黄色；孢子叶宽卵形，覆瓦状排列，长约 2.5mm，宽约 1.5mm，先端急尖，尾状，边缘膜质，具不规则锯齿；孢子囊生于孢子叶的叶腋，内藏，圆肾形，黄色。

扁枝石松

生境分布

生于林下、灌丛或山坡草地。分布于吉林延边（安图、和龙）、白山（抚松、长白、临江）等。

资源情况

野生资源稀少。药材主要来源于野生。

采收加工

夏、秋季采收，除去泥土及其他杂质，晒干。

药材性状

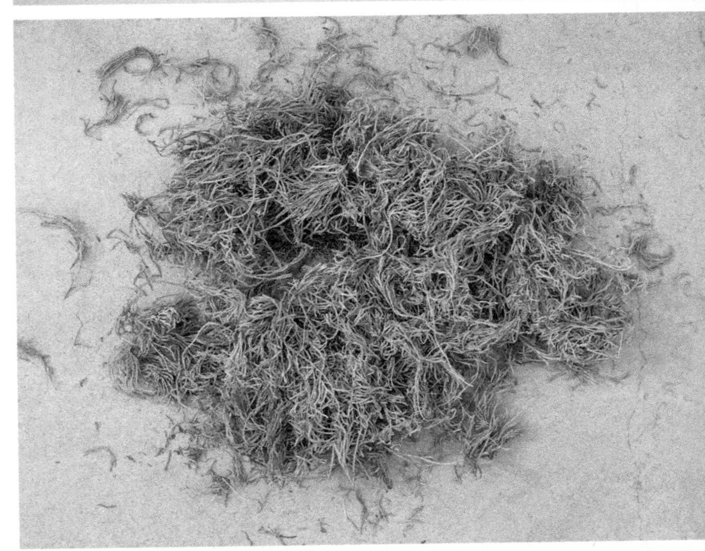

本品茎呈圆柱形，细长，长达1m。小枝压扁状，多回二叉分枝，表面黄绿色。叶4行排列，鳞片状，背叶及腹叶钻形，侧叶三角形，长1～2mm，宽0.7mm，全缘，革质。有的具孢子囊穗，孢子囊穗圆柱形，长约2cm。质韧，不易折断，断面浅黄色，有白色木心。气微，味淡。

功能主治

辛，大温。归肝、膀胱经。祛风除湿，活络止痛，利尿通经。用于风湿关节痛，腰腿酸痛，骨折，跌打损伤，淋病，月经不调。此外，叶可用于痛风。

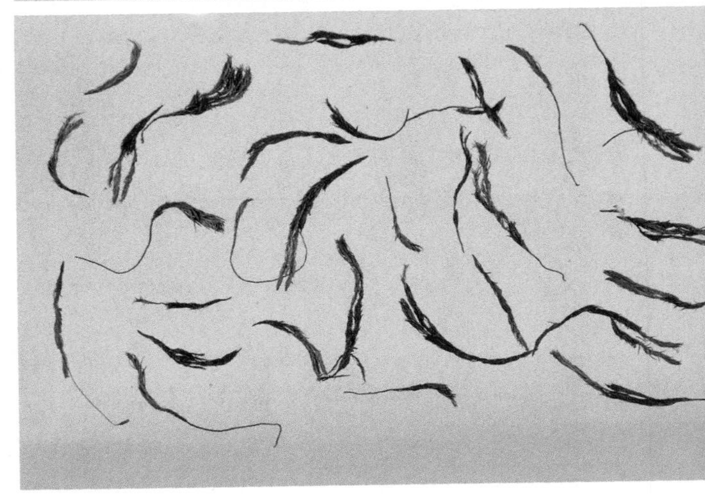

用法用量

内服煎汤，9～15g；或浸酒。外用适量，捣敷；或煎汤洗。

附　　注

在FOC中，本种的拉丁学名被修订为 *Lycopodium complanatum* L.。

石松科 Lycopodiaceae 石松属 *Lycopodium*

多穗石松 *Lycopodium annotinum* L.

| 植物别名 | 杉蔓石松、单穗石松、分筋草。

| 药 材 名 | 分筋草（药用部位：全草或孢子。别名：杉蔓石松）。

| 形态特征 | 多年生土生草本。匍匐茎细长、横走，长达 2m，绿色，被稀疏的叶；侧枝斜立，高 8 ~ 20cm，1 ~ 3 回二叉分枝，稀疏，圆柱状，枝连叶直径 10 ~ 15mm。叶螺旋状排列，密集，平伸或近平伸，披针形，长 4 ~ 8mm，宽 1 ~ 1.5mm，基部楔形，下延，无柄，先端渐尖，不具透明发丝，边缘有锯齿（主茎的叶近全缘），革质，中脉腹面可见，背面不明显。孢子囊穗单生于小枝，直立，圆柱形，无柄，长 2.5 ~ 4cm，直径约 5mm；孢子叶阔卵状，长约 3mm，宽约 2mm，先端急尖，边缘膜质，啮蚀状，纸质；孢子囊生于孢子叶的叶腋，内藏，圆肾形，黄色。

多穗石松

| 生境分布 |

生于针叶林、混交林林下、林缘及高山草甸等。分布于吉林白山（长白、抚松、临江）、通化（集安）、吉林、延边（敦化、安图、和龙、汪清）等。

| 资源情况 |

野生资源较少。药材主要来源于野生。

| 采收加工 |

夏、秋季采收全草，除去泥土及其他杂质，晒干。孢子成熟时采集孢子，除去杂质，晒干。

| 药材性状 |

本品主茎细长，有的长达 2m，绿色。小枝长 6 ~ 20cm，淡黄色。叶密集，披针形，无柄，淡绿色或淡黄色。孢子囊穗单生于小枝，圆柱形，无柄；孢子囊圆肾形，黄色。气微，味淡。

| 功能主治 |

苦、微辛，平。祛风散寒，除湿消肿，舒筋活络，解热镇痛。用于关节疼痛，跌打损伤，风湿痹痛，麻木。

| 用法用量 |

煎汤或泡酒服，6 ~ 9g，单用可至 30g。

石松科 Lycopodiaceae 石松属 *Lycopodium*

东北石松 *Lycopodium clavatum* L.

| 植物别名 | 欧洲石松、舒筋草。

| 药 材 名 | 东北石松（药用部位：全草）。

| 形态特征 | 多年生土生草本。匍匐茎地上生，细长横走，1 ~ 2 回分叉，绿色，被稀疏的全缘叶；侧枝直立，高 20 ~ 25cm，3 ~ 5 回二叉分枝，稀疏，压扁状（幼枝圆柱状），枝连叶直径 9 ~ 12mm。叶螺旋状排列，密集，上斜，披针形，长 4 ~ 6mm，宽约 1mm，基部宽楔形，下延，无柄，先端渐尖，具透明发丝，全缘，革质，中脉两面可见。孢子囊穗 2（~ 3）集生于长达 12cm 的总柄，总柄上苞片螺旋状稀疏着生，膜质，狭披针形；孢子囊穗等位着生，直立，圆柱形，长 3.5 ~ 4.5cm，直径约 4mm，近无柄或具短小柄；孢子叶阔卵形，长约 1.5mm，宽约

东北石松

1.3mm，先端急尖，具短尖头，边缘膜质，啮蚀状，纸质；孢子囊生于孢子叶的叶腋，略外露，圆肾形，黄色。

｜生境分布｜

生于海拔 700 ~ 1800m 针叶林下的干燥苔藓上。分布于吉林白山（长白、抚松、临江）、通化（集安、通化）、吉林、延边（敦化、安图、和龙、汪清）等。

｜资源情况｜

野生资源较少。药材主要来源于野生。

｜采收加工｜

夏、秋季采收，除去泥土及其他杂质，晒干。

｜功能主治｜

甘，温。舒筋活络，祛风除湿，活血接骨。用于风湿性关节炎，跌打损伤，腰腿痛，瘫痪，肝炎，肺炎，内外伤出血，骨折，水肿。

｜附　　注｜

本种与石松 *Lycopodium japonicum* Thunb. ex Murray 的主要区别在于本种每个孢子枝先端仅有 2（~ 3）孢子囊穗等位着生。

石松科 Lycopodiaceae 石松属 *Lycopodium*

玉柏 *Lycopodium obscurum* L. Sp. Pl.

| 植物别名 | 玉柏石松、中华玉柏、千年柏。

| 药 材 名 | 玉柏（药用部位：全草）。

| 形态特征 | 多年生土生草本。匍匐茎地下生，细长横走，棕黄色，光滑或被少量的叶；侧枝斜升或直立，高 15 ~ 40cm，下部不分枝，单干，定部二叉分枝，分枝密接，稍压扁，形成扇形、半圆形或圆柱状。叶螺旋状排列，稍疏，斜立或近平伸，线状披针形，长 3 ~ 4mm，宽约 0.6mm，基部楔形，下延，无柄，先端渐尖，具短尖头，全缘，中脉略明显，革质。孢子囊穗单生于小枝，直立，圆柱形，无柄，长 2 ~ 3cm，直径 4 ~ 5mm；孢子叶阔卵状，长约 3mm，宽约 2mm，先端急尖，边缘膜质，具啮蚀状齿，纸质；孢子囊生于孢子叶的叶腋，内藏，圆肾形，黄色。

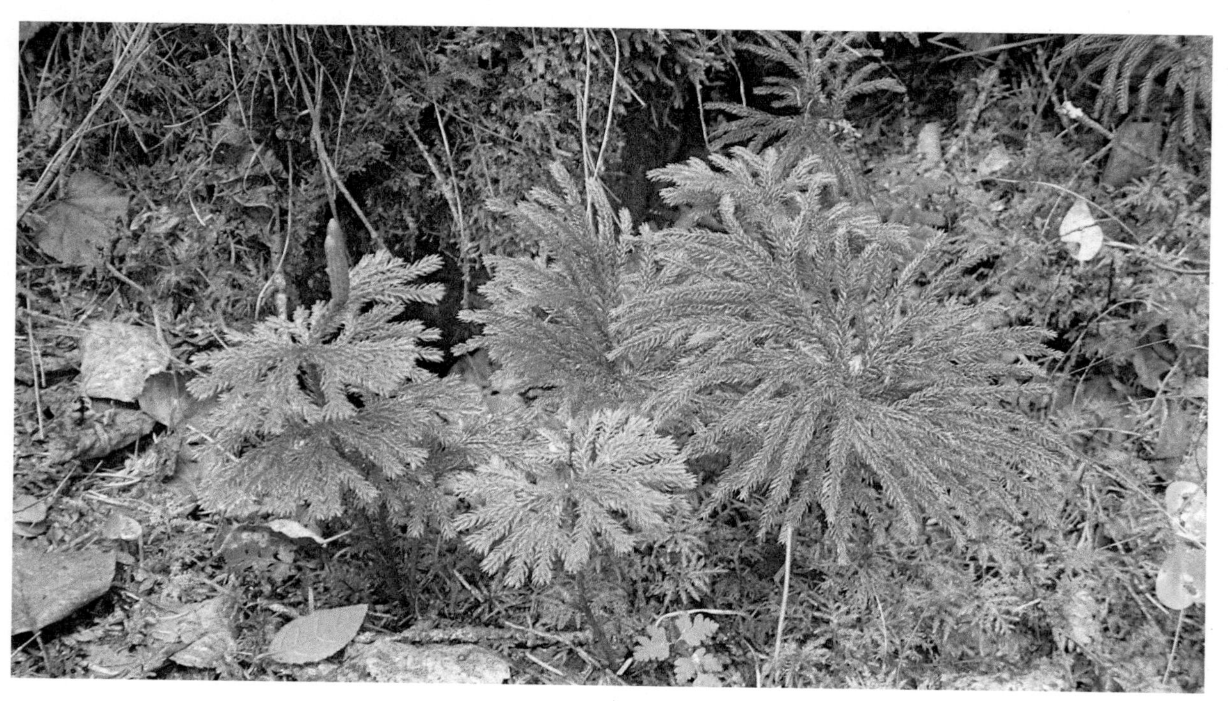

玉柏

| 生境分布 | 生于山坡草地、灌木林中、苔藓层中、石缝间及落叶松、红松、白桦、云杉林下开阔地。分布于吉林白山（长白、抚松）、延边（安图、汪清）等。

| 资源情况 | 野生资源较少。药材主要来源于野生。

| 采收加工 | 夏、秋季茎叶茂盛时采收，除去杂质，晒干。

| 药材性状 | 本品茎细长，棕黄色。侧枝长 15 ~ 40cm，下部不分枝，上部分枝密集，淡绿色。叶通常 6 列，线状披针形，长 2 ~ 4mm，锐尖，质厚，淡绿色。孢子囊穗生于小枝先端，长 5 ~ 8cm，圆柱形，黄褐色。质柔软。气微，味淡。

| 功能主治 | 酸，温。祛风除湿，舒筋活络，散寒，生津止渴，补肾益气。用于风湿痹痛，四肢麻木，腰腿疼痛，跌打损伤，消渴。

| 用法用量 | 内服煎汤，6 ~ 15g；或浸酒。

卷柏科 Selaginellaceae 卷柏属 *Selaginella*

小卷柏 *Selaginella helvetica* (L.) Spring

| 药 材 名 | 小卷柏（药用部位：全草）。

| 形态特征 | 土生或石生草本，短、匍匐状，能育枝直立，高 5 ~ 15cm，无游走茎。根托沿匍匐茎和枝断续生长，自茎分叉处下方生出，长 1.5 ~ 4.5cm，纤细，直径 0.1 ~ 0.2mm，根少分叉，无毛。直立茎通体分枝，不呈"之"字形，无关节，禾秆色，茎下部直径 0.2 ~ 0.4mm，具沟槽，无毛，维管束 1；侧枝 2 ~ 5 对，不分叉或分叉或 1 回羽状分枝，分枝稀疏，茎上相邻分枝相距 2 ~ 3cm，叶状分枝和茎无毛，背腹压扁，茎在分枝部分中部连叶宽 3 ~ 3.8mm，末回分枝连叶宽 2 ~ 3.6mm。叶全部交互排列，二型，多少较直径（叶脉不明显），表面光滑，非全缘，不具白边；分枝上的腋叶近对称，卵状披针形或椭圆形，长 1.4 ~ 1.6mm，宽 0.4 ~ 0.8mm，边缘睫毛状；中叶多少对称，分枝

小卷柏

上的中叶卵形或卵状披针形，长 1.2 ~ 1.6mm，宽 0.5 ~ 0.8mm，紧接或覆瓦状，背部不呈龙骨状，先端常向后弯曲、具长尖头至具芒，基部钝，边缘具睫毛；侧叶不对称，侧枝上的侧叶长圆状卵形或宽卵圆形，外展或略下折，长 1.6 ~ 2mm，宽 0.8 ~ 1.2mm，先端急尖并具芒（常向后弯），上侧基部扩大，加宽，覆盖小枝，上侧基部不为全缘，上侧边缘具睫毛，下侧不为全缘，具睫毛。孢子叶穗疏松，或上部紧密，圆柱形，单生于小枝末端或分叉，长 12 ~ 35mm，宽 2 ~ 4mm；孢子叶和营养叶略同形，不具白边，边缘具睫毛，略呈龙骨状，先端具长尖头；大孢子叶分布于孢子叶穗下部的下侧或大孢子叶与小孢子叶相间排列。大孢子橙色或橘黄色，小孢子橘红色。

| 生境分布 | 生于海拔 2000 ~ 3780m 的林中阴湿石壁或石缝中，同苔藓混生。以长白山区为主要分布区域，分布于吉林延边、白山、通化、吉林、辽源（东丰）等。

| 资源情况 | 野生资源较少。药材主要来源于野生。

| 采收加工 | 春、夏、秋季均可采收，剪去须根，酌留少许根茎，除净泥土，晒干。

| 功能主治 | 舒筋活血，止血。用于吐血，崩漏，便血，脱肛。

| 附　　注 | 本种为吉林省Ⅱ级重点保护野生植物。

卷柏科 Selaginellaceae 卷柏属 *Selaginella*

垫状卷柏 *Selaginella pulvinata* (Hook. et Grev.) Maxim.

| **植物别名** | 还魂草。

| **药 材 名** | 卷柏（药用部位：全草。别名：一把抓、老虎爪、长生草）。

| **形态特征** | 土生或石生草本，旱生复苏植物，呈垫状，无匍匐根茎或游走茎。根托只生于茎的基部，长 2 ~ 4cm，直径 0.2 ~ 0.4mm，根多分叉，密被毛，和茎及分枝密集形成树状主干，高数厘米。主茎自近基部羽状分枝，不呈“之”字形，禾秆色或棕色，主茎下部直径 1mm，不具沟槽，光滑，维管束 1；侧枝 4 ~ 7 对，2 ~ 3 回羽状分枝，小枝排列紧密，主茎上相邻分枝相距约 1cm，分枝无毛，背腹压扁，主茎在分枝部分中部连叶宽 2.2 ~ 2.4mm，末回分枝连叶宽 1.2 ~ 1.6mm。叶全部交互排列，二型，叶质厚，表面光滑，不具白边，主茎上的叶略大于分枝上的叶，相互重叠，绿色或棕色，斜升，

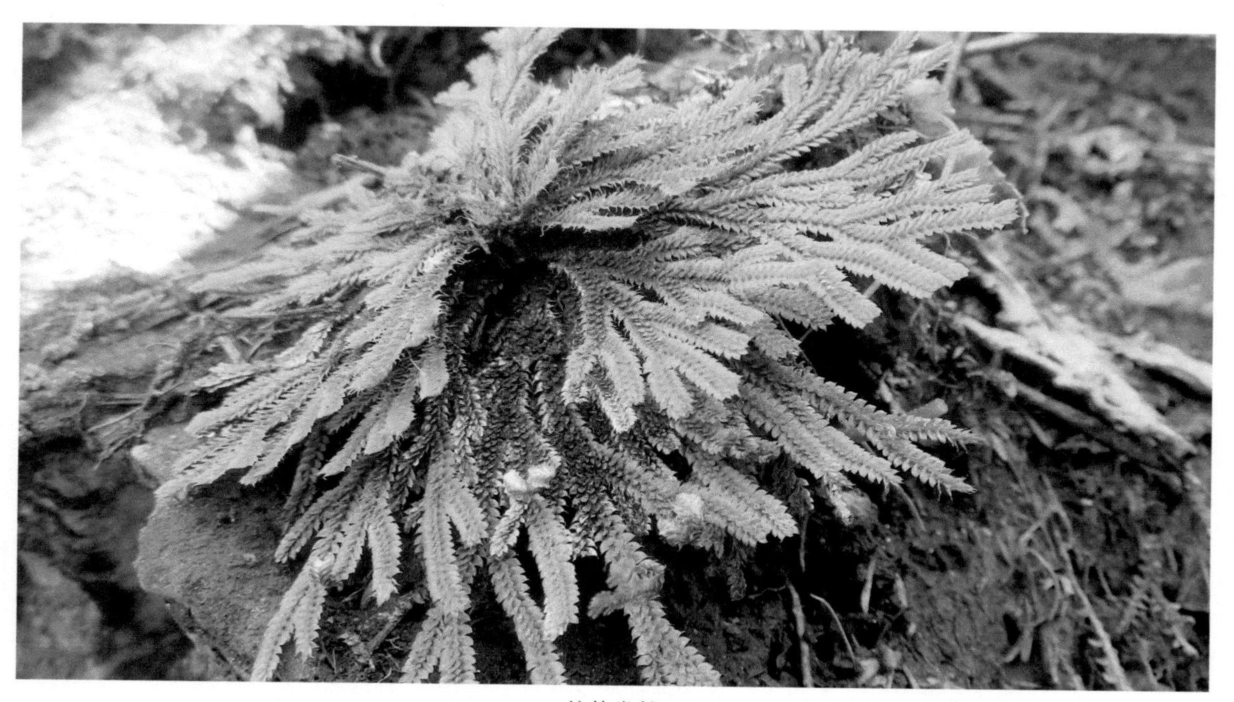

垫状卷柏

边缘撕裂状；分枝上的腋叶对称，卵圆形至三角形，长 2.5mm，宽 1mm，边缘撕裂状并具睫毛；小枝上的叶斜卵形或三角形，长 2.8 ～ 3.1mm，宽 0.9 ～ 1.2mm，覆瓦状排列，背部不呈龙骨状，先端具芒，基部平截（具簇毛），边缘撕裂状并外卷；侧叶不对称，小枝上的叶距圆形，略斜升，长 2.9 ～ 3.2mm，宽 1.4 ～ 1.5mm，先端具芒，全缘，基部上侧扩大，加宽，覆盖小枝，基部上侧不为全缘，呈撕裂状，基部下侧不呈耳状，不为全缘，呈撕裂状，下侧边缘内卷。孢子叶穗紧密，四棱柱形，单生于小枝末端，长 10 ～ 20mm，宽 1.5 ～ 2mm；孢子叶一型，不具白边，边缘撕裂状，具睫毛；大孢子叶分布于孢子叶穗下部的下侧或中部的下侧或上部的下侧。大孢子黄白色或深褐色。小孢子浅黄色。

| 生境分布 | 生于海拔（100 ～）1000 ～ 3000（～ 4250）m 的石灰岩上。以长白山区为主要分布区域，分布于吉林延边、白山、通化、吉林、辽源（东丰）等。

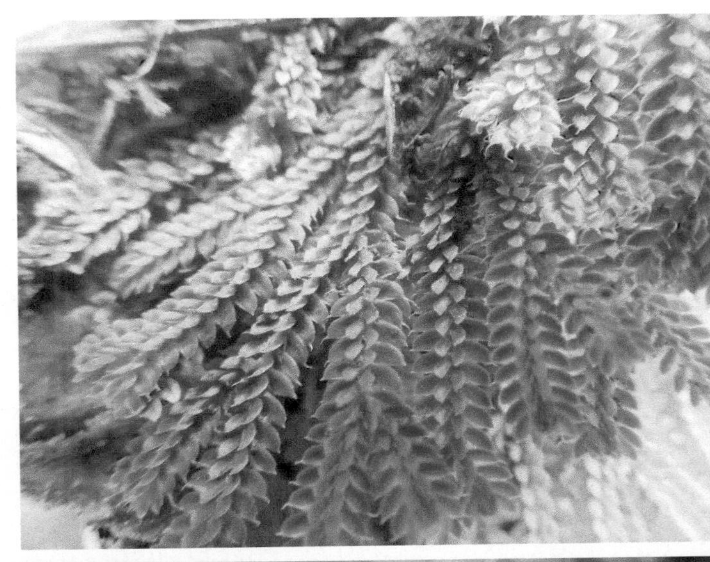

| 资源情况 | 野生资源稀少。药材主要来源于野生。

| 采收加工 | 全年均可采收。除去须根及杂质，晒干。

| 药材性状 | 本品似卷柏。但须根多散生。中叶（腹叶）2 行，卵状披针形，直向上排列。叶片左右两侧不等，内缘较平直，外缘常因内折而加厚，呈全缘状。

| 功能主治 | 辛，平。归肝、心经。活血通经。用于经闭痛经，癥瘕痞块，跌仆损伤。卷柏炭化瘀止血。用于吐血，崩漏，便血，脱肛。

| 用法用量 | 内服煎汤，5 ～ 10g。外用适量，研末敷。

卷柏科 Selaginellaceae 卷柏属 *Selaginella*

鹿角卷柏 *Selaginella rossii* (Baker) Warb.

| 植物别名 | 鹿角茶。

| 药 材 名 | 鹿角卷柏（药用部位：全草）。

| 形态特征 | 石生、旱生草本，匍匐生长，长 10 ~ 25cm 或更长，无匍匐茎。根托在主茎上断续着生，由茎枝的分叉处上面生出，长 1 ~ 3（~ 5）cm，纤细，红色，直径 0.1mm，根多分叉，密被毛。主茎全部分枝，多少呈“之”字形，不具关节，红色，主茎下部直径 0.2mm，茎圆柱状，不具纵沟，光滑无毛，内具维管束 1；侧枝 3 ~ 10 对，1 ~ 2 回分叉，分枝稀疏，主茎上相邻分枝相距 2 ~ 3cm，分枝无毛，背腹压扁，主茎在分枝部分中部连叶宽 4 ~ 4.5mm，末回分枝连叶宽 3 ~ 4mm。叶全部交互排列，二型，叶质厚，表面光滑，非全缘，不具白边；主茎上的腋叶较分枝上的大，卵形，分枝上的腋叶对称，

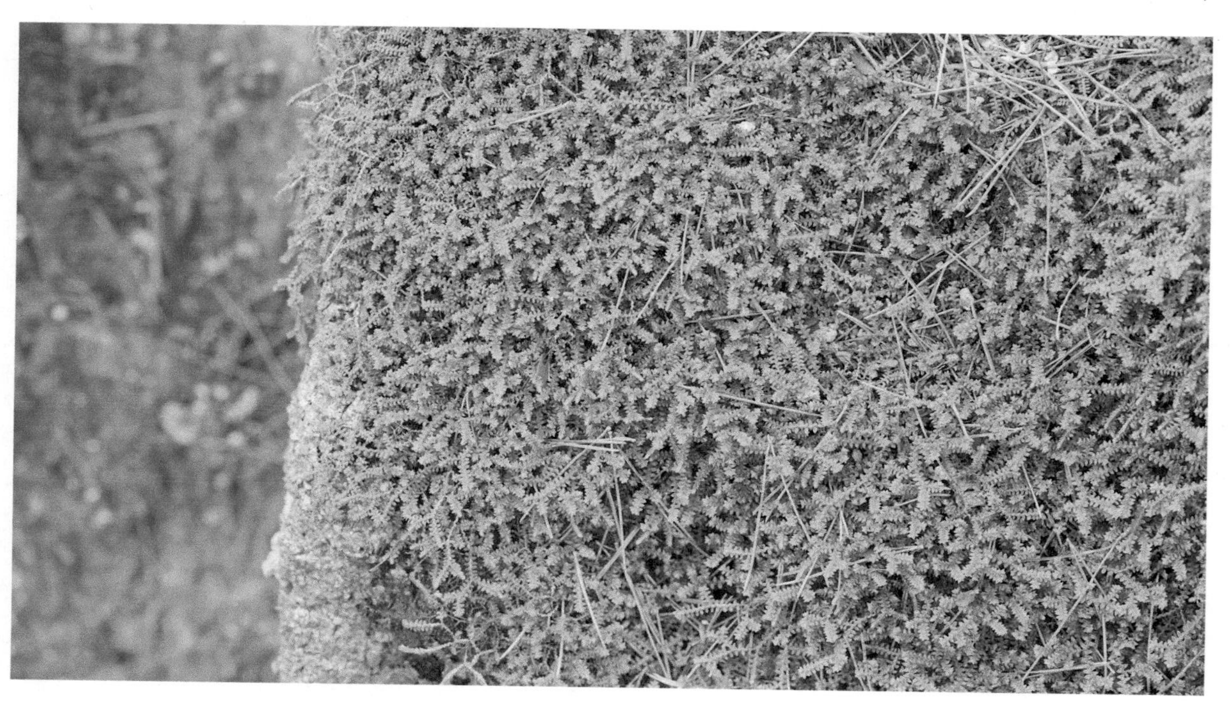

鹿角卷柏

椭圆形、狭椭圆形或长圆形，长 1.6 ~ 2mm，宽 1 ~ 1.2mm，叶中部边缘撕裂状并具睫毛，向两端近全缘；中叶不对称，分枝上的中叶卵状椭圆形或卵状斜方形，长 1.4 ~ 1.6mm，宽 0.8 ~ 1.1mm，紧接或覆瓦状排列，叶背呈龙骨状，先端渐尖或急尖，基部变狭，盾状，边缘略撕裂状具睫毛；侧叶不对称，分枝上的侧叶长圆形或倒卵状长圆形，通常向下反折，相距 1 叶的宽度，长 1.8 ~ 2.1mm，宽 0.9 ~ 1.2mm，先端渐尖，上侧基部圆形，覆盖茎枝，上侧边缘下半部撕裂状并具睫毛，下侧近全缘，内卷。孢子叶穗紧密，四棱柱形，单生小枝末端，长 5 ~ 15mm，宽 1 ~ 1.5mm；孢子叶一型，卵状三角形，边缘疏具睫毛，不具白边，先端急尖，锐龙骨状；大孢子叶分布于孢子叶穗下部的下侧。大孢子白色；小孢子橘黄色或淡黄色。

| 生境分布 | 生于林下岩石上。以长白山区为主要分布区域，分布于吉林延边、白山、通化、吉林、辽源（东丰）等。

| 资源情况 | 野生资源较少。药材主要来源于野生。

| 采收加工 | 全年均可采收，除去须根及杂质，洗净，晒干。

| 药材性状 | 本品茎多分枝，卷缩，赤色，坚实，易折断。叶卵圆形，有锯齿和缘毛，淡黄色或浅绿色。孢子囊穗四棱柱形，生于枝顶；孢子叶三角状卵形。气微，味苦。

| 功能主治 | 辛，凉。清热解毒，祛风湿，止痹痛。用于风湿关节痛，腰腿酸痛，关节不利。

卷柏科 Selaginellaceae 卷柏属 *Selaginella*

红枝卷柏 *Selaginella sanguinolenta* (L.) Spring

| **植物别名** | 北方卷柏、圆枝卷柏。

| **药 材 名** | 地柏树（药用部位：全草。别名：舒筋草、金鸡尾）。

| **形态特征** | 土生或石生，旱生，夏绿草本，高（5 ~ ）10 ~ 30cm，匍匐，具横走的根茎，茎枝纤细，交织成片。根托在主茎与分枝上断续着生，由茎枝的分叉处下面生出，长 2.5 ~ 5（ ~ 15）cm，纤细，直径 0.24 ~ 0.38mm；根多分叉，密被根毛。主茎全部分枝，不呈“之”字形，或多少呈“之”字形，主茎下部直径 0.36 ~ 0.74mm；茎圆柱状，不具沟槽，红褐色或褐色，光滑无毛，内具维管束 1；侧枝 3 ~ 4 回羽状分枝，相邻侧枝间距 2 ~ 4cm，分枝光滑，末回分枝连叶宽 0.7 ~ 1.9mm。叶覆瓦状排列，不明显二型，叶质较厚，表面光滑，不为全缘或近全缘，不具白边；主茎上的叶覆瓦状排列，略大于分

红枝卷柏

枝上的叶，略二型，中叶绿色，披针形或卵状披针形，鞘状，叶背呈龙骨状，基部盾状，边缘撕裂，有睫毛。主茎上的腋叶较分枝上的大，狭长圆形，先端圆钝，基部盾状；分枝上的腋叶对称，狭椭圆形或狭长圆形，长 0.8 ~ 2.1mm，宽 0.4 ~ 0.8mm，边缘撕裂，有睫毛。中叶多少对称，主茎上的略大于分枝上的，分枝上的中叶卵状斜方形，长 0.8 ~ 1.5mm，宽 0.4 ~ 0.8mm，覆瓦状排列，脊状隆起或强烈隆起，叶先端与轴平行，具小尖头，基部斜，盾状，近全缘或撕裂状并具睫毛。侧叶不对称，主茎上的较分枝上的大；分枝上的侧叶长圆状倒卵形或倒卵形，略斜升，紧密排列，长 1 ~ 2mm，宽 0.4 ~ 0.8mm，先端短芒状或具小尖头，基部上侧不扩大，覆盖小枝，上侧边缘膜质，近全缘；基部下侧下延，撕裂状并有睫毛。孢子叶穗紧密，四棱柱形，单生小枝末端，长 6 ~ 30（~ 80）mm，宽 1 ~ 1.5mm；孢子叶与营养叶近似，孢子叶一型，不具白边，阔卵形，边缘略撕裂状并具睫毛，锐龙骨状，先端急尖；大、小孢子叶在孢子叶穗下侧间断排列。大孢子浅黄色；小孢子橘黄色或橘红色。

| 生境分布 | 生于海拔 1400 ~ 3450m 的石灰岩上。分布于吉林长春、吉林、辽源、通化等。

| 资源情况 | 野生资源较少。药材主要来源于野生。

| 采收加工 | 全年均可采收，鲜用或晒干。

| 功能主治 | 苦，凉。舒筋活血，健脾止痢，清热利湿，止血。用于风湿痹痛，筋脉拘急，纳少便溏，脾虚泄泻，湿热痢疾，跌打损伤，外伤出血，内伤出血，烫伤。

| 用法用量 | 内服煎汤，9 ~ 15g。外用适量，捣敷。

卷柏科 Selaginellaceae 卷柏属 *Selaginella*

中华卷柏 *Selaginella sinensis* (Desv.) Spring

| 植物别名 | 地柏、地柏枝。

| 药 材 名 | 中华卷柏（药用部位：全草）。

| 形态特征 | 土生或石生草本，匍匐，15 ~ 45cm 或更长。根托在主茎上断续着生，自主茎分叉处下方生出，长 2 ~ 5cm，纤细，直径 0.1 ~ 0.3mm，根多分叉，光滑。主茎通体羽状分枝，不呈“之”字形，无关节，禾秆色，主茎下部直径 0.4 ~ 0.6mm，茎圆柱状，不具纵沟，光滑无毛，内具维管束 1；侧枝多达 10 ~ 20，1 ~ 2 回或 2 ~ 3 回分叉，小枝稀疏，规则排列，主茎上相邻分枝相距 1.5 ~ 3cm，分枝无毛，背腹压扁，末回分枝连叶宽 2 ~ 3mm。叶全部交互排列，略二型，纸质，表面光滑，非全缘，具白边。分枝上的腋叶对称，窄倒卵形，长 0.7 ~ 1.1mm，宽 0.17 ~ 0.55mm，边缘睫毛状。中叶多少对称，

中华卷柏

小枝上的中叶卵状椭圆形，长 0.6 ~ 1.2mm，宽 0.3 ~ 0.7mm，排列紧密，背部不呈龙骨状，先端急尖，基部楔形，边缘具长睫毛。侧叶多少对称，略上斜，在枝的先端呈覆瓦状排列，长 1 ~ 1.5mm，宽 0.5 ~ 1mm，先端尖或钝，基部上侧不扩大，不覆盖小枝，上侧边缘具长睫毛，下侧基部略呈耳状，基部具长睫毛。孢子叶穗紧密，四棱柱形，单个或成对生小枝末端，长 5.0 ~ 12mm，宽 1.5 ~ 1.8mm；孢子叶一型，卵形，边缘具睫毛，有白边，先端急尖，龙骨状；只有 1 个大孢子叶位于孢子叶穗基部的下侧，其余均为小孢子叶。大孢子白色；小孢子橘红色。

| 生境分布 | 生于灌丛、岩石、土坡上。分布于吉林延边、白山、通化、白城、松原、四平等。

| 资源情况 | 野生资源较少。药材主要来源于野生。

| 采收加工 | 全年均可采收，除去须根及杂质，洗净，晒干。

| 药材性状 | 本品常扭曲缠结成团状，直径 10 ~ 20cm。主茎圆柱形，直径 0.1 ~ 0.3mm，表面灰棕色或黄绿色，较光滑，有多回分枝，分枝处有不定根（根托）。茎下部的叶疏生，贴伏于茎，叶片呈卵状椭圆形，全缘。茎上部叶二型，4 列，展平后中叶（腹叶）长卵形，侧叶（背叶）长圆形或长卵形，叶缘均有膜质白边及长毛（放大镜下）。孢子囊穗四棱柱形，长约 1cm，生枝端。质较硬而脆。气微，味淡或微涩、微甘。

| 功能主治 | 淡、微苦，凉。清热利尿，利湿止泻，清热化痰，止血。用于湿热，小便不利，淋证，黄疸性肝炎，胆囊炎，下肢湿疹，痢疾，咳嗽咳痰，外伤出血，烫火伤。

卷柏科 Selaginellaceae 卷柏属 *Selaginella*

旱生卷柏 *Selaginella stauntoniana* Spring

| 植物别名 | 长生不死草、还魂草、马溜手。

| 药 材 名 | 干蕨鸡（药用部位：全草。别名：金鸡尾）。

| 形态特征 | 石生、旱生草本，直立，高 15 ~ 35cm，具 1 横走的地下根茎，其上生鳞片状红褐色的叶。根托只生于横走茎上，长 0.5 ~ 1.5cm，直径 0.3 ~ 0.5mm，根多分叉，密被毛。主茎上部分枝或自下部开始分枝，不是很规则的羽状分枝，不呈“之”字形，无关节，红色或褐色，不分枝的主茎高 5 ~ 28cm，主茎下部直径 0.8 ~ 2mm，茎卵圆柱状或圆柱状，不具沟槽，具维管束 1；侧枝 3 ~ 5 对，2 ~ 3 回羽状分枝，小枝规则，主茎上相邻分枝相距 1.4 ~ 3.4cm，分枝无毛，背腹压扁，末回分枝连叶宽 1.8 ~ 3.2mm。叶交互排列（除不分枝主茎上的叶外），二型（除不分枝主茎上的叶外），叶质厚，表面光滑，非全缘，不

旱生卷柏

具白边，不分枝主茎上的叶排列紧密，不大于分枝上的叶，一型，棕色或红色，卵状披针形，鞘状，基部盾状，紧贴，边缘撕裂状。分枝上的腋叶略不对称，三角形，长 1 ~ 1.7mm，宽 0.4 ~ 0.9mm，边膜质，撕裂状。中叶不对称，长 1 ~ 1.7mm，宽 0.4 ~ 0.9mm，小枝上的中叶卵状椭圆形，长 0.7 ~ 1.7mm，宽 0.3 ~ 0.6mm，覆瓦状排列，背部不呈龙骨状，先端与轴平行，具芒，基部平截，全缘或近全缘，略反卷。侧叶不对称，主茎上的大于分枝上的（气孔分布于近轴面的下半部分），分枝上的侧叶斜卵形或斜长圆形，略斜升，排列紧密，长 1.4 ~ 2.2mm，宽 0.6 ~ 1.2mm，先端具芒，上侧基部圆形，覆盖茎枝，上侧不为全缘，上侧边缘透明，膜质，具细齿，下侧全缘（仅基部有 1 睫毛）。孢子叶穗紧密，四棱柱形，单生小枝末端，长 5 ~ 20mm，宽 1.3 ~ 2mm；孢子叶一型，卵状三角形，边缘膜质撕裂或撕裂状具睫毛，透明，先端具长尖头到具芒，龙骨状；大孢子叶和小孢子叶在孢子叶穗上相间排列，或大孢子叶分布于中部的下侧，或散布于孢子叶穗的下侧。大孢子橘黄色；小孢子橘黄色或橘红色。

| 生境分布 | 生于海拔 1000m 以上的石灰岩石缝中、向阳岩壁上。分布于吉林延边（汪清、和龙）、白山（抚松、长白）、通化（集安、通化）等。

| 资源情况 | 野生资源较少。药材主要来源于野生。

| 采收加工 | 全年均可采收，除去杂质，晒干。

| 功能主治 | 辛、涩，平。活血散瘀，凉血止血。用于便血，尿血，子宫出血，外伤出血，瘀血肿痛，跌打损伤。

| 用法用量 | 内服煎汤，9 ~ 15g。外用适量，研末敷。

卷柏科 Selaginellaceae 卷柏属 *Selaginella*

卷柏 *Selaginella tamariscina* (P. Beauv.) Spring

| 植物别名 | 万年青、还阳草、还魂草。

| 药 材 名 | 卷柏（药用部位：全草。别名：一把抓、长生草、万年松）。

| 形态特征 | 土生或石生，复苏蕨类，呈垫状。根托只生于茎的基部，长 0.5 ~ 3cm，直径 0.3 ~ 1.8mm，根多分叉，密被毛，和茎及分枝密集形成树状主干，有时高达数十厘米。主茎自中部开始羽状分枝或不等二叉分枝，不呈“之”字形，无关节，禾秆色或棕色，不分枝的主茎高 10 ~ 20（~ 35）cm，茎卵圆柱状，不具沟槽，光滑，维管束 1；侧枝 2 ~ 5 对，2 ~ 3 回羽状分枝，小枝稀疏，规则，分枝无毛，背腹压扁，末回分枝连叶宽 1.4 ~ 3.3mm。叶全部交互排列，二型，叶质厚，表面光滑，非全缘，具白边，主茎上的叶较小枝上的略大，覆瓦状排列，绿色或棕色，边缘有细齿。分枝上的腋叶对称，卵形、卵状三角形

卷柏

或椭圆形，长 0.8 ~ 2.6mm，宽 0.4 ~ 1.3mm，边缘有细齿，黑褐色。中叶不对称，小枝上的中叶椭圆形，长 1.5 ~ 2.5mm，宽 0.3 ~ 0.9mm，覆瓦状排列，背部不呈龙骨状，先端具芒，外展或与轴平行，基部平截，边缘有细齿（基部有短睫毛），不外卷，不内卷。侧叶不对称，小枝上的侧叶卵形至三角形或距圆状卵形，略斜升，相互重叠，长 1.5 ~ 2.5mm，宽 0.5 ~ 1.2mm，先端具芒，基部上侧扩大，加宽，覆盖小枝，基部上侧不为全缘，呈撕裂状或具细齿，下侧近全缘，基部有细齿或具睫毛，反卷。孢子叶穗紧密，四棱柱形，单生小枝末端，长 12 ~ 15mm，宽 1.2 ~ 2.6mm；孢子叶一型，卵状三角形，边缘有细齿，具白边（膜质、透明），先端有尖头或具芒；大孢子叶在孢子叶穗上下两面不规则排列。大孢子浅黄色；小孢子橘黄色。

| 生境分布 | 生于海拔 500m 以上的裸露岩石上，常见于山顶石灰岩。分布于吉林延边、白山、通化、长春、吉林、辽源、白城（洮南）等。

| 资源情况 | 野生资源较少。药材主要来源于野生。

| 采收加工 | 同“垫状卷柏”。

| 药材性状 | 本品卷缩似拳状，长 3 ~ 10cm。枝丛生，扁而有分枝，绿色或棕黄色，向内卷曲，枝上密生鳞片状小叶，叶先端具长芒。中叶（腹叶）2 行，卵状矩圆形，斜向上排列，叶缘膜质，具不整齐的细锯齿；背叶（侧叶）背面的膜质边缘常呈棕黑色。基部残留棕色至棕褐色须根，散生或聚生成短干状。质脆，易折断。气微，味淡。以色绿、叶多、完整不碎者为佳。

| 功能主治 | 同“垫状卷柏”。

| 用法用量 | 同“垫状卷柏”。

| 附　　注 | （1）在《大中华吉林省地理志·物产》（1921 年）记载的本地物产中，已有关于“卷柏”的记载。

（2）卷柏市场购销平稳，价格无大的波动。吉林资源丰富，应进一步加大开发应用力度。

木贼科 Equisetaceae 木贼属 *Equisetum*

问荆 *Equisetum arvense* L.

| 植物别名 | 笔头菜、节节草、节骨草。

| 药 材 名 | 问荆（药用部位：地上部分。别名：空心草、接骨草、笔头草）。

| 形态特征 | 中小型草本。根茎斜升，直立和横走，黑棕色，节和根密生黄棕色长毛或光滑无毛。地上枝当年枯萎，枝二型。能育枝春季先萌发，高 5 ~ 35cm，中部直径 3 ~ 5mm，节间长 2 ~ 6cm，黄棕色，无轮生分枝；脊不明显，有密纵沟；鞘筒栗棕色或淡黄色，长约 0.8cm，鞘齿 9 ~ 12，栗棕色，长 4 ~ 7mm，狭三角形，鞘背仅上部有 1 浅纵沟，孢子散后能育枝枯萎；不育枝后萌发，高达 40cm，主枝中部直径 1.5 ~ 3mm，节间长 2 ~ 3cm，绿色，轮生分枝多，主枝中部以下有分枝；脊的背部弧形，无棱，有横纹，无小瘤；鞘筒狭长，绿色，鞘齿 5 ~ 6，三角形，中间黑棕色，边缘膜质，淡棕色，宿存。

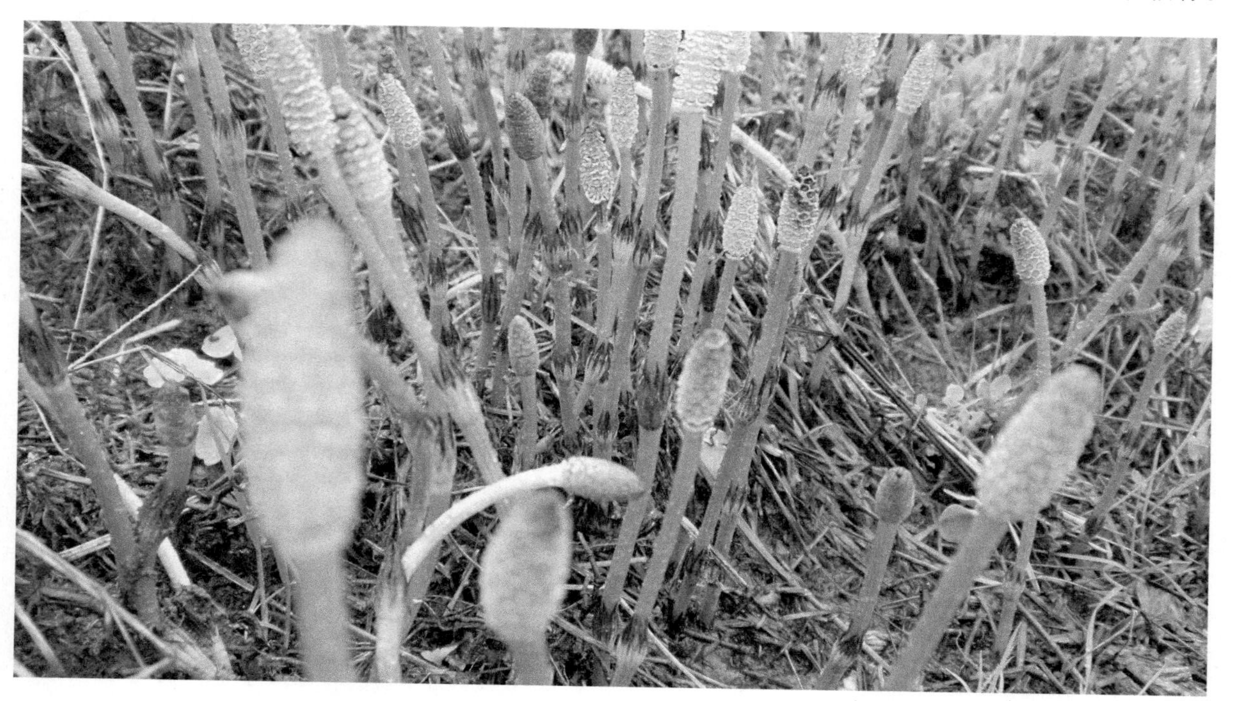

问荆

侧枝柔软纤细，扁平状，有 3 ~ 4 狭而高的脊，脊的背部有横纹；鞘齿 3 ~ 5，披针形，绿色，边缘膜质，宿存。孢子囊穗圆柱形，长 1.8 ~ 4cm，直径 0.9 ~ 1cm，先端钝，成熟时柄伸长，柄长 3 ~ 6cm。

| 生境分布 | 生于林缘、山坡草甸、路边、田间、草地、河边、沟渠旁、耕地、撂荒地等砂质土壤中，常成片生长。吉林各地均有分布。

| 资源情况 | 野生资源丰富。药材主要来源于野生。

| 采收加工 | 夏、秋季采收，靠近基部割取营养茎，除去杂质和泥沙，晒干或鲜用。

| 药材性状 | 本品多呈丛状，长约 30cm，多干缩，或枝节脱落。茎呈略扁圆形或圆形，浅绿色，有细纵沟，节间长，每节有退化的鳞片叶，鞘状，先端齿裂，硬膜质。小枝轮生，梢部渐细，基部有时带有部分根，呈黑褐色。气微，味微苦涩。以干燥、色绿、不带根及杂质者为佳。

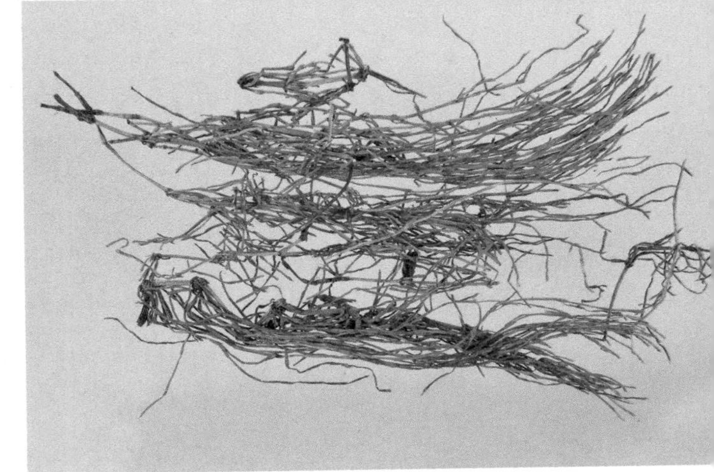

| 功能主治 | 苦，凉。归肺、胃、肝经。清热利尿，平肝明目，止咳平喘，止血。用于小便不利，尿路感染，淋证，咳嗽气喘，鼻衄，肠出血，咯血，痔出血，月经过多，目赤肿痛。

| 用法用量 | 内服煎汤，3 ~ 15g。外用适量，鲜品捣敷；或干品研末调敷。

| 附　　注 | （1）本种的不育枝外形似犬问荆 *Equisetum palustre* L.，但本种的侧枝多而纤细柔软，且较长，有脊 3 ~ 4，背上有横纹。

（2）早春时，本种幼嫩春枝的尖端可作蔬菜炒食。

木贼科 Equisetaceae 木贼属 *Equisetum*

溪木贼 *Equisetum fluviatile* L.

| 植物别名 | 水问荆、骨节草、节节菜。

| 药 材 名 | 溪木贼（药用部位：地上部分。别名：骨节草、水问荆）。

| 形态特征 | 大型草本。根茎横走或直立，栗棕色，空心，节上生栗棕色须根，须根上可被黄棕色长毛。地上枝多年生；枝一型，空心，高 40 ~ 60（~ 70）cm，中部直径 3 ~ 6mm，节间长 3 ~ 5cm，主枝下部 1 ~ 3 节节间红棕色，具光泽，主枝上部禾秆色或灰绿色，无轮生分枝或具远较主枝纤细而短的轮生分枝。主枝有脊 14 ~ 20，脊的背部弧形，平滑而有浅色小横纹；鞘筒狭长，1 ~ 1.2cm，淡棕色；鞘齿 14 ~ 20，披针形，薄革质，黑棕色，背部扁平，无纵沟，宿存。侧枝无或纤细柔软，长 5 ~ 15cm，直径 0.6 ~ 1cm，禾秆色或灰绿色，有脊 5 ~ 7，脊的背部弧形，平滑或有小横纹；鞘齿 4 ~ 6，

溪木贼

薄革质，禾秆色或略为棕色，宿存。孢子囊穗短棒状或椭圆形，长 1.2 ~ 2.5cm，直径 0.6 ~ 1.2cm，先端钝，成熟时柄伸长，柄长 1.2 ~ 2cm。

| 生境分布 | 生于针阔叶混交林、针叶林下阴湿地、沼泽、池塘等处，常聚片生长，一般在岸边或浅水中生长茂密。以长白山区为主要分布区域，分布于吉林延边、白山、通化、吉林、辽源（东丰）等。

| 资源情况 | 野生资源较丰富。药材主要来源于野生。

| 采收加工 | 夏、秋季采割地上部分，以秋季 9 月末前采割最佳，除去杂质，晒干或阴干。

| 功能主治 | 甘、微苦，平。清热利尿，舒筋活血，明目，止血。用于风湿性关节炎，跌打损伤，痔出血，血痢，石淋，崩中，肾结石。

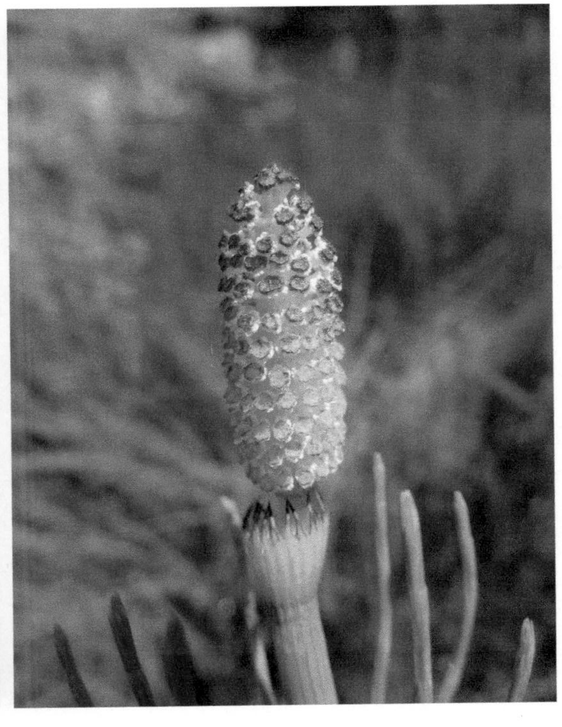

木贼科 Equisetaceae 木贼属 *Equisetum*

木贼 *Equisetum hyemale* L.

| 植物别名 | 锉草、木贼草。

| 药 材 名 | 木贼（药用部位：地上部分。别名：锉草）。

| 形态特征 | 多年生大型草本。根茎横走或直立，黑棕色，节和根被黄棕色长毛。地上枝多年生，枝一型，高达 1m 或更高，中部直径（3 ~ ）5 ~ 9mm，节间长 5 ~ 8cm，绿色，不分枝或直基部有少数直立的侧枝。地上枝有脊 16 ~ 22，脊的背部弧形或近方形，无明显小瘤或有 2 行小瘤；鞘筒 0.7 ~ 1cm，黑棕色或顶部及基部各有 1 圈或仅顶部有 1 圈黑棕色；鞘齿 16 ~ 22，披针形，小，长 0.3 ~ 0.4cm。先端淡棕色，膜质，芒状，早落，下部黑棕色，薄革质，基部的背面有 3 ~ 4 纵棱，宿存或同鞘筒一起早落。孢子囊穗卵状，长 1 ~ 1.5cm，直径 0.5 ~ 0.7cm，先端有小尖突，无柄。

木贼

生境分布 生于天然针阔叶混交林下、林缘、针叶林下，常大面积群落生长，群落优势明显。分布于吉林延边、白山、通化、长春、吉林、辽源等。

资源情况 野生资源丰富。药材主要来源于野生。

采收加工 夏、秋季采割，除去杂质，晒干或阴干。

药材性状 本品呈长管状，不分枝，长 40 ~ 60cm，直径 0.2 ~ 0.7cm。表面灰绿色或黄绿色，有 18 ~ 30 纵棱，棱上有多数细小光亮的疣状突起；节明显，节间长 2.5 ~ 9cm，节上着生筒状鳞叶，叶鞘基部和鞘齿黑棕色，中部淡棕黄色。体轻，质脆，易折断，断面中空，周边有多数圆形的小空腔。气微，味甘、淡、微涩，嚼之有砂粒感。以茎粗长、色绿、质厚、不脱节者为佳。

功能主治 甘、苦，平。归肺、肝经。疏散风热，明目退翳，解肌。用于风热目赤，迎风流泪，目生云翳。

用法用量 内服煎汤，3 ~ 9g；或入丸、散。外用研末撒。

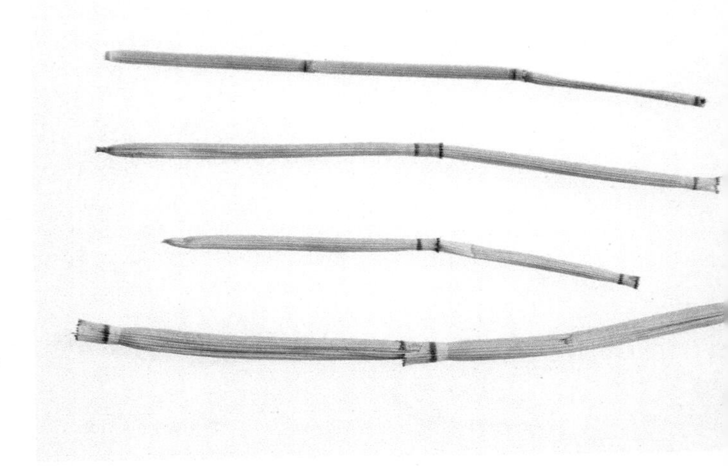

附　　注 （1）在《桦甸县志》（1931 年）的本地物产中，有关于“木贼”的记载。

（2）木贼量大易采，市场价格平稳。吉林野生资源丰富，木贼年产量近 500t，是木贼的主要产区之一，供应全国药材市场。

木贼科 Equisetaceae 木贼属 *Equisetum*

犬问荆 *Equisetum palustre* L.

犬问荆

|药材名|

骨节草（药用部位：全草。别名：笔杆草、笔筒草、节节菜）。

|形态特征|

多年生中小型草本。根茎直立和横走，黑棕色，节和根光滑或被黄棕色长毛。地上枝当年枯萎，枝一型，高 20 ~ 50（~ 60）cm，中部直径 1.5 ~ 2mm，节间长 2 ~ 4cm，绿色，但下部 1 ~ 2 节节间黑棕色，无光泽，常在基部形成丛生状。主枝有脊 4 ~ 7，脊的背部弧形，光滑或有小横纹；鞘筒狭长，下部灰绿色，上部淡棕色；鞘齿 4 ~ 7，黑棕色，披针形，先端渐尖，边缘膜质，鞘背上部有 1 浅纵沟，宿存。侧枝较粗，长达 20cm，圆柱状至扁平状，有脊 4 ~ 6，光滑或有浅色小横纹；鞘齿 4 ~ 6，披针形，薄革质，灰绿色，宿存。孢子囊穗椭圆形或圆柱状，长 0.6 ~ 2.5cm，直径 4 ~ 6mm，先端钝，成熟时柄伸长，柄长 0.8 ~ 1.2cm。

|生境分布|

生于针叶林下阴湿地、针阔叶混交林下湿地、沟旁、路边、沼泽、池塘等处，常成片生长。以长白山区为主要分布区域，分布于吉林延边、白山、通化、吉林、辽源（东丰）等。

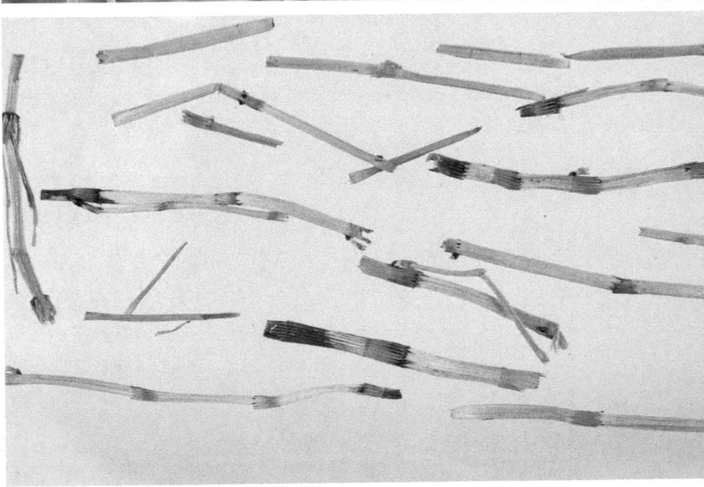

| 资源情况 |

野生资源较丰富。药材主要来源于野生。

| 采收加工 |

夏季采收，拔起全株，洗净，晒干或鲜用。

| 药材性状 |

本品茎常成束，有的带黑褐色细长根茎。茎细弱，长 15 ~ 35cm，具 5 ~ 12 棱脊，每节常有多数轮生的分枝，折断后可见中心孔细小。叶鞘齿三角状卵形，不连接，先端棕褐色，边缘白色，膜质，向尖端延长成白色长刚毛。气微，味淡。

| 功能主治 |

甘、微苦，平。归肝、肺经。清热利尿，舒筋活血，疏风明目，止血。用于淋证，风湿关节痛，跌打损伤，迎风流泪，翳膜遮睛，目翳，肠风，痔出血，吐血，衄血。

| 用法用量 |

内服煎汤，6 ~ 9g，鲜品 15 ~ 30g。

木贼科 Equisetaceae 木贼属 *Equisetum*

草问荆 *Equisetum pratense* Ehrhart

｜药 材 名｜ 草问荆（药用部位：全草。别名：马胡须）。

｜形态特征｜ 多年生中型草本。根茎直立和横走，黑棕色，节和根疏生黄棕色长毛或光滑。地上枝当年枯萎，枝二型，能育枝与不育枝同期萌发。能育枝高 15 ~ 25cm，中部直径 2 ~ 2.5mm，节间长 2 ~ 3cm，禾秆色，最终能形成分枝，有脊 10 ~ 14，脊上光滑；鞘筒灰绿色，长约 0.6cm；鞘齿 10 ~ 14，淡棕色，长 4 ~ 6mm，披针形，膜质，背面有浅纵沟；孢子散后能育枝能存活。不育枝高 30 ~ 60cm，中部直径 2 ~ 2.5mm，节间长 2.2 ~ 2.8cm，禾秆色或灰绿色，轮生分枝多，平展或稍下垂，主枝中部以下无分枝，主枝有脊 14 ~ 22，脊的背部弧形，每脊常有 1 行小瘤；鞘筒狭长，长约 3mm，下部灰绿色，除上部有 1 圈为淡棕色外，其余部分为灰绿色，鞘背有 2 棱；鞘齿

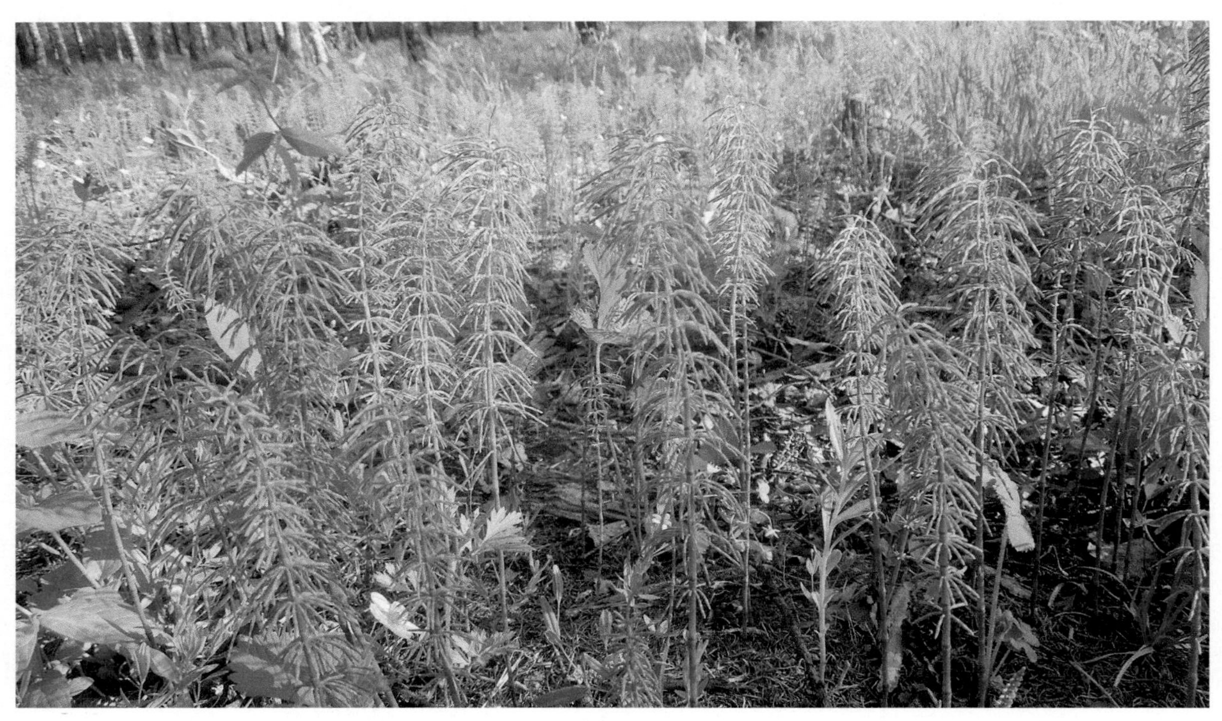

草问荆

14 ~ 22，披针形，膜质，淡棕色但中间 1 线为黑棕色，宿存。侧枝柔软纤细，扁平状，有 3 ~ 4 狭而高的脊，脊的背部光滑；鞘齿不呈开张状。孢子囊穗椭圆柱状，长 1 ~ 2.2cm，直径 3 ~ 7mm，先端钝，成熟时柄伸长，柄长 1.7 ~ 4.5cm。

| 生境分布 | 生于林缘、草地、灌丛、荒地、沟边路旁等处，常成片生长。吉林各地均有分布。

| 资源情况 | 野生资源丰富。药材主要来源于野生。

| 采收加工 | 夏、秋季采挖全草，置通风处，阴干或晒干或鲜用。

| 药材性状 | 本品多干缩，枝常脱落。茎有多数轮生的细长分枝。叶鞘齿分离，长三角形，长约 1.5cm，先端尖，中部棕褐色，边缘白色，膜质。气微，味淡。

| 功能主治 | 苦，平。疏风清热，明目退翳，止血，利尿，驱虫。用于目赤肿痛，眼生翳膜，热淋，小便不利，鼻衄，月经过多，崩漏，动脉粥样硬化。

| 用法用量 | 内服煎汤，5 ~ 10g，鲜品 30 ~ 60g。

木贼科 Equisetaceae 木贼属 *Equisetum*

节节草 *Equisetum ramosissimum* Desf.

| 植物别名 | 笔筒草、土木草、通气。

| 药 材 名 | 节节草（药用部位：地上部分。别名：土木贼、锁眉草、笔杆草）。

| 形态特征 | 多年生中小型草本。根茎直立，横走或斜升，黑棕色，节和根疏生黄棕色长毛或光滑无毛。地上枝多年生，枝一型，高 20 ~ 60cm，中部直径 1 ~ 3mm，节间长 2 ~ 6cm，绿色，主枝多在下部分枝，常形成簇生状；幼枝的轮生分枝明显或不明显；主枝有脊 5 ~ 14，脊的背部弧形，有 1 行小瘤或有浅色小横纹；鞘筒狭长达 1cm，下部灰绿色，上部灰棕色；鞘齿 5 ~ 12，三角形，灰白色、黑棕色或淡棕色，边缘（有时上部）为膜质，基部扁平或弧形，早落或宿存，齿上气孔带明显或不明显；侧枝较硬，圆柱状，有脊 5 ~ 8，脊上平滑或有 1 行小瘤或有浅色小横纹；鞘齿 5 ~ 8，披针形，革质但

节节草

边缘膜质，上部棕色，宿存。孢子囊穗短棒状或椭圆形，长 0.5 ~ 2.5cm，中部直径 0.4 ~ 0.7cm，先端有小尖突，无柄。

| 生境分布 | 生于潮湿路旁、溪边、河边、水田边、湿地、湿沙地上，常成片生长。分布于吉林白城（通榆、镇赉、洮南）、松原（长岭、前郭尔罗斯）等。

| 资源情况 | 野生资源丰富。药材主要来源于野生。

| 采收加工 | 夏、秋季采割地上部分，置通风处，阴干或晒干。

| 药材性状 | 本品茎细管状，长 20 ~ 50cm，直径 1 ~ 3mm，常切制成长 2 ~ 5cm 的小段，节间长 3 ~ 4cm，节上有 2 ~ 5（~ 6）轮生分枝。表面灰绿色，有纵棱脊 6 ~ 20，在放大镜下观察，棱脊上有疣状突起或小横纹交错排列略成 1 行，手摸质薄稍有粗糙感。完整的叶鞘呈管状或漏斗状伸长，一般长为宽的 2 倍，鞘齿狭三角形，棕褐色，先端有较长的膜质尾尖，鞘片背部无浅沟。质脆易折断，断面中空，周围有排列成环状的小空腔。无臭，味甘、淡，嚼之有砂粒感。

| 功能主治 | 甘、微苦，平。归心、肝、胃、膀胱经。清热利尿，祛风除湿，祛痰止咳平喘，明目退翳。用于目赤肿痛，角膜云翳，感冒咳喘，支气管炎，肝炎，水肿，淋证，尿路感染，跌打骨折。

| 用法用量 | 内服煎汤，9 ~ 30g，鲜品 30 ~ 60g。外用适量，捣敷；或研末撒。

木贼科 Equisetaceae 木贼属 *Equisetum*

林木贼 *Equisetum sylvaticum* L.

林木贼

|药 材 名|

林木贼（药用部位：地上部分。别名：林问荆）。

|形态特征|

多年生中大型草本。根茎直立和横走，黑棕色，节和根疏生黄棕色长毛或光滑。地上枝当年枯萎，枝二型，能育枝与不育枝同期萌发。能育枝高 20 ~ 30cm，中部直径 2 ~ 2.5mm，节间长 3 ~ 4cm，红棕色，有时为禾秆色，最终能形成分枝，有脊 10 ~ 14，脊上光滑；鞘筒上部红棕色，下部禾秆色，长 1.1 ~ 1.5cm；鞘齿连成 3 ~ 4 宽裂片，长 0.5 ~ 1.1mm，红棕色，卵状三角形，膜质；背面有浅纵沟；孢子散后能育枝能存活。不育枝高 30 ~ 70cm，中部直径 2.5 ~ 5.5mm，节间长 4.5 ~ 6cm，灰绿色，轮生分枝多，主枝中部以下无分枝，主枝有脊 10 ~ 16，脊的背部方形，两侧常具刚毛状突起；每脊常有 1 行小瘤；鞘筒上部红棕色，下部灰绿色，长约 6mm；鞘齿连成 3 ~ 4 宽裂片，长约 0.6cm，卵状三角形，膜质；红棕色，宿存。侧枝柔软纤细，扁平状，有脊 3 ~ 8，脊的背部有刺突或光滑；鞘齿呈开张状。孢子囊穗圆柱状，长 1.5 ~ 2.5cm，直径 5 ~ 7mm，先端钝，成熟时柄伸长，柄长 3 ~ 4.5cm。

| 生境分布 | 生于林缘、灌木丛、沟旁、路边、林间湿地或草地等处，常成片生长。吉林各地均有分布。

| 资源情况 | 野生资源丰富。药材主要来源于野生。

| 采收加工 | 盛夏或初秋采挖，鲜用或晒干。

| 药材性状 | 本品茎细长，长 20 ~ 30cm，每棱脊有 2 列刺状突起，轮生分枝发达，多为数次分枝。叶鞘齿红褐色，每 2 ~ 3 齿连接成 3 ~ 4 宽齿，呈卵状三角形。气微，味淡。

| 功能主治 | 苦，凉。归心经。止血，收敛，镇痛，利尿。用于尿血，淋证，痛风，风湿痛，癫痫，滑胎，肾炎，膀胱炎。

| 用法用量 | 内服煎汤，3 ~ 10g。外用适量，捣敷；或研末调敷。

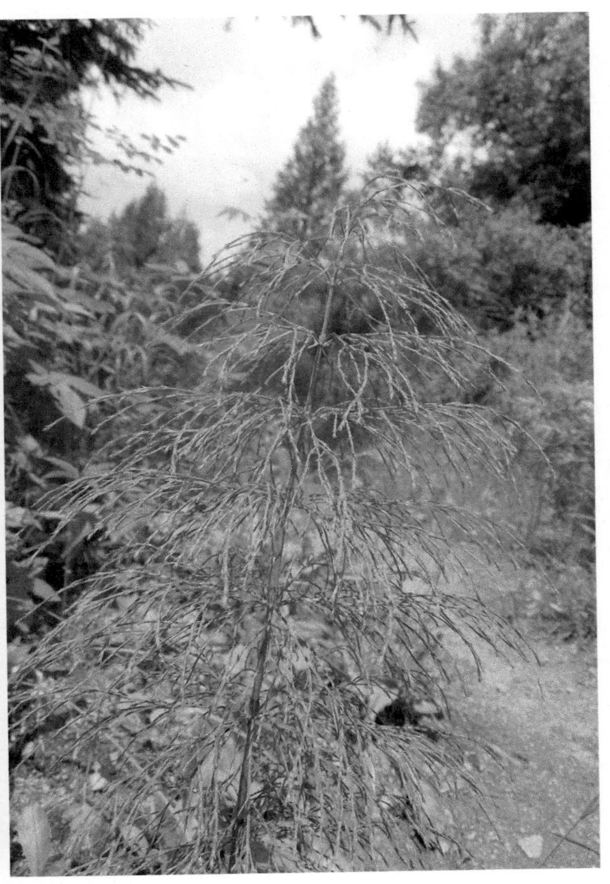

阴地蕨科 Botrychiaceae 阴地蕨属 *Botrychium*

粗壮阴地蕨 *Botrychium robustum* (Rupr.) Underw.

| 药 材 名 | 粗壮阴地蕨（药用部位：全草）。

| 形态特征 | 多年生草本。根茎短而直立，有一簇肉质粗根，各根上部又生出许多小根。总叶柄极短，高 1.5 ~ 2cm；营养叶全长 10 ~ 14cm，柄长 4 ~ 6cm，宽 3 ~ 4mm，无毛或略具少数疏毛，叶片五角形，长约 7cm，宽 7.5 ~ 12cm，短渐尖头，下部 3 回羽状分裂，上部 2 回羽裂，羽片 4 ~ 5 对，张开，各回羽片密接，基部 1 对羽片最大，阔三角形，长 5 ~ 6cm，宽 3.5 ~ 4cm，柄长 1cm，2 回羽状；1 回小羽片 4 ~ 5 对，开展，基部 1 对最长，对生，几相等，长 2.5 ~ 3cm，宽 1 ~ 1.5cm，近钝头，有短柄，基部近心形，羽状分裂，上方各对缩小，长圆状披针形，略为浅羽裂，或为波状；末回小羽片长卵形，长 1 ~ 1.5cm，浅羽裂或不裂，边缘有密生的小圆齿状牙齿。第 2 对羽片较短，长

粗壮阴地蕨

3.5cm，宽 1.5 ~ 2cm，阔披针形，短渐尖头，有短柄，基部心形，下先出，一回羽状。叶轴无毛，或稍有疏毛，叶干后坚草质，黄绿色，表面皱凸。叶脉不见。孢子叶总长 19 ~ 23cm，直立，孢子囊穗长 4 ~ 9cm，宽 4 ~ 5cm，圆锥状，散开，二至三回羽状，无毛。

| 生境分布 | 生于林缘、林间草坡上。以长白山区为主要分布区域，分布于吉林延边、白山、通化、吉林、辽源（东丰）等。

| 资源情况 | 野生资源较少。药材主要来源于野生。

| 采收加工 | 夏、秋季采收，除去杂质，晒干。

| 功能主治 | 甘、苦，凉。清热，平肝，止咳。用于头晕头痛，咯血，惊痫，火眼，目翳，疮疡肿毒。

| 附　　注 | 本种经常与阴地蕨 *Botrychium ternatum* (Thunb.) Sw. 混淆不清，但除叶缘的锯齿不同外，本种形体也比阴地蕨健强，各回羽片密接，叶质也较坚厚。

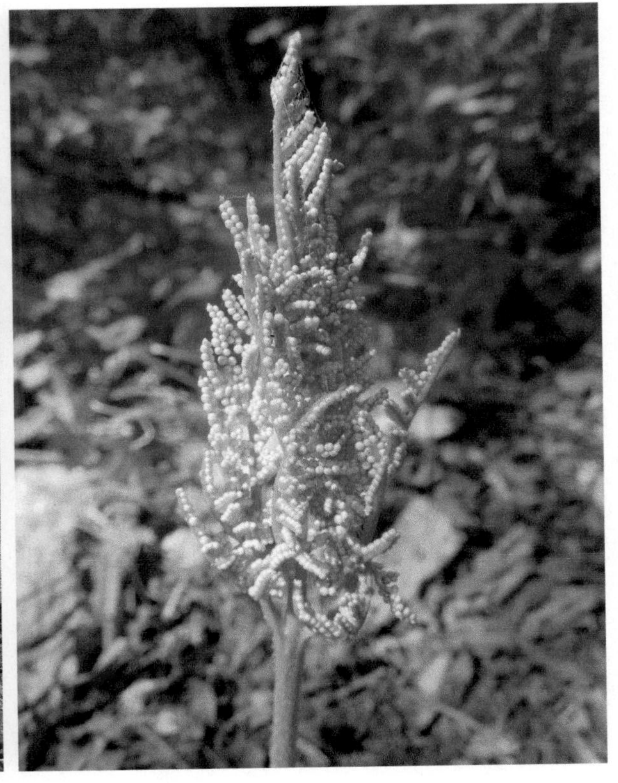

阴地蕨科 Botrychiaceae 阴地蕨属 *Botrychium*

劲直阴地蕨 *Botrychium strictum* Underw.

|植物别名| 穗状假阴地蕨、劲直蕨。

|药 材 名| 抓地虎（药用部位：全草或地上部分。别名：劲直假阴地蕨）。

|形态特征| 多年生草本。根茎短，直立，具粗健肉质的长根。总叶柄长25 ~ 32cm，淡绿色，多汁草质，干后扁平，宽4 ~ 5mm，几光滑无毛，唯向先端分枝处有疏毛。营养叶为广三角形，长约18cm，基部宽25 ~ 30cm，3回羽状深裂或近于三回羽状；侧生羽片7 ~ 9对，对生，斜出，下部3对张开，相离2 ~ 3cm，但各羽片彼此密接，或多少呈覆瓦状，除基部1对外无柄，基部1对最大，水平开展或稍向上，倒卵状椭圆形，短尖头，长13 ~ 16cm，中部最宽，7 ~ 10cm，向基部两侧变狭，柄长约1cm，基部1回小羽片稍下先出或近于对生，2回羽状深裂或近于二回羽状；1回小羽片约12对，斜出，密接，互

劲直阴地蕨

生，或下部的近于对生，基部 1 对最短，几等大，长 1 ～ 1.8cm，无柄，多少合生，卵状长圆形，圆头，向上各对逐渐加长，到第 5 ～ 6 对最长，达 6cm 或稍长，宽约 1.5cm，披针形，短渐尖头，更向上各对又逐渐缩短，基部合生，1 回深羽裂；末回裂片长圆形，长 5 ～ 8mm，宽 5mm，钝头，斜出，接近，在最长的 1 回小羽片上有 10 对，在基部的 3 ～ 4 对，为明显的下先出，基部下方的 1 片与羽轴以宽翅合生，边缘有 5 ～ 7 三角形粗锯齿，每齿有 1 ～ 2 脉；第 2 对羽片起向上逐渐缩短，长 12 ～ 13cm，中部最宽处 6 ～ 7cm，向基部两侧同样地渐变狭，无柄，显明地下先出（即基部下方 1 片小羽片接近叶轴）；叶为薄草质，平滑，干后为绿色。叶脉明显。孢子叶自营养叶的基部生出，长几等于营养叶或较短，柄长 5 ～ 6cm，孢子囊穗长 7 ～ 12cm，宽 1 ～ 2cm，线状披针形，一回羽状，小穗长约 1cm，密集，向上，光滑无毛。

| 生境分布 | 生于林下，常成片生长。分布于吉林通化（通化、辉南）、延边（安图）、吉林（蛟河）等。

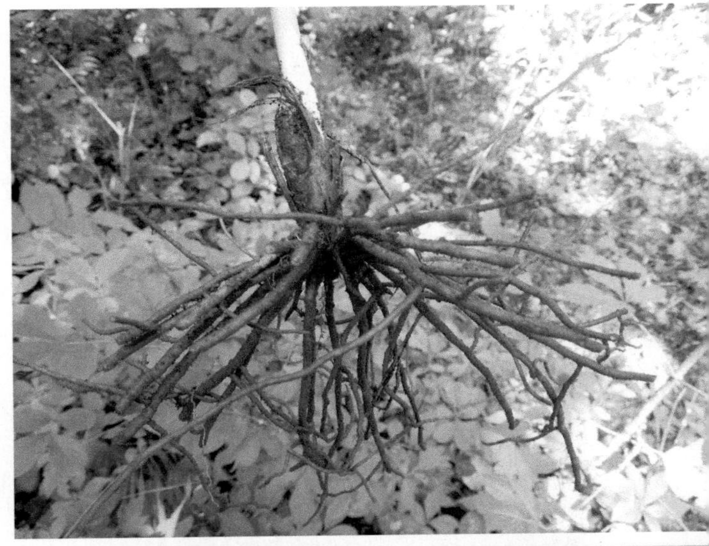

| 资源情况 | 野生资源较丰富。药材主要来源于野生。

| 采收加工 | 夏、秋季采收，除去杂质，晒干。

| 功能主治 | 甘，寒。清热解毒。用于毒蛇咬伤。

| 用法用量 | 内服煎汤，6 ～ 9g。外用适量，捣敷。

瓶尔小草科 Ophioglossaceae 瓶尔小草属 *Ophioglossum*

狭叶瓶尔小草 *Ophioglossum thermale* Kom.

植物别名 温泉瓶尔小草、一支箭。

药 材 名 一支箭（药用部位：全草。别名：青藤、蛇咬子）。

形态特征 多年生草本。根茎细短，直立，有 1 簇细长不分枝的肉质根，向四面横走如匍匐茎，在先端发生新植物。叶单生或 2 ~ 3 叶自根部生出，总叶柄长 3 ~ 6cm，纤细，绿色或下部埋于土中，呈灰白色；营养叶为单叶，每梗 1 片，无柄，长 2 ~ 5cm，宽 3 ~ 10mm，倒披针形或长圆状倒披针形，向基部为狭楔形，全缘，先端微尖或稍钝，草质，淡绿色，具不明显的网状脉，但在光下则明晰可见。孢子叶自营养叶的基部生出，柄长 5 ~ 7cm，高出营养叶，孢子囊穗长 2 ~ 3cm，狭线形，先端尖，由 15 ~ 28 对孢子囊组成。孢子灰白色，近于平滑。

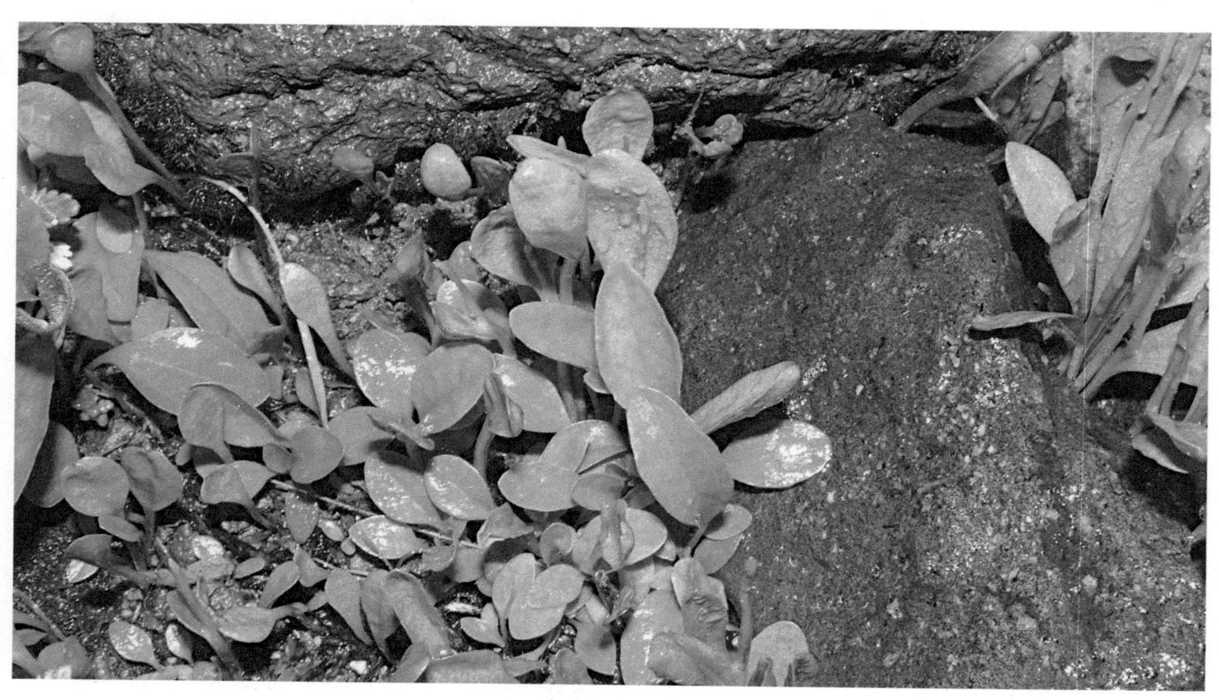

狭叶瓶尔小草

| 生境分布 | 生于山地草坡、温泉附近。分布于吉林白山（抚松、靖宇、长白）等。

| 资源情况 | 野生资源较少。药材主要来源于野生。

| 采收加工 | 夏、秋季采收，除去杂质，晒干。

| 药材性状 | 本品呈卷缩状。根茎短。根多数，肉质，具纵沟，深棕色。叶通常 1，营养叶从总柄基部以上 6 ~ 9cm 处生出，皱缩，展开后呈卵状长圆形或狭卵形，长 3 ~ 6cm，宽 2 ~ 3cm，先端钝或稍急尖，基部楔形下延，微肉质，淡褐黄色，叶脉网状。孢子叶线形，自总柄先端生出。孢子囊穗长 2 ~ 3.5cm，先端尖，孢子囊排成 2 列，无柄。质地柔韧，不易折断。气微，味淡。

| 功能主治 | 微甘、酸，凉。归肺、胃经。清热解毒，消肿止痛。用于毒蛇咬伤，疔疮肿毒，乳痈，跌打损伤，小儿肺炎，脘腹胀痛；外用于急性结膜炎，角膜云翳，眼睑缘炎。

| 用法用量 | 内服煎汤，10 ~ 15g；或研末，每次 3g。外用适量，鲜品捣敷。

| 附　　注 | 本种为吉林省Ⅱ级重点保护野生植物。

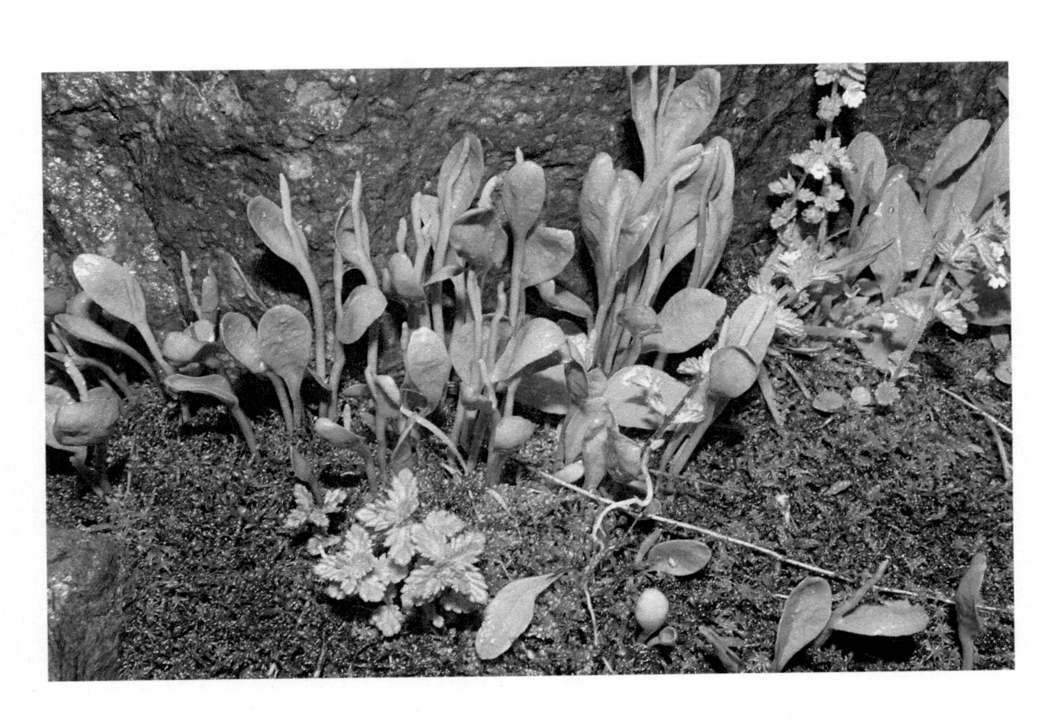

紫萁科 Osmundaceae 紫萁属 *Osmunda*

分株紫萁 *Osmunda cinnamomea* L. var. *asiatica* Fernald

| 植物别名 | 桂皮紫萁、牛毛广、微菜。

| 药 材 名 | 桂皮紫萁（药用部位：根茎。别名：牛毛广、紫萁）。

| 形态特征 | 多年生草本。根茎短粗，直立，或呈粗肥圆柱状的主轴，先端有叶丛簇生。叶二型；不育叶的柄长 30 ~ 40cm，坚强，干后为淡棕色；叶片长 40 ~ 60cm，宽 18 ~ 24cm，长圆形或狭长圆形，渐尖头，2 回羽状深裂；羽片 20 对或更多，下部的对生，平展，上部的互生，向上斜，相距约 2.5cm，披针形，渐尖头，长 8 ~ 10cm，宽 1.8 ~ 2.4cm，基部截形，无柄，羽状深裂几达羽轴；裂片约 15 对，长圆形，圆头，长约 1cm，宽约 5mm，开展，密接，全缘；中脉明显，侧脉羽状，斜向上，每脉二叉分歧，纤细，两面可见，但并不很明显；叶为薄纸质，干后为黄绿色，幼时密被灰棕色绒毛，成长后变为光滑。孢

分株紫萁

子叶比营养叶短而瘦弱，遍体密被灰棕色绒毛，叶片强度紧缩，羽片长 2 ~ 3cm，裂片缩成线形，背面满布暗棕色的孢子囊。

| 生境分布 | 生于沼泽地带、针阔叶混交林下、林缘湿地，成群丛生。以长白山区为主要分布区域，分布于吉林延边、白山、通化、吉林、辽源（东丰）等。

| 资源情况 | 野生资源较丰富。药材主要来源于野生。

| 采收加工 | 秋季茎叶枯萎时采挖，除去泥土及须根，干燥。

| 药材性状 | 本品呈圆锥状或三角圆锥状，稍弯曲；长 10 ~ 20cm，直径 2 ~ 8cm；表面棕褐色，密被斜生的叶柄残基及须根，无鳞片。叶柄残基呈扁圆柱形，边缘钝圆；质硬，折断面呈新月形或扁圆形。叶柄基部生出弯曲的须根。气微弱而特异，味淡、微涩。

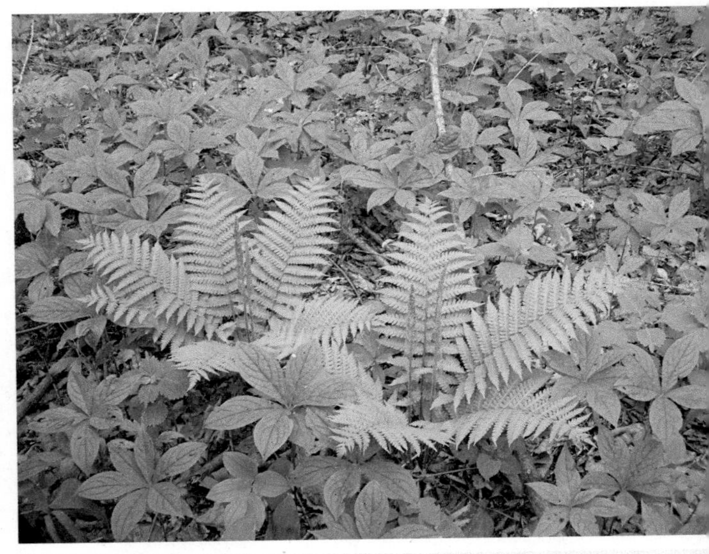

| 功能主治 | 苦，微寒。归肝经。清热解毒，利尿止痛，止血杀虫。用于痢疾，衄血，便血，鼻出血，崩漏，外伤出血，腮腺炎，感冒，寄生虫病。

| 用法用量 | 内服煎汤，10 ~ 30g；或炒炭研末，每次 3g，每日 2 ~ 3 次。外用适量，研末调涂。

| 附　　注 | （1）本变种与产于美洲东部温带地区的原种 *Osmunda cinnamomea* L. 的区别在于叶质地不为膜质、透明，而为厚纸质，叶上毛茸不为灰白棕色，而为暗红棕色。

（2）本种为吉林省Ⅲ级重点保护野生植物。

紫萁科 Osmundaceae 紫萁属 *Osmunda*

绒紫萁 *Osmunda claytoniana* L. var. *pilosa* (Wall.) Ching

| 植物别名 | 绒蕨、棕毛绒紫萁。

| 药 材 名 | 绒紫萁（药用部位：根茎）。

| 形态特征 | 多年生草本。根茎短粗或为圆柱状的主轴高出地面，先端叶丛簇生。叶一型，柄长 1.5 ~ 20cm，红棕色或棕禾秆色；叶片长圆形，长 30 ~ 40cm，宽 15 ~ 24cm，急尖头，幼时通体被淡棕色绒毛，成长后逐渐脱落，或部分残留叶轴上，2 回羽状深裂；羽片 18 ~ 25 对，对生或近对生，相距 2 ~ 3cm，平展或上部的略斜向上，无柄，长 8 ~ 12cm，宽 2 ~ 3cm，披针形，急尖头，基部近截形，向顶部的羽片逐渐缩短，羽状深裂几达羽轴；裂片彼此接近，14 ~ 18 对，长圆形，圆头，长 1 ~ 1.5cm，宽 4 ~ 6mm，全缘。叶脉纤细，分歧，或基部上方 1 脉再次分歧，小脉达于叶缘，两面明显，但不甚隆起。

绒紫萁

叶草质，干后为黄绿色，叶轴上多少有淡红色的绒毛。基部1～2对营养羽片以上的羽片能育，能育羽片2～3对，大大缩短，暗棕色，被淡红色绒毛。

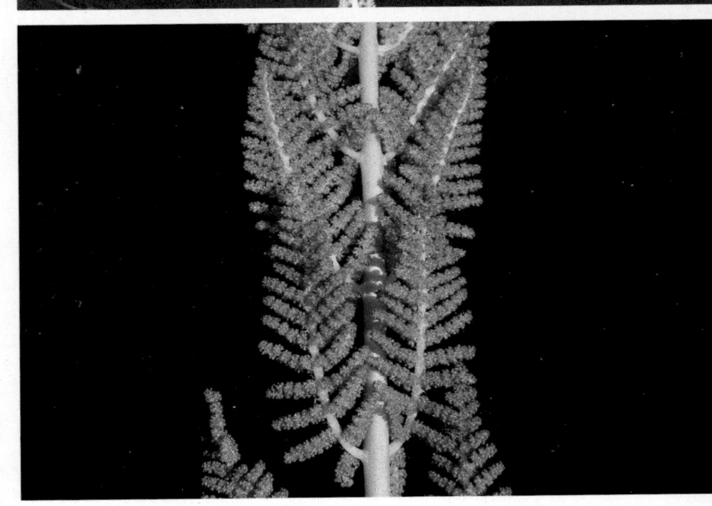

| 生境分布 |

生于草甸、沼泽等地，成群丛生。分布于吉林延边、白山、通化等。

| 资源情况 |

野生资源较少。药材主要来源于野生。

| 采收加工 |

秋季茎叶枯萎时采挖，除去泥土及须根，干燥。

| 功能主治 |

苦，平。舒筋，活血，止痛。用于筋骨疼痛。

| 附　　注 |

本变种与产于北美洲的原种 *Osmunda claytoniana* L. 的区别在于其嫩叶密被暗红棕色的绒毛。

碗蕨科 Dennstaedtiaceae 碗蕨属 *Dennstaedtia*

溪洞碗蕨 *Dennstaedtia wilfordii* (Moore) Christ

溪洞碗蕨

| 植物别名 |

万能解毒蕨。

| 药 材 名 |

溪洞碗蕨（药用部位：全草）。

| 形态特征 |

多年生草本。根茎细长，横走，黑色，疏被棕色节状长毛。叶 2 列疏生或近生；柄长约 14cm，直径 1.5mm，基部栗黑色，被与根茎同样的长毛，向上为红棕色，或淡禾秆色，无毛，光滑，有光泽。叶片长约 27cm，宽 6 ~ 8cm，长圆状披针形，先端渐尖或尾头，2 ~ 3 回羽状深裂；羽片 12 ~ 14 对，长 2 ~ 6cm，宽 1 ~ 2.5cm，卵状阔披针形或披针形，先端渐尖或尾头，羽柄长 3 ~ 5mm，互生，相距 2 ~ 3cm，斜向上，1 ~ 2 回羽状深裂；1 回小羽片长 1 ~ 1.5cm，宽不足 1cm，长圆状卵形，上先出，基部楔形，下延，斜向上，羽状深裂或为粗锯齿状；末回羽片先端为 2 ~ 3 叉的短尖头，全缘。中脉不明显，侧脉纤细明显，羽状分叉，每小裂片有小脉 1，不达叶缘，先端有明显的纺锤形水囊。叶薄草质，干后淡绿或草绿色，通体光滑无毛；叶轴上面有沟，下面圆形，禾秆色。孢子囊群圆形，生于末回羽片的腋中或上侧小裂片先端；囊群盖半盅形，淡绿色，口边多少为啮蚀状，无毛。

| 生境分布 | 生于海拔 100 ~ 900m 的山地阴处石缝、水沟旁或阔叶林下。分布于吉林延边、白山、通化等。

| 资源情况 | 野生资源稀少。药材主要来源于野生。

| 采收加工 | 夏、秋季采收，除去杂质，晒干。

| 功能主治 | 清热解毒，活血疗伤。用于跌打损伤。

| 附　　注 | 本种与细毛碗蕨 *Dennstaedtia pillosella* (Hook.) Ching 近似，区别在于叶质较薄，全株无毛，叶柄为红棕色而有光泽，孢子有疣状突起。以上区别点是本种在碗蕨属中的一些特点。

蕨科 Pteridiaceae 蕨属 *Pteridium*

蕨 *Pteridium aquilinum* (L.) Kuhn var. *latiusculum* (Desv.) Underw. ex Heller

| 植物别名 | 蕨菜、如意菜、拳头菜。

| 药 材 名 | 蕨根（药用部位：根茎）、蕨（药用部位：嫩叶。别名：猴腿、蕨儿菜、猫爪子）。

| 形态特征 | 多年生草本，植株高可达 1m。根茎长而横走，密被锈黄色柔毛，以后逐渐脱落。叶远生；柄长 20 ~ 80cm，基部直径 3 ~ 6mm，褐棕色或棕禾秆色，略有光泽，光滑，上面有浅纵沟 1；叶片阔三角形或长圆状三角形，长 30 ~ 60cm，宽 20 ~ 45cm，先端渐尖，基部圆楔形，三回羽状；羽片 4 ~ 6 对，对生或近对生，斜展，基部 1 对最大（向上几对略变小），三角形，长 15 ~ 25cm，宽 14 ~ 18cm，柄长 3 ~ 5cm，二回羽状；小羽片约 10 对，互生，斜展，披针形，长 6 ~ 10cm，宽 1.5 ~ 2.5cm，先端尾状渐尖（尾尖头的基部略呈楔形收缩），基部近平截，具短柄，一回羽状；裂片

蕨

10 ~ 15 对，平展，彼此接近，长圆形，长约 14mm，宽约 5mm，钝头或近圆头，基部不与小羽轴合生，分离，全缘；中部以上的羽片逐渐变为一回羽状，长圆状披针形，基部较宽，对称，先端尾状，小羽片与下部羽片的裂片同形，部分小羽片的下部具 1 ~ 3 对浅裂片或边缘具波状圆齿。叶脉稠密，仅下面明显。叶干后近革质或革质，暗绿色，上面无毛，下面在裂片主脉上多少被棕色或灰白色的疏毛或近无毛。叶轴及羽轴均光滑，小羽轴上面光滑，下面被疏毛，少有密毛，各回羽轴上面均有深纵沟 1，沟内无毛。

| 生境分布 | 生于山地阳坡、森林边缘阳光充足的地方。以长白山区为主要分布区域，分布于吉林延边、白山、通化、吉林、辽源（东丰）等。

| 资源情况 | 野生资源较丰富。药材主要来源于野生。

| 采收加工 | 蕨根：秋季采收根茎，除去杂质，晒干。
蕨：采收嫩叶，晒干。

| 药材性状 | 蕨根：本品细长，具少量须根，略弯曲，长 10 ~ 20cm，直径 0.5 ~ 1.5cm。表面呈黑色，有分枝。质硬，易折断，折断面呈不规则形或扁圆形，可见维管束。气微，味淡。

| 功能主治 | 蕨根：甘，寒。清热解毒，祛风利湿。用于黄疸，带下，泻痢腹痛，湿疹，高血压，毒蛇咬伤。
蕨：甘，寒。归肝、胃、脾、大肠经。清热化痰，滑肠通便，降气止呃。用于消化不良，食膈，气膈，肠风热毒，大便干燥，湿疹，痰饮，小便不利灼热疼痛。

| 用法用量 | 蕨根：内服煎汤，9 ~ 15g。外用适量，捣敷；或研末撒。
蕨：内服煎汤，9 ~ 15g；或研末。

| 附　　注 | （1）本种为吉林省Ⅲ级重点保护野生植物。
（2）蕨为长白山区重要的食用植物，根茎提取的淀粉被称为蕨粉，供食用；根茎的纤维可制绳缆，耐水湿；嫩叶可食，被称为蕨菜。

中国蕨科 Sinopteridaceae 粉背蕨属 *Aleuritopteris*

银粉背蕨 *Aleuritopteris argentea* (Gmel.) Fee

| 植物别名 | 痛经草、铁刷子、铁杆草。

| 药 材 名 | 通经草（药用部位：全草。别名：金丝草、铜丝草、金牛草）。

| 形态特征 | 多年生草本，植株高 15 ~ 30cm。根茎直立或斜升（偶有沿石缝横走）先端被披针形、棕色、有光泽的鳞片。叶簇生；叶柄长 10 ~ 20cm，直径约 7mm，红棕色，有光泽，上部光滑，基部疏被棕色披针形鳞片；叶片五角形，长、宽几相等，5 ~ 7cm，先端渐尖，羽片 3 ~ 5 对，基部 3 回羽裂，中部 2 回羽裂，上部 1 回羽裂；基部 1 对羽片直角三角形，长 3 ~ 5cm，宽 2 ~ 4cm，水平开展或斜向上，基部上侧与叶轴合生，下侧不下延，小羽片 3 ~ 4 对，以圆缺刻分开，基部以狭翅相连，基部下侧 1 片最大，长 2 ~ 2.5cm，宽 0.5 ~ 1cm，长圆状披针形，先端长渐尖，有裂片 3 ~ 4 对；裂片三角形或镰形，

银粉背蕨

基部 1 对较短，羽轴上侧小羽片较短，不分裂，长约 1cm；第 2 对羽片为不整齐的 1 回羽裂，披针形，基部下延成楔形，往往与基部 1 对羽片汇合，先端长渐尖，有不整齐的裂片 3 ~ 4 对；裂片三角形或镰形，以圆缺刻分开；自第 2 对羽片向上渐次缩短。叶干后草质或薄革质，上面褐色、光滑，叶脉不显，下面被乳白色或淡黄色粉末，裂片边缘有明显而均匀的细牙齿。孢子囊群较多，囊群盖连续，狭，膜质，黄绿色，全缘；孢子极面观为钝三角形，周壁表面具颗粒状纹饰。

| 生境分布 | 生于石灰岩石缝或墙缝中。以长白山区为主要分布区域，分布于吉林延边、白山、通化、吉林、辽源（东丰）等。

| 资源情况 | 野生资源较少。药材主要来源于野生。

| 采收加工 | 秋季采收，晒干。

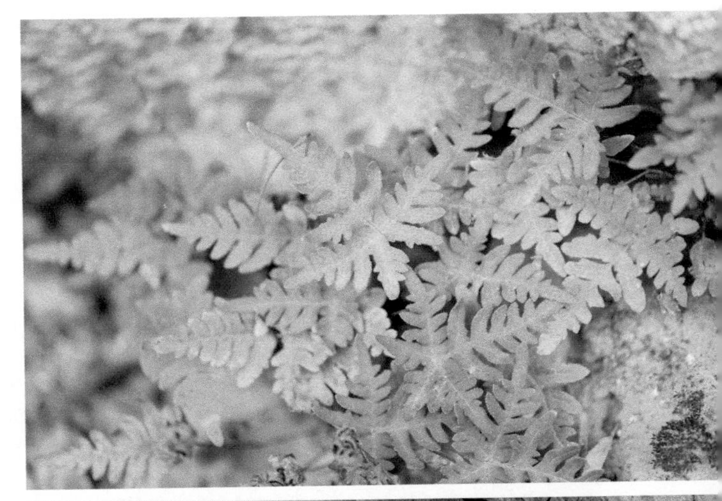

| 药材性状 | 本品根茎短小，密被红棕色鳞片。叶数枚簇生；叶柄细长，长 10 ~ 20cm，栗棕色，有光泽；叶片卷缩，展开后呈近五角形，长、宽均 5 ~ 7cm，掌状羽裂，细裂片宽窄不一，叶上表面绿色，下表面被银白色或淡黄色粉粒。孢子囊群集生于叶缘，呈条形。质脆，易折断。气微，味淡。

| 功能主治 | 辛、甘，平。归肺、肝经。补虚止咳，调经活血，消肿解毒。用于月经不调，赤白带下，闭经止痛，肝炎，肺痨咳嗽，咯血吐血，跌打损伤。

| 用法用量 | 内服煎汤，9 ~ 15g。外用适量，煎汤熏洗；或捣敷。

中国蕨科 Sinopteridaceae 薄鳞蕨属 *Leptolepidium*

华北薄鳞蕨 *Leptolepidium kuhnii* (Milde) Hsing et S. K. Wu

｜植物别名｜ 薄鳞蕨。

｜药 材 名｜ 小蕨萁（药用部位：全草。别名：小蕨鸡、白粉蕨）。

｜形态特征｜ 多年生草本，植株高 20 ~ 40cm。根茎直立，先端密被鳞片；鳞片阔披针形，红棕色，边缘具锯齿。叶簇生，柄长 10 ~ 15cm，粗壮，栗红色，基部疏具淡棕色、阔披针形鳞片；叶片长圆状披针形，长 17 ~ 25cm，宽 5.5 ~ 8.5cm，先端渐尖，下部 3 回羽状深裂；羽片 10 ~ 12 对，近对生，无柄或有极短的柄，彼此以无翅叶轴远分开，基部 1 对羽片卵状三角形，先端短渐尖，长 2.5 ~ 4cm，2 回羽状深裂，顶部为羽状深裂；小羽片 4 ~ 5 对，彼此多少以狭翅相连，卵状长圆形，先端渐尖，长 1 ~ 1.5cm，宽 5 ~ 7mm，羽状深裂；裂片 4 ~ 5 对，彼此以狭缺刻分开，长约 3mm，宽 2mm，先端钝，全缘；第 2

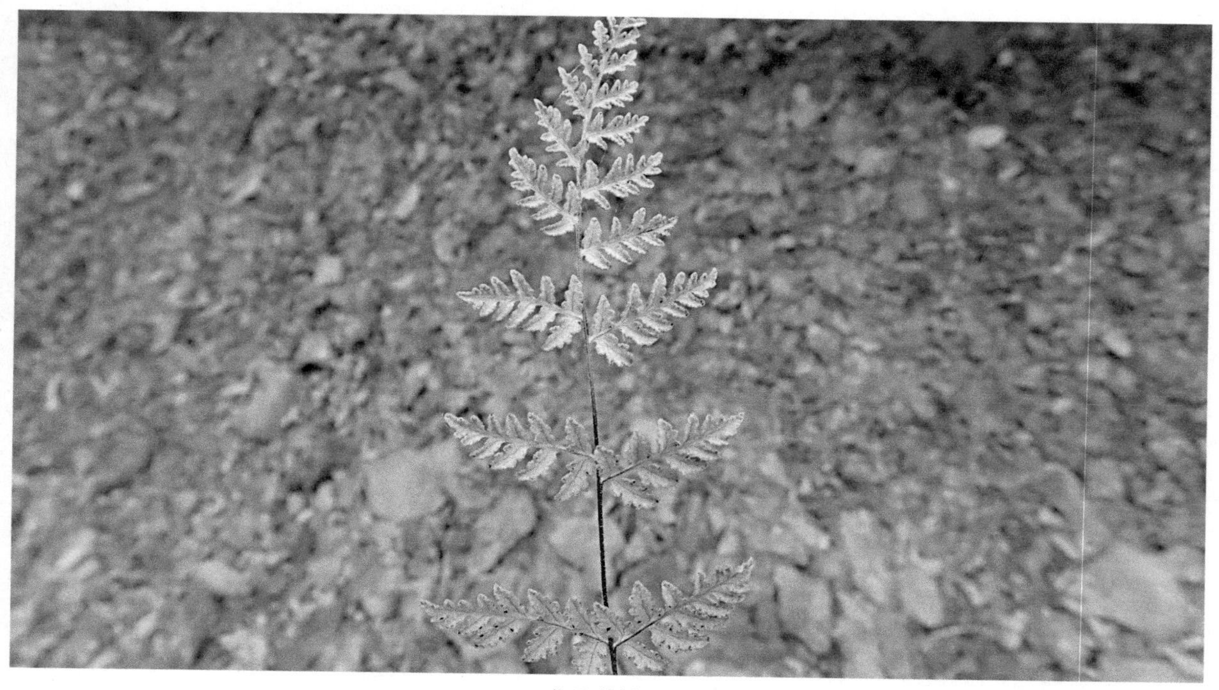

华北薄鳞蕨

对羽片通常较基部 1 对为大；叶干后草质，暗绿色或褐色，两面不被鳞片及毛，下面疏被灰白色粉末，叶脉羽状，两面不显。孢子囊群圆形，成熟时汇合成线形；囊群盖草质，幼时褐绿色，老时褐色，连续，边缘波状。

| 生境分布 | 生于海拔 2000 ~ 3500m 的高山栎林下或路边土坝上。以长白山区为主要分布区域，分布于吉林延边、白山、通化、吉林、辽源（东丰）等。

| 资源情况 | 野生资源一般。药材主要来源于野生。

| 采收加工 | 夏、秋季采收，洗净，鲜用或晒干。

| 功能主治 | 苦，寒。润肺止咳，清热凉血。用于咯血，外伤出血。

| 用法用量 | 内服煎汤，15 ~ 30g。外用适量，研末敷。

铁线蕨科 Adiantaceae 铁线蕨属 *Adiantum*

掌叶铁线蕨 *Adiantum pedatum* L. Sp.

| **植物别名** | 铁线草、铁丝七、铜丝草。

| **药 材 名** | 铁丝七（药用部位：全草。别名：铁扇、铁丝草、猪宗七）。

| **形态特征** | 多年生草本，植株高 40 ~ 60cm。根茎直立或横卧，被褐棕色阔披针形鳞片。叶簇生或近生；柄长 20 ~ 40cm，栗色或棕色，基部直径可达 3.5mm，被和根茎相同的鳞片，向上光滑，有光泽；叶片阔扇形，长可达 30cm，宽可达 40cm，从叶柄的顶部二叉成左右 2 个弯弓形的分枝，再从每个分枝的上侧生出 4 ~ 6 一回羽状的线状披针形羽片，各回羽片相距 1 ~ 2cm，中央羽片最长，可达 28cm，侧生羽片向外略缩短，宽 2.5 ~ 3.5cm，奇数一回羽状；小羽片 20 ~ 30 对，互生，斜展，具短柄（长 1 ~ 2.5cm），相距 5 ~ 10mm，彼此接近，中部对开式的小羽片较大，长可达 2cm，宽约 6mm，长三角形，先端圆钝，基部为不对称的楔形，内缘及下缘直而全缘，

掌叶铁线蕨

先端波状或具钝齿，上缘深裂达 1/2；裂片方形，彼此密接，全缘而中央凹陷或具波状圆齿；基部小羽片略小，扇形或半圆形，有较长的柄；顶部小羽片与中部小羽片同形而渐变小；顶生小羽片扇形，中部深裂，两侧浅裂，与其下的侧生羽片同大或稍大；各侧生羽片上的小羽片与中央羽片上的同形；叶脉多回二歧分叉，直达边缘，两面均明显；叶干后草质，草绿色，下面带灰白色，两面均无毛；叶轴、各回羽轴和小羽片均为栗红色，有光泽，光滑。孢子囊群每小羽片 4 ~ 6，横生于裂片先端的浅缺刻内；囊群盖长圆形或肾形，淡灰绿色或褐色，膜质，全缘，宿存。孢子具明显的细颗粒状纹饰，处理后常保存。

| 生境分布 | 生于林下、沟旁、密林下、溪沟边、阴湿山坡。以长白山区为主要分布区域，分布于吉林延边、白山、通化、吉林、辽源（东丰）等。

| 资源情况 | 野生资源较少。药材主要来源于野生。

| 采收加工 | 夏、秋季采收，除去杂质，阴干或鲜用。

| 药材性状 | 本品根茎被褐棕色阔披针形鳞片。叶簇生或近生。叶柄掌状分枝，光滑无毛，具光泽，黑紫色；叶片易碎，无主脉，黄色，有褐色斑点。气微，味甘、微涩、苦。

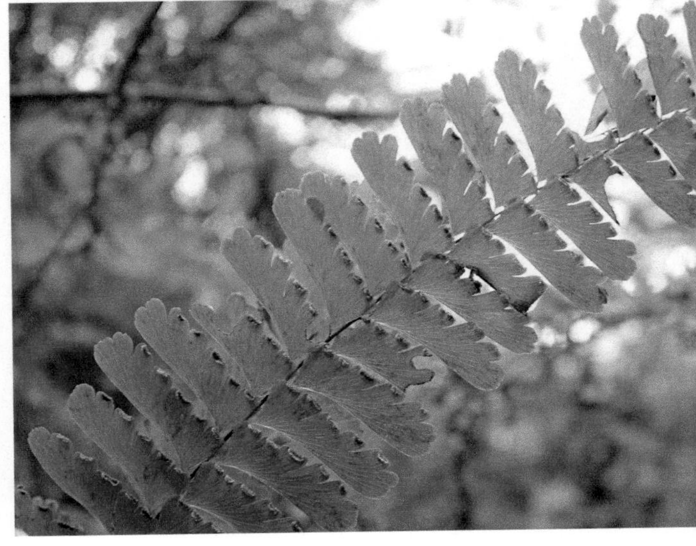

| 功能主治 | 苦、微涩，平。归肺、肝、膀胱经。除湿利水，调经止痛，清热解毒。用于肾炎水肿，尿路感染，血尿，黄疸性肝炎，痢疾，风湿骨痛，月经不调，崩漏，带下异常，牙痛，痈肿，烫火伤，毒蛇咬伤。

| 用法用量 | 内服煎汤，15 ~ 30g，鲜品可用至 60g。外用适量，研末调敷。

裸子蕨科 Hemionitidaceae 凤丫蕨属 *Coniogramme*

尖齿凤丫蕨 *Coniogramme affinis* Hieron.

| **植物别名** | 马助巴、马力胯。

| **药 材 名** | 尖齿凤丫蕨（药用部位：根茎）。

| **形态特征** | 多年生草本，植株高 60 ~ 100cm。叶柄长 30 ~ 70cm，直径 3 ~ 7mm，禾秆色或有时下面褐棕色，基部疏被鳞片；叶片长 25 ~ 50cm，宽 15 ~ 40cm，长卵形或卵状长圆形，二回羽状或基部三回羽状（少为一回羽状）；羽片 5 ~ 8 对，基部 1 对长 20 ~ 35cm，宽 12 ~ 20cm，卵圆形或长卵形，柄长 2 ~ 3cm，羽状（或二回羽状，有末回小羽片 1 ~ 2 对）；侧生小羽片 3 ~ 6 对，长 8 ~ 15cm，宽 1.5 ~ 2.8cm，披针形，长渐尖头，基部为略不对称的圆楔形或近截形，有短柄或近无柄；顶生小羽片较大，基部有时叉裂；第 2 对羽片羽状或三出；上部的羽片单一，向上逐渐变短，长 10 ~ 17cm，

尖齿凤丫蕨

宽 2 ~ 3cm，披针形或阔披针形；羽片边缘有不甚均匀的、向前伸的尖细锯齿，齿缘为软骨质。侧脉先端的水囊略加厚，伸达锯齿的下侧边，并多少与之靠合。叶干后草质，褐绿色，两面无毛。孢子囊群沿侧脉的 2/3 分布。

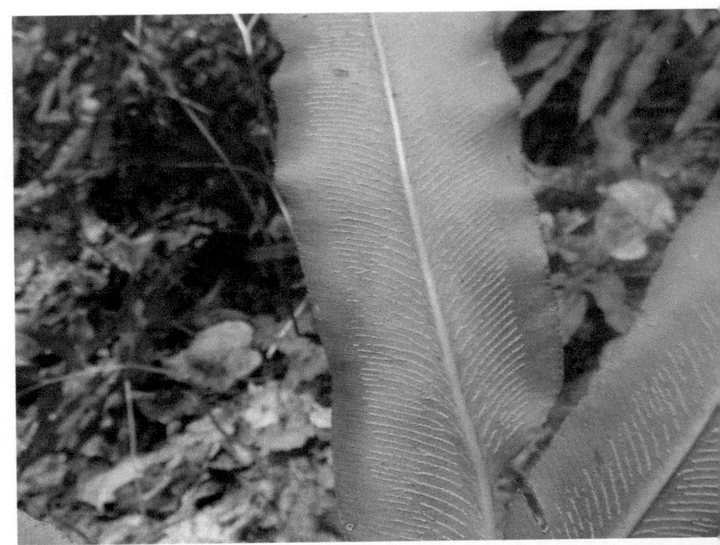

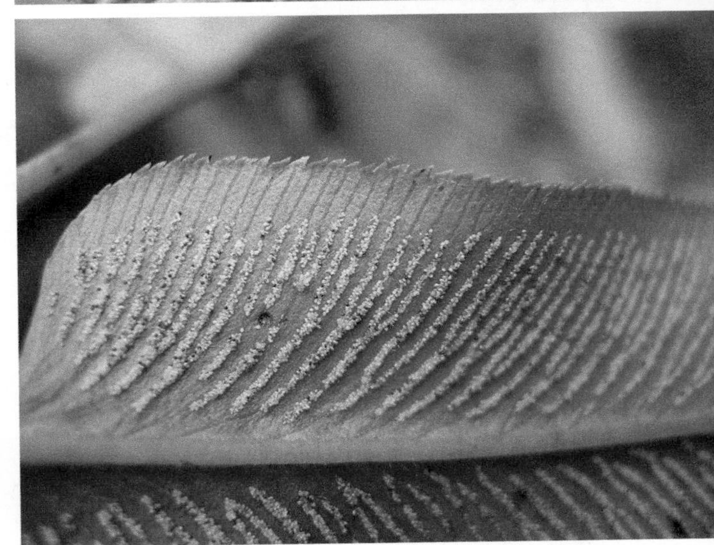

| 生境分布 |

生于原始林下。分布于吉林白山（抚松、临江）、通化、延边（安图）等。

| 资源情况 |

野生资源较少。药材主要来源于野生。

| 采收加工 |

秋季采挖，除去杂质，晒干。

| 功能主治 |

苦，寒。清热解毒，凉血，强筋壮骨。用于筋骨痿弱，肩疼，狂犬咬伤。

蹄盖蕨科 Athyriaceae 蹄盖蕨属 *Athyrium*

东北蹄盖蕨 *Athyrium brevifrons* Nakai ex Kitagawa

| 植物别名 | 猴腿蹄盖蕨、猴腿儿、猴子腿。

| 药 材 名 | 短叶蹄盖蕨（药用部位：根茎。别名：猴腿蹄盖蕨、多齿蹄盖蕨）。

| 形态特征 | 多年生草本。根茎短，直立或斜升，先端和叶柄基部密被深褐色披针形的大鳞片。叶簇生；能育叶长 35 ~ 120cm；叶柄长 15 ~ 55cm，基部直径 2.5 ~ 4（~ 6）mm，黑褐色，向上禾秆色或带淡紫红色，近光滑，略带浅褐色小鳞片；叶片卵形至卵状披针形，长 20 ~ 65cm，中部宽 20 ~ 35cm，先端渐尖，基部圆截形，几不变狭，二回羽状；羽片 15 ~ 18 对，基部 1 ~ 2 对对生，向上的互生，斜展，近无柄或有极短柄（长约 2mm），基部 1 ~ 2 对羽片不缩短或略缩短，长 10 ~ 20cm，中部羽片披针形至线状披针形，长 12 ~ 20cm，宽 3 ~ 6cm，先端长渐尖，基部近对称，截形或下侧圆楔形，一回羽状；

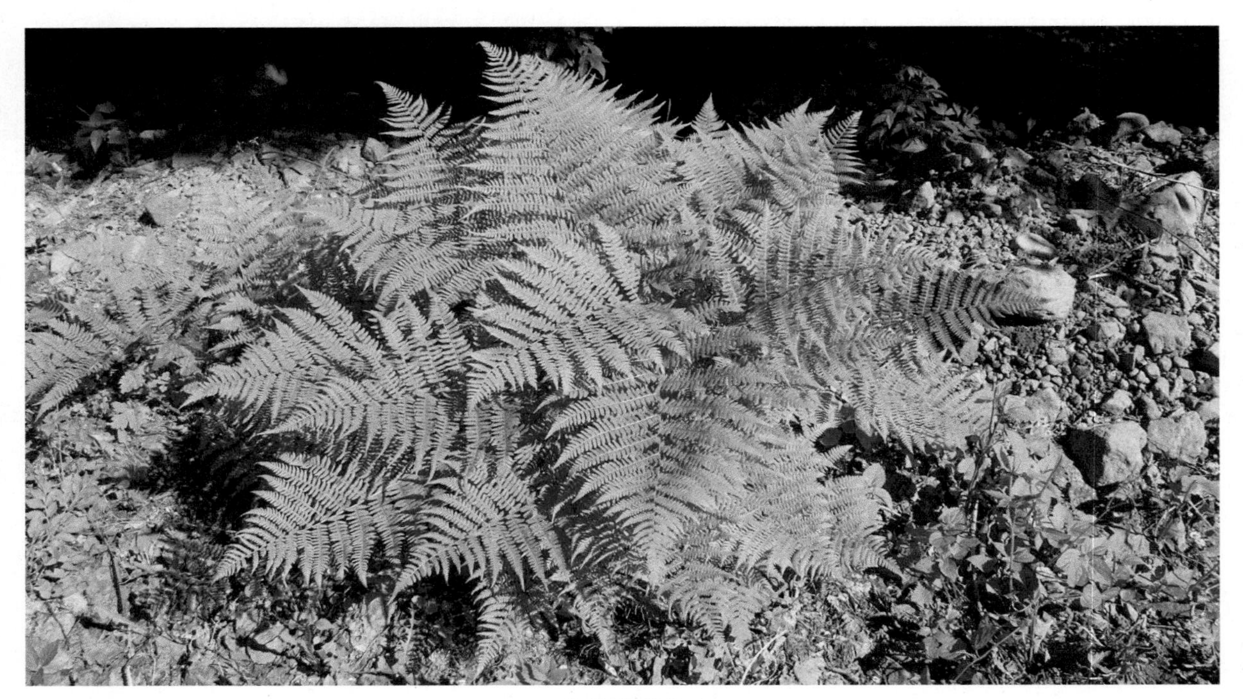

东北蹄盖蕨

小羽片 18 ~ 28 对，基部的近对生，阔披针形，向上的互生，近平展，几无柄，披针形至镰状披针形，长 1.5 ~ 3cm，基部宽 5 ~ 9mm，渐尖头或尖头，并有短尖锯齿，基部近对称，上侧略凸起，下侧阔楔形，略与羽轴合生，并下延，两侧边缘羽裂至 1/2 ~ 2/3；裂片 10 ~ 15 对，近三角形或长方形，斜向上，披针形，向上部变狭，边缘和先端均有长而尖的锯齿或短钝齿；叶脉上面不显，下面可见，在裂片上为羽状，侧脉 2 ~ 4 对，斜向上，单一；叶干后坚草质，褐绿色，两面无毛；叶轴和羽轴下面淡褐禾秆色或带淡紫红色，疏被浅褐色、卷缩的棘头状短腺毛。孢子囊群长圆形、弯钩形或马蹄形，生于基部上侧小脉，每裂片 1，在基部较大裂片上往往有 2 ~ 3 对；囊群盖同形，浅褐色，膜质，边缘啮蚀状，宿存。孢子周壁表面无折皱，有颗粒状纹饰。

| 生境分布 | 生于针阔叶混交林下或阔叶林下。以长白山区为主要分布区域，分布于吉林延边、白山、通化、吉林、辽源（东丰）等。

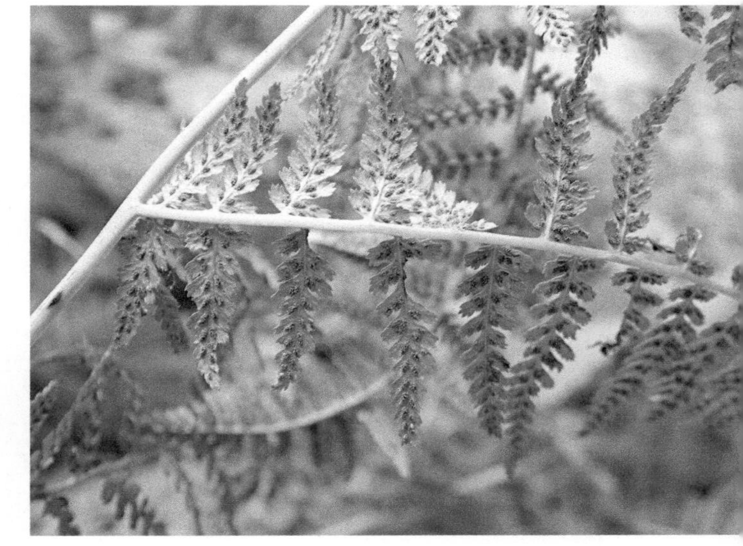

| 资源情况 | 野生资源丰富。药材主要来源于野生。

| 采收加工 | 夏、秋季采收，洗净，除去须根，晒干。

| 药材性状 | 本品呈短柱状，略弯曲，长 5 ~ 12cm。表面黑色或黑褐色，先端有茎痕。须根多，较短，易碎。质地较硬。气微，味苦。

| 功能主治 | 涩，凉。归大肠、肝经。清热解毒，驱虫，止血。用于流行性乙型脑炎，流行性感冒，痢疾，寄生虫病，子宫出血，外伤出血。

| 用法用量 | 内服煎汤，15 ~ 30g。外用适量，研末敷。

蹄盖蕨科 Athyriaceae 蹄盖蕨属 *Athyrium*

日本蹄盖蕨 *Athyrium niponicum* (Mett.) Hance

| **植物别名** | 贯众、猴腿儿。

| **药 材 名** | 日本蹄盖蕨（药用部位：根茎。别名：华东蹄盖蕨）。

| **形态特征** | 多年生草本。根茎横卧，斜升，先端和叶柄基部密被浅褐色狭披针形的鳞片。叶簇生；能育叶长（25 ～）30 ～ 75（～ 120）cm；叶柄长 10 ～ 35（～ 50）cm，基部直径（1.5 ～）2 ～ 3（～ 5）mm，黑褐色，向上禾秆色，疏被较小的鳞片；叶片卵状长圆形，长（15 ～）23 ～ 30（～ 70）cm，中部宽（11 ～）15 ～ 25（～ 50）cm，先端急狭缩，基部阔圆形，中部以上二回羽状至三回羽状；急狭缩处以下有羽片 5 ～ 7（～ 14）对，互生，斜展，有柄，长 3 ～ 15mm，略向上弯弓，基部 1 对略长，较大，长圆状披针形，长（5 ～）7 ～ 15（～ 25）cm，中部宽（2 ～）2.5 ～ 6（～ 12）cm，先端突然收缩，

日本蹄盖蕨

长渐尖，略呈尾状，基部阔楔形或圆形，中部羽片披针形，一回羽状至二回羽状；小羽片（8 ~ ）12 ~ 15 对，互生，斜展或平展，有短柄或几无柄，常为阔披针形或长圆状披针形，也有披针形，中部的长 1 ~ 4（ ~ 6）cm，基部宽 1 ~ 2cm，渐尖头，基部不对称，上侧近截形，呈耳状凸起，与羽轴并行，下侧楔形，两侧有粗锯齿或羽裂几达小羽轴两侧的阔翅；裂片 8 ~ 10 对，披针形、长圆形或线状披针形，尖头，边缘有向内紧靠的尖锯齿；叶脉下面明显，在裂片上为羽状，侧脉 4 ~ 5 对，斜向上，单一；叶干后草质或薄纸质，灰绿色或黄绿色，两面无毛；叶轴和羽轴下面带淡紫红色，略被浅褐色线形小鳞片。孢子囊群长圆形、弯钩形或马蹄形，末回裂片 4 ~ 12 对；囊群盖同形，褐色，膜质，边缘略呈啮蚀状，宿存或部分脱落。孢子周壁表面有明显的条状折皱。

| 生境分布 | 生于杂木林下、溪边、阴湿山坡、灌丛或草坡上。分布于吉林吉林（桦甸）、白山（抚松、长白、临江）、通化（辉南、集安、通化）等。

| 资源情况 | 野生资源较少。药材主要来源于野生。

| 采收加工 | 秋季地上部分枯萎时采挖，除去叶柄、须根，洗净泥土，晒干。

| 功能主治 | 清热解毒，消肿止血。用于痈毒疖肿，痢疾，衄血，蛔虫病。

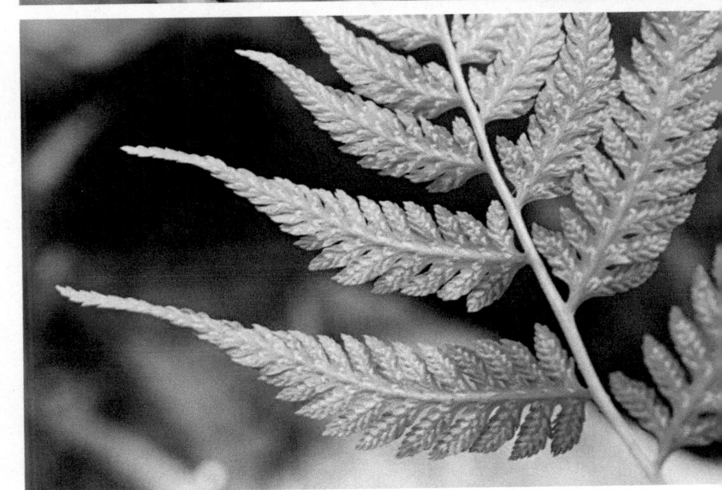

蹄盖蕨科 Athyriaceae 蹄盖蕨属 *Athyrium*

中华蹄盖蕨 *Athyrium sinense* Rupr.

| 药 材 名 | 中华蹄盖蕨（药用部位：根茎）。

| 形态特征 | 多年生草本。根茎短，直立，先端和叶柄基部密被深褐色卵状披针形或披针形的鳞片。叶簇生；能育叶长 35 ~ 92cm；叶柄长 10 ~ 26cm，基部直径 1.5 ~ 2mm，黑褐色，向上禾秆色，略被小鳞片；叶片长圆状披针形，长 25 ~ 65cm，宽 15 ~ 25cm，先端短渐尖，基部略变狭，二回羽状；羽片约 15 对，基部的近对生，向上的互生，斜展，无柄，基部 2 ~ 3 对略缩短，基部 1 对长圆状披针形，长 7 ~ 12cm，宽约 2.5cm，先端长渐尖，基部对称，截形或近圆形，一回羽状；小羽片约 18 对，基部 1 对狭三角状长圆形，长 8 ~ 10mm，宽 3 ~ 4mm，钝尖头，并有短尖齿，基部不对称，上侧截形，下侧阔楔形，并下延在羽轴上成狭翅，两侧边缘浅羽裂；裂片 4 ~ 5 对，

中华蹄盖蕨

近圆形，边缘有数个短锯齿；叶脉两面明显，在小羽片上为羽状，侧脉约 7 对，下部的三叉或羽状，上部的二叉或单一；叶干后草质，浅褐绿色，两面无毛；叶轴和羽轴下面禾秆色，疏被小鳞片和卷曲的、棘头状短腺毛。孢子囊群多为长圆形，少有弯钩形或马蹄形，生于基部上侧小脉，每小羽片 6 ~ 7 对；在主脉两侧各排成 1 行；囊群盖同形，浅褐色，膜质，边缘啮蚀状，宿存。孢子周壁表面无折皱。

| 生境分布 | 生于山地林下。以长白山区为主要分布区域，分布于吉林延边、白山、通化、吉林、辽源（东丰）等。

| 资源情况 | 野生资源较少。药材主要来源于野生。

| 采收加工 | 夏、秋季采收，除去须根，洗净，晒干。

| 功能主治 | 微苦，凉。归肺、大肠经。清热解毒，杀虫。用于流行性感冒，流行性乙型脑炎，钩虫病，蛔虫病。

| 用法用量 | 内服煎汤，10 ~ 15g。

| 附　　注 | 本种形态极似蹄盖蕨 *Athyrium filix-femina* (L.) Roth，但叶片基部仅 2 ~ 3 对羽片缩短，可以以此区别。

蹄盖蕨科 Athyriaceae 蹄盖蕨属 *Athyrium*

禾秆蹄盖蕨 *Athyrium yokoscense* (Franch. et Sav.) Christ

| 药 材 名 | 禾秆蹄盖蕨（药用部位：根茎。别名：尖裂蹄盖蕨）。

| 形态特征 | 多年生草本。根茎短粗，直立，先端密被黄褐色狭披针形的鳞片。叶簇生；能育叶长（30 ~ ）40 ~ 60cm；叶柄长（10 ~ ）12 ~ 20（ ~ 25）cm，直径约 2.5mm，基部深褐色，密被与根茎上同样的鳞片，向上禾秆色，几光滑；叶片长圆状披针形，长 18 ~ 45cm，宽（8 ~ ）11 ~ 15cm，渐尖头，基部不变狭，一回羽状，羽片深羽裂至二回羽状，小羽片浅羽裂；羽片 12 ~ 18 对，下部的近对生，向上的互生，平展或稍斜展，无柄，披针形，中部的长（3.5 ~ ）7 ~ 9cm，宽（1.2 ~ ）1.5 ~ 2cm，先端长渐尖，基部上侧截形，下侧楔形，一回羽状；小羽片约 12 对，长圆状披针形，长达 1cm，宽约 5mm，尖头，基部上侧有耳状突起，下侧下延，通常以狭翅与羽轴相连，两侧浅

禾秆蹄盖蕨

羽裂或仅有粗锯齿，裂片顶部有 2 ~ 3 短尖锯齿；叶脉下面明显，在小羽片上为羽状，侧脉分叉；叶轴和羽轴下面禾秆色，略被浅褐色披针形的小鳞片，上面沿沟两侧边上有贴伏的短硬刺。孢子囊群近圆形或椭圆形，生于主脉与叶缘中间；囊群盖椭圆形、弯钩形或马蹄形，浅褐色，膜质，全缘，宿存。孢子周壁表面有明显的折皱。

| 生境分布 | 生于山区林下、岩石缝中、草甸、沟旁。以长白山区为主要分布区域，分布于吉林延边、白山、通化、吉林、辽源（东丰）等。

| 资源情况 | 野生资源较少。药材主要来源于野生。

| 采收加工 | 秋季采挖，除去杂质，晒干。

| 功能主治 | 微苦，凉。驱虫，止血，解毒。用于蛔虫病，外伤出血。

| 用法用量 | 内服煎汤，10 ~ 15g。外用适量，研末调敷。

蹄盖蕨科 Athyriaceae 冷蕨属 *Cystopteris*

冷蕨 *Cystopteris fragilis* (L.) Bernh.

| **药 材 名** | 冷蕨（药用部位：全草）。

| **形态特征** | 多年生草本。根茎短横走或稍伸长，带有残留的叶柄基部，先端和叶柄基部被鳞片，鳞片浅褐色、阔披针形。叶近生或簇生；能育叶长（3.5 ～）20 ～ 35（～ 49）cm；叶柄一般短于叶片，长为叶片的 1/3 ～ 2/3，当生长在石缝时，叶柄有时纤细，稍长于叶片，长 5 ～ 14（～ 20）cm，直径（0.2 ～）1 ～ 1.5mm，基部褐色，向上禾秆色或带栗色，鳞片稀疏，略有光泽；叶片披针形至阔披针形，长 17 ～ 28cm，宽（0.8 ～）4 ～ 5（～ 8）cm，短渐尖头，通常 2 回羽裂至二回羽状，小羽片羽裂，偶有一或三回羽状；羽片 12 ～ 15 对，中下部的近对生，几无柄，斜展，下部 1 ～ 2 对稍缩短，或几不缩短，卵形至卵状披针形，长（0.4 ～）2 ～ 4（～ 7）cm，宽（0.2 ～）

冷蕨

1 ~ 2.5cm，先端钝尖或短渐尖，并有齿，基部上侧与叶轴并行，下侧多少斜切，近对生，彼此距离较大，一般为羽片宽度的 1 ~ 2 倍，1.5 ~ 4.5cm；一回小羽片 5 ~ 7 对，卵形或长圆形，先端圆或钝尖，并有锯齿，基部上侧平截，下侧楔形，无柄或有短柄，全缘或有锯齿，或羽状分裂；中部羽片与基部羽片同形，略长，相距 1.2 ~ 2.5cm，近对生或互生；顶部羽片羽状深裂，仅先端与上缘有粗尖锯齿；叶脉羽状分叉，主脉稍曲折，小脉伸达锯齿先端；叶干后草质，绿色或黄绿色；叶轴及羽轴特别是下部羽片着生处多少具稀疏的单细胞至多细胞长节状毛，甚或有少数鳞毛。孢子囊群小，圆形，背生于每小脉中部，每 1 小羽片 2 ~ 4 对，向先端的小羽片上侧有 1 ~ 2；囊群盖卵形至披针形，膜质，灰绿色或稍带浅褐色。孢子深褐色，周壁表面有均匀、较密的刺状突起。

| 生境分布 | 生于高山灌丛下、阴坡石缝中、岩石脚下或沟边湿地。以长白山区为主要分布区域，分布于吉林延边、白山、通化、吉林、辽源（东丰）等。

| 资源情况 | 野生资源较丰富。药材主要来源于野生。

| 采收加工 | 夏、秋季采收，洗净，晒干。

| 功能主治 | 消肿。用于痈毒疖肿。

蹄盖蕨科 Athyriaceae 冷蕨属 *Cystopteris*

欧洲冷蕨 *Cystopteris sudetica* A. Br. et Milde

| 药 材 名 | 欧洲冷蕨（药用部位：全草。别名：山冷蕨）。

| 形态特征 | 多年生草本。根茎细长横走，直径 1 ~ 2mm，连同叶柄基部被褐色短柔毛及少数灰褐色卵状披针形的膜质鳞片，顶部鳞片较多。叶远生；能育叶长（15 ~ ）20 ~ 30cm；叶柄长 10 ~ 16（ ~ 20）cm，纤细，禾秆色，略有光泽；叶片阔卵形或卵状三角形，长 9 ~ 15（ ~ 20）cm，宽 8 ~ 12（ ~ 15）cm，渐尖头，三回羽状；羽片 8 ~ 12 对，斜展，基部 1 对不缩短，长圆形或卵状披针形，长（3 ~ ）4.5 ~ 7（ ~ 8）cm，中部宽 1.8 ~ 3cm，先端渐尖，基部稍狭，不对称，有长 2 ~ 3mm 的短柄，近对生，距第 2 对羽片（1 ~ ）1.5 ~ 2.5（ ~ 3）cm，二回羽状；一回小羽片 8 ~ 12 对，上先出，上侧的较下侧的略短或近等大，下侧第 2 片最大，卵形或卵状三角形，长

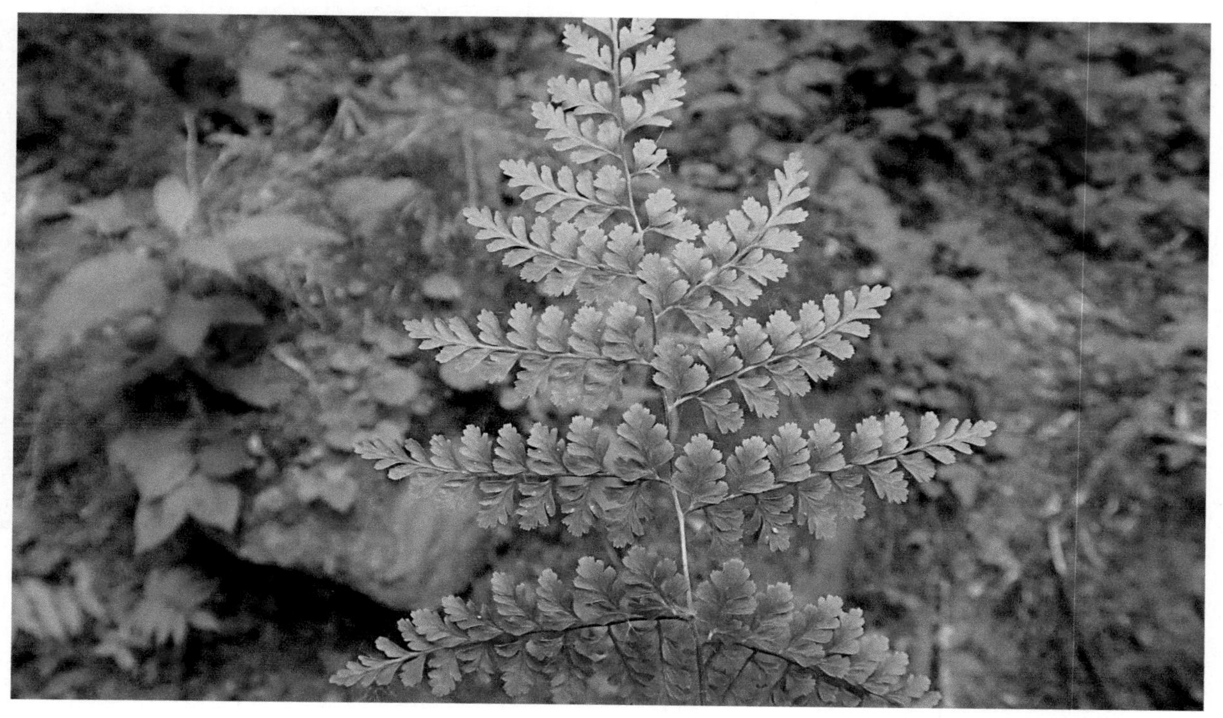

欧洲冷蕨

1 ~ 2cm，宽 5 ~ 8mm，钝头或急尖头，有尖齿，基部偏斜，上侧与羽轴并行，下侧楔形，几无柄或有 1 ~ 2mm 短柄，互生，羽状；二回小羽片或裂片 4 ~ 5 对，卵圆形至长圆形，基部上侧 1 片最大，长 5 ~ 6mm，宽 3 ~ 4mm，先端圆钝或近平截并有尖锯齿，基部阔楔形，分离或与小羽轴以狭翅相连，边缘锐裂或呈锯齿状；其余的小羽片向上渐小，倒长圆状卵形，先端圆而有尖齿，下侧全缘，上侧有 1 ~ 2 浅裂片；第 2 对羽片与基部 1 对同形，略狭，近对生，距第 1 对羽片 1 ~ 1.6（~ 2）cm；顶部羽片披针形，羽裂，裂片向先端有尖锯齿，向基部为全缘；叶脉两面可见，小脉单一至 1 ~ 2 回分叉，伸达锯齿间的缺刻或齿端凹处；叶干后薄草质或草质，绿色；叶轴及羽轴偶有稀疏或较多短腺毛及少数多细胞节状长毛。孢子囊群小，近圆形，在末回羽片或裂片上有 1 ~ 2，常着生于上侧小脉背上，在羽片基部上侧的较大末回小羽片上数目稍多，在主脉两侧着生；囊群盖近圆形或半杯形，灰褐色或褐黄色，背上有细微头状腺体疏生。孢子周壁表面具长短稍不均的刺状突起。

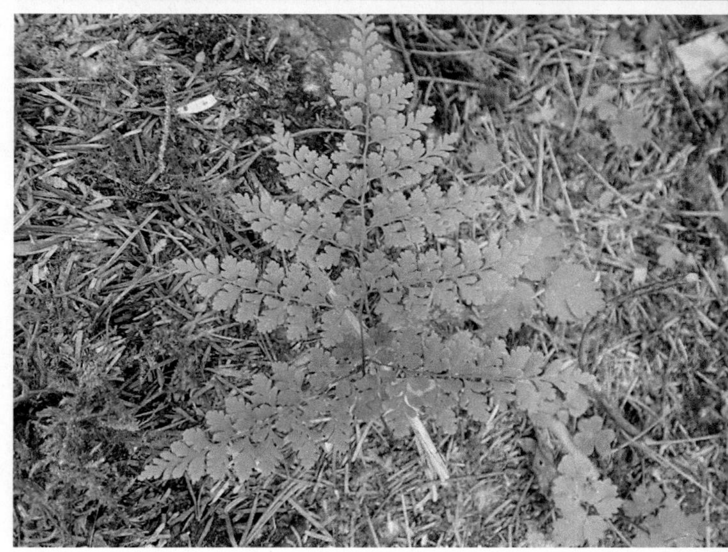

| 生境分布 | 生于针叶林或针阔叶混交林下。分布于吉林白山（长白）、延边（延吉、安图）等。

| 资源情况 | 野生资源较少。药材主要来源于野生。

| 采收加工 | 夏、秋季采收，洗净，晒干。

| 功能主治 | 消肿。用于痈毒疖肿。

蹄盖蕨科 Athyriaceae 介蕨属 *Dryoathyrium*

朝鲜介蕨 *Dryoathyrium coreanum* (Christ) Tagawa

朝鲜介蕨

| 植物别名 |

朝鲜峨眉蕨。

| 药 材 名 |

朝鲜介蕨（药用部位：全草）。

| 形态特征 |

多年生草本。根茎短，横卧、斜升或近直立，先端连同叶柄基部被浅褐色披针形的膜质鳞片。叶近生；能育叶长 60 ~ 80（~ 95）cm；叶柄长 30 ~ 40（~ 47）cm，直径 3（~ 4）mm，基部膨大，深褐色，向上禾秆色，鳞片渐疏；叶片比叶柄稍长或几等长，长圆状卵形，中部宽 18 ~ 25cm，顶部羽裂渐尖，一回羽状，羽片深羽裂至全裂；羽片 12 ~ 15（~ 18）对，下部的近对生，略有短柄或几无柄，斜向上，基部 1 ~ 2 对羽片稍缩短，向基部明显变狭，各对羽片相距 4 ~ 6cm，中部羽片披针形，长 10 ~ 15cm，宽（1.5 ~）3cm，先端长渐尖，基部近截形（上侧几与羽轴并行，下侧稍斜出），羽状深裂或几达全裂；裂片 15（~ 20）对，下部 2 ~ 3 对羽片的基部 1 对较短，中部裂片长圆形，长（0.8 ~）1 ~ 1.2（~ 2）cm，宽（4 ~）5mm，先端钝尖或钝圆，基部和羽轴上的狭翅相连，边缘有粗钝齿，互相以明显的间隔分开。叶脉两面明显，在裂片上为羽状，侧脉 6 ~ 8 对，二至三叉。叶干后草质，淡绿色，沿叶轴及羽轴下面有褐色节状长毛疏生，上面的毛较短较稀。孢子囊群多为狭长圆形或新月形，有时上端呈钩形，生于分叉侧脉的上侧小脉背上；囊群盖同形，浅褐色，边缘疏具短睫毛。孢子二面型，表面具少数长折皱状突起。

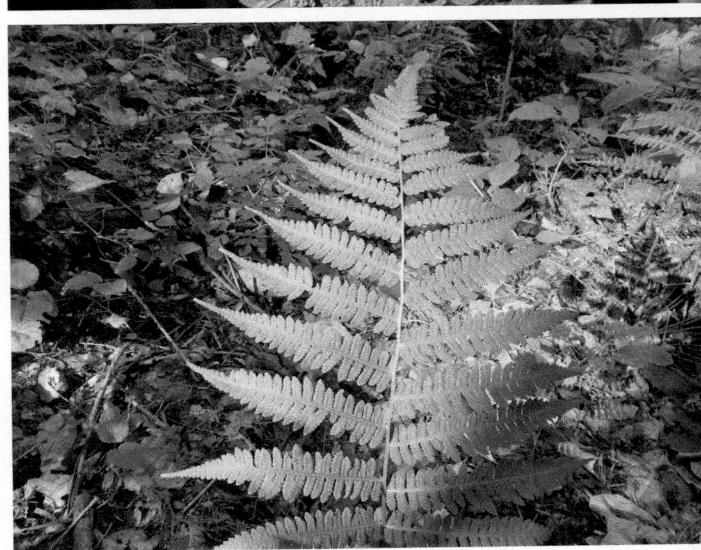

| 生境分布 |

生于山沟林下。分布于吉林白山（抚松、靖宇、长白）等。

| 资源情况 |

野生资源较少。药材主要来源于野生。

| 采收加工 |

夏、秋季采收，洗净，晒干。

| 功能主治 |

活血化瘀，止痛。用于跌打损伤。

蹄盖蕨科 Athyriaceae 羽节蕨属 *Gymnocarpium*

欧洲羽节蕨 *Gymnocarpium dryopteris* (L.) Newman

欧洲羽节蕨

| 植物别名 |

鳞毛羽节蕨。

| 药 材 名 |

欧洲羽节蕨（药用部位：全草）。

| 形态特征 |

多年生草本。根茎细长，横走，黑色，有光泽，先端被褐色卵状披针形的鳞片。叶远生；能育叶长（15 ~ ）20 ~ 30（ ~ 50）cm；叶柄长 10 ~ 22（ ~ 35）cm，纤细，禾秆色，基部疏被鳞片；叶片五角状广卵形或阔卵状三角形，长、宽几相等，均 7 ~ 15（ ~ 20）cm，先端渐尖，基部阔楔形，几为 3 等份分裂，通常二回羽状，小羽片羽裂；基部 1 对羽片与叶片上部其余部分几等大，长三角形，长（3.5 ~ ）5 ~ 9（ ~ 12）cm，基部宽 2.5 ~ 4（ ~ 7）cm，基部近截形，柄长（0.8 ~ ）1 ~ 1.5（ ~ 2.5）cm，中部的柄长约 3cm，一回羽状，小羽片羽裂；小羽片 5 ~ 6 对，长圆状披针形，长 1.5 ~ 2（ ~ 4）cm，宽 0.5 ~ 2cm，先端急尖或渐尖，基部圆楔形，无柄，对生或近对生，平展；最大小羽片有裂片 6 ~ 10 对，彼此接近，长圆形至狭长卵形，长约 4mm，先端圆钝，基部以狭翅相连，全缘至浅裂；第 2 对羽片与基部羽片相距 1.5 ~ 4cm，有时具短柄，向上羽片无柄。叶脉在裂片上为羽状，小脉单一，斜向上，下面明显；叶干后薄草质或近膜质，绿色；叶轴及羽轴纤细，不具腺体。孢子囊群小，无盖，近圆形，生于小脉背部，在中肋两侧各排列成整齐的 1 行。孢子表面有裂片状折皱，上面有穴状纹饰。

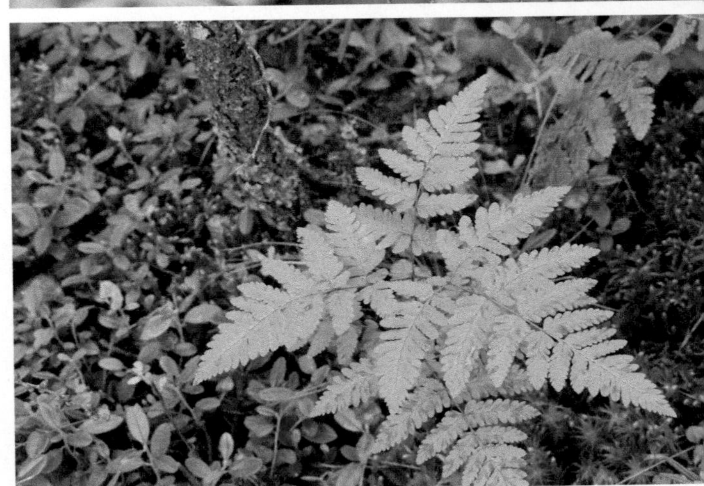

| 生境分布 |

生于针叶林下阴湿处。分布于吉林延边、白山、通化等。

| 资源情况 |

野生资源较少。药材主要来源于野生。

| 采收加工 |

夏、秋季采收，洗净，晒干。

| 功能主治 |

解表清热。用于风热表证。

蹄盖蕨科 Athyriaceae 羽节蕨属 *Gymnocarpium*

羽节蕨 *Gymnocarpium jessoense* (Koidz.) Koidz.

| 药 材 名 | 羽节蕨（药用部位：全草）。

| 形态特征 | 多年生草本。根茎细长横走，先端被浅褐色卵状披针形的鳞片。叶通常远生，有时近生；能育叶长（16 ~ ）20 ~ 50（ ~ 76）cm；叶柄长（8 ~ ）15 ~ 32（ ~ 51）cm，直径可达 3.5mm，禾秆色，基部疏被鳞片，向上光滑；叶片三角状卵形，长（7 ~ ）15 ~ 20（ ~ 27）cm，宽（7 ~ ）14 ~ 22（ ~ 30）cm，先端渐尖，基部圆形，一回羽状、小羽片羽裂或二回羽状、小羽片深羽裂；羽片（3 ~)5 ~ 8 对，对生，斜向上，下部 1 ~ 4 对具柄，以关节着生于叶轴，基部 1 对羽片最大，长三角形，长（4 ~ ）8 ~ 15（ ~ 18）cm，基部宽 3 ~ 7（ ~ 11）cm，先端渐尖，基部近平截形，柄长（0.8 ~ ）1 ~ 2.5（ ~ 3.5）cm，略斜向上，一回羽状，小羽片羽裂或深羽裂；一回

羽节蕨

小羽片 5 ~ 8 对，三角状披针形，先端渐尖，基部近平截，对生或近对生，下部 1 至数对以关节着生于羽轴，通常无柄，有时基部 1 对具短柄，长 1 ~ 3（~ 12）mm，羽片基部下侧小羽片最长，长 1 ~ 5（~ 7）cm，宽（0.7 ~）1 ~ 2.3cm，向下斜展，一回羽状或羽裂；裂片 5 ~ 10 对，长方形至长卵形，先端圆钝，基部彼此分离或以狭翅相连，边缘具浅圆齿；第 2 对羽片距基部 1 对（2 ~）4 ~ 5（~ 7.5）cm，长三角形，远较基部羽片小，长 4 ~ 8（~ 12）cm；从第 3 对羽片起为阔披针形，向上各对逐渐变小；叶脉在裂片上为羽状，小脉通常二叉，有时单一，极斜向上，明显可见；叶干后草质或纸质，上面淡绿色，下面浅灰绿色；叶柄上部、叶轴、羽轴多少具透明或淡黄色短腺体。孢子囊群小，圆形或长圆形，生于小脉背上，靠近末回羽片或裂片的边缘。孢子表面有裂片状折皱，上面有小穴状纹饰。

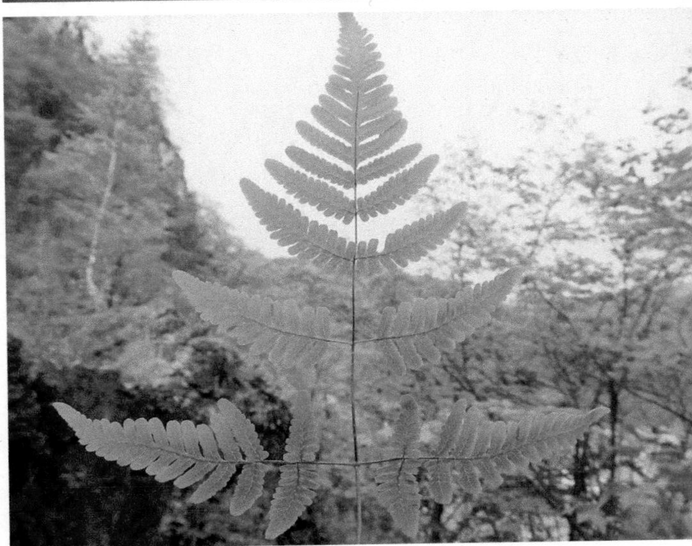

| 生境分布 | 生于林下阴湿处或山坡。分布于吉林延边、白山、通化等。

| 资源情况 | 野生资源稀少。药材主要来源于野生。

| 采收加工 | 夏、秋季采收，洗净，晒干。

| 功能主治 | 解表清热。用于风热表证。

蹄盖蕨科 Athyriaceae 蛾眉蕨属 *Lunathyrium*

东北蛾眉蕨 *Lunathyrium pycnosorum* (Christ) Koidz.

| 植物别名 | 亚美蹄盖蕨、亚美峨眉蕨、峨眉蕨。

| 药 材 名 | 东北蛾眉蕨（药用部位：全草。别名：亚美蹄盖蕨）。

| 形态特征 | 多年生土生草本。根茎粗而斜升，先端连同叶柄基部密被浅褐色阔卵形至卵状披针形的膜质大鳞片。叶簇生；能育叶长 30 ~ 87cm；叶柄长 8 ~ 31cm，基部栗黑色，向上渐变为禾秆色，少有带栗红色，疏被褐色、膜质、披针形鳞片；叶片阔披针形至长圆状披针形，长 24 ~ 59cm，宽 5 ~ 18cm，渐尖头，一回羽状，羽片深羽裂；羽片 18 ~ 25 对，下部少数几对向下逐渐缩短，中部羽片狭披针形，长 2.5 ~ 9cm，宽 0.7 ~ 1.5cm，先端渐尖，基部近截形，下部的近对生，向上互生，平展；裂片 7 ~ 19 对；叶脉两面可见，在裂片上为羽状，每裂片有侧脉 5 对左右。孢子囊群长新月形至线形，每裂片 3 ~ 5 对；

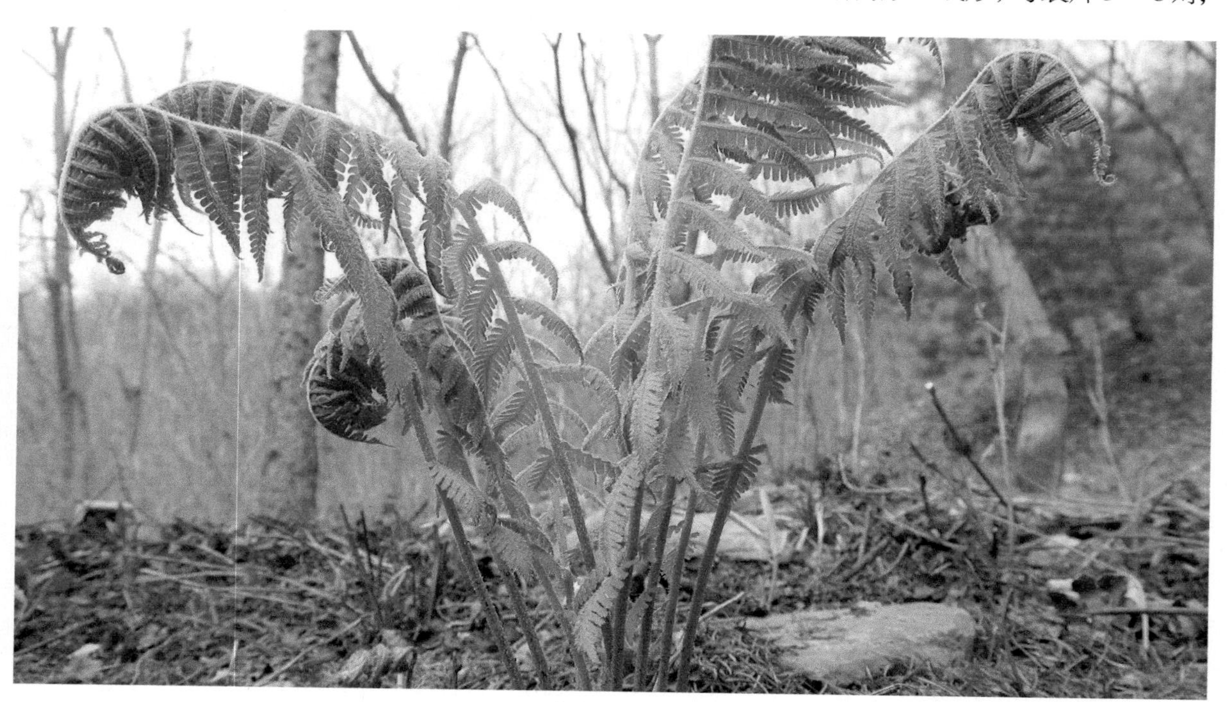

东北蛾眉蕨

囊群盖同形，灰褐色，栉篦状排列，宿存。孢子二面型，周壁表面具少数连续的折皱状突起。

| 生境分布 | 生于针阔叶混交林下阴湿处。分布于吉林白山（长白、抚松）、延边（安图、敦化、和龙、珲春）、吉林（蛟河）等。

| 资源情况 | 野生资源较少。药材主要来源于野生。

| 采收加工 | 夏、秋季采收，洗净，晒干。

| 功能主治 | 活血化瘀，止痛。用于跌打损伤。

| 附　　注 | 北美洲东部产的蛾眉蕨 *Lunathyrium acrostichoides* (Sw.) Ching 根茎斜升，裂片间缺刻处有节状短柔毛着生，孢子表面具有条状折皱，与本种形态相似，区别在于前者叶轴和羽轴下面的毛细短而稀疏，本种毛较粗长，植株较矮，孢子囊群往往彼此密接。两种并不相同，它们之间的关系应属东亚 – 北美间断分部的“姊妹种”。

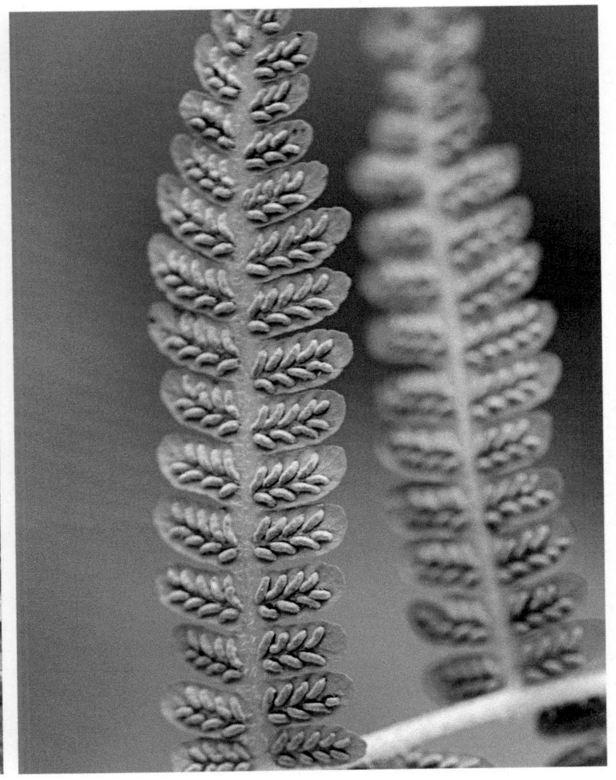

蹄盖蕨科 Athyriaceae 新蹄盖蕨属 *Neoathyrium*

新蹄盖蕨 *Neoathyrium crenulatoserrulatum* (Makino) Ching

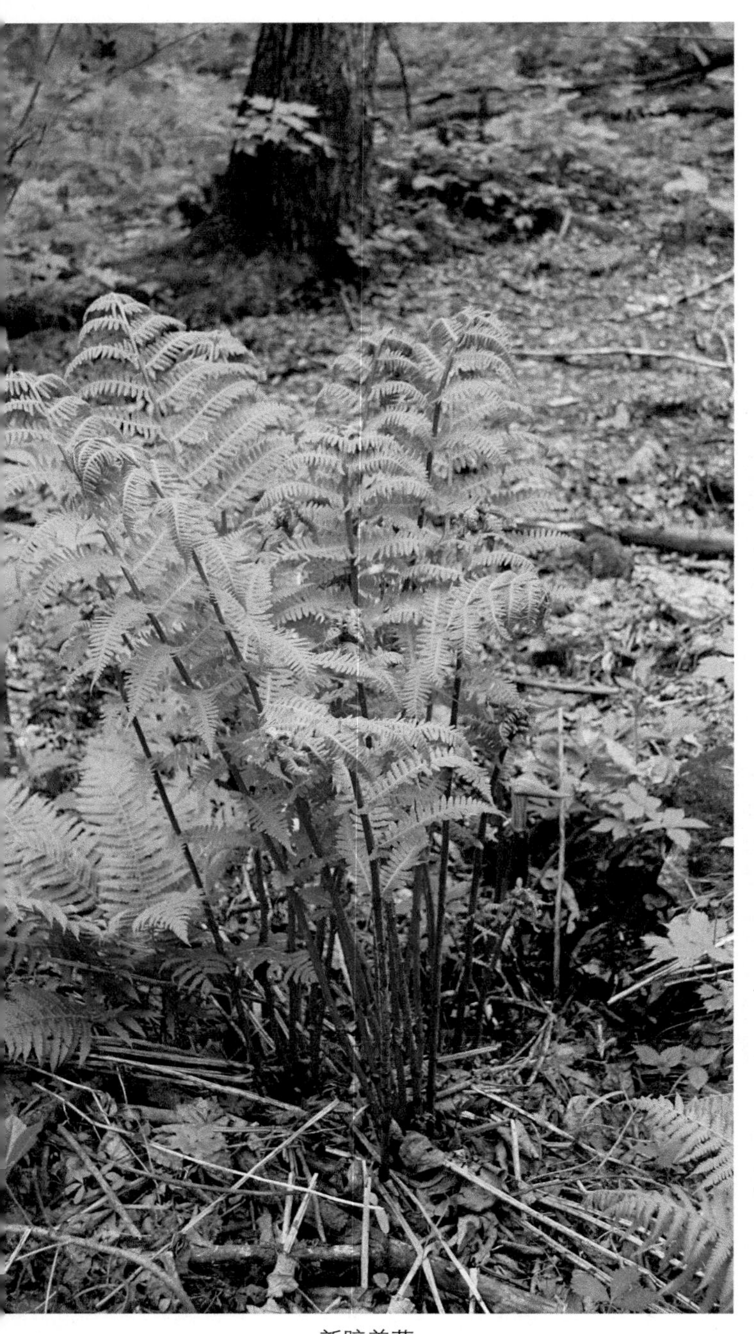
新蹄盖蕨

| 药 材 名 |

新蹄盖蕨（药用部位：根茎。别名：细齿贞蕨）。

| 形态特征 |

多年生中等大陆生草本。根茎粗壮，横走，先端及叶柄基部疏被浅褐色卵状披针形的膜质大鳞片，鳞片长 1cm 以上。叶远生；叶柄与叶片近等长或较叶片稍长，长 40 ~ 60cm，下部粗壮，基部不变尖削，直径 7 ~ 9mm；叶片三角状卵形至卵状长圆形，长 25 ~ 70cm，宽 20 ~ 60cm，顶部渐尖，基部阔楔形或稍呈心形，二回羽状，小羽片羽状深裂；羽片 10 ~ 15 对，阔披针形或长圆状披针形，下部羽片有长 2 ~ 10mm 的短柄，近对生，斜展，基部 2 对羽片最大，长 10 ~ 32cm，宽 4 ~ 8cm，先端渐尖，基部稍狭，阔楔形或近平截，一回羽状，小羽片深羽裂，叶上部的羽片渐小，披针形，互生，渐无柄；小羽片 8 ~ 20 对，下先出，披针形，长 1 ~ 4cm，宽 5 ~ 15mm，顶部渐尖，基部阔楔形，几无柄，在羽片下部的近对生，上部的互生，平展或稍斜展，深羽裂；末回裂片 5 ~ 10 对，矩圆形，先端钝圆，基部互相以狭翅相连，边缘有钝锯齿。叶脉在裂片上面不明显，在下面明显可见，羽状，主脉稍曲折，侧脉二叉。叶干后纸质，上面褐绿色，下面绿色；羽轴和小羽轴基部上面交接处不具肉质角状突起；叶轴、羽轴及小羽轴下面被灰白色的单细胞短毛及浅褐色的多细胞长毛。孢子囊群圆形或椭圆形，无盖，背生于小脉中部。

｜生境分布｜

生于林下或草地。分布于吉林白山（长白、抚松）、通化、延边（安图）等。

｜资源情况｜

野生资源较少。药材主要来源于野生。

｜采收加工｜

秋季采挖，除去茎叶及须根，洗净，晒干，切段。

｜功能主治｜

驱虫，止血。用于蛔虫病，外伤出血。

金星蕨科 Thelypteridaceae 卵果蕨属 *Phegopteris*

卵果蕨 *Phegopteris connectilis* (Michx.) Watt

| 药 材 名 | 卵果蕨（药用部位：全草）。

| 形态特征 | 多年生草本，植株高 25 ~ 40cm。根茎长而横走，直径 1 ~ 2cm，先端被亮棕色卵状披针形的薄鳞片。叶远生；叶柄长 15 ~ 30cm，基部直径约 2mm，褐棕色，疏被鳞片，向上为禾秆色，近光滑；叶片三角形，先端渐尖并羽裂，长 13 ~ 20cm，基部宽 10 ~ 18cm，2 回羽裂；羽片约 10 对，通常对生，平展，披针形，基部 1 对最大，略向下斜展，渐尖头，基部略变狭或不变狭，与第 2 对羽片分离，相距 1 ~ 1.5cm，长 5 ~ 9cm，宽 1 ~ 2cm，裂片长圆形，先端圆或钝，全缘或波状浅裂；其上各对羽片渐次缩小，基部沿叶轴以倒三角形翅彼此相连；叶脉羽状，侧脉单一或偶有分叉。叶草质或纸质，干后灰绿色或黄绿色，两面疏被灰白色针状长毛，沿叶轴和羽轴多少

卵果蕨

被小鳞片；鳞片浅棕色，长卵状披针形，边缘有疏缘毛。孢子囊群卵圆形或圆形，背生于侧脉的近先端，靠近叶缘，无盖；孢子囊顶部近环带处有 1 ~ 2 刚毛。孢子外壁光滑，周壁表面高低不平，具颗粒状纹饰。

| 生境分布 | 生于林下。分布于吉林延边、白山、通化等。

| 资源情况 | 野生资源较少。药材主要来源于野生。

| 采收加工 | 夏、秋季采收，洗净，晒干。

| 功能主治 | 清热，利水。用于肺热咳嗽，癃闭。

| 附　　注 | 本种和仅产于北美的姊妹种六角卵果蕨 ***Phegopteris hexagonopteris*** (Michx.) Fee 形态极为相似，但后者的羽片向基部明显变狭，基部 1 对羽片和第 2 对羽片的倒三角下延的翅相连，叶薄草质，两面被疏短毛，侧脉常为二叉。本种有时第 2 对羽片基部亦多少以倒三角形的翅下延，但极少和第 1 对羽片相连，且毛被和质地与六角卵果蕨截然不同。

铁角蕨科 Aspleniaceae 铁角蕨属 *Asplenium*

虎尾铁角蕨 *Asplenium incisum* Thunb.

| 药 材 名 | 万年柏（药用部位：全草。别名：虎尾蕨、深裂铁角蕨、地柏枝）。

| 形态特征 | 多年生草本，植株高 10 ~ 30cm。根茎短而直立或横卧，先端密被鳞片；鳞片狭披针形，长 3 ~ 5mm，宽不超过 0.5mm，膜质，黑色，略有红色光泽，全缘。叶密集簇生；叶柄长 4 ~ 10cm，直径约 1mm，淡绿色或通常为栗色或红棕色，而在上面两侧各有 1 淡绿色的狭边，有光泽，上面有浅阔纵沟，略被少数褐色纤维状小鳞片，以后脱落；叶片阔披针形，长 10 ~ 27cm，中部宽 2 ~ 4（~ 5.5）cm，两端渐狭，先端渐尖，二回羽状（有时为一回羽状）；羽片 12 ~ 22 对，下部的对生或近对生，向上互生，斜展或近平展，有极短柄（长达 1mm），下部羽片逐渐缩短成卵形或半圆形，长、宽均不及 5mm，逐渐远离，中部各对羽片相距 1 ~ 1.5cm，彼此疏离，间隔约等于

虎尾铁角蕨

羽片的宽度，三角状披针形或披针形，长 1 ~ 2cm，基部宽 6 ~ 12mm，先端渐尖并有粗牙齿，一回羽状或为深羽裂达于羽轴；小羽片 4 ~ 6 对，互生，斜展，彼此密接，基部 1 对较大，长 4 ~ 7mm，宽 3 ~ 5mm，椭圆形或卵形，圆头并有粗牙齿，基部阔楔形，无柄或多少与羽轴合生并沿羽轴下延。叶脉两面均可见，小羽片上的主脉不显著，侧脉二叉或单一，基部的常为二至三叉，纤细，斜向上，先端有明显的水囊，伸入牙齿，但不达叶缘。叶薄草质，干后草绿色，光滑；叶轴淡禾秆色或下面为栗色或红棕色，有光泽，光滑，上面有浅阔纵沟，顶部两侧有线状狭翅。孢子囊群椭圆形，长约 1mm，棕色，斜向上，生于小脉中部或下部，紧靠主脉，不达叶缘，基部 1 对小羽片常有 2 ~ 4 对，彼此密接，整齐；囊群盖椭圆形，灰黄色，后变淡灰色，薄膜质，全缘，开向主脉，偶有开向叶缘。

| 生境分布 | 生于林下潮湿岩石上。分布于吉林白山、通化等。

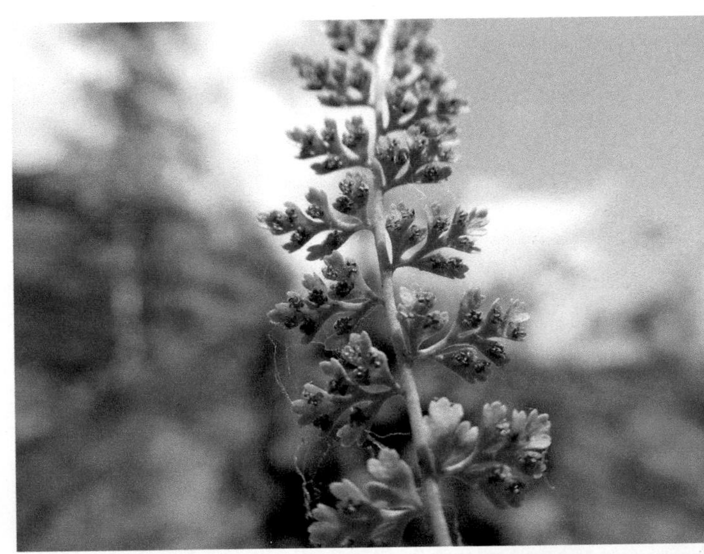

| 资源情况 | 野生资源较少。药材主要来源于野生。

| 采收加工 | 夏、秋季采收，洗净，晒干。

| 功能主治 | 苦、甘，凉。清热解毒，平肝镇惊，祛湿止痛。用于小儿惊风，肝炎，肺热咳嗽，胃痛，小便淋痛，毒蛇咬伤。

| 用法用量 | 内服煎汤，15 ~ 30g。

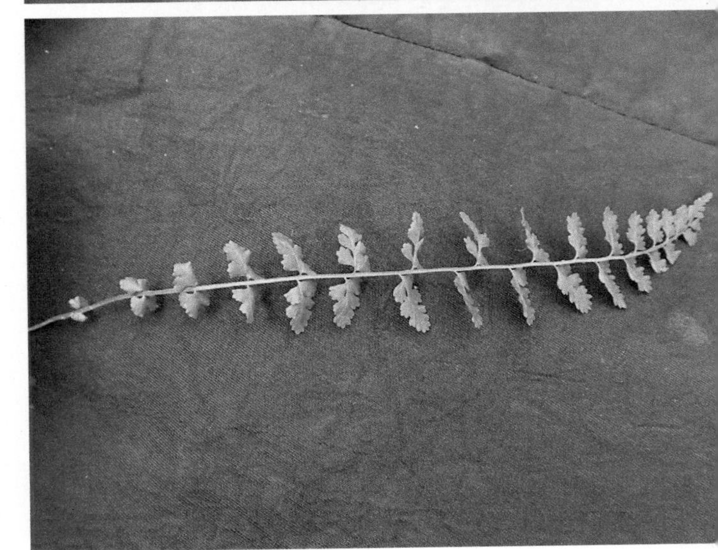

铁角蕨科 Aspleniaceae 铁角蕨属 *Asplenium*

华中铁角蕨 *Asplenium sarelii* Hook.

| 药 材 名 | 地柏叶（药用部位：全草。别名：地柏枝、金花草、凤凰尾）。

| 形态特征 | 多年生草本，植株高 10 ~ 23cm。根茎短而直立，先端密被鳞片；鳞片狭披针形，长 3 ~ 3.5mm，厚膜质，黑褐色，有光泽，边缘有微牙齿。叶簇生；叶柄长 5 ~ 10cm，直径 0.5 ~ 1mm，淡绿色，近光滑或略被 1 ~ 2 褐色纤维状的小鳞片，上面有浅阔纵沟；叶片椭圆形，长 5 ~ 13cm，宽 2.5 ~ 5mm，3 回羽裂；羽片 8 ~ 10 对，相距 1 ~ 1.2cm，基部的较远离，对生，向上互生，斜展，有短柄（长 0.5 ~ 1.5mm），基部 1 对最大或与第 2 对同大（偶有略缩短），长 1.5 ~ 3cm，宽 1 ~ 2cm，卵状三角形，渐尖头或为尖头，基部不对称，上侧截形并与叶轴平行或覆盖叶轴，下侧楔形，2 回羽裂；小羽片 4 ~ 5 对，互生，上先出，斜展，基部上侧 1 片较大，长 5 ~ 11mm，宽 4 ~ 7mm，卵形，尖头，基部为对称的阔楔形，下延，羽状深裂

华中铁角蕨

达于小羽轴；裂片 5 ~ 6，斜向上，疏离，狭线形，长 1.5 ~ 5mm，宽 0.5 ~ 2mm，基部 1 对常为 2 ~ 3 裂，小裂片先端有 2 ~ 3 钝头或尖头的小牙齿，向上各裂片先端有尖牙齿；其余的小羽片较小，彼此疏离。叶脉两面均明显，上面隆起，小脉在裂片上为二至三叉，在小羽片基部的裂片为 2 回二叉，斜向上，不达叶缘。叶坚草质，干后灰绿色；叶轴及各回羽轴均与叶柄同色，两侧均有线形狭翅，叶轴两面显著隆起。孢子囊群近椭圆形，长 1 ~ 1.5mm，棕色，每裂片具 1 ~ 2，斜向上，生于小脉上部，不达叶缘；囊群盖同形，灰绿色，膜质，全缘，开向主脉，宿存。

| 生境分布 | 生于潮湿岩壁上或石缝中。分布于吉林延边、白山、通化等。

| 资源情况 | 野生资源较少。药材主要来源于野生。

| 采收加工 | 夏、秋季采收，洗净，鲜用或晒干。

| 功能主治 | 苦、微甘，凉。清热解毒，止咳利咽，利湿消肿，止血止痛。用于流行性感冒，咳嗽，扁桃体炎，腮腺炎，目赤肿痛，肠炎，痢疾，乳汁不下，黄疸，肠胃出血，乳蛾，白喉，痄腮；外用于疮肿疔毒，跌打损伤，湿疹，烫火伤，刀伤出血。

| 用法用量 | 内服煎汤，12 ~ 30g；或捣汁。外用捣汁滴眼；或捣敷。

| 附　　注 | 本种与北京铁角蕨 *Asplenium pekinense* Hance 的形态相似，但本种叶片较宽，椭圆形，草质，基部 1 对羽片与第 2 对同大或偶有略缩短，裂片狭线形，先端有 2 ~ 3 钝头或尖头的小牙齿，可以此区别。上述 2 种均原产我国，分布区极广，因而形态变异很大，二者容易混淆，鉴别时须特别注意。

铁角蕨科 Aspleniaceae 过山蕨属 *Camptosorus*

过山蕨 *Camptosorus sibiricus* Rupr.

| 植物别名 | 马蹬草、过桥草。

| 药 材 名 | 过山蕨（药用部位：全草。别名：马蹬草、过桥草）。

| 形态特征 | 多年生草本，植株高达 20cm。根茎短小，直立，先端密被小鳞片；鳞片披针形，黑褐色，膜质，全缘。叶簇生；基生叶不育，较小，柄长 1 ~ 3cm，叶片长 1 ~ 2cm，宽 5 ~ 8mm，椭圆形，钝头，基部阔楔形，略下延于叶柄；能育叶较大，柄长 1 ~ 5cm，叶片长 10 ~ 15cm，宽 5 ~ 10mm，披针形，全缘或略呈波状，基部楔形或圆楔形，狭翅下延于叶柄，先端渐尖，且延伸成鞭状（长 3 ~ 8cm），末端稍卷曲，能着地生根行无性繁殖；叶脉网状，仅上面隐约可见，有网眼 1 ~ 3 行，靠近主脉的 1 行网眼狭长，与主脉平行，其外的 1 ~ 2 行网眼斜上，网眼外的小脉分离，不达叶缘；叶草质干后暗绿

过山蕨

色，无毛。孢子囊群线形或椭圆形，在主脉两侧各形成不整齐的 1 ～ 3 行，通常靠近主脉的 1 行较长，生于网眼向轴的一侧，囊群盖向主脉开口，其外的 1 ～ 2 行如成对地生于网眼内时则囊群盖相对开，如单独地生于网眼内时则囊群盖开向主脉或叶缘；囊群盖狭，同形，膜质，灰绿色或浅棕色。

| 生境分布 | 生于林下岩石或石砬上。以长白山区为主要分布区域，分布于吉林延边、白山、通化、吉林、辽源（东丰）等。

| 资源情况 | 野生资源稀少。药材主要来源于野生。

| 采收加工 | 夏、秋季采收，除去杂质，晒干。

| 功能主治 | 淡，平。止血消肿，活血散瘀。用于脱疽，神经性皮炎，脑血管栓塞引起的偏瘫症，子宫出血，外伤出血，下肢溃疡，脉管炎；外用于疮疡肿痛。

| 用法用量 | 内服煎汤，1.5 ～ 4.5g。外用适量。

| 附　　注 | 在 FOC 中，本种的拉丁学名被修订为 *Asplenium ruprechtii* Sa. Kurata。

铁角蕨科 Aspleniaceae 对开蕨属 *Phyllitis*

对开蕨 *Phyllitis scolopendrium* (L.) Newm.

| 植物别名 | 东北对开蕨、日本对开蕨、东亚对开蕨。

| 药 材 名 | 对开蕨（药用部位：全草）。

| 形态特征 | 多年生草本，植株高约60cm。根茎短而直立或斜升，粗壮，和叶柄基部密被鳞片；鳞片线状披针形或披针形，长8～11mm，基部宽约1mm，浅棕色，扭曲，膜质，长渐尖头，全缘或略有具间隔的刺状突起。叶（3～）5～8簇生；叶柄长10～20cm，下部直径2.5～3mm，棕色至褐棕色，自下部向上疏被鳞片；叶片舌状披针形，长15～45cm，先端短渐尖，中部宽3.5～4.5（～6）cm，向下略变狭，基部心形，两侧明显扩大成圆耳状，彼此以阔缺口分开，全缘而略呈波状，具软骨质。主脉粗壮，暗禾秆色，下面隆起，圆形，上面有浅纵沟，下部疏被与叶柄上同样但较小的鳞片，向上近光滑；

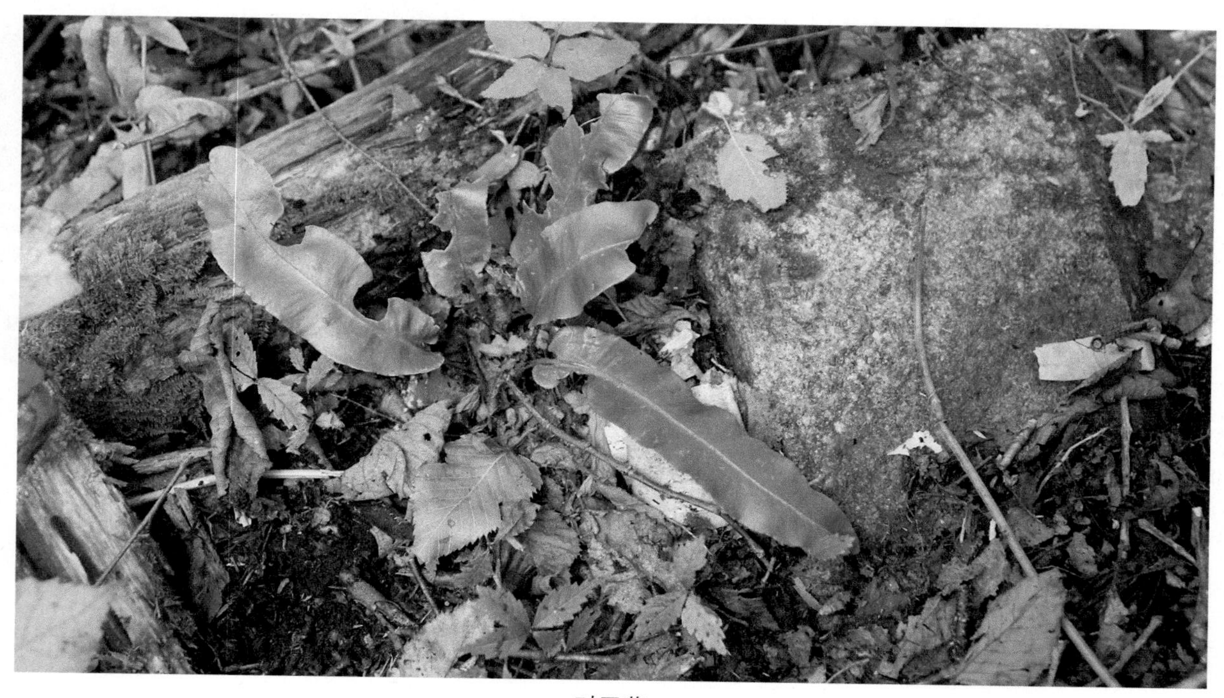

对开蕨

侧脉纤细，斜展，单一或自下部二叉，通直，平行，下面仅可见，上面明显，略隆起，先端水囊纺锤形，不达叶缘。叶鲜时稍呈肉质，干后薄革质，棕绿色，上面光滑，下面疏被贴伏的变形虫形或狭披针形的棕色小鳞片，干后在侧脉之间有明显的洼点。孢子囊群粗线形，通常长 1.5 ~ 2.5cm，斜展，相距 3 ~ 5mm，靠近或略离主脉向外行，距离叶缘 5 ~ 8mm，着生于相邻两小脉的一侧；囊群盖线形，深棕色，膜质，全缘，向侧脉相对开，宿存。

| 生境分布 | 生于林下砂石地带或成片生于落叶混交林下的腐殖质层中。分布于吉林吉林（桦甸）、白山、通化等。

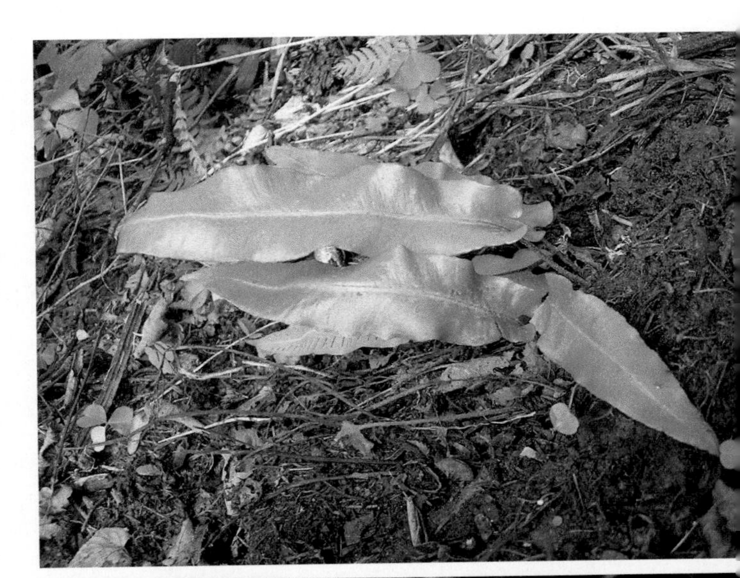

| 资源情况 | 野生资源稀少。药材主要来源于野生。

| 采收加工 | 夏、秋季采收，除去杂质，晒干。

| 功能主治 | 淡，温。清热解毒，祛痰，利尿，止血，通便。用于痈肿，肾炎，尿路感染，尿路结石，小便不利，大便不通，外伤出血。

| 附　　注 | （1）在 FOC 中，本种的拉丁学名被修订为 *Asplenium komarovii* Akasawa。

（2）本种为国家Ⅱ级重点保护野生植物。

球子蕨科 Onocleaceae 荚果蕨属 *Matteuccia*

东方荚果蕨 *Matteuccia orientalis* (Hook.) Trev.

| 植物别名 | 黄瓜香、青广东、广东菜。

| 药 材 名 | 东方荚果蕨（药用部位：全草。别名：大叶蕨、马来巴）。

| 形态特征 | 多年生草本，植株高达 1m。根茎短而直立，木质，坚硬，先端及叶柄基部密被鳞片；鳞片披针形，长达 2cm，先端纤维状，全缘，膜质，棕色，有光泽。叶簇生，二型；不育叶叶柄长 30 ~ 70cm，直径 3 ~ 9mm，基部褐色，向上深禾秆色或棕禾秆色，连同叶轴被多数鳞片，叶柄上的鳞片脱落后往往留下褐色的新月形鳞痕，叶片椭圆形，长 40 ~ 80cm，宽 20 ~ 40cm，先端渐尖并为羽裂，基部不变狭，2 回深羽裂，羽片 15 ~ 20 对，互生，斜展或有时下部羽片平展，相距约 3cm，下部羽片最长，线状倒披针形，长 13 ~ 20cm，宽 2 ~ 3.5cm，先端渐尖，基部略变狭，无柄，深羽裂，裂片长椭

东方荚果蕨

圆形，斜展，长 2 倍于宽或稍长于宽，钝头或尖头，全缘或有微齿，通常下部裂片较短，中部以上的最长，叶脉明显，在裂片为羽状，小脉单一，偶有二叉，斜向上，伸达叶缘，叶纸质，无毛，仅沿羽轴和主脉疏被纤维状鳞片；能育叶与不育叶等高或较不育叶矮，有长柄（长 20 ~ 45cm），叶片椭圆形或椭圆状倒披针形，长 12 ~ 38cm，宽 5 ~ 11cm，一回羽状，羽片多数，斜向上，彼此接近，线形，长达 10cm，宽达 5mm，两侧强度反卷成荚果状，深紫色，有光泽，平直而不呈念珠状，幼时完全包被孢子囊群，从羽轴伸出的侧脉二至三叉，在羽轴与叶缘之间形成囊托。孢子囊群圆形，着生于囊托上，成熟时汇合成线形；囊群盖膜质。

| 生境分布 | 生于林下、溪边。分布于吉林延边、白山、通化、吉林（磐石）等。

| 资源情况 | 野生资源较少。药材主要来源于野生。

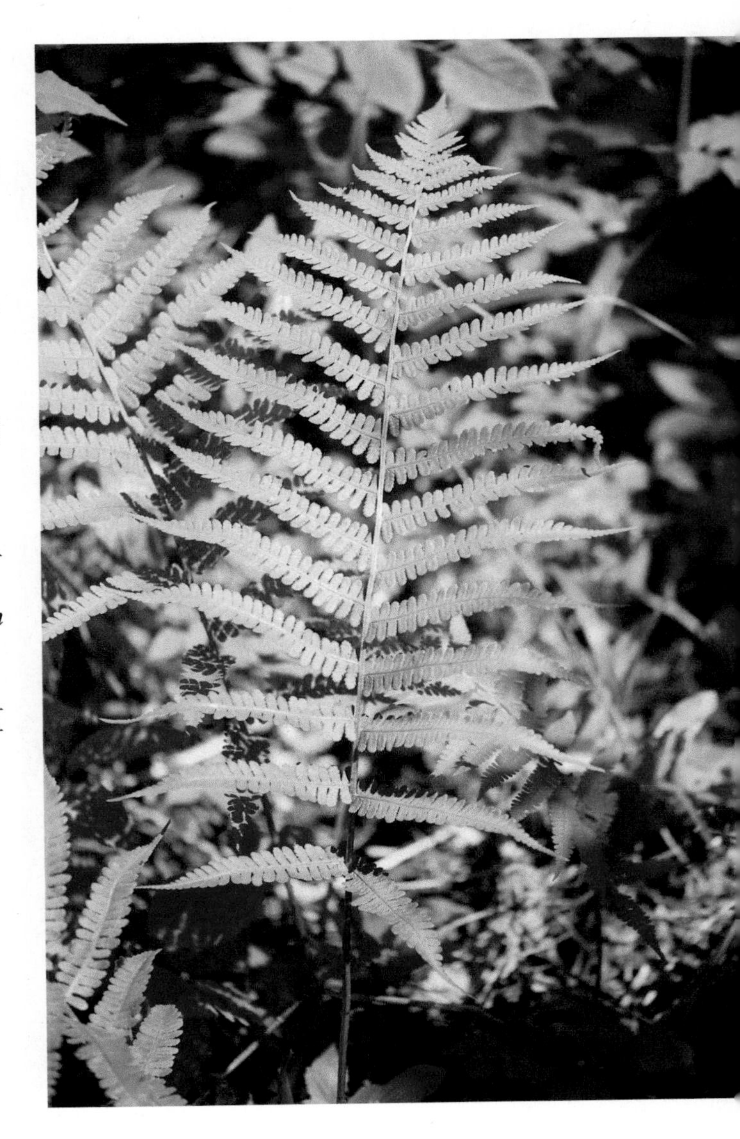

| 采收加工 | 夏、秋季采收，洗净，鲜用或晒干。

| 功能主治 | 苦，凉。祛风除湿，凉血止血。用于风湿痹痛，创伤出血。

| 用法用量 | 内服煎汤，15 ~ 30g。外用适量，捣敷。

| 附　　注 | （1）在 FOC 中，本种的拉丁学名被修订为 *Pentarhizidium orientale* (Hooker) Hayata Bot.。

（2）本种的嫩叶为长白山区的重要食材，分布范围广、产量高、采收期长，可炒食、水焯后炝拌等。

球子蕨科 Onocleaceae 荚果蕨属 *Matteuccia*

荚果蕨 *Matteuccia struthiopteris* (L.) Todaro

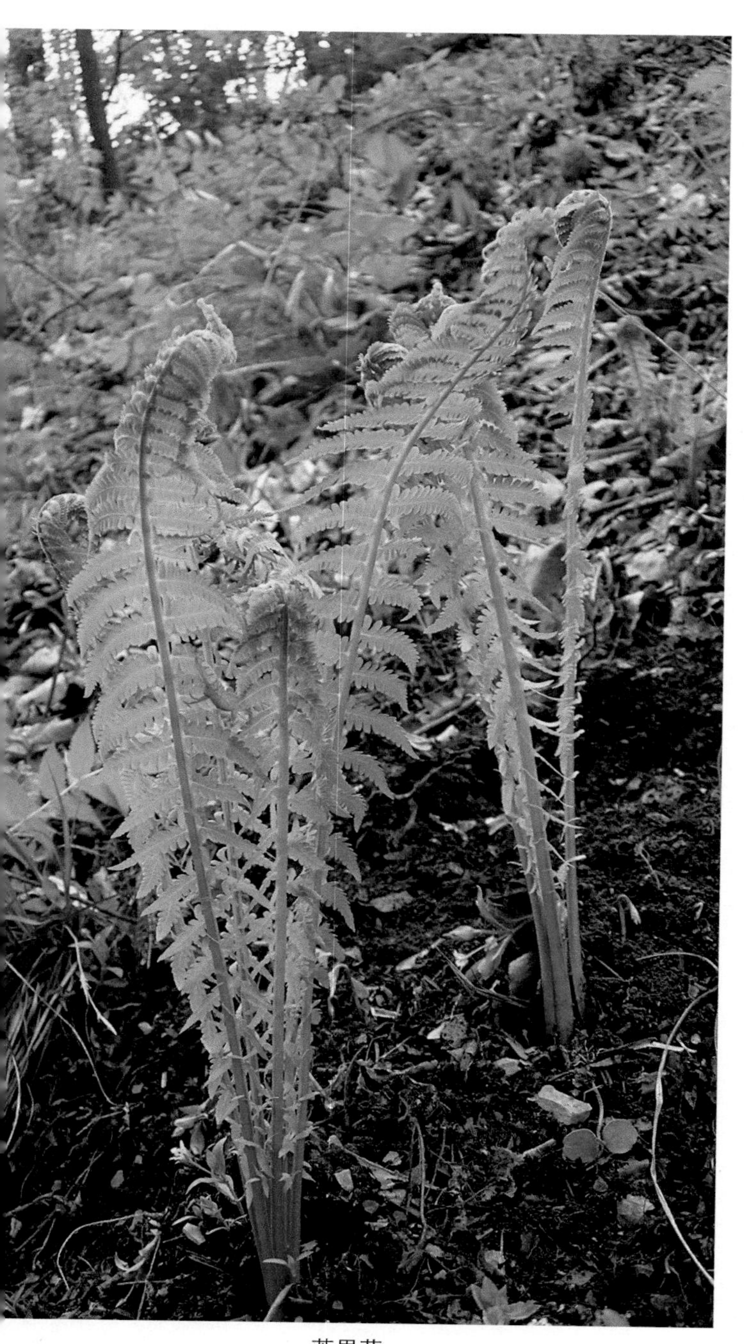
荚果蕨

| 植物别名 |

贯众、黄瓜香、广东菜。

| 药 材 名 |

荚果蕨贯众（药用部位：根茎。别名：野鸡膀子、小叶贯众）。

| 形态特征 |

多年生草本，植株高 70 ~ 110cm。根茎粗壮，短而直立，木质，坚硬，深褐色，与叶柄基部密被鳞片；鳞片披针形，长 4 ~ 6mm，先端纤维状，膜质，全缘，棕色，老时中部常为褐色至黑褐色。叶簇生，二型；不育叶叶柄褐棕色，长 6 ~ 10cm，直径 5 ~ 10mm，上面有深纵沟，基部三角形，具龙骨状突起，密被鳞片，向上逐渐稀疏，叶片椭圆状披针形至倒披针形，长 50 ~ 100cm，中部宽 17 ~ 25cm，向基部逐渐变狭，2 回深羽裂，羽片 40 ~ 60 对，互生或近对生，斜展，相距 1.5 ~ 2cm，下部的羽片向基部逐渐缩小成小耳形，中部羽片最大，披针形或线状披针形，长 10 ~ 15cm，宽 1 ~ 1.5cm，先端渐尖，无柄，羽状深裂，裂片 20 ~ 25 对，略斜展，彼此接近，为整齐齿状排列，椭圆形或近长方形，中部以下的同大，长 5 ~

8mm，圆头或钝头，边缘具波状圆齿或近全缘，通常略反卷，叶脉明显，在裂片上为羽状，小脉单一，斜向上，叶草质，干后绿色或棕绿色，无毛，仅沿叶轴、羽轴和主脉疏被柔毛和小鳞片，羽轴浅棕色或棕禾秆色，上面有浅纵沟；能育叶较不育叶短，有粗壮的长柄（长 12 ~ 20cm，下部直径 5 ~ 12mm），叶片倒披针形，长 20 ~ 40cm，中部以上宽 4 ~ 8cm，一回羽状，羽片线形，两侧强度反卷成荚果状，呈念珠形，深褐色，包裹孢子囊群，小脉先端形成囊托，位于羽轴与叶缘之间。孢子囊群圆形，成熟时连接而成为线形；囊群盖膜质。

| 生境分布 | 生于山谷林下、河岸湿地及山谷阴湿处。以长白山区为主要分布区域，分布于吉林延边、白山、通化、吉林、辽源（东丰）等。

| 资源情况 | 野生资源较少。药材主要来源于野生。

| 采收加工 | 春、秋季采挖，削去叶柄、须根，除净泥土，晒干或鲜用。

| 药材性状 | 本品呈圆纺锤形或歪椭圆形，长 10 ~ 15cm，直径 6.5 ~ 8cm，密布叶柄残基，先端可见黄棕色膜状鳞片。叶柄基部扁三棱形，上宽下细，向内弯曲；表面黑棕色，微有光泽，背面有纵棱 5 ~ 6，中间 1 明显隆起，有的上端可见 1 ~ 2 呈飞鸟形的皱纹，腹面亦有纵棱；质硬，横切面外皮黑色，内面淡棕色，有线形维管束 2，排成“八”字形。基部根茎外露。味微涩。

| 功能主治 | 苦，微寒；有小毒。清热解毒，驱虫杀虫，凉血止血。用于风热感冒，蛲虫病，虫积腹痛，赤痢便血，子宫出血，湿热肿痛，湿热斑疹。

| 用法用量 | 内服煎汤，5 ~ 15g，大剂量可用至 50g。外用适量，捣敷；或煎汤洗。清热解毒宜生用；止血宜炒炭。

| 附　　注 | （1）本种为吉林省Ⅲ级重点保护野生植物。

（2）本种的嫩叶为长白山区的重要食材，分布范围广、产量高、采收期长，可炒食、水焯后炝拌等。

球子蕨科 Onocleaceae 球子蕨属 *Onoclea*

球子蕨 *Onoclea sensibilis* L.

| **植物别名** | 间断球子蕨。

| **药 材 名** | 球子蕨（药用部位：根茎）。

| **形态特征** | 多年生草本，植株高 30 ~ 70cm。根茎长而横走，黑褐色，疏被鳞片；鳞片阔卵形，长约 5mm，渐尖头，全缘或为微波状，棕色，薄膜质。叶疏生，二型；不育叶叶柄长 20 ~ 50cm，基部棕褐色，略呈三角形，向上深禾秆色，圆柱形，直径 2 ~ 3mm，上面有浅纵沟，疏被棕色鳞片，叶片阔卵状三角形或阔卵形，长、宽相等或长略过于宽，长 13 ~ 30cm，宽 12 ~ 22cm，先端羽状半裂，向下为一回羽状，羽片 5 ~ 8 对，相距 1.5 ~ 3cm，披针形，基部 1 对或下部 1 ~ 2 对较大，长 8 ~ 12cm，宽 1.5 ~ 3cm，有短柄，边缘波状浅裂，向上的无柄，基部与叶轴合生，边缘波状或近全缘，叶轴两侧具狭翅，叶脉明显，

球子蕨

网状，网眼无内藏小脉，近叶缘的小脉分离，叶草质，干后暗绿色或浅棕绿色，幼时略被小鳞片，成长后光滑无毛；能育叶低于不育叶，叶柄长 18 ~ 45cm，较不育叶叶柄粗壮，叶片强度狭缩，长 15 ~ 25cm，宽 2 ~ 4cm，二回羽状，羽片狭线形，与叶轴成锐角而极斜向上，小羽片紧缩成小球形，包被孢子囊群，彼此分离，排列于羽轴两侧。孢子囊群圆形，着生于由小脉先端形成的囊托上；囊群盖膜质，紧包着孢子囊群。

| 生境分布 |

生于潮湿草甸或林区河谷湿地上。以长白山区为主要分布区域，分布于吉林延边、白山、通化、吉林、辽源（东丰）等。

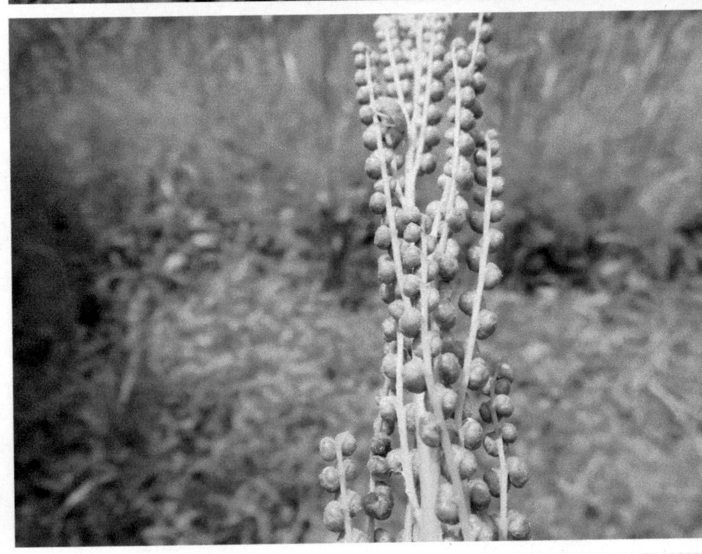

| 资源情况 |

野生资源较丰富。药材主要来源于野生。

| 采收加工 |

春、秋季采挖，剪去叶柄、须根，洗净泥土，鲜用或晒干。

| 功能主治 |

利水消肿，解毒。用于小便不利，水肿。

岩蕨科 Woodsiaceae 膀胱蕨属 *Protowoodsia*

膀胱蕨 *Protowoodsia manchuriensis* (Hook.) Ching

| 植物别名 | 泡囊蕨、东北岩蕨、膀胱岩蕨。

| 药 材 名 | 膀胱蕨（药用部位：全草）。

| 形态特征 | 多年生草本，植株高（8 ~ ）15 ~ 20cm。根茎短而直立，先端密被鳞片；鳞片卵状披针形或披针形，长约 2.5cm，棕色，有光泽，厚膜质，全缘。叶多数簇生；柄长 2 ~ 2.5cm，直径不超过 1mm，棕禾秆色，质脆易断，通体疏被短腺毛，下部被少数与根茎上相同的鳞片；叶片披针形或线状披针形，长 12 ~ 18cm，宽 1.5 ~ 4cm，先端渐尖，向基部变狭，2 回羽状深裂；羽片（12 ~ ）16 ~ 20 对，互生或下部的对生，斜展，偶有平展，下部羽片远离，缩小，基部 1 对常为卵形或扇形，长 1 ~ 2mm，中部羽片较大，相距 5 ~ 10mm，卵状披针形或长卵形，长 1 ~ 1.5cm，基部宽不超过 1cm，钝头

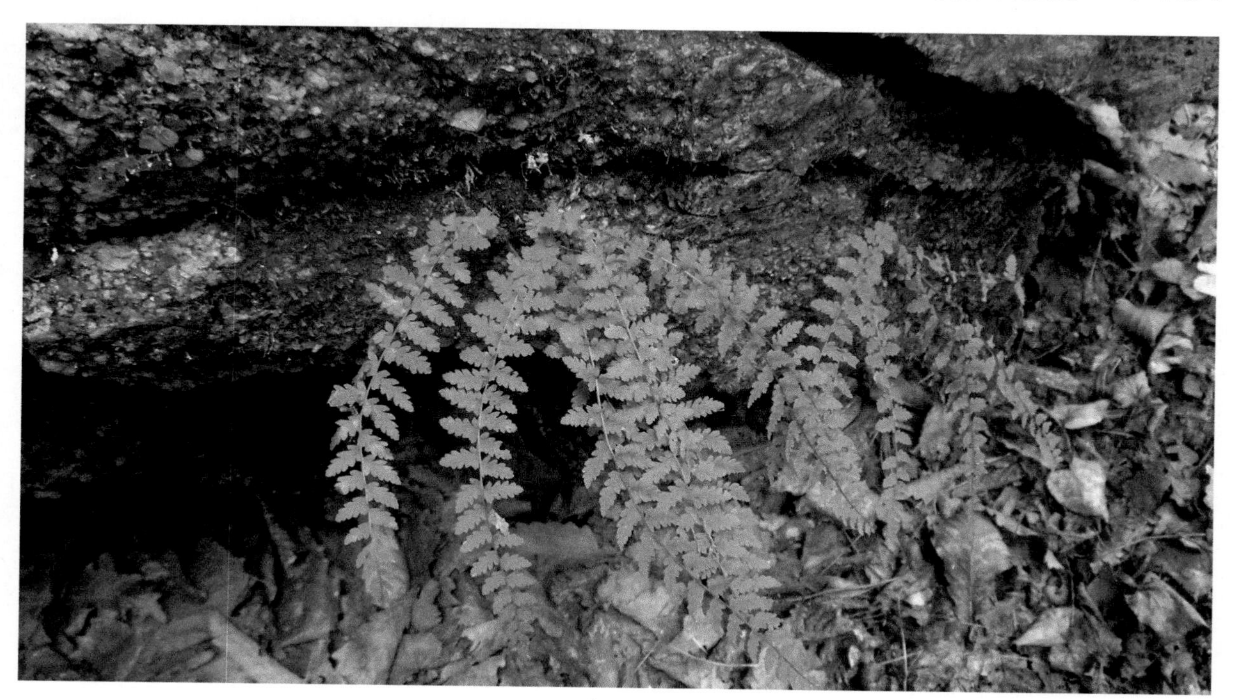

膀胱蕨

并有小牙齿，基部上侧截形，紧靠叶轴，下侧楔形，羽状深裂几达羽轴，裂片约 4 对，彼此接近，基部 1 对较大，近椭圆形，截头并有 2 ~ 3 小牙齿，两侧为波状或有 1 ~ 2 小锯齿；顶部羽片向上逐渐变小，基部与叶轴合生并沿叶轴下延成狭翅。叶脉仅可见，在裂片上为简单的羽状，小脉斜向上，不达叶缘。叶草质，干后草绿色，叶轴或有时叶两面疏被短腺毛。孢子囊群圆形，由 6 ~ 8 孢子囊组成，位于小脉的中部或近顶部，每裂片具 1 ~ 3；囊群盖大，球形，黄白色，薄膜质，从顶部开口。

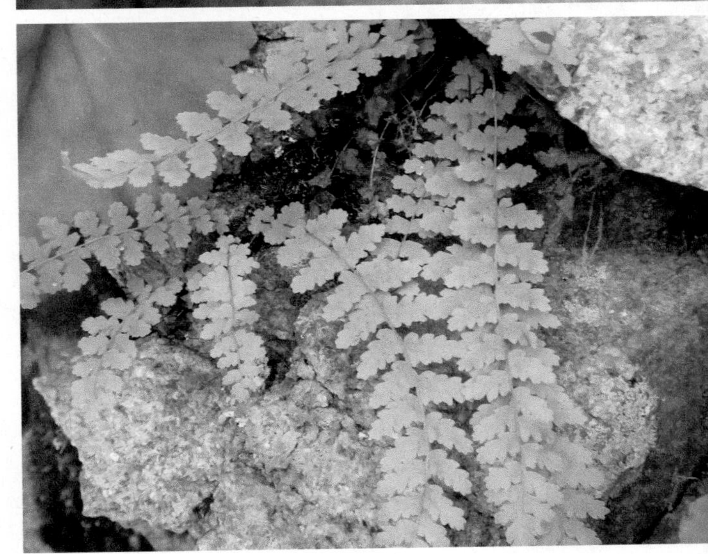

| 生境分布 |

生于林下石上或阴湿的岩石缝。以长白山区为主要分布区域，分布于吉林延边、白山、通化、吉林、辽源（东丰）等。

| 资源情况 |

野生资源稀少。药材主要来源于野生。

| 采收加工 |

夏、秋季采收，除去杂质，晒干。

| 功能主治 |

淡，平。利尿，消肿，通淋。用于小便不利，水肿，小便淋沥不通、涩痛。

岩蕨科 Woodsiaceae 岩蕨属 *Woodsia*

华北岩蕨 *Woodsia hancockii* Bak.

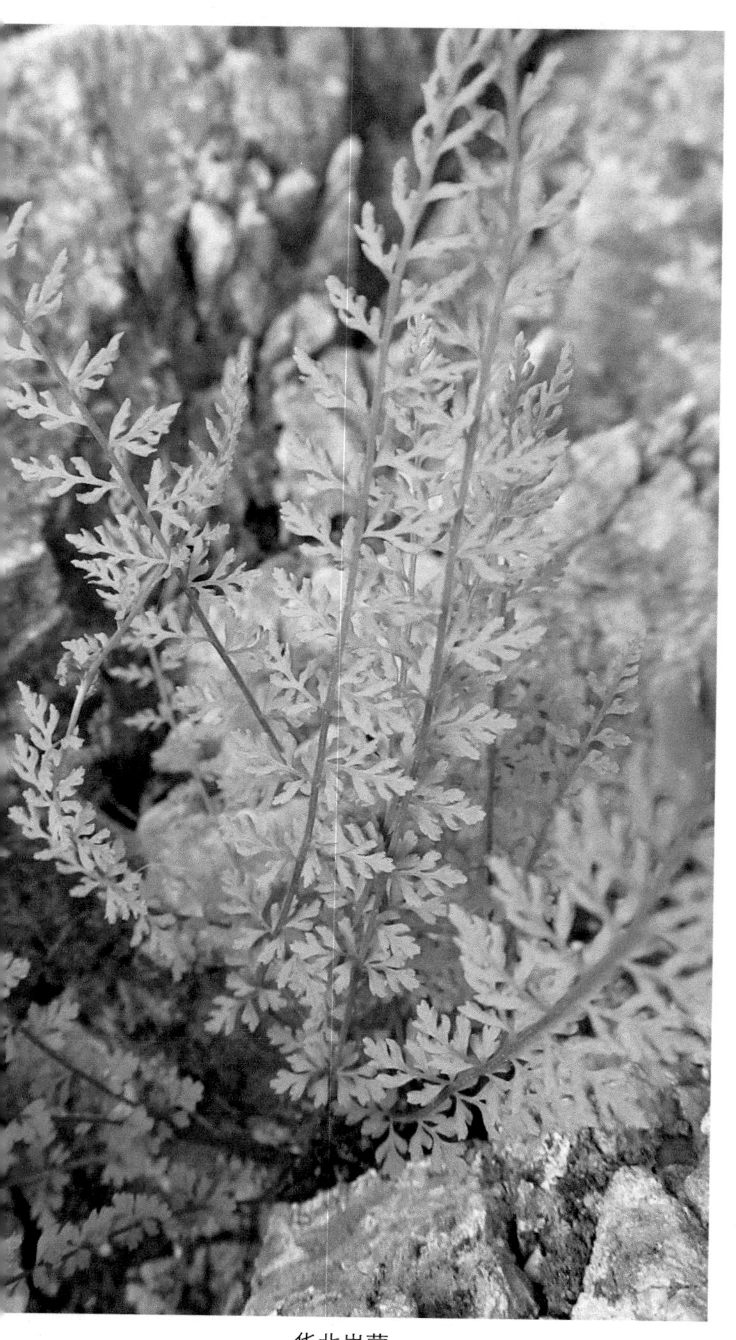
华北岩蕨

|植物别名|

旱岩蕨。

|药 材 名|

华北岩蕨（药用部位：全草）。

|形态特征|

多年生草本，植株高 3 ～ 10cm。根茎短而直立，先端及叶柄基部密被鳞片；鳞片卵状披针形或椭圆形，先端渐尖或急尖，全缘，棕色，膜质。叶密集簇生；柄长 1 ～ 2cm，纤细，淡禾秆色，中部以下具水平状关节；叶片披针形，长 2 ～ 8cm，中部宽 3 ～ 12mm，先端渐尖，基部略变狭，2 回深羽裂；羽片 7 ～ 14 对，平展或斜展，无柄，下部数对略缩小，对生或近对生，彼此远离，向上的羽片互生或近对生，疏离，中部羽片较大，长 4 ～ 8mm，基部宽 3 ～ 5mm，近斜方形或斜卵形，渐尖头或尖头，基部阔楔形或上侧为截形并紧靠叶轴，深羽裂达于羽轴，裂片 2 ～ 3 对，基部 1 对最大，倒卵形或舌形，长约 2mm，边缘波状或顶部具 1 ～ 2 小齿。叶脉仅可见，在裂片为二歧分枝，小脉先端不达叶缘。叶薄草质，干后棕绿色，两面均无毛。孢子囊群圆形，由少数孢子囊组成，位于小脉的先端或中部以上，通常每裂片具 1 ~ 3；囊群盖碟形，膜质，边缘具膝曲的棕色节状长毛。

| 生境分布 | 生于潮湿岩石缝隙中。分布于吉林延边、白山、通化、长春、吉林、辽源等。

| 资源情况 | 野生资源较少。药材主要来源于野生。

| 采收加工 | 夏、秋季采收，除去杂质，晒干。

| 功能主治 | 解表，止咳。用于外感表证的感冒、咳嗽。

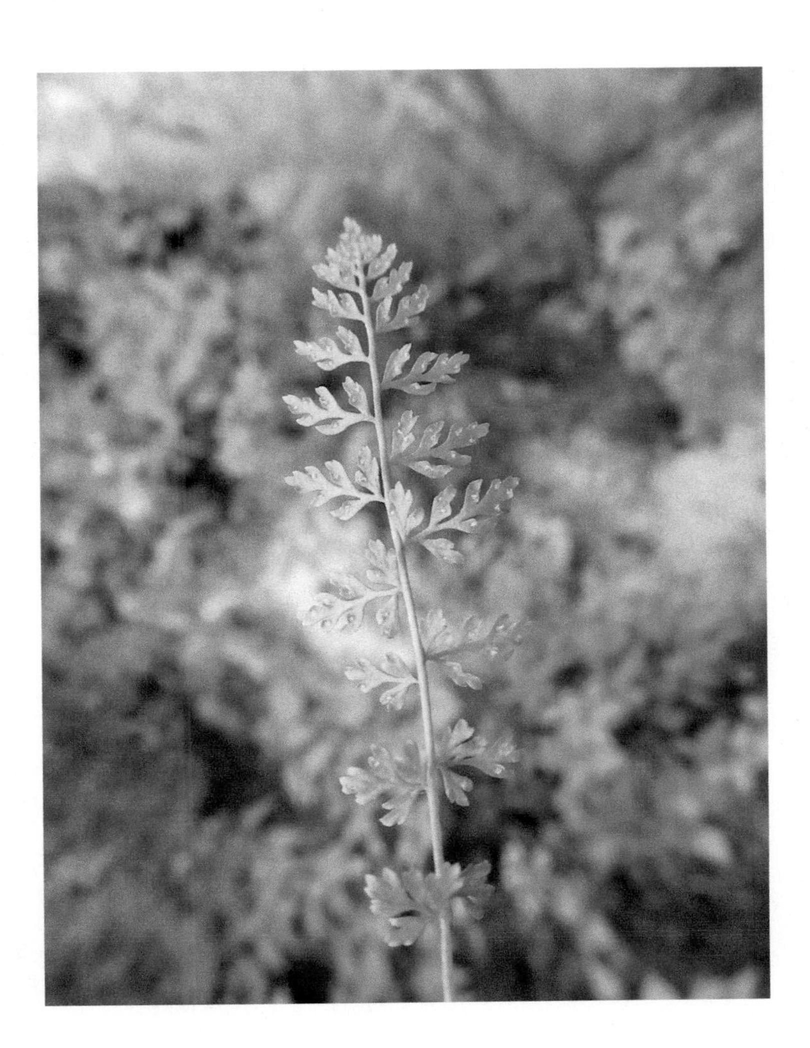

岩蕨科 Woodsiaceae 岩蕨属 *Woodsia*

岩蕨 *Woodsia ilvensis* (L.) R. Br.

| 药 材 名 | 岩蕨（药用部位：全草）。

| 形态特征 | 多年生草本，植株高 12 ~ 17cm。根茎短而直立或斜出，与叶柄基部密被鳞片；鳞片阔披针形，长约 4mm，先端长渐尖并为纤维状，棕色，膜质，全缘。叶密集簇生；柄长 3 ~ 7cm，直径约 1mm，栗色，有光泽，基部以上被节状长毛及线状披针形小鳞片，中部以下具水平状的关节；叶片披针形，长 8 ~ 11cm，中部宽 1.3 ~ 2cm，先端短渐尖，基部稍狭，2 回羽裂；羽片 10 ~ 20 对，无柄，互生或下部的对生，斜展，下部的彼此远离，向基部逐渐缩小，中部羽片较大，疏离，卵状披针形，长 8 ~ 11cm，基部宽 4 ~ 8mm，尖头，基部上侧截形并紧靠叶轴，下侧楔形，羽状深裂；裂片 3 ~ 5 对，基部 1 对最大，长 2 ~ 4mm，椭圆形，圆钝头，全缘或为不整齐的

岩蕨

浅波状。叶脉不明显，在裂片上为多回二歧分枝，小脉不达叶缘。叶草质，干后青绿色或棕绿色，两面均被节状长毛，下面较密，沿叶轴及羽轴被棕色线形小鳞片及节状长毛。孢子囊群圆形，着生于小脉的先端，靠近叶缘；囊群盖碟形，膜质，边缘具长睫毛。

| 生境分布 | 生于岩石上。分布于吉林延边、白山、通化、长春、吉林、辽源等。

| 资源情况 | 野生资源稀少。药材主要来源于野生。

| 采收加工 | 夏、秋季采收，除去杂质，晒干。

| 功能主治 | 舒筋活血。用于扭伤筋痛，跌打损伤。

岩蕨科 Woodsiaceae 岩蕨属 *Woodsia*

大囊岩蕨 *Woodsia macrochlaena* Mett. ex Kuhn

| 植物别名 | 疏裂岩蕨。

| 药 材 名 | 大囊岩蕨（药用部位：全草）。

| 形态特征 | 多年生草本，植株高 5 ~ 16（~ 20）cm。根茎短，直立或斜出，先端及叶柄基部密被鳞片；鳞片披针形，长约 3mm，先端渐尖，棕色，膜质，边缘具睫毛。叶簇生；柄长 1 ~ 5cm，直径约 1mm，基部向上与叶轴均疏被棕色的节状毛，先端有竹节状的水平关节；叶片椭圆状披针形，长 4 ~ 10cm，中部宽 2 ~ 3（~ 4）cm，先端短渐尖或急尖，基部略变狭或不变狭，2 回浅羽裂；羽片 7 ~ 10 对，对生，平展或略斜展，疏离，仅基部 1 对羽片分离，无柄，向上的均与叶轴合生，下部 2 对羽片有时略缩短，中部羽片较长，长椭圆形，长 7 ~ 11（~ 22）mm，基部宽 5 ~ 7（~ 10）mm，圆钝头，基部不

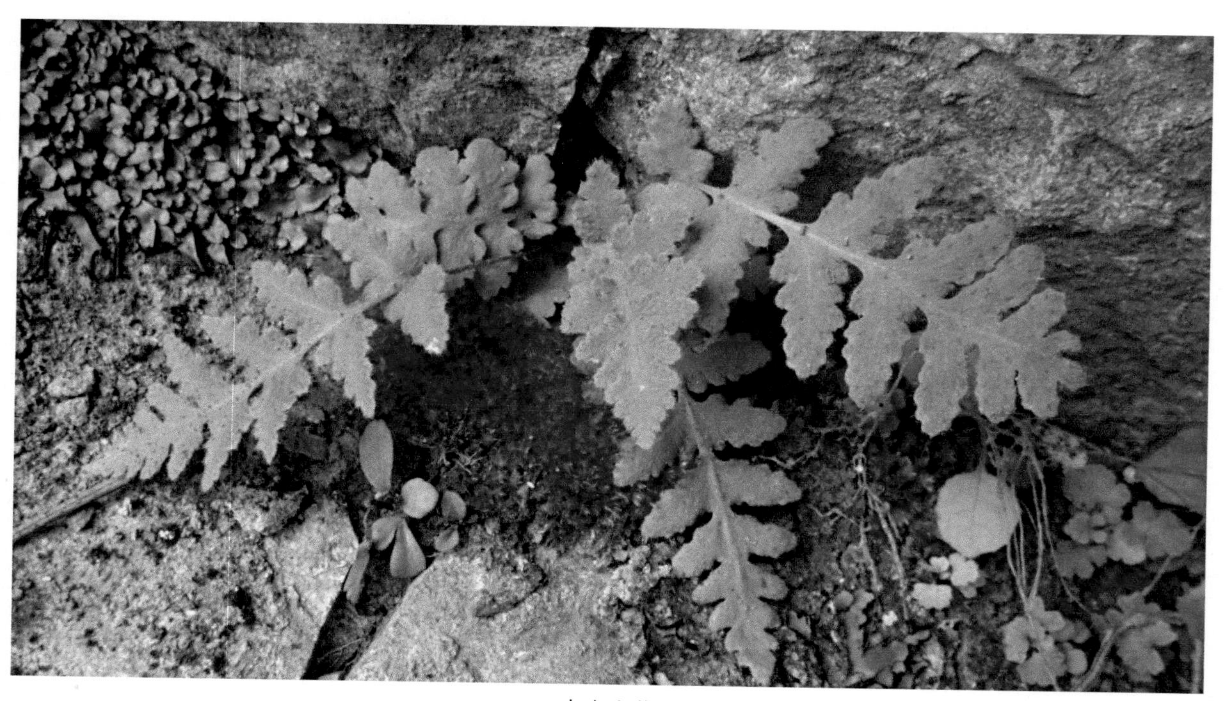

大囊岩蕨

对称，与叶轴合生，边缘波状浅裂，裂片全缘。叶脉不明显，小脉斜向上，下部的二至三叉，向上的为二叉，先端具水囊，不达叶缘。叶草质，干后棕绿褐色，两面及叶轴密被节状长毛，尤以上面较密。孢子囊群圆形，位于分叉小脉的先端，略靠近叶缘，沿羽片边缘排列成行；囊群盖杯形，膜质，边缘撕裂状。

| 生境分布 | 生于林下石缝中。分布于吉林延边、白山、通化等。

| 资源情况 | 野生资源较少。药材主要来源于野生。

| 采收加工 | 夏、秋季采收，除去杂质，晒干。

| 功能主治 | 舒筋活血。用于扭伤筋痛，跌打损伤。

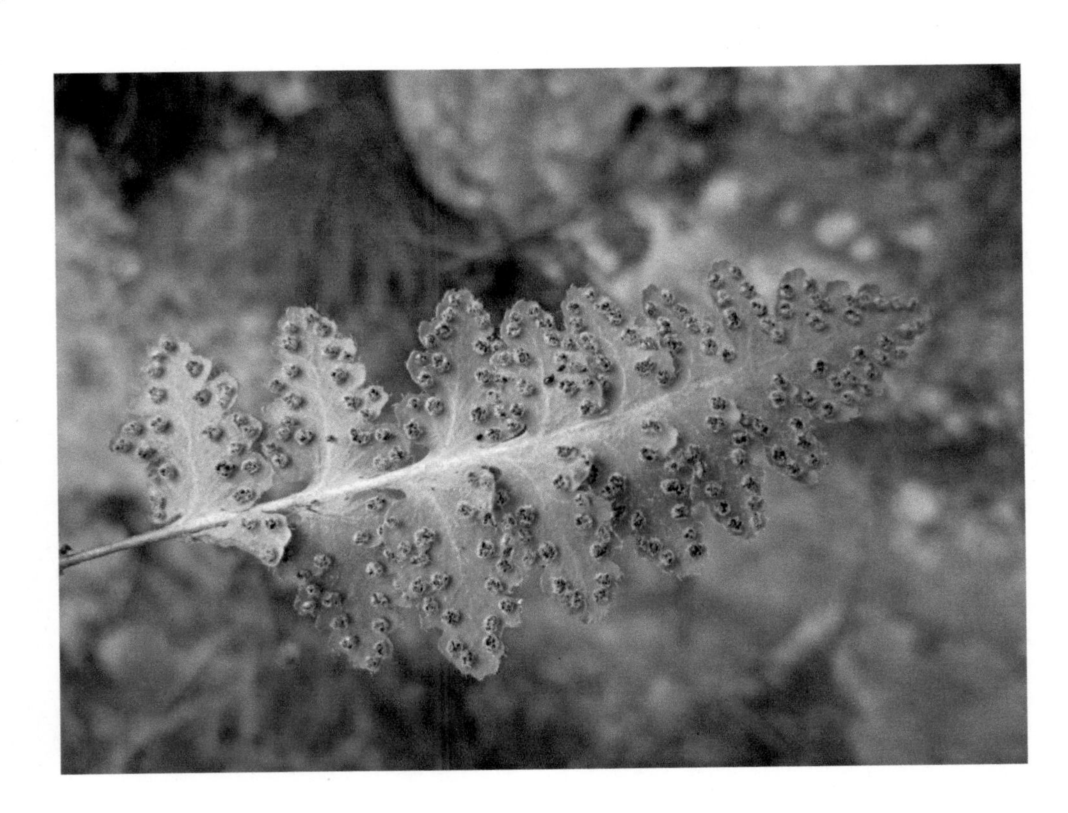

岩蕨科 Woodsiaceae 岩蕨属 *Woodsia*

耳羽岩蕨 *Woodsia polystichoides* Eaton

|**药 材 名**| 蜈蚣旗根（药用部位：根茎）。

|**形态特征**| 多年生草本，植株高 15 ~ 30cm。根茎短而直立，先端密被鳞片；鳞片披针形或卵状披针形，长约 4mm，先端渐尖，棕色，膜质，全缘。叶簇生；柄长 4 ~ 12cm，直径 1 ~ 1.5mm，禾秆色或棕禾秆色，略有光泽，先端或上部有倾斜的关节，基部被与根茎上相同的鳞片，向上连同叶轴被狭披针形至线形的棕色小鳞片和节状长毛；叶片线状披针形或狭披针形，长 10 ~ 23cm，中部宽 1.5 ~ 3cm，先端渐尖，向基部渐变狭，一回羽状，羽片 16 ~ 30 对，近对生或互生，平展或偶有略斜展，下部 3 ~ 4 对缩小并略向下反折，以阔间隔彼此分开，基部 1 对呈三角形，中部羽片较大，疏离，椭圆状披针形或线状披针形，略呈镰状，长 8 ~ 20mm，基部宽 4 ~ 7mm，急尖头或尖头，

耳羽岩蕨

基部不对称，上侧截形，与叶轴平行并紧靠叶轴，有明显的耳形突起，下侧楔形，边缘变异较大，或为全缘，或呈波状，有时为缺刻状或钝牙齿状浅裂，罕为浅羽裂。叶脉明显，羽状，小脉斜展，二叉（在羽片基部上侧耳形凸起为简单的羽状），先端有棒状水囊，不达叶缘。叶纸质或草质，干后草绿色或棕绿色，上面近无毛或疏被长毛，下面疏被长毛及线形小鳞片；叶轴浅禾秆色或棕禾秆色，略有光泽。孢子囊群圆形，着生于二叉小脉的上侧分枝先端，每裂片具 1（羽片基部上侧具 3 ~ 6 耳形突起），靠近叶缘；囊群盖杯形，边缘浅裂并有睫毛。

| 生境分布 | 生于林下石上、山谷石缝间、阴湿岩石缝隙。以长白山区为主要分布区域，分布于吉林延边、白山、通化、吉林、辽源（东丰）等。

| 资源情况 | 野生资源较少。药材主要来源于野生。

| 采收加工 | 夏、秋季采收，除去杂质，晒干。

| 功能主治 | 辛，凉。归肝、脾经。清热解毒，活血散瘀，通络止痛。用于扭伤筋痛，跌打损伤，瘀血肿痛。

| 用法用量 | 外用适量，鲜品捣敷。

岩蕨科 Woodsiaceae 岩蕨属 *Woodsia*

等基岩蕨 *Woodsia subcordata* Turcz.

等基岩蕨

|药 材 名|

等基岩蕨（药用部位：根茎。别名：心岩蕨）。

|形态特征|

多年生草本，植株高 14 ~ 22cm。根茎短而直立或斜升，先端及叶柄基部密被鳞片；鳞片卵状披针形或阔披针形，长约 4mm，先端渐尖，棕色，膜质，边缘有睫毛。叶多数簇生；柄长（2 ~ ）4 ~ 8cm，直径约 1mm，浅栗色或棕禾秆色，有光泽，先端有倾斜或水平的关节（关节有时不甚明显），基部以上疏被节状长毛及线形小鳞片，后变光滑；叶片披针形，长 8 ~ 15cm，中部宽 2 ~ 3cm，钝头或渐尖头，下部略变狭，2 回羽裂；羽片 11 ~ 16 对，近对生或互生，斜展，顶部的多少与叶轴合生，下部 2 ~ 3 对缩小，基部 1 对长约 5mm，中部羽片较大，长 8 ~ 20mm，基部宽 4 ~ 10mm，各对相距 6 ~ 10mm，椭圆形或长三角状披针形，钝头，基部圆截形，上侧呈耳形并多少覆盖叶轴，边缘深波状羽裂达 1/2；裂片 3 ~ 4 对，彼此密接，椭圆形，长 2 ~ 4mm，圆头，全缘。叶脉隐约可见，在裂片为简单的羽状，小脉斜向上，先端有棒状水囊，不达叶缘。叶草质，干后草绿色或棕色，两面均疏被灰色或灰棕色的膝曲节状长毛及棕色的线形小鳞片，偶有近无毛；叶轴禾秆色或略带栗色，疏被膝曲的节状长毛及小鳞片，上面有纵沟。孢子囊群圆形，位于分叉小脉的顶部，每裂片具 1 ～ 4，靠近叶缘；囊群盖碟形，边缘具睫毛。

| 生境分布 | 生于林下岩隙间。分布于吉林延边、白山、通化、长春、吉林、辽源等。

| 资源情况 | 野生资源较少。药材主要来源于野生。

| 采收加工 | 夏、秋季采收，除去杂质，晒干。

| 功能主治 | 辛，平。解表，止咳。用于外感表证的感冒、咳嗽。

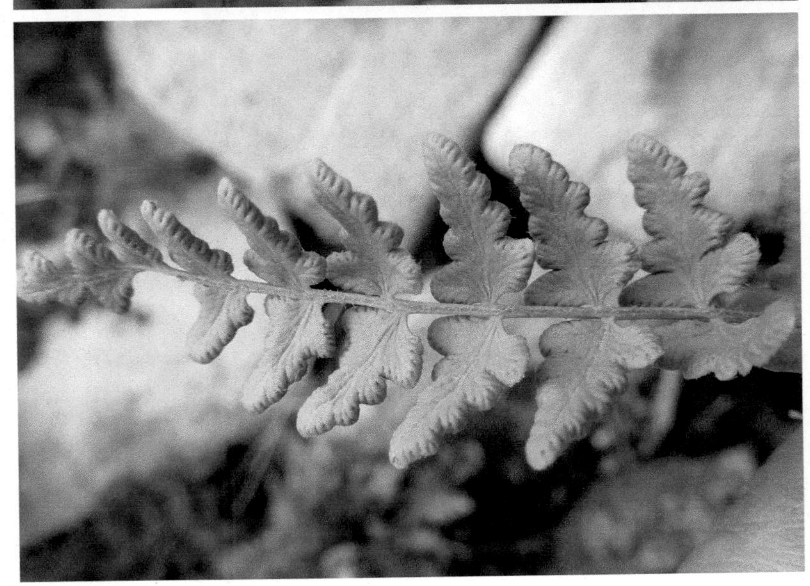

鳞毛蕨科 Dryopteridaceae 鳞毛蕨属 *Dryopteris*

黑水鳞毛蕨 *Dryopteris amurensis* Christ

黑水鳞毛蕨

|药 材 名|

黑水鳞毛蕨（药用部位：根及根茎）。

|形态特征|

多年生草本，植株高 40 ~ 50cm。根茎直立，有分枝的细鞭，细鞭的先端长成新的植株。叶簇生；叶柄长 20 ~ 30cm，最基部黑色，上部禾秆色，疏被淡褐色披针形鳞片；叶片五角形，长 20 ~ 23cm，宽 20 ~ 22cm，三回羽状；羽片 5 ~ 7 对，基部 1 对最大，三角形，长约 10cm，宽约 8cm，小羽片 5 ~ 7 对，下侧的小羽片较大，下侧基部 1 对小羽片最大，长 6 ~ 7cm，宽 2 ~ 3cm，羽状全裂；末回小羽片 5 ~ 7 对，三角状卵形，边缘羽状半裂至羽状深裂，裂片先端和小羽片先端具有针刺状的锐尖齿。叶片纸质，干后绿色，叶轴和羽轴疏被披针形小鳞片，小羽片中脉下面具有泡状鳞片。孢子囊群大，着生于小羽片或末回小羽片的中脉两侧；囊群盖圆肾形，全缘。

|生境分布|

生于林下。以长白山区为主要分布区域，分布于吉林延边、白山、通化、吉林、辽源（东丰）等。

| 资源情况 | 野生资源较少。药材主要来源于野生。

| 采收加工 | 秋季地上部分枯萎时采挖，剪去叶柄和须根，除净泥沙，晒干。

| 功能主治 | 解表，止血。用于表证之恶寒发热，咯血、吐血等多种出血证。

鳞毛蕨科 Dryopteridaceae 鳞毛蕨属 *Dryopteris*

中华鳞毛蕨 *Dryopteris chinensis* (Bak.) Koidz.

|药 材 名| 中华鳞毛蕨（药用部位：根茎）。

|形态特征| 多年生草本，植株高 25 ~ 35cm。根茎粗短，直立，连同叶柄基部密生棕色或有时中央褐棕色的披针形鳞片。叶簇生；叶柄长 10 ~ 20cm，直径约 2mm，禾秆色，基部以上疏生鳞片或近光滑；叶片长等于或略长于叶柄，宽 8 ~ 18cm，五角形，渐尖头，基部 4 回羽裂，中部三回羽状；羽片 5 ~ 8 对，斜展，基部 1 对最大，长 6 ~ 12cm，基部宽 3 ~ 8cm，三角状披针形，渐尖头，基部不对称，上侧靠近叶轴，下侧斜出，柄长 5 ~ 10mm，3 回羽裂；一回小羽片斜展，下侧的较上侧的为大，基部 1 片更大，长 2.5 ~ 5cm，基部宽 1.5 ~ 2.5cm，三角状披针形，短渐尖头，基部近截形，柄长 1.5 ~ 3mm，2 回羽裂，末回小羽片或裂片三角状卵形或披针形，钝头，

中华鳞毛蕨

基部与小羽轴合生，边缘羽裂或有粗齿；叶脉下面可见，在末回小羽片或裂片上羽状，侧脉分叉或单一；叶纸质，干后褐绿色，上面光滑，下面沿叶轴及羽轴有褐棕色披针形小鳞片，沿叶脉生稀疏的棕色短毛。孢子囊群生于小脉顶部，靠近叶缘；囊群盖圆肾形，近全缘，宿存。

| 生境分布 | 生于山区林下。分布于吉林延边、白山、通化等。

| 资源情况 | 野生资源较少。药材主要来源于野生。

| 采收加工 | 秋季地上部分枯萎时采挖，剪去叶柄和须根，除净泥沙，晒干。

| 功能主治 | 解表，解毒。用于病毒发疹。

鳞毛蕨科 Dryopteridaceae 鳞毛蕨属 *Dryopteris*

广布鳞毛蕨 *Dryopteris expansa* (Presl) Fraser-Jenkins et Jermy

| 植物别名 | 大鳞毛蕨。

| 药 材 名 | 广布鳞毛蕨（药用部位：根茎）。

| 形态特征 | 多年生草本，植株高 40 ~ 100cm。根茎短粗，斜升或横卧。叶簇生；叶柄密被鳞片，鳞片卵形至广披针形，长达 1.5cm，锐尖头，膜质，淡褐色至栗褐色，边缘淡棕色，有光泽；叶片与叶柄近等长，长圆形、卵状长圆形或近三角形，长 25 ~ 50cm，宽 12 ~ 35cm，渐尖头，基部不变狭，3 回羽状深裂；羽片 6 ~ 11 对，对生或近对生，基部羽片最大，斜三角形，具短柄，羽轴下侧小羽片显著长于上侧小羽片，其他羽片长圆状披针形，稀为长圆状卵形，具短柄，渐尖头，二回羽状；小羽片下先出，长圆形，稀卵状长圆形，尖头，具短小柄，基部羽片下部下侧小羽片长为整个羽片长度的一半以上，羽状

广布鳞毛蕨

深裂；裂片长方形或长圆形，宽 2 ~ 4mm，先端牙齿具芒刺。叶草质，无毛，表面绿色，背面淡绿色；叶脉羽状，每裂片 3 ~ 4 对，不分叉。孢子囊群圆形，生于小脉先端或上部；囊群盖圆肾形，全缘或微具缺刻；孢子广椭圆形，褐色，具极细刺瘤。

| 生境分布 | 生于林下。分布于吉林延边、白山、通化等。

| 资源情况 | 野生资源较少。药材主要来源于野生。

| 采收加工 | 秋季地上部分枯萎时采挖，剪去叶柄和须根，除净泥沙，晒干。

| 功能主治 | 苦，寒；有毒。解表，解毒。驱虫。用于表证之恶寒发热，绦虫病。

| 用法用量 | 内服煎汤，5 ~ 12g。

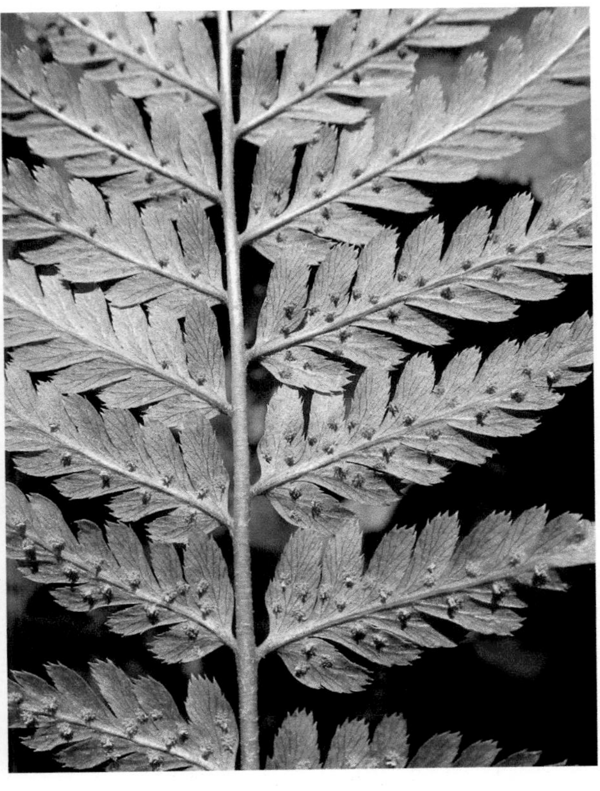

鳞毛蕨科 Dryopteridaceae 鳞毛蕨属 *Dryopteris*

香鳞毛蕨 *Dryopteris fragrans* (L.) Schott

| 植物别名 | 野鸡膀子。

| 药 材 名 | 香鳞毛蕨（药用部位：根茎）。

| 形态特征 | 多年生草本，植株高 20 ~ 30cm。根茎直立或斜升，先端连同叶柄基部密被鳞片；鳞片红棕色，膜质，卵圆形或卵圆状披针形，先端短渐尖，边缘疏具锯齿。叶簇生，叶柄通常长 1 ~ 2cm，生于石缝中的植株长可达 12cm，禾秆色，有沟槽，密被红棕色、长圆状披针形且边缘具锯齿的鳞片和金黄色腺体；叶片长圆状披针形，长 10 ~ 25cm，中部宽 2 ~ 4cm，先端短渐尖，向基部逐渐狭缩，最基部宽不足 1cm，二回羽状至 3 回羽裂；羽片约 20 对，斜展，彼此靠近，往往相接，披针形，钝尖至急尖头，中部羽片长 1.5 ~ 2cm，基部宽 6 ~ 8cm，下部数对狭缩成耳状，羽状或羽状深裂；小羽片（裂

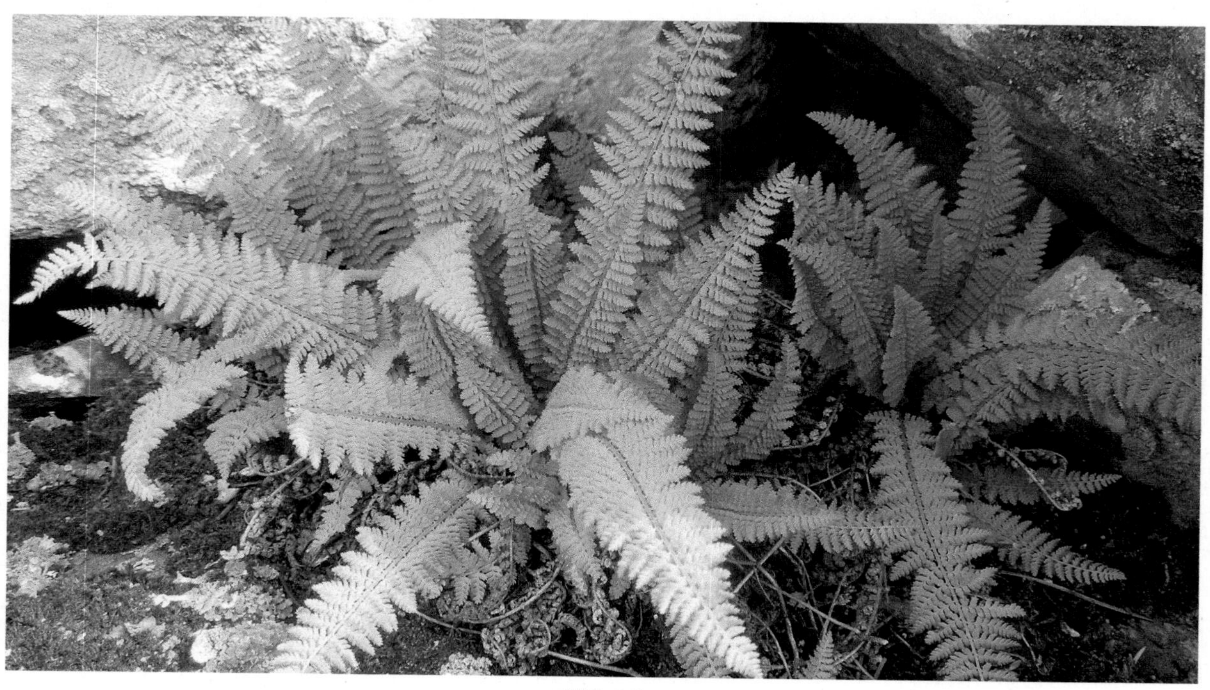

香鳞毛蕨

片）矩圆形，边缘具锯齿或浅裂。叶草质，干后上面褐色，下面棕色，两面光滑，沿叶轴与羽轴被亮棕色披针形鳞片和腺体，叶脉羽状，两面不显。孢子囊群圆形，背生于小脉上；囊群盖膜质，圆形至圆肾形，边缘疏具锯齿，大，成熟后彼此靠近并伸出叶缘之外，背面具腺体。孢子椭圆形，周壁具瘤状突起。

| 生境分布 | 生于高寒地区，多生于高山石海、岩石缝隙、滑石坡、森林中的碎石坡上和火山周围的岩浆缝隙中。分布于吉林延边、白山、通化等。

| 资源情况 | 野生资源较少。药材主要来源于野生。

| 采收加工 | 秋季采挖，除去杂质，晒干。

| 功能主治 | 苦，微寒。清热解毒，驱虫。用于皮炎，牛皮癣，干癣，皮疹，脚气。

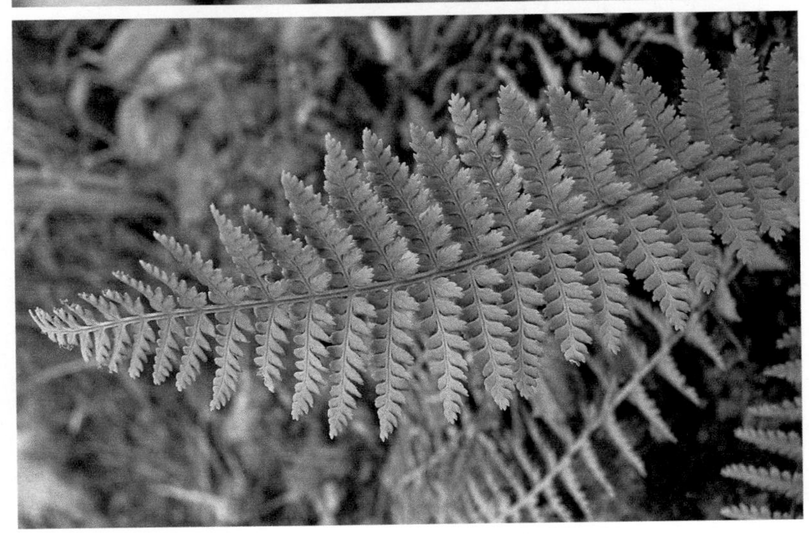

鳞毛蕨科 Dryopteridaceae 耳蕨属 *Polystichum*

布朗耳蕨 *Polystichum braunii* (Spenn.) Fee.

| 植物别名 | 棕鳞耳蕨、黄瓜鲜。

| 药 材 名 | 耳蕨贯众（药用部位：根茎。别名：贯众）。

| 形态特征 | 多年生草本，植株高 40 ~ 70cm。根茎短而直立或斜升，密生线形淡棕色鳞片。叶簇生；叶柄长 13 ~ 21cm，基部直径 4 ~ 5mm，基部带棕色，腹面有纵沟，密生淡棕色线形、披针形鳞片和较大鳞片，大鳞片卵形、卵状披针形和宽披针形，淡棕色，但下部的中间常带黑棕色，具光泽，密生或略疏生，长达 13mm，宽达 6mm，先端长渐尖或尾状，近全缘或略具齿；叶片椭圆状披针形，长 36 ~ 60cm，中部宽 14 ~ 24cm，先端渐尖，能育，向基部逐渐变狭，下部不育，二回羽状；羽片 19 ~ 25 对，互生，斜向上，具短柄，披针形，先端渐尖，基部不对称，中部羽片长 10 ~ 15cm，宽

布朗耳蕨

2.3 ~ 2.8cm，一回羽状；小羽片（2 ~ ）6 ~ 17 对，互生，无柄，矩圆形，长 0.9 ~ 1.7cm，宽 0.5 ~ 0.9cm，先端急尖，具锐尖头，基部楔形，下延，上侧全缘，或少数大型个体具锯齿甚至浅裂，具短或较长的芒，耳状凸呈弧形，不明显，下侧具芒，羽片基部上侧 1 片最大，具缺刻或羽裂状；小羽片具羽状脉，侧脉 5 ~ 7 对，二歧分叉，明显。叶薄草质，两面密生淡棕色长纤毛状小鳞片；叶轴腹面有纵沟，背面密生淡棕色线形、披针形和较大鳞片，大鳞片卵状披针形，宽达 4.5mm，先端尾状或长渐尖，近全缘；羽轴具狭翅，腹面有纵沟，背面生淡棕色线形鳞片。孢子囊群圆形，大，每小羽片（1 ~ ）3 ~ 6 对，主脉两侧各 1 行，靠近主脉，生于小脉末端，或有时为近脉端生；囊群盖圆形，盾状，全缘。

| 生境分布 | 生于林下、林缘荫处、半荫处。以长白山区为主要分布区域，分布于吉林延边、白山、通化、吉林、辽源（东丰）等。

| 资源情况 | 野生资源稀少。药材主要来源于野生。

| 采收加工 | 秋季采挖，除去叶柄及须根，晒干。

| 功能主治 | 微苦，凉。归肺、脾经。清热解毒，止血，杀虫。用于病毒发疹，衄血，轻粉中毒，头疮，白秃，痄腮，蛲虫病，流行性感冒，功能性子宫出血。

| 用法用量 | 内服煎汤，10 ~ 15g；或研末，3g。外用适量，研末调搽。

鳞毛蕨科 Dryopteridaceae 耳蕨属 *Polystichum*

鞭叶耳蕨 *Polystichum craspedosorum* (Maxim.) Diels

| 植物别名 | 鞭叶蕨、华北耳蕨。

| 药 材 名 | 鞭叶耳蕨（药用部位：全草）。

| 形态特征 | 多年生草本，植株高 28 ~ 48cm。根茎短，直立，连同叶柄密被鳞片；鳞片棕色，心形或卵形，先端纤维状，边缘有睫毛，质薄。叶簇生，二型，柄长 10 ~ 23cm，直径 2 ~ 2.5mm，禾秆色；可育叶叶片阔披针形，长达 25cm，宽约 10cm，顶部羽裂，短尖头，基部不对称，近圆形，一回羽状；羽片 7 ~ 8 对，互生，有柄，近平展，阔镰状，长达 6cm，中部宽约 1.5cm，渐尖头，基部不对称，上侧截形并凸出成耳状，下侧圆形，两侧近全缘；不育叶叶片较狭，羽片少而稀疏，叶轴伸长成鞭状匍匐茎，先端有 1 芽孢，着地生成新植株。叶脉分离，每组 5 ~ 6，侧脉分叉，基部上方 1 脉向外伸展，止于中途，其余

鞭叶耳蕨

小脉伸达叶缘，有时下部联结，下面隆起，可见。叶厚革质，干后绿色，上面疏伏生灰白色长柔毛，叶轴、羽轴及主脉下面密被淡棕色、卵状、边缘有睫毛的较小鳞片和灰白色的长柔毛。孢子囊群小，圆形，背生或顶生小脉上，在主脉两侧各排成 2（～3）行；无囊群盖。

| 生境分布 |

生于林间阴湿的岩石上。以长白山区为主要分布区域，分布于吉林延边、白山、通化、吉林、辽源（东丰）等。

| 资源情况 |

野生资源较少。药材主要来源于野生。

| 采收加工 |

夏、秋季采收，除去杂质，晒干。

| 功能主治 |

苦，寒。清热解毒。用于肠炎，乳痈，下肢疖肿，肌肤红肿，瘙痒，脏腑湿热，赤白痢。

| 附　　注 |

在 FOC 中，本种的拉丁学名被修订为 *Polystichum lepidocaulon* (Hooker) J. Smith。

鳞毛蕨科 Dryopteridaceae 耳蕨属 *Polystichum*

戟叶耳蕨 *Polystichum tripteron* (Kunze) Presl

| 植物别名 | 三叉耳蕨、三叶耳蕨、蛇舌草。

| 药 材 名 | 戟叶耳蕨（药用部位：根茎、叶。别名：三叉耳蕨）。

| 形态特征 | 多年生草本，植株高 30 ~ 65cm。根茎短而直立，先端连同叶柄基部密被深棕色有缘毛的披针形鳞片。叶簇生；叶柄长 12 ~ 30cm，直径约 2mm，基部以上禾秆色，连同叶轴和羽轴疏生披针形小鳞片；叶片戟状披针形，长 30 ~ 45cm，基部宽 10 ~ 16cm，具 3 椭圆状披针形的羽片；侧生 1 对羽片较短小，长 5 ~ 8cm，宽 2 ~ 5cm，有短柄，斜展，羽状，有小羽片 5 ~ 12 对；中央羽片远较大，长 30 ~ 40cm，宽 5 ~ 8cm，有长柄，一回羽状，有小羽片 25 ~ 30 对；小羽片均互生，近平展，下部的有短柄，向上近无柄，中部的长 3 ~ 4cm，宽 0.8 ~ 1.2cm，镰形，渐尖头，基部下侧斜切，上侧

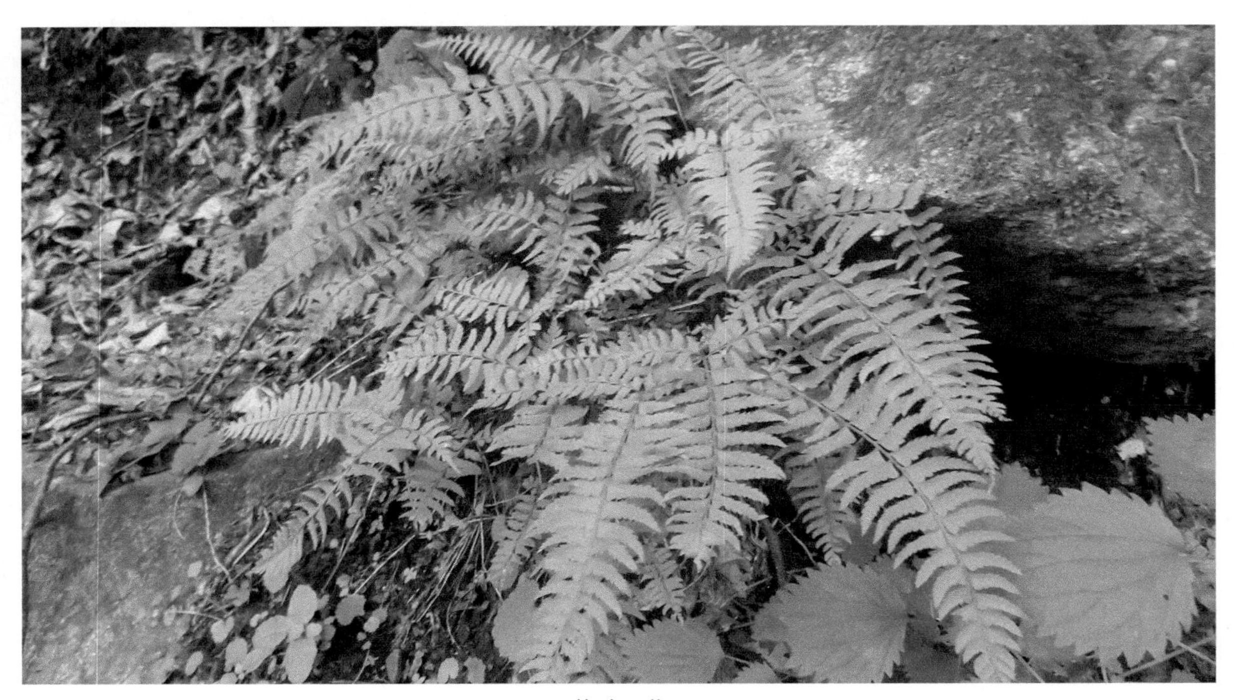

戟叶耳蕨

截形，具三角形耳状突起，边缘有粗锯齿或浅羽裂，锯齿及裂片先端有芒状小刺尖；叶脉在裂片上羽状，小脉单一，罕二叉。叶草质，干后绿色，上面色较深，沿叶脉疏生卵状披针形或披针形的浅棕色小鳞片。孢子囊群圆形，生于小脉先端；囊群盖圆盾形，边缘略呈啮蚀状，早落。孢子极面观椭圆形，赤道面观半圆形，周壁具折皱，常联结成网状，薄而透明。

| 生境分布 | 生于林下、阴面干燥的石灰岩上，常出现在石灰岩地区。以长白山区为主要分布区域，分布于吉林延边、白山、通化、吉林、辽源（东丰）等。

| 资源情况 | 野生资源较少。药材主要来源于野生。

| 采收加工 | 秋季采挖，除去叶柄及须根，分别晒干。

| 功能主治 | 苦，寒。清热解毒，利尿通淋，活血调经，止痛，补肾。用于内热腹痛，痢疾，淋浊，肠炎，乳痈，下肢疖肿。

水龙骨科 Polypodiaceae 瓦韦属 *Lepisorus*

乌苏里瓦韦 *Lepisorus ussuriensis* (Regel et Maack) Ching

| 植物别名 | 石韦、七星草、石茶。

| 药 材 名 | 乌苏里瓦韦（药用部位：全草或根茎）。

| 形态特征 | 多年生草本，植株高 10 ~ 15cm。根茎细长，横走，密被鳞片；鳞片披针形，褐色，基部扩展成近圆形，细胞壁加厚，网眼大而透明，近等直径，向上突然狭缩，具长芒状尖，网眼长方形，边缘有细齿。叶着生变化较大，相距 3 ~ 22mm；叶柄长 1.5 ~ 5cm，禾秆色或淡棕色至褐色，光滑无毛；叶片线状披针形，长 4 ~ 13cm，中部宽 0.5 ~ 1cm，向两端渐变狭，短渐尖头，或圆钝头，基部楔形，下延，干后上面淡绿色、下面淡黄绿色，或两面均为淡棕色，边缘略反卷，纸质或近革质。主脉上、下均隆起，小脉不显。孢子囊群圆形，位于主脉和叶缘之间，彼此相距 1 ~ 1.5 孢子囊群体积，幼时被星芒

乌苏里瓦韦

状褐色隔丝覆盖。

| 生境分布 |

生于林下、岩石上、树干上、树干阴面、岩石缝中。以长白山区为主要分布区域，分布于吉林延边、白山、通化、吉林、辽源（东丰）等。

| 资源情况 |

野生资源较丰富。药材主要来源于野生。

| 采收加工 |

秋季采收全草，除去杂质，晒干。夏、秋季采挖根茎，除去须根，晒干。

| 药材性状 |

本品全草多呈团状；根茎横走，外表被黑褐色的鳞片及须根；叶片线状披针形，长 10 ~ 15cm，宽 0.6 ~ 1.5cm，两边反卷；孢子囊群在叶背面排列成 2 行。气微，叶味淡，根味苦。

| 功能主治 |

全草，苦，平。祛风利尿，止咳，活血。用于风湿骨痛，小便淋痛，咳嗽，惊风，月经不调，跌打损伤。根茎，利尿，清热。用于风湿疼痛，惊风，精神病，跌打伤肿。

| 用法用量 |

全草，内服煎汤，9 ~ 15g。外用适量，捣敷。根茎，内服煎汤，3 ~ 6g。

水龙骨科 Polypodiaceae 多足蕨属 *Polypodium*

东北多足蕨 *Polypodium virginianum* L.

| 植物别名 | 东北水龙骨、欧亚水龙骨、小水龙骨。

| 药 材 名 | 多足蕨（药用部位：全草）。

| 形态特征 | 多年附生植物。根茎长而横走，直径 2 ~ 3mm，密被鳞片；鳞片披针形，暗棕色，长 3 ~ 4mm，先端渐尖，边缘具疏齿。叶远生或近生；叶柄长 5 ~ 8cm，禾秆色，光滑无毛；叶片长椭圆状披针形，长 10 ~ 20cm，宽 3 ~ 5cm，羽状深裂或基部为羽状全裂，先端羽裂渐尖或尾尖；侧生裂片 12 ~ 16 对，平展或近平展，条形，长 2 ~ 2.5cm，宽约 6mm，基部与叶轴合生，先端钝圆，边缘具浅锯齿。叶片近革质；干后上面灰绿色，平滑，背面黄绿色，折皱，两面光滑无毛。叶脉分离，裂片的中脉和侧脉均不明显，在叶表面隐约可见，侧脉先端具水囊，不达叶缘，在叶背不显。孢子囊群圆形，在裂片中脉两侧

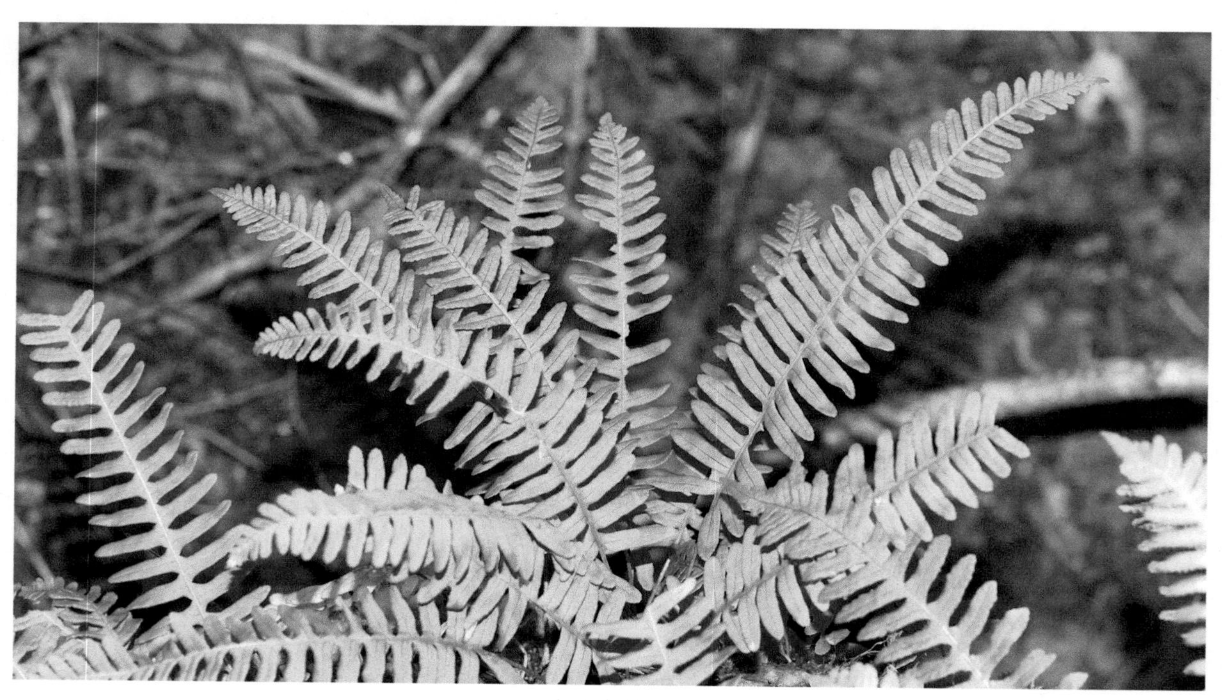

东北多足蕨

各 1 行，靠近裂片边缘着生，无囊盖。

| 生境分布 | 生于针阔叶混交林内、石缝中腐殖质肥厚处或附生于树干或石上。以长白山区为主要分布区域，分布于吉林延边、白山、通化、吉林、辽源（东丰）等。

| 资源情况 | 野生资源较少。药材主要来源于野生。

| 采收加工 | 夏、秋季采收，除去杂质，晒干。

| 药材性状 | 本品根茎纤细，长 7 ~ 20cm，暗褐色。叶柄长 5 ~ 8cm，禾秆色，光滑无毛；叶片长椭圆状披针形，长 10 ~ 20cm，宽 3 ~ 5cm，羽状深裂或基部为羽状全裂，先端羽裂渐尖或尾尖，近革质，灰绿色，背面黄绿色，两面光滑无毛。孢子囊棕褐色，圆点状，附着于叶缘小脉先端。气微，味微苦。

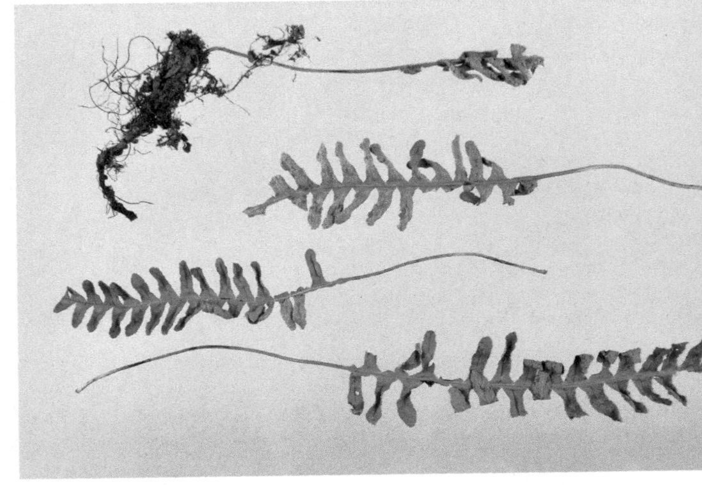

| 功能主治 | 甘、苦，凉。解毒退热，祛风除湿，止血破血，止咳镇痛。用于小儿高热，咳嗽气喘，尿路感染，风湿关节痛，牙痛；外用于荨麻疹，疮疖痈毒，跌打损伤。

| 用法用量 | 内服煎汤，10 ~ 30g。外用适量，煎汤洗；或捣敷。

水龙骨科 Polypodiaceae 石韦属 *Pyrrosia*

线叶石韦 *Pyrrosia linearifolia* (Hook.) Ching

| 植物别名 | 绒毛石韦。

| 药 材 名 | 线叶石韦（药用部位：全草）。

| 形态特征 | 多年生草本，植株高 3 ~ 10cm。根茎细长而横走，密被线状披针形鳞片；鳞片长渐尖头，棕色，全缘。叶近生，一型，几无柄；叶片线形，长 2 ~ 8cm，宽 2 ~ 3mm，钝圆头，下部渐狭下延至基部，全缘，干后纸质，上面褐色，密被无色钻状分支臂的星状毛，下面棕色，密被2层不同的星状毛；叶脉均不显。孢子囊群聚生于主脉两侧，呈 1 ~ 2 行排列，无盖，被星状毛覆盖，成熟时孢子囊开裂，呈深棕色。

| 生境分布 | 附生于山坡岩石上、树干上或低海拔的墙脚。分布于吉林通化等。

线叶石韦

| **资源情况** | 野生资源较少。药材主要来源于野生。

| **采收加工** | 全年均可采收，除去杂质，晒干或阴干。

| **功能主治** | 祛风除湿。用于风湿痹证。

水龙骨科 Polypodiaceae 石韦属 *Pyrrosia*

有柄石韦 *Pyrrosia petiolosa* (Christ) Ching

| 植物别名 | 石韦、石茶、小石韦。

| 药 材 名 | 有柄石韦（药用部位：叶。别名：石韦、金星草、石兰）。

| 形态特征 | 多年生草本，植株高 5 ~ 15cm。根茎细长而横走，幼时密被披针形棕色鳞片；鳞片长尾状，渐尖头，边缘具睫毛。叶远生，一型；具长柄，通常为叶片长度的 1/2 ~ 2 倍，基部被鳞片，向上被星状毛，棕色或灰棕色；叶片椭圆形，急尖，短钝头，基部楔形，下延，干后厚革质，全缘，上面灰淡棕色，有洼点，疏被星状毛，下面被厚层星状毛，初为淡棕色，后为砖红色；主脉下面稍隆起，上面凹陷，侧脉和小脉均不显。孢子囊群布满叶片下面，成熟时扩散并汇合。

| 生境分布 | 生于山脊干旱裸露岩石上，常与卷柏伴生。以长白山区为主要分布

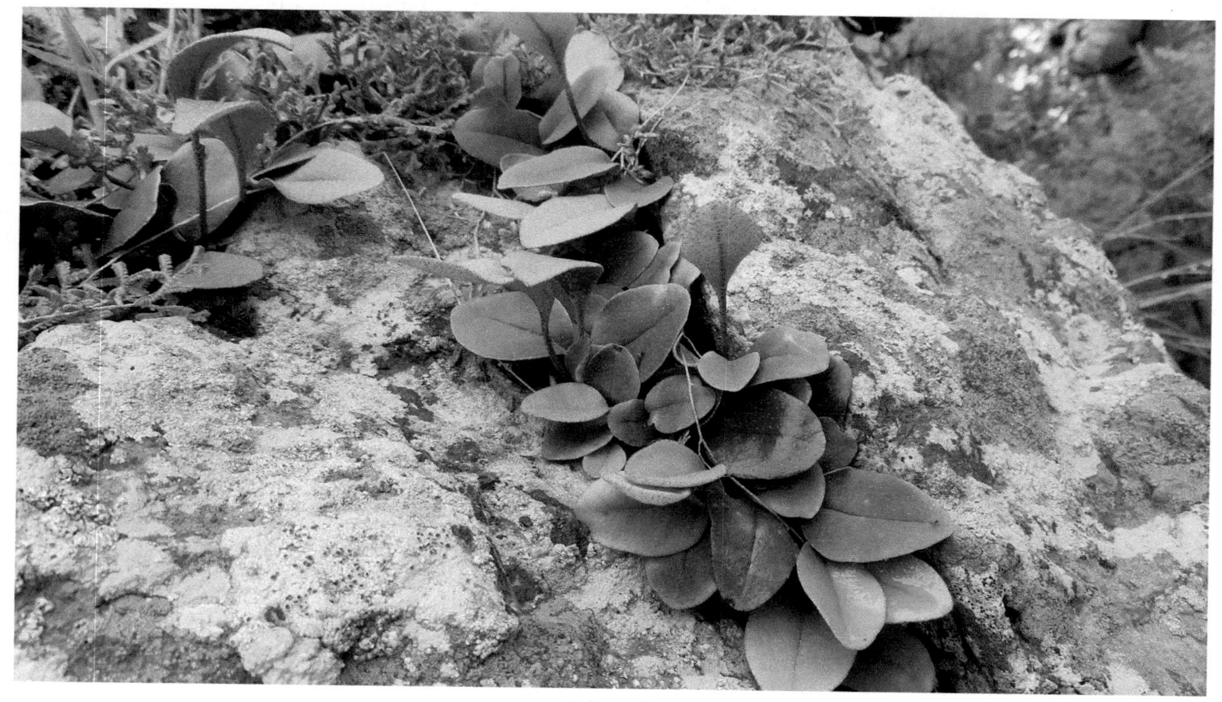

有柄石韦

区域，分布于吉林延边、白山、通化、吉林、辽源（东丰）等。

| 资源情况 | 野生资源稀少。药材主要来源于野生。

| 采收加工 | 全年均可采收，除去根及根茎，阴干或晒干，筛去细屑。

| 药材性状 | 本品多卷曲，呈筒状，叶柄长 3.5 ~ 11cm，长于叶片，直径 1 ~ 2mm，被棕色星状毛，有 1 纵浅槽，内密生毛；叶片广披针形至长圆状披针形，长 3 ~ 9cm，先端钝，基部楔形，全缘，叶面灰棕色，无毛或疏被星状毛，散布黑色圆形小凹点，背面密生粉棕色、中心有红点的星状毛，毛的分枝较短粗；中脉明显，细脉不明显。能育叶下表面布满棕色孢子囊群。革质。无臭，味微苦。以叶厚、整齐、洁净者为佳。

| 功能主治 | 微苦、甘，寒。利尿通淋，清肺止咳，凉血止血。用于热淋，血淋，石淋，小便不通，淋沥涩痛，肺热喘咳，吐血，衄血，尿血，崩漏。

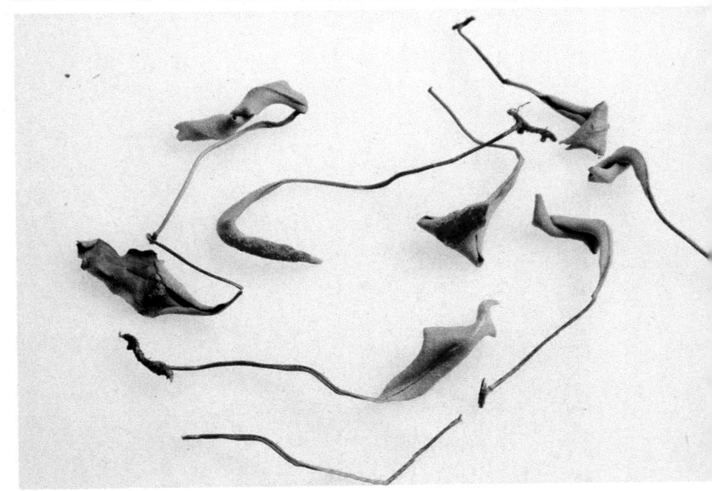

| 用法用量 | 内服煎汤，9 ~ 15g；或研末。外用适量，研末涂敷。

| 附　　注 | 本种近年来被广泛应用于各种复方制剂中，用量较大。本种在吉林虽有野生资源分布，但无药材商品产出，应该大力加强资源开发及有效利用。

槐叶苹科 Salviniaceae 槐叶苹属 *Salvinia*

槐叶苹 *Salvinia natans* (L.) All.

| 植物别名 | 蜈蚣漂、大浮萍、蜈蚣萍。

| 药 材 名 | 槐叶苹（药用部位：全草）。

| 形态特征 | 小型漂浮植物。茎细长而横走，被褐色节状毛。3 叶轮生，上面 2 叶漂浮水面，形如槐叶，长圆形或椭圆形，长 0.8 ~ 1.4cm，宽 5 ~ 8mm，先端钝圆，基部圆形或稍呈心形，全缘；叶柄长 1mm 或近无柄；叶脉斜出，在主脉两侧有小脉 15 ~ 20 对，每条小脉上面有 5 ~ 8 束白色刚毛；叶草质，上面深绿色，下面密被棕色茸毛。下面 1 叶悬垂水中，细裂成线状，被细毛，形如须根，起着根的作用。孢子果 4 ~ 8 簇生于沉水叶的基部，表面疏生成束的短毛，小孢子果表面淡黄色，大孢子果表面淡棕色。

槐叶苹

| 生境分布 | 生于水塘、水田、沟塘、静水、溪河内。分布于吉林延边、白山、通化等。

| 资源情况 | 野生资源较丰富。药材主要来源于野生。

| 采收加工 | 夏、秋季采收，除去杂质，晒干。

| 功能主治 | 辛，寒。清热解毒，活血止痛，除湿消肿。用于劳热，浮肿，疔疮，湿疹，烫火伤，瘀血肿痛，鼻疔。

裸子植物

银杏科 Ginkgoaceae 银杏属 *Ginkgo*

银杏 *Ginkgo biloba* L.

银杏

植物别名

鸭脚子、公孙树、白果。

药材名

银杏叶（药用部位：叶。别名：白果叶、飞蛾叶、鸭脚子）、白果（药用部位：种子。别名：白果仁）。

形态特征

多年生乔木，高达 40m，胸径可达 4m。幼树树皮浅纵裂，大树树皮呈灰褐色，深纵裂，粗糙；幼年及壮年树冠圆锥形，老年树冠广卵形；枝近轮生，斜上伸展（雌株的大枝常较雄株开展）；一年生的长枝淡褐黄色，二年生以上者变为灰色，并有细纵裂纹；短枝密被叶痕，黑灰色，短枝上亦可生长枝；冬芽黄褐色，常为卵圆形，先端钝尖。叶扇形，有长柄，淡绿色，无毛，有多数叉状并列细脉，先端宽 5 ~ 8cm，在短枝上常具波状缺刻，在长枝上常 2 裂，基部宽楔形，柄长 3 ~ 10（多为 5 ~ 8）cm，幼树及萌生枝上的叶常较大而深裂（叶片长达 13cm，宽 15cm），有时裂片再分裂（这与较原始的化石种类之叶相似），叶在一年生长枝上螺旋状散生，在短枝上 3 ~ 8 成簇生状，秋季落叶前变为黄色。球花雌雄异株，单性，生于短枝先端的鳞片状叶的腋内，呈簇生状；雄球花柔荑花序状，下垂，雄蕊排列疏松，具短梗，花药常 2，长椭圆形，药室纵裂，药隔不发；雌球花具长梗，梗端常分二叉，稀三至五叉或不分叉，每叉顶生 1 盘状珠座，胚珠着生其上，通常仅 1 个叉端的胚珠发育成种子，内媒传粉。种子具长梗，下垂，常为椭圆形、长倒卵形、卵圆形或近圆球形，长 2.5 ~ 3.5cm，直径 2cm，外种皮肉质，成熟时黄色或橙黄色，外被白粉，有臭叶；中种皮白色，骨质，具 2 ~ 3 纵脊；内种皮膜质，淡红褐色；胚乳肉质，味甘、略苦；子叶 2，稀 3，发芽时不出土，初生叶 2 ~ 5，宽条形，长约 5mm，宽约 2mm，先端微凹，第 4 或第 5 片起之后生叶扇形，先端具 1 深裂及不规则的波状缺刻，叶柄长 0.9 ~ 2.5cm；有主根。花期 3 ~ 4 月，种子 9 ~ 10 月成熟。

| 生境分布 | 生于排水良好的天然林中，适于酸性（pH 5 ~ 5.5）黄壤土。分布于吉林通化等。

| 资源情况 | 野生资源稀少。吉林临江、通化、集安、四平、舒兰等地有栽培。药材主要来源于栽培。

| 采收加工 | 银杏叶：秋季叶绿时采收，及时干燥。

白果：秋季种子成熟时采收，除去肉质外种皮，洗净，稍蒸或略煮后，烘干。

| 药材性状 | 银杏叶：本品多皱折或破碎，完整者呈扇形，长 3 ~ 12cm，宽 5 ~ 15cm，黄绿色或浅棕黄色，上缘呈不规则的波状弯曲，有的中间凹入，深者可达叶长的 4/5；具二叉状平行叶脉，细而密，光滑无毛，易纵向撕裂；基部楔形，叶柄长 2 ~ 8cm。体轻。气微，味微苦。以色黄绿、完整者为佳。

白果：本品略呈椭圆形，一端稍尖，另一端钝，长 1.5 ~ 2.5cm，宽 1 ~ 2cm，厚约 1cm，表面黄白色或淡棕黄色，平滑，具 2 ~ 3 棱线。中种皮（壳）骨质，坚硬。内种皮膜质，种仁宽卵球形或椭圆形，一端淡棕色，另一端金黄色，横断面外层黄色，胶质样，内层淡黄色或淡绿色，粉性，中间有空隙。气微，味甘、微苦。以外壳白色、种仁饱满、里面色白者为佳。

|功能主治| 银杏叶：甘、苦、涩，平。归心、肺经。敛肺平喘，活血化瘀，止痛。用于肺虚咳喘，冠心病，心绞痛，高血脂。

白果：甘、苦、涩，平；有毒。归肺、肾经。敛肺定喘，止带浊，缩小便。用于痰多喘咳，带下白浊，遗尿，尿频。

|用法用量| 银杏叶：内服煎汤，9 ~ 12g。

白果：内服煎汤，4.5 ~ 9g；或捣汁；或入丸、散。外用适量，捣敷。

|附　　注| 本种为国家Ⅰ级重点保护野生植物。

松科 Pinaceae 冷杉属 *Abies*

杉松 *Abies holophylla* Maxim.

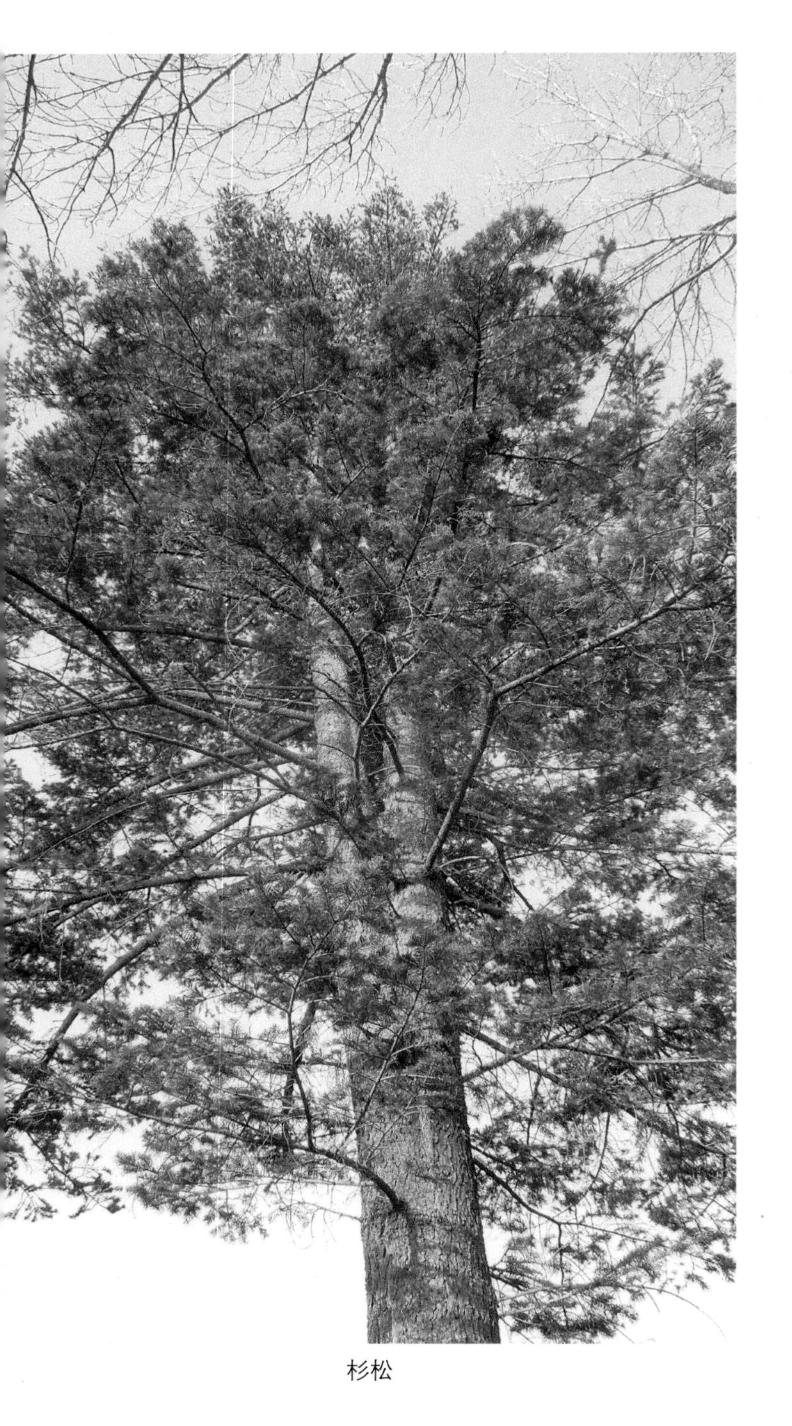
杉松

|植物别名|

冷杉、沙松、杉木。

|药 材 名|

杉松（药用部位：树皮、叶）。

|形态特征|

多年生常绿乔木，高达 30m，胸径达 1m。幼树树皮淡褐色，不开裂，老则浅纵裂，呈条片状，灰褐色或暗褐色；枝条平展，一年生枝淡黄灰色或淡黄褐色，无毛，有光泽，二、三年生枝灰色、灰黄色或灰褐色；冬芽卵圆形，有树脂。叶在果枝下面成 2 列，上面的叶斜上伸展，在营养枝上排成 2 列；条形，直伸或呈弯镰状，长 2 ~ 4cm，宽 1.5 ~ 2.5mm，先端急尖或渐尖，上面深绿色、有光泽，下面沿中脉两侧各有 1 白色气孔带，生于果枝上之叶的上面近先端或中上部通常有 2 ~ 5 不规则的气孔线；横切面有 2 中生树脂道，上面至下面两侧边缘有 1 层连续排列的皮下层细胞，稀有极为疏生的皮下层细胞形成第 2 层，下面中部 1 ~ 2 层，2 层者内层不连续排列。球果圆柱形，长 6 ~ 14cm，直径 3.5 ~ 4cm，近无梗，成熟时淡黄褐色或淡褐色；中部种鳞近扇状四边形或倒三角状扇形，上部宽圆形、微厚，边缘内曲，两侧较薄，有细缺齿，中部楔状微圆形，或微缩而两侧凸出，基部窄成短柄状，鳞背露出部分被密生短毛；苞鳞短，长不及种鳞的一半，不露出，楔状倒卵形或倒卵形，上部微圆，先端有急尖的刺状尖头，背部有纵脊，中部极短、微收缩，下部渐窄；种子倒三角状，长 8 ~ 9mm，种翅宽大，淡褐色，较种子为长，长方状楔形，先端平截，宽约 1.1cm，下部微窄，边缘有细波状缺刻，连同种子长约 2.4cm；子叶 5 ~ 6，条形，长 2.5 ~ 3.3cm，宽 1.5 ~ 2mm，先端钝或微凹，初生叶长 1.5 ~ 1.8cm，宽约 1mm，先端渐尖。花期 4 ~ 5 月，球果 10 月成熟。

| 生境分布 | 生于寒冷湿润、土层肥沃的山地。以长白山区为主要分布区域，分布于吉林延边、白山、通化、吉林、辽源（东丰）等。

| 资源情况 | 野生资源丰富。吉林东部山区有栽培。药材主要来源于栽培。

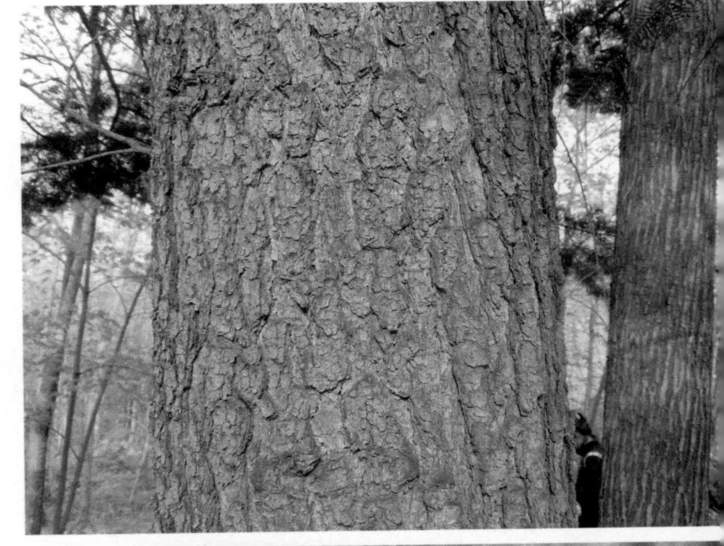

| 采收加工 | 全年均可采割树皮，鲜用或晒干。全年均可采收叶，鲜用或阴干。

| 药材性状 | 本品树皮幼皮外表面灰褐色或白褐色，不剥裂；老皮暗褐色，浅裂，内面灰白色。气微，味微苦。叶呈长条状，长 2 ~ 4cm，宽 1.5 ~ 2.5mm，先端凸出或渐尖，坚硬。气微，味淡。

| 功能主治 | 辛，温。祛瘀，祛风湿，消肿接骨。用于跌打损伤，骨折，疮痈，风湿痹痛。

| 用法用量 | 外用适量，浸泡在约 60℃的水中熏洗。

| 附　　注 | 本种为吉林省 I 级重点保护野生植物。

松科 Pinaceae 冷杉属 *Abies*

臭冷杉 *Abies nephrolepis* (Trautv.) Maxim.

臭冷杉

植物别名

东陵冷杉、冷杉、臭松。

药材名

臭松（药用部位：树皮、叶）。

形态特征

常绿多年生乔木，高达 30m，胸径 50cm。幼树树皮通常平滑或有浅裂纹，常具多而明显的横列瘤状皮孔，老树树皮则呈灰色，裂成长条形、近长方形裂块或裂成鳞片状；枝条斜上伸展或开展，树冠圆锥形或圆柱形；一年生枝淡黄褐色或淡灰褐色，密被淡褐色短柔毛，二、三年生枝灰色、淡黄灰色或灰褐色；冬芽圆球形，有树脂。叶成 2 列，或在果枝及主枝上面的叶斜上伸展，下面之叶成 2 列，稀枝条下面及上面的叶均为斜上伸展，叶条形，直或弯镰状，长 1 ~ 3（常为 1.5 ~ 2.5）cm，宽约 1.5mm，上面光绿色，下面有 2 白色气孔带；营养枝上的叶先端有凹缺或 2 裂，果枝及主枝上的叶先端尖或有凹缺，上面无气孔线，稀近先端有 2 ~ 4 气孔线；横切面有 2 中生树脂道，上面表皮细胞下有 1 层疏散的皮下层细胞，下面中部有 1 层连续排列的皮下层细胞。球果卵状圆柱形或圆柱形，长 4.5 ~ 9.5cm，直径 2 ~ 13cm，无梗，成熟时紫褐色或紫黑色；中部种鳞肾形或扇状肾形，稀扇状四边形，长较宽为短，稀几相等长，长 1 ~ 1.5cm，宽 1.4 ~ 2.2cm，上部宽、圆，较薄，边缘内曲，有不规则的细缺齿，两侧圆或耳状，中部间或收缩，下部宽楔形、微圆，基部窄成短柄状，鳞背露出部分密被短毛；苞鳞倒卵形，中部狭窄成条状，长为种鳞的 3/5 ~ 4/5，很少等长，不露出或微露出，上部微圆或扇圆形，边缘有不规则的细缺齿，先端凹处有长约 3mm 的急尖头；种子倒卵状三角形，微扁，长 4 ~ 6mm，种翅淡褐色或带黑色，楔状，上部宽 5 ~ 8mm，通常较种子为短，稀近等长或较种子为长；子叶 4 ~ 5，条形，长 9 ~ 13mm，宽 1.5 ~ 2mm，先端有凹缺，初生叶条形，长 9 ~ 13mm，宽约 1mm，先端有凹缺。花期 4 ~ 5 月，球果 9 ~ 10 月成熟。

| 生境分布 | 生于海拔较高的阴湿缓山坡、排水良好的平湿地。以长白山区为主要分布区域，分布于吉林延边、白山、通化、吉林、辽源（东丰）等。

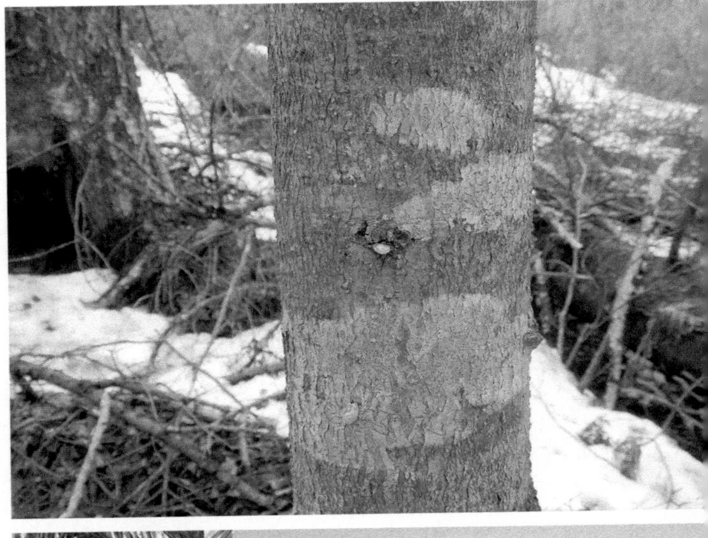

| 资源情况 | 野生资源较丰富。吉林东部山区、中部半山区有栽培。药材主要来源于栽培。

| 采收加工 | 春、秋季剥取树干皮，晾干。全年均可采收枝叶，鲜用或阴干。

| 药材性状 | 本品树皮外表面灰色，浅裂或近平滑，内表面淡黄白色。气微，味稍苦涩。叶长条状，长 1.5 ~ 2.5cm，宽约 1.5mm，先端凹缺或微裂，稀钝尖，上面中脉凹下，无气孔线，但果枝的叶近先端有 2 ~ 4 气孔线，下面气孔带白色。气微，味淡。

| 功能主治 | 辛、涩，温。祛风除湿。用于风湿痹痛。

| 用法用量 | 外用适量，煎汤熏洗。

| 附　　注 | 本种为吉林省Ⅱ级保护植物。

松科 Pinaceae 雪松属 *Cedrus*

雪松 *Cedrus deodara* (Roxb.) G. Don

雪松

| 植物别名 |

香柏。

| 药 材 名 |

雪松皮（药用部位：树皮）、松针（药用部位：叶）。

| 形态特征 |

多年生常绿乔木，高达 50m，胸径达 3m。树皮深灰色，裂成不规则的鳞状块片；枝平展、微斜展或微下垂，基部宿存芽鳞向外反曲，小枝常下垂，一年生长枝呈淡灰黄色，密生短绒毛，微被白粉，二、三年生枝呈灰色、淡褐灰色或深灰色。叶在长枝上辐射伸展，短枝之叶呈簇生状（每年生出新叶 15 ~ 20），针形，坚硬，淡绿色或深绿色，长 2.5 ~ 5cm，宽 1 ~ 1.5mm，上部较宽，先端锐尖，下部渐窄，常呈三棱形，稀背脊明显，叶之腹面两侧各有 2 ~ 3 气孔线，背面 4 ~ 6，幼时气孔线被白粉。雄球花长卵圆形或椭圆状卵圆形，长 2 ~ 3cm，直径约 1cm；雌球花卵圆形，长约 8mm，直径约 5mm。球果成熟前淡绿色，微被白粉，成熟时红褐色，卵圆形或宽椭圆形，长 7 ~ 12cm，直径 5 ~ 9cm，先端圆钝，有短梗；中部种鳞扇状倒三角形，长 2.5 ～ 4cm，宽 4 ～ 6cm，上部宽圆，边缘内曲，中部楔状，下部耳形，基部爪状，鳞背密生短绒毛；苞鳞短小；种子近三角状，种翅宽大，较种子为长，连同种子长 2.2 ～ 3.7cm。

| 生境分布 | 生于温和湿润、土层深厚、排水良好的酸性土壤。吉林无野生分布。东部山区有栽培。

| 资源情况 | 吉林偶见栽培。药材主要来源于栽培。

| 采收加工 | 雪松皮：春、秋季剥取砍伐后的树皮，晾干。
松针：全年均可采收，鲜用或阴干。

| 功能主治 | 雪松皮、松针：苦、涩，温。祛风活络，消肿生肌，止痒防腐，止痢止痛，活血止血，发汗利尿，杀虫。用于咯血，吐血，衄血，尿血，便血，崩漏，腹泻，痢疾，蛔虫病，蛲虫病，疥螨，真菌皮肤感染，尿路感染，尿痛，尿急。

| 用法用量 | 雪松皮、松针：内服煎汤，10 ～ 15g。

松科 Pinaceae 落叶松属 *Larix*

落叶松 *Larix gmelinii* (Rupr.) Kuzen.

落叶松

植物别名

意气松、一齐松、兴安落叶松。

药材名

落叶松皮（药用部位：树皮）、落叶松节油（药材来源：油树脂经蒸馏或其他方法提取的挥发油）。

形态特征

多年生常绿乔木，高达 35m，胸径 60 ~ 90cm。幼树树皮深褐色，裂成鳞片状块片，老树树皮灰色、暗灰色或灰褐色，纵裂成鳞片状剥离，剥落后内皮呈紫红色；枝斜展或近平展，树冠卵状圆锥形；一年生长枝较细，淡黄褐色或淡褐黄色，直径约 1mm，无毛或有散生长毛或短毛，或被或疏或密的短毛，基部常有长毛，二、三年生枝褐色、灰褐色或灰色；短枝直径 2 ~ 3mm，先端叶枕之间有黄白色长柔毛；冬芽近圆球形，芽鳞暗褐色，边缘具睫毛，基部芽鳞的先端具长尖头。叶倒披针状条形，长 1.5 ~ 3cm，宽 0.7 ~ 1mm，先端尖或钝尖，上面中脉不隆起，有时两侧各有 1 ~ 2 气孔线，下面沿中脉两侧各有 2 ~ 3 气孔线。球果幼时紫红色，成熟前卵圆形或椭圆形，成熟时上部的种鳞张开，黄褐色、褐色或紫褐色，长 1.2 ～ 3cm，直径 1 ～ 2cm，种鳞 14 ～ 30；中部种鳞五角状卵形，长 1 ～ 1.5cm，宽 0.8 ～ 1.2cm，先端截形、圆截形或微凹，鳞背无毛，有光泽；苞鳞较短，长为种鳞的 1/3 ～ 1/2，近三角状长卵形或卵状披针形，先端具中肋延长的急尖头；种子斜卵圆形，灰白色，具淡褐色斑纹，长 3 ～ 4mm，直径 2 ～ 3mm，连翅长约 1cm，种翅中下部宽，上部斜三角形，先端钝圆；子叶 4 ～ 7，针形，长约 1.6cm；初生叶窄条形，长 1.2 ～ 1.6cm，上面中脉平，下面中脉隆起，先端钝或微尖。花期 5 ～ 6 月，球果 9 月成熟。

| 生境分布 | 生于山麓、沼泽、泥炭沼泽、草甸、湿润而土壤富腐殖质的阴坡及干燥的阳坡、湿润的河谷及山顶等。以长白山区为主要分布区域，分布于吉林延边、白山、通化、吉林、辽源（东丰）等。

| 资源情况 | 野生资源较少。药材主要来源于野生。

| 采收加工 | 落叶松皮：春、夏季采收，晒干。

落叶松节油：以下降式采脂法为主。选取直径 20 ～ 50cm 的树，在距地面 2m 高的树干处开割口。在开割口前先要刮去粗皮，但不要损伤木质部，刮面长度 50 ～ 60cm，宽 25 ～ 40cm；在刮面中央开割长 35 ～ 50cm、宽 1 ～ 1.3cm、深入木质部 1 ～ 1.2cm 的中沟，中沟基部装一受脂器，再自中沟开割另一对侧沟，可将油树脂不断收集起来。6 ～ 9 月采收，以在 30 ～ 35℃采收为宜。

| 功能主治 | 落叶松皮：行气导滞。用于痢疾，脱肛，气滞，腹胀。

落叶松节油：止痛。用于骨节疼痛。

松科 Pinaceae 落叶松属 *Larix*

日本落叶松 *Larix kaempferi* (Lamb.) Carr.

日本落叶松

| 植物别名 |

落叶松。

| 药 材 名 |

落叶松节油（药材来源：油树脂经蒸馏或其他方法提取的挥发油）。

| 形态特征 |

多年生常绿乔木，高达 30m，胸径 1m。树皮暗褐色，纵裂粗糙，呈鳞片状脱落；枝平展，树冠塔形；幼枝有淡褐色柔毛，后渐脱落，一年生长枝淡黄色或淡红褐色，被白粉，直径约 1.5mm，二、三年生枝灰褐色或黑褐色；短枝上历年叶枕形成的环痕特别明显，直径 2 ~ 5mm，先端叶枕之间有疏生柔毛；冬芽紫褐色，顶芽近球形，基部芽鳞三角形，先端具长尖头，边缘有睫毛。叶倒披针状条形，长 1.5 ~ 3.5cm，宽 1 ~ 2mm，先端微尖或钝，上面稍平，下面中脉隆起，两面均有气孔线，尤以下面多而明显，通常 5 ~ 8。雄球花淡褐黄色，卵圆形，长 6 ~ 8mm，直径约 5mm；雌球花紫红色，苞鳞反曲，被白粉，先端 3 裂，中裂急尖。球果卵圆形或圆柱状卵形，成熟时黄褐色，长 2 ~ 3.5cm，直径 1.8 ~ 2.8cm，种鳞 46 ~ 65，上部边缘波状，显著向外反曲，背面具褐色瘤状突起和短粗毛；中部种鳞卵状矩圆形或卵状方形，长 1.2 ~ 1.5cm，宽约 1cm，基部较宽，先端平截微凹；苞鳞紫红色，窄矩圆形，长 7 ~ 10mm，基部稍宽，上部微窄，先端 3 裂，中肋延长成尾状长尖，不露出；种子倒卵圆形，长 3 ~ 4mm，直径约 2.5mm，种翅上部三角状，中部较宽，种子连翅长 1.1 ~ 1.4cm。花期 4 ~ 5 月，果期 9 ~ 10 月。

| 生境分布 | 生于海拔约 600m 的山坡地带或土层深厚、湿润、肥沃、排水良好的微酸性棕色森林，常与红皮云杉、红松、冷杉、色木槭、紫椴、白桦等混生。分布于吉林延边、白山、通化、长春、吉林、辽源等，东部山区有栽培。

| 资源情况 | 野生资源较少。吉林有栽培。药材主要来源于野生。

| 采收加工 | 同“落叶松”。亦可从其木材中提取松节油。

| 功能主治 | 同“落叶松”。

松科 Pinaceae 落叶松属 *Larix*

黄花落叶松 *Larix olgensis* Henry

黄花落叶松

| 植物别名 |

长白落叶松、朝鲜落叶松、落叶松。

| 药 材 名 |

落叶松节油（药材来源：油树脂经蒸馏或其他方法提取的挥发油）、落叶松香（药材来源：树干中取得的油树脂，经蒸馏除去松节油后制得）。

| 形态特征 |

多年生常绿乔木，高达 30m，胸径达 1m。树皮灰色、暗灰色、灰褐色，纵裂成长鳞片状翅离，易剥落，剥落后呈酱紫红色；枝平展或斜展，树冠塔形；当年生长枝淡红褐色或淡褐色，微有光泽，直径 1 ~ 1.2mm，密生较长或较短之毛（有时仅在小枝下部明显，向上变为无毛），或有散生长毛或无毛，基部常具长毛，有时仅有疏生短毛，二、三年生枝灰色或暗灰色；短枝深灰色，直径 2 ~ 3mm，先端叶枕间密生淡褐色柔毛；冬芽淡紫褐色，顶芽卵圆形或微呈圆锥状，芽鳞膜质，边缘具睫毛，基部芽鳞三角状卵形，先端有长尖头。叶倒披针状条形，长 1.5 ~ 2.5cm，宽约 1mm，先端钝或微尖，上面中脉平，稀每边有 1 ~ 2 气孔线，下面

中脉隆起，两边各有 2 ~ 5 气孔线。球果成熟前淡红紫色或紫红色，成熟时淡褐色或稍带紫色，长卵圆形，种鳞微张开，通常长 1.5 ~ 2.6cm，稀达 3.2 ~ 4.6cm，直径 1 ~ 2cm，种鳞 16 ~ 40，背面及上部边缘有或密或疏的细小瘤状突起，间或在近中部杂有短毛，稀近于光滑；中部种鳞广卵形常呈四方状或近方圆形，长 0.9 ~ 1.2cm，宽约 1cm，基部稍宽，先端圆或圆截形，微凹，干后边缘常反曲；苞鳞暗紫褐色，矩圆状卵形或卵状椭圆形，不露出，长 4 ~ 7mm，宽 2.5 ~ 4mm，中部稍收缩，先端圆截形或微凹，中肋延长成尾状尖头；种子近倒卵圆形，淡黄白色或白色，具不规则的紫色斑纹，长 3 ~ 4mm，直径约 2mm，种翅先端钝尖，中部或中下部较宽，种子连翅长约 9mm；子叶 5 ~ 7，针形，长约 9mm；初生叶条形，长 1 ~ 2cm，上面中脉平，下面中脉隆起，先端钝。花期 5 月，球果 9 ~ 10 月成熟。

| 生境分布 | 生于比较干燥瘠薄的山坡，沼泽地带也有生长。分布于吉林延边、白山、通化、长春、吉林、辽源等，东部山区有成片栽培。

| 资源情况 | 野生资源较丰富，吉林有栽培。药材主要来源于栽培。

| 采收加工 | 落叶松节油：同“落叶松”。

落叶松香：多在夏季采收，在松树干上用刀挖成 V 形或螺旋纹槽，使边材部的

油树脂自伤口流出，收集后，加水蒸馏，使松节油馏出，剩下的残渣，冷却凝固后，即为松香。置阴凉干燥处，防火、防热。

｜药材性状｜ 落叶松香：本品为透明或半透明不规则块状物，大小不等，浅黄色至深棕色。常温时质地较脆，破碎面平滑，有玻璃样光泽，气微弱。遇热先变软，而后融化，经燃烧产生黄棕色浓烟。以块整齐、半透明、油性大、气味浓厚者为佳。

｜功能主治｜ 落叶松节油：同“落叶松”。

落叶松香：祛风燥湿，生肌止痛。用于痈疖疮疡，湿疹，外伤出血，烫火伤。

｜附　　注｜ （1）本种为吉林省Ⅱ级重点保护野生植物。

（2）本种栽培以土层深厚、肥润、排水良好、pH 5 左右的砂壤土为最好。

松科 Pinaceae 云杉属 *Picea*

长白鱼鳞云杉 *Picea jezoensis* Carr. var. *komarovii* (V. Vassil.) Cheng

| 植物别名 |

鱼鳞松、鱼鳞云杉、白松。

| 药 材 名 |

长白鱼鳞松皮（药用部位：树皮）、松针（药用部位：叶）。

| 形态特征 |

多年生常绿乔木，高 20 ~ 40m，胸径达 1m。树皮灰色，裂成鳞状块片；枝条短，近平展，树冠尖塔形；一年生枝黄色或淡黄色，稀微带淡褐色，微有光泽；冬芽圆锥形或卵状圆锥形，上部芽鳞排列疏松，先端开展或微反曲，小枝基部宿存芽鳞的先端常向外反曲。小枝上面的叶覆瓦状向前伸展，下面及两侧的叶向两边弯伸，条形，直或微弯曲，长 1 ~ 2cm，宽 1.2 ~ 1.8mm，先端微钝，上面有 2 淡白色气孔带，下面光绿色，无气孔带。球果卵圆形或卵状椭圆形，成熟前绿色，成熟时淡褐色或褐色，长 3 ~ 4cm，直径 2 ~ 2.2cm；种鳞薄，排列疏松，中部种鳞菱状卵形，中下部种鳞较宽，长 1 ~ 1.2cm，宽 6 ~ 8mm，先端圆，边缘具不规则的小缺齿；苞鳞卵状矩圆形，长约 3mm，先端有短尖头或圆；种子近倒卵圆形，连翅长

长白鱼鳞云杉

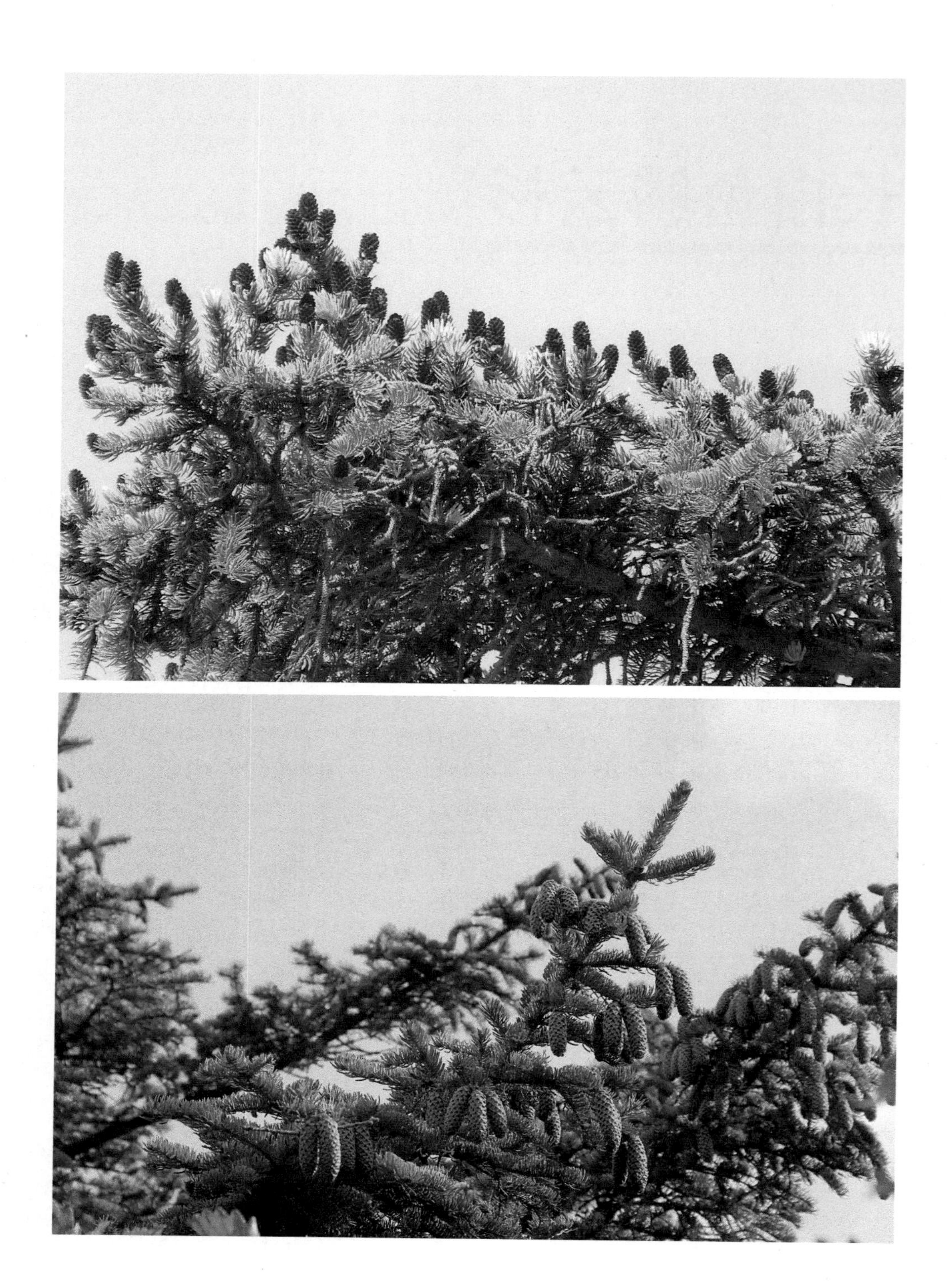

7 ~ 8.5mm。花期 4 ~ 5 月，球果 9 ~ 10 月成熟。

| 生境分布 | 生于灰化土或棕色土森林地带。分布于吉林延边、白山、通化等。

| 资源情况 | 野生资源较丰富。药材主要来源于野生。

|采收加工| 长白鱼鳞松皮：全年均可采收，晒干。

松针：全年均可采收，晒干。

|药材性状| 长白鱼鳞松皮：本品呈暗褐色，老皮灰色，鳞状剥裂。气微，味微苦、涩。

松针：本品呈扁平状条形，长 1 ~ 2cm，宽 1.5 ~ 2mm，先端微钝，上面有 2 粉白色气孔线，下面绿色，光滑，无气孔线。味淡。

|功能主治| 微苦，温。清热解毒，祛痰，止咳。用于咳嗽痰喘，气管炎。

|用法用量| 内服蒸馏液，少量服用。

|附　　注| 本种为吉林省Ⅲ级重点保护野生植物。

松科 Pinaceae 云杉属 *Picea*

红皮云杉 *Picea koraiensis* Nakai

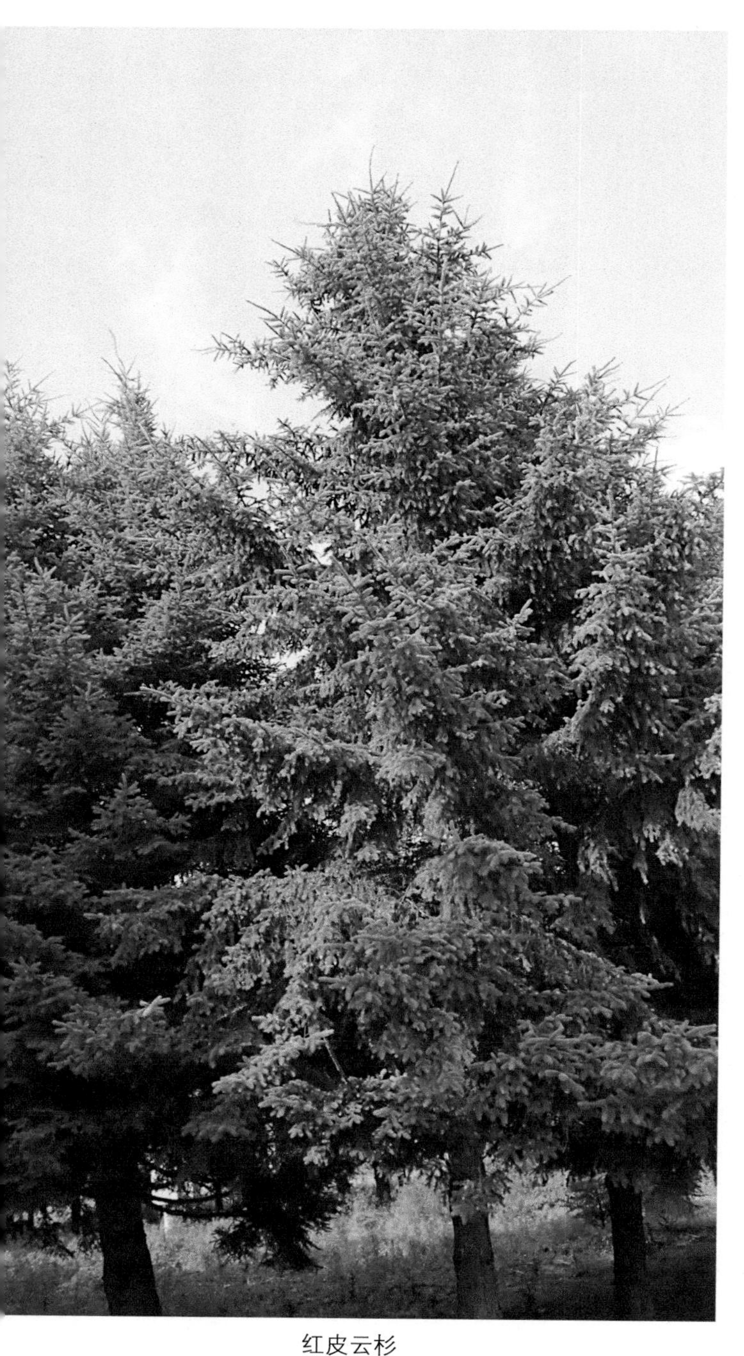

红皮云杉

植物别名

带岭云杉、红皮臭、高丽云杉。

药 材 名

红皮云杉（药用部位：树皮及叶）。

形态特征

多年生常绿乔木，高达 30m 以上，胸径 60 ~ 80cm。树皮灰褐色或淡红褐色，很少灰色，裂成不规则薄条片脱落，裂缝常为红褐色；大枝斜伸至平展，树冠尖塔形，一年生枝黄色、淡黄褐色或淡红褐色，无白粉，无毛或几无毛，或有较密但非腺头状的短毛，二、三年生枝淡黄褐色、褐黄色或灰褐色；冬芽圆锥形，淡褐黄色或淡红褐色，微有树脂，上部芽鳞常向外展，多少反曲，小枝基部宿存，芽鳞的先端向外反曲，明显或微明显。叶四棱状条形，主枝之叶近辐射排列，侧生小枝上面之叶直上伸展，下面及两侧之叶从两侧向上弯伸，长 1.2 ~ 2.2cm，宽约 1.5mm，先端急尖，横切面四棱形，四面有气孔线，上面每边 5 ~ 8，下面每边 3 ~ 5。球果卵状圆柱形或长卵状圆柱形，成熟前绿色，成熟时绿黄褐色至褐色，长 5 ~ 8cm，直径 2.5 ~ 3.5cm；中部种鳞倒卵形或三角状倒卵形，长 1.5 ~ 1.9cm，宽 1.2 ~ 1.5cm，先端圆或钝三角形，基部宽楔形，鳞背露出部分微有光泽，平滑，无明显的条纹；苞鳞条状，长约 5mm，中下部微窄，先端钝或微尖，边缘有极细的小缺齿；种子灰黑褐色，倒卵圆形，长约 4mm，种翅淡褐色，倒卵状矩圆形，宽约 2mm，先端圆，连种子长 1.3 ~ 1.6cm；子叶 6 ~ 9，多为 7 ~ 8，条状锥形，棱上有稀疏齿毛，初生叶四方状条形或稍扁，先端有锐尖头，上部棱上疏生细锯齿，每边有 3 ~ 4 气孔线。花期 5 ~ 6 月，球果 9 ~ 10 月成熟。

| 生境分布 | 生于针阔叶混交林中，喜生于山地中下部与谷地，在分布区内除有积水的沼泽化地带及干燥的阳坡、山脊外，其他各种类型的土地条件下均能生长。常与针叶树种、阔叶树种混生成林，间有成片纯林。常见的混生树种包括红松、鱼鳞云杉、长白鱼鳞云杉、臭冷杉、落叶松、黄花落叶松、白桦、紫椴、色木槭、水曲柳等。以长白山区为主要分布区域，分布于吉林延边、白山、通化、吉林、辽源（东丰）等。

| 资源情况 | 野生资源较丰富。药材主要来源于野生。

| 采收加工 | 春、秋季剥取树干皮，晾干。全年均可采收叶，鲜用或阴干。

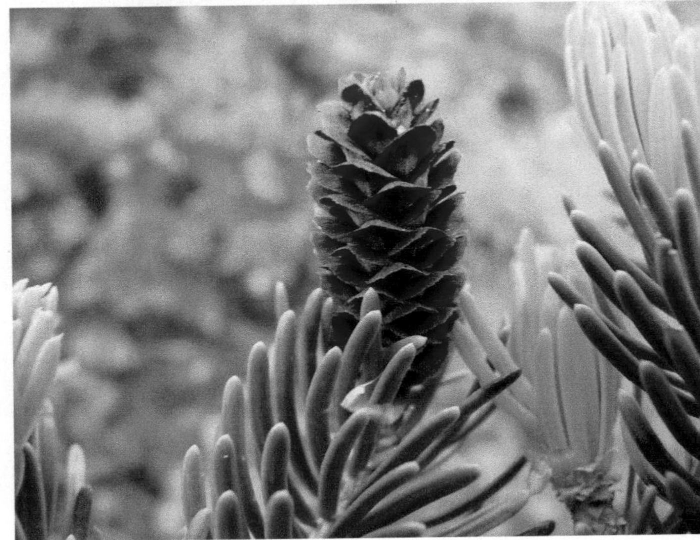

| 功能主治 | 微苦，温。祛风除湿。用于风湿痹痛。

| 用法用量 | 外用适量，浸泡于热水中，洗患处。

| 附　　注 | 本种为吉林省Ⅱ级重点保护野生植物。

松科 Pinaceae 松属 *Pinus*

白皮松 *Pinus bungeana* Zucc. ex Endl.

白皮松

| 植物别名 |

虎皮松、白果松、三针松。

| 药 材 名 |

白松塔（药用部位：果实。别名：松塔、松球、白松果）。

| 形态特征 |

多年生常绿乔木，高达30m，胸径可达3m。有明显的主干，或从树干近基部分成数干；枝较细长，斜展，形成宽塔形至伞形树冠；幼树树皮光滑，灰绿色，长大后树皮成不规则的薄块片脱落，露出淡黄绿色的新皮，老则树皮呈淡褐灰色或灰白色，裂成不规则的鳞状块片脱落，脱落后近光滑，露出粉白色的内皮，白褐色相间成斑鳞状；一年生枝灰绿色，无毛；冬芽红褐色，卵圆形，无树脂。针叶3针一束，粗硬，长5 ~ 10cm，直径1.5 ~ 2mm，叶背及腹面两侧均有气孔线，先端尖，边缘有细锯齿；横切面扇状三角形或宽纺锤形，单层皮下层细胞，在背面偶尔出现1 ~ 2断续分布的第2层细胞，树脂道6 ~ 7，边生，稀背面角处有1 ~ 2中生；叶鞘脱落。雄球花卵圆形或椭圆形，长约1cm，多数聚生于新枝基部成穗状，长

5 ~ 10cm。球果通常单生，初直立，后下垂，成熟前淡绿色，成熟时淡黄褐色，卵圆形或圆锥状卵圆形，长 5 ~ 7cm，直径 4 ~ 6cm，有短梗或几无梗；种鳞矩圆状宽楔形，先端厚，鳞盾近菱形，有横脊，鳞脐生于鳞盾的中央，明显，三角状，先端有刺，刺之尖头向下反曲，稀尖头不明显；种子灰褐色，近倒卵圆形，长约 1cm，直径 5 ~ 6mm，种翅短，赤褐色，有关节易脱落，长约 5mm；子叶 9 ~ 11，针形，长 3.1 ~ 3.7cm，宽约 1mm，初生叶窄条形，长 1.8 ~ 4cm，宽不及 1mm，上下两面均有气孔线，边缘有细锯齿。花期 4 ~ 5 月，球果翌年 10 ~ 11 月成熟。

| 生境分布 | 生于气候冷凉的酸性石山上。吉林无野生分布，东部山区有栽培。

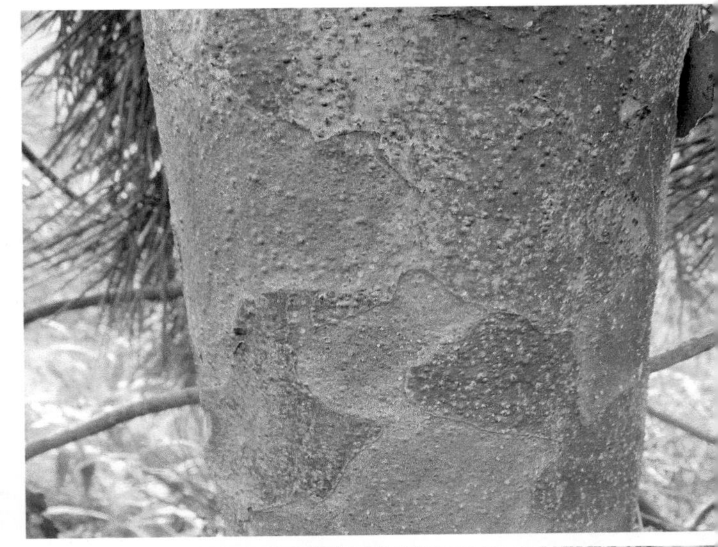

| 资源情况 | 吉林有栽培。药材主要来源于栽培。

| 采收加工 | 秋季采摘，干燥。

| 药材性状 | 本品呈卵圆形，长 5 ~ 7cm，淡黄褐色或棕褐色。种鳞先端厚，鳞盾多为菱形，有横脊，鳞脐生于鳞盾中央，具刺尖。种子倒卵圆形，长约 1cm，种皮棕褐色，胚乳白色；种翅长 5mm，有关节，易脱落。气香，味甜，富油质。

| 功能主治 | 苦，温。镇咳，祛痰，平喘。用于咳嗽痰喘，慢性气管炎，气短，吐白沫痰。

| 用法用量 | 内服煎汤，30 ~ 60g。

松科 Pinaceae 松属 *Pinus*

赤松 *Pinus densiflora* Sieb. et Zucc.

| **植物别名** | 红松、辽东赤松、短叶赤松。

| **药 材 名** | 松节油（药材来源：油树脂经蒸馏或其他方法提取的挥发油）、松节（药用部位：瘤状节或分枝节）、松花粉（药用部位：花粉）。

| **形态特征** | 多年生常绿乔木，高达 30m，胸径达 1.5m。树皮橘红色，裂成不规则的鳞片状块片脱落，树干上部树皮红褐色；枝平展形成伞状树冠；一年生枝淡黄色或红黄色，微被白粉，无毛；冬芽矩圆状卵圆形，暗红褐色，微具树脂，芽鳞条状披针形，先端微反卷，边缘丝状。针叶2针一束，长5 ~ 12cm，直径约1mm，先端微尖，两面有气孔线，边缘有细锯齿；横切面半圆形，皮下层细胞 1 层，稀角上 2 ~ 3 层，树脂道 4 ~ 6，边生。雄球花淡红黄色，圆筒形，长 5 ~ 12mm，聚生于新枝下部成短穗状，长 4 ~ 7cm；雌球花淡红紫色，单生或 2 ~ 3

赤松

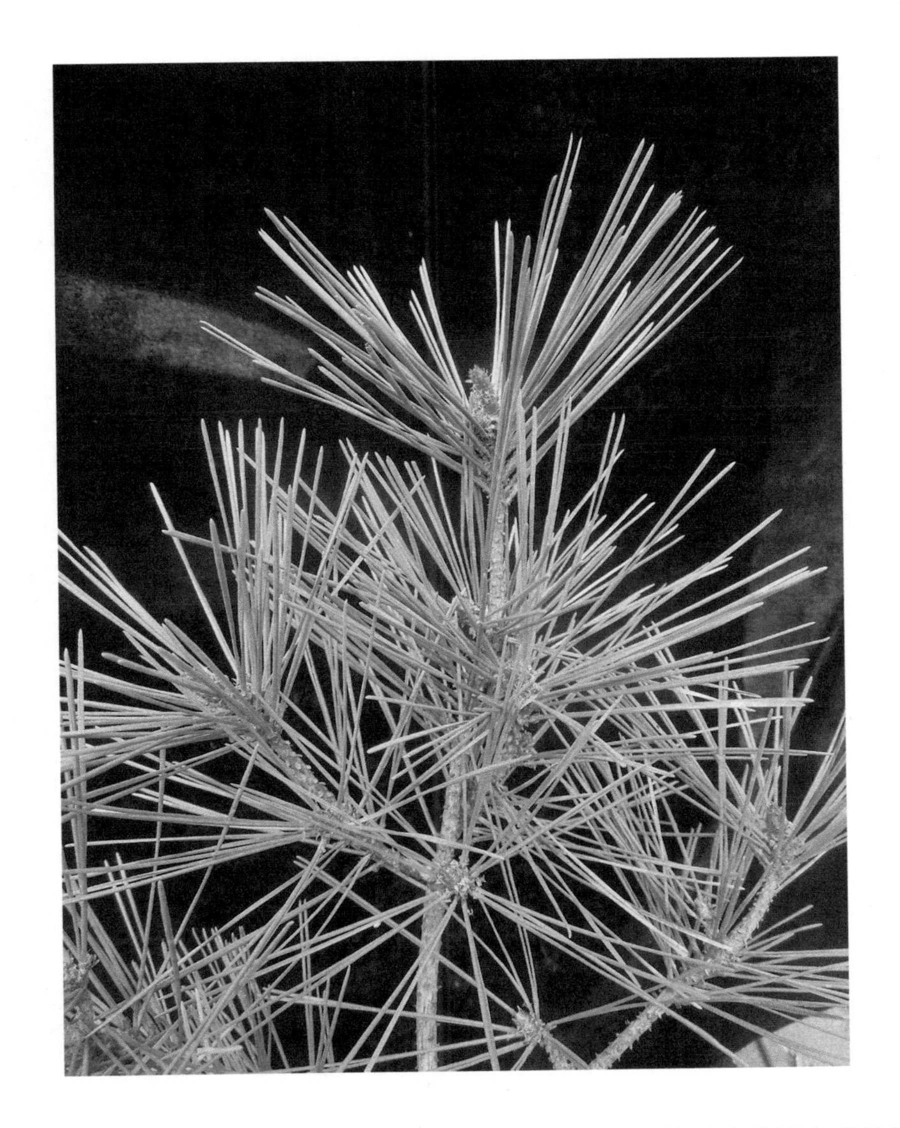

聚生，一年生小球果的种鳞先端有短刺。球果成熟时暗黄褐色或淡褐黄色，种鳞张开，不久即脱落，卵圆形或卵状圆锥形，长 3 ~ 5.5cm，直径 2.5 ~ 4.5cm，有短梗；种鳞薄，鳞盾扁菱形，通常扁平，稀具微隆起的横脊，鳞脐平或微凸起，有短刺，稀无刺；种子倒卵状椭圆形或卵圆形，长 4 ~ 7mm；连翅长 1.5 ~ 2cm，种翅宽 5 ~ 7mm；子叶 5 ~ 8，长 2.5 ~ 4cm，初生叶窄条形，中脉两面隆起，长 2 ~ 3cm，边缘有细锯齿。花期 4 月，球果翌年 9 月下旬至 10 月成熟。

| 生境分布 | 生于花岗岩、片麻岩、沙岩风化山地的中性土或酸质土（pH 5 ~ 6）山地。分布于吉林延边、白山、通化等。

| 资源情况 | 野生资源较少。药材主要来源于野生。

| 采收加工 | 松节油：以下降式采脂法为主。选取直径 20 ~ 50cm 的树，在距地面 2m 高

的树干处开割口。在开割口前先要刮去粗皮，但不要损伤木质部，刮面长度50 ~ 60cm，宽 25 ~ 40cm；在刮面中央开割长 35 ~ 50cm、宽 1 ~ 1.3cm、深入木质部 1 ~ 1.2cm 的中沟，中沟基部装一受脂器，再自中沟开割另一对侧沟，可将油树脂不断收集起来。6 ~ 9 月采收，以在 30 ~ 35℃采收为宜。

松节：全年均可采收，锯取后阴干。

松花粉：春季花刚开时采摘花穗，晒干，收集花粉，除去杂质。

| 药材性状 |

松节油：本品为无色至微黄色的澄清液体；臭特异。久贮或暴露空气中，臭渐增强，色渐变黄。本品易燃，燃烧时产生浓烟。

松节：本品呈不规则的块状或片状，大小粗细不等，一般长 5 ~ 10cm，厚 1 ~ 3cm。表面黄棕色至红棕色，横切面较粗糙，中心为淡棕色，边缘为深棕色而油润。质坚硬，不易折断，断面呈刺状。有松节油气，味微苦。

松花粉：本品为淡黄色的细粉。体轻，易飞扬，手捻有滑润感。气微，味淡。

| 功能主治 |

松节油：止痛。用于肌肉痛或关节痛等。

松节：祛风除湿，活络止痛。用于风湿关节痛，腰腿痛，大骨节病，跌打肿痛。

松花粉：甘，温。归肝、脾经。收敛止血，燥湿敛疮。用于外伤出血，湿疹，黄水疮，皮肤糜烂，脓水淋漓。

| 用法用量 | 松节油：外用适量，涂擦患处。

松节：内服煎汤，9 ~ 15g。

松花粉：外用适量，撒敷患处。

| 附　　注 | （1）本种为吉林省Ⅲ级重点保护野生植物。

（2）本种树干可割树脂，提取松香及松节油；种子可榨油，供食用及工业用；针叶可提取芳香油。本种亦可作庭园树种。

（3）耐寒，能耐贫瘠土壤，不耐盐碱土，在通气不良的重黏壤土上生长不好。

松科 Pinaceae 松属 *Pinus*

红松 *Pinus koraiensis* Sieb. et Zucc.

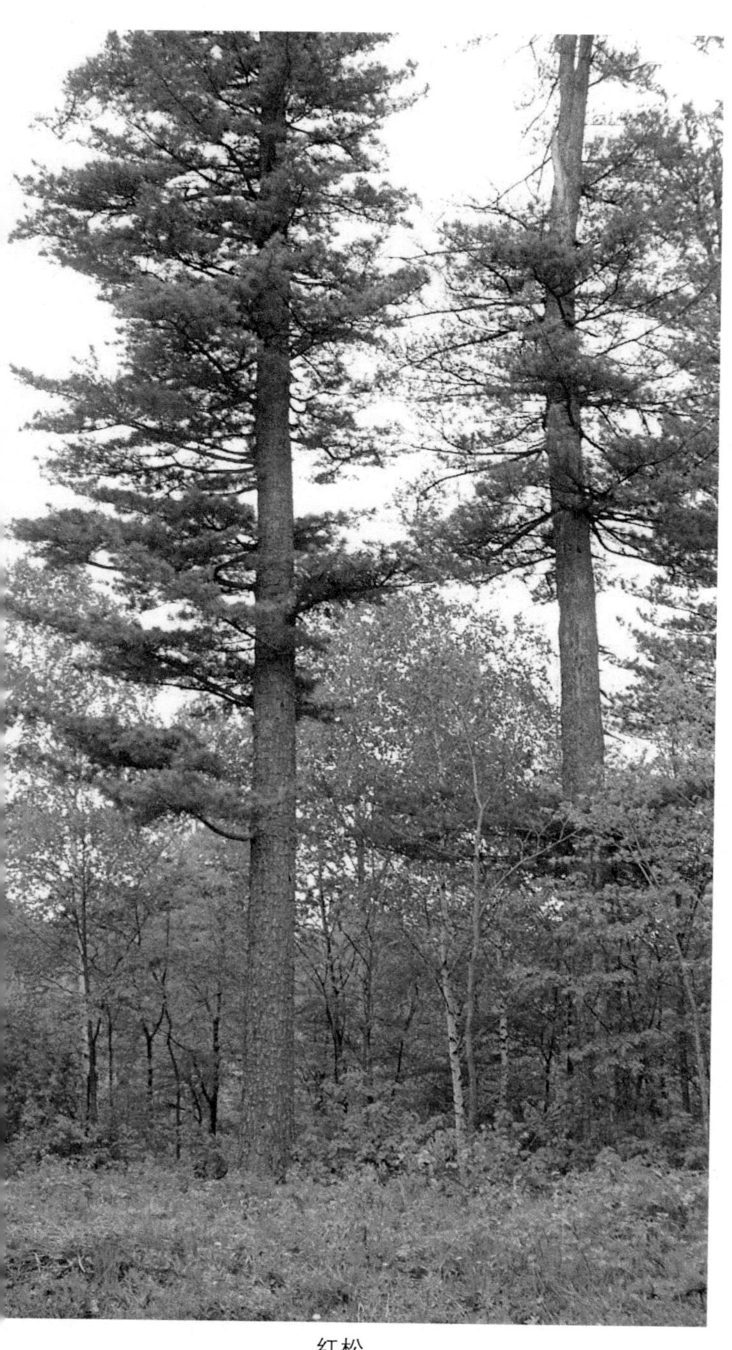

红松

|植物别名|

朝鲜松、新罗松、果松。

|药 材 名|

松节（药用部位：瘤状节或分枝节）、松毛（药用部位：叶）、松花粉（药用部位：花粉）、海松子（药用部位：种子）、松子仁（药用部位：种仁）。

|形态特征|

多年生常绿乔木，高达 50m，胸径 1m。幼树树皮灰褐色，近平滑，大树树皮灰褐色或灰色，纵裂成不规则的长方形鳞状块片，裂片脱落后露出红褐色的内皮；树干上部常分叉，枝近平展，树冠圆锥形；一年生枝密被黄褐色或红褐色柔毛；冬芽淡红褐色，矩圆状卵圆形，先端尖，微被树脂，芽鳞排列较疏松。针叶 5 针一束，长 6 ~ 12cm，粗硬，直，深绿色，边缘具细锯齿，背面通常无气孔线，腹面每侧具 6 ~ 8 淡蓝灰色的气孔线；横切面近三角形，皮下层细胞单层，但在背面两树脂道之间常出现断续的分布着 1 ~ 3 或多至 15 个细胞宽的第 2 层皮下层，树脂道 3，中生，位于 3 个角部；叶鞘早落。雄球花椭圆状圆柱形，红黄色，长 7 ~ 10mm，多数密集于新枝下部成穗状；雌球花绿褐色，圆柱状卵圆形，直立，单生或数个集生于新枝近先端，具粗长的梗。球果圆锥状卵圆形、圆锥状长卵圆形或卵状矩圆形，长 9 ~ 14cm，稀更长，直径 6 ~ 8cm，梗长 1 ~ 1.5cm，成熟后种鳞不张开，或稍微张开而露出种子，但种子不脱落；种鳞菱形，上部渐窄而开展，先端钝，向外反曲，鳞盾黄褐色或微带灰绿色，三角形或斜方状三角形，下部底边截形或微呈宽楔形，表面有皱纹，鳞脐不显著；种子大，着生于种鳞腹（上）面下部的凹槽中，无翅或先端及上部两侧微具棱脊，暗紫褐色或褐色，倒卵状三角形，微扁，长 1.2 ~ 1.6cm，直径 7 ~ 10mm；子叶 13 ~ 16，针状，横切面三角形，长 3.8 ~ 5cm，宽约 1.5mm，先端尖，边缘有细锯齿；初生叶条形，长 1.3 ~ 1.6cm，宽不及 1mm，边缘有细锯齿。花期 6 月，球果翌年 9 ~ 10 月成熟。

| 生境分布 | 生于排水良好的湿润山坡上及阴湿地带，与落叶松或黄花落叶松在林下形成茂密林。以长白山区为主要分布区域，分布于吉林延边、白山、通化、吉林、辽源（东丰）等，吉林各地均有栽培。

| 资源情况 | 野生资源较少，吉林有栽培。药材主要来源于栽培。

| 采收加工 | 松节：同“赤松”。

松毛：全年均可采收，除去杂质。

松花粉：同“赤松”。

海松子：果实成熟后采收，晒干，取出种子，置干燥处保存。

松子仁：将海松子除去硬壳，取出种仁，干燥。

| 药材性状 | 松节：同“赤松”。

松毛：本品呈近三角形针状，常为五针一束，长 6 ~ 12cm。边缘具细锯齿，基部具棕色的鞘。叶片浅绿色至深绿色，下表皮有 6 ~ 8 列气孔线。质柔软，断面近三角形。气微香，味微辛、苦，微涩。

松花粉：同“赤松”。

海松子：本品呈倒卵状三角形，无翅，红褐色，长 1.2 ~ 1.6cm，直径 7 ~ 10mm。种皮坚硬，破碎后或可见种仁。有松脂样香气，味淡。

松子仁：本品呈卵状长圆形，先端尖，淡黄色或白色。有香气，味淡，有油腻感。

功能主治 松节：同“赤松”。

松毛：苦，温。归心、脾经。祛风活血，明目安神，解毒止痒。用于风湿痹痛，跌打肿痛，失眠，夜盲症，湿疹疥癣。

海松子：甘，微温。归肝、肺、大肠经。润燥，养血，祛风，润泽皮肤，敷荣毛发。用于肺燥干咳，大便虚秘，诸风头眩，骨节风，风痹。

松子仁：甘，温。润肺，滑肠。用于肺燥咳嗽，慢性便秘。

用法用量 松节：同“赤松”。

松毛：内服煎汤，20 ～ 40g。外用适量，煎汤洗。

松花粉：同“赤松”。

海松子：内服煎汤，4.5 ～ 9g；或入膏、丸。

松子仁：炒食，6 ～ 15g。

附　　注 （1）本种为国家Ⅱ级重点保护野生植物。

（2）本种药材松毛已被列入2019年版《吉林省中药材标准》第二册。

（3）松子仁可食用，为著名坚果。本种为园林树种、珍贵经济树木。

松科 Pinaceae 松属 *Pinus*

日本五针松 *Pinus parviflora* Sieb. et Zucc.

日本五针松

| 植物别名 |

五须松、五针松、五钗松。

| 药 材 名 |

松果（药用部位：果实。别名：松球）。

| 形态特征 |

多年生常绿乔木，高达 50m，胸径可达 1.5m。幼树树皮暗褐色，老树树皮则呈灰色，裂成鳞状块片；大枝短，平展，树冠尖塔形或圆柱形；一年生枝褐色、淡黄褐色或淡褐色，无毛或具疏生短毛，微有光泽，二、三年生枝微带灰色；冬芽圆锥形，淡褐色，几无树脂，芽鳞上部渐窄，排列较疏松，通常向外开展或微反曲，小枝基部宿存芽鳞的先端反卷或开展。小枝上面之叶覆瓦状向前伸展，下面及两侧之叶向两侧弯伸，条形，常微弯，长 1 ~ 2cm，宽 1.5 ~ 2mm，先端常微钝，上面有 2 白粉气孔带，每带有 5 ~ 8 气孔线，下面光绿色，无气孔。球果矩圆状圆柱形或长卵圆形，成熟前绿色，成熟时褐色或淡黄褐色，长 4 ~ 6cm，稀长达 9cm，直径 2 ~ 2.6cm；种鳞薄，排列疏松，中部种鳞卵状椭圆形或菱状椭圆形，中部较宽，长约 1.2cm，宽 7 ~ 8mm，先端近截形或圆形，边缘有不规则细缺齿，基部宽楔形微圆；苞鳞长约 3mm，先端凸尖或圆；种子连翅长约 9mm，种翅宽约 3.5mm；子叶 5 ~ 8，条状钻形，上面中脉隆起，有齿毛；初生叶扁条形，上面每边约有 2 气孔线，下面每边有 1 气孔线，边缘有疏生齿毛。花期 5 ~ 6 月，球果 9 ~ 10 月成熟。

| 生境分布 | 生于山腹干燥之地。吉林无野生分布。吉林东部山区及中部半山区部分地区有栽培。

| 资源情况 | 吉林有栽培。药材主要来源于栽培。

| 采收加工 | 夏、秋季果实成熟后采收，晒干。

| 功能主治 | 消癥，补虚。用于癥瘕积聚，久病体虚，白血病。

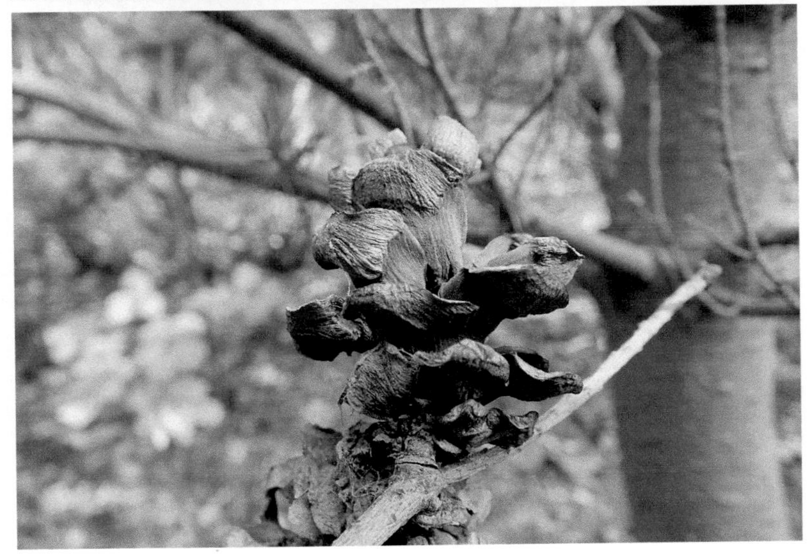

松科 Pinaceae 松属 *Pinus*

偃松 *Pinus pumila* (Pall.) Regel

| 植物别名 | 矮松、千叠松、爬松。

| 药 材 名 | 松枝（药用部位：枝）、松针（药用部位：叶）、松花粉（药用部位：花粉）、松子（药用部位：种子）。

| 形态特征 | 多年生常绿灌木，高达 3 ~ 6m。树干通常伏卧状，基部多分枝，匍匐的大枝可长达 10m 或更长，生于山顶则近直立丛生状；树皮灰褐色，裂成片状脱落；一年生枝褐色，密被柔毛，二、三年生枝暗红褐色；冬芽红褐色，圆锥状卵圆形，先端尖，微被树脂。针叶 5 针一束，较细短，硬直而微弯，长 4 ~ 6cm，稀长至 8.3cm，直径约 1mm，边缘锯齿不明显或近全缘，背面无气孔线，腹面每侧具 3 ~ 6 灰白色气孔线；横切面近梯形，皮下层细胞单层，稀有 1 ~ 3 细胞宽的第 2 层皮下层，树脂道通常 2，生于背面，很少 1，腹面无树脂

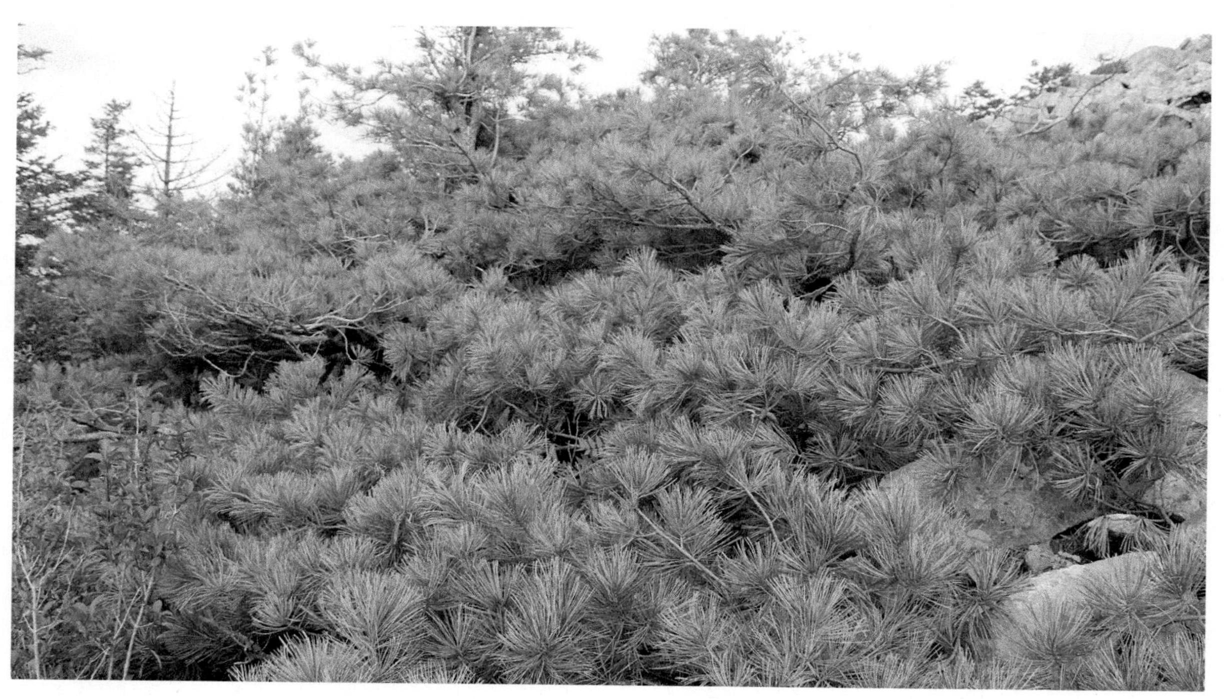

偃松

道；叶鞘早落。雄球花椭圆形，黄色，长约 1cm；雌球花及小球果单生或 2 ～ 3 集生，卵圆形，紫色或红紫色。球果直立，圆锥状卵圆形或卵圆形，成熟时淡紫褐色或红褐色，长 3 ～ 4.5cm，直径 2.5 ～ 3cm；成熟后种鳞不张开或微张开；种鳞近宽菱形或斜方状宽倒卵形，鳞盾宽三角形，上部圆，背部厚、隆起，边缘微向外反曲，下部底边近截形，鳞脐明显，紫黑色，先端具突尖，微反曲；种子生于种鳞腹面下部的凹槽中，不脱落，暗褐色，三角状倒卵圆形，微扁，长 7 ～ 10mm，直径 5 ～ 7mm，无翅，仅周围有微隆起的棱脊。花期 6 ～ 7 月，球果翌年 9 月成熟。

| 生境分布 | 生于海拔超过 1200m 的老爷岭上部地区、海拔超过 1800m 的长白山上部地区及东部高山上部之阴湿地带，与西伯利亚刺柏混生，在落叶松或黄花落叶松林下形成茂密的矮林。分布于吉林延边、白山、通化等。

| 资源情况 | 野生资源较少。药材主要来源于野生。

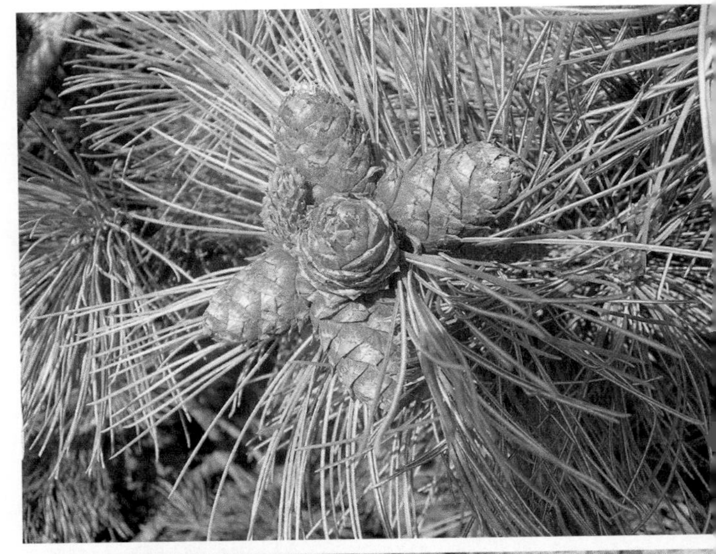

| 采收加工 | 松枝：全年均可采收，除去杂质，晒干。

松针：全年均可采收，以腊月采者最好。采后晒干，放置干燥处。

松花粉：同“赤松”。

松子：果实成熟后采收，晒干，取出种子，置干燥处保存。

| 功能主治 | 松枝、松针：苦、涩，温。止咳化痰平喘。用于咳嗽痰喘。

松花粉：同“赤松”。

松子：甘，温。润肺止咳。用于咳嗽咳痰，阴虚肺燥。

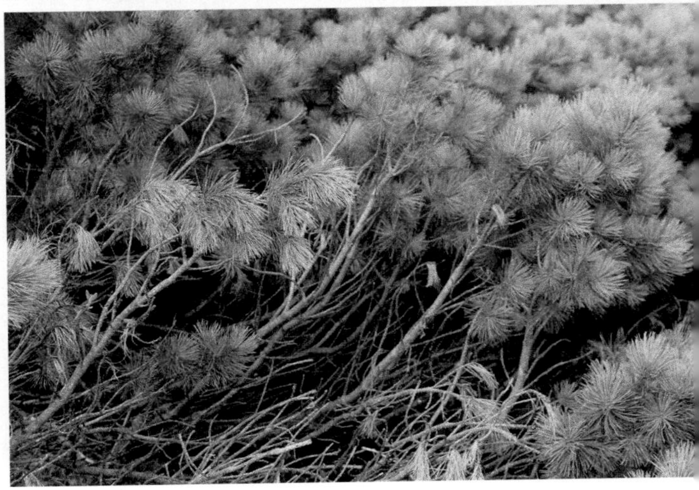

| 附　　注 | 本种为吉林省Ⅱ级重点保护野生植物。

松科 Pinaceae 松属 *Pinus*

樟子松 *Pinus sylvestris* L. var. *mongolica* Litv.

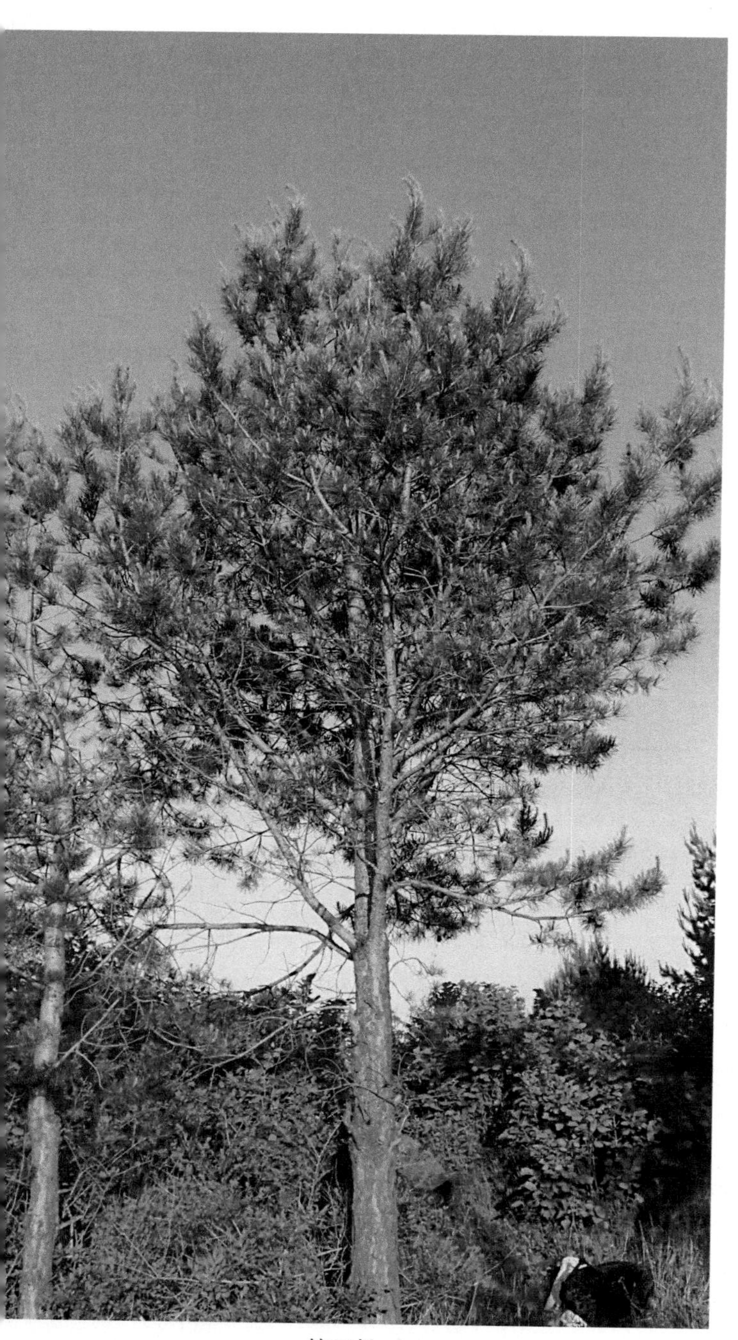
樟子松

植物别名

獐子松、海拉尔松、蒙古赤松。

药材名

松节（药用部位：瘤状节或分枝节）、松针（药用部位：叶）、松花粉（药用部位：花粉）、松果（药用部位：球果）。

形态特征

多年生常绿乔木，高达25m，胸径达80cm。大树树皮厚，树干下部灰褐色或黑褐色，深裂成不规则的鳞状块片脱落，上部树皮及枝皮黄色至褐黄色，内侧金黄色，裂成薄片脱落；枝斜展或平展，幼树树冠尖塔形，老则呈圆顶或平顶，树冠稀疏；一年生枝淡黄褐色，无毛，二、三年生枝呈灰褐色；冬芽褐色或淡黄褐色，长卵圆形，有树脂。针叶2针一束，硬直，常扭曲，长4 ~ 9cm，很少达12cm，直径1.5 ~ 2mm，先端尖，边缘有细锯齿，两面均有气孔线；横切面半圆形，微扁，皮下层细胞单层，维管束鞘呈横茧状，二维管束距离较远，树脂道6 ~ 11，边生；叶鞘基部宿存，黑褐色。雄球花圆柱状卵圆形，长5 ~ 10mm，聚生新枝下部，长3 ~ 6cm；雌球花有短梗，淡紫褐色，当年生小球果长约1cm，下垂。球果卵圆形或长卵圆形，长3 ~ 6cm，直径2 ~ 3cm，成熟前绿色，成熟时淡褐灰色，成熟后开始脱落；中部种鳞的鳞盾多呈斜方形，纵脊横脊显著，肥厚隆起，多反曲，鳞脐呈瘤状凸起，有易脱落的短刺；种子黑褐色，长卵圆形或倒卵圆形，微扁，长4.5 ~ 5.5mm，连翅长1.1 ~ 1.5cm；子叶6 ~ 7，长1.3 ~ 2.4cm；初生叶条形，长1.8 ~ 2.4cm，上面有凹槽，边缘有较密的细锯齿，叶面上亦有疏生齿毛。花期5 ~ 6月，球果翌年9 ~ 10月成熟。

| 生境分布 | 生于山脊、沙丘及向阳山坡，以及较干旱的沙地和石砾砂土地。分布于吉林白山（抚松、靖宇、长白）等，东部山区有栽培。

| 资源情况 | 野生资源较少。吉林有栽培。药材主要来源于野生。

| 采收加工 | 松节：同“赤松”。
松针：同“偃松”。
松花粉：同“赤松”。
松果：同“日本五针松”。

| 功能主治 | 松节：同“赤松”。
松针：同“偃松”。
松花粉：同“赤松”。
松果：同“日本五针松”。

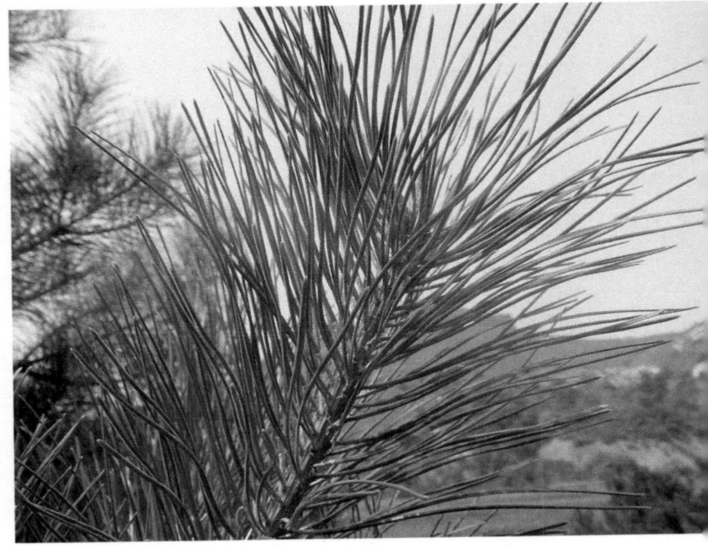

| 附　　注 | 本种树干可割树脂，用于提取松香及松节油；树皮可提取栲胶。

松科 Pinaceae 松属 *Pinus*

长白松 *Pinus sylvestris* L. var. *sylvestriformis* (Takenouchi) Cheng et C. D. Chu

| 植物别名 | 长白赤松、美人松。

| 药 材 名 | 松香（药材来源：油树脂经蒸馏或其他方法提取的挥发油）、松花粉（药用部位：花粉）。

| 形态特征 | 多年生常绿乔木，高 20 ~ 30m，胸径 25 ~ 40cm，稀达 1m。树干通直平滑，基部稍粗糙，棕褐色带黄色，龟裂，中下部以上树皮棕黄色至金黄色，裂成鳞状薄片剥落；冬芽卵圆形，芽鳞红褐色，有树脂；一年生枝淡褐色或淡黄褐色，无白粉，二至三年生枝淡灰褐色或灰褐色。针叶 2 枚一束，长 5 ~ 8cm，较粗硬，直径 1 ~ 1.5mm；横切面扁半圆形，单层皮下层细胞，维管束之间的距离较宽，树脂道 4 ~ 8，边生，稀角部 1 ~ 2 中生或背面 1 中生。一年生小球果近球形，具短梗，弯曲，下垂，种鳞具直伸的短刺；成熟的球果卵状圆锥形，种鳞张开后为椭圆状卵圆形或长卵圆形，长 4 ~ 5cm，

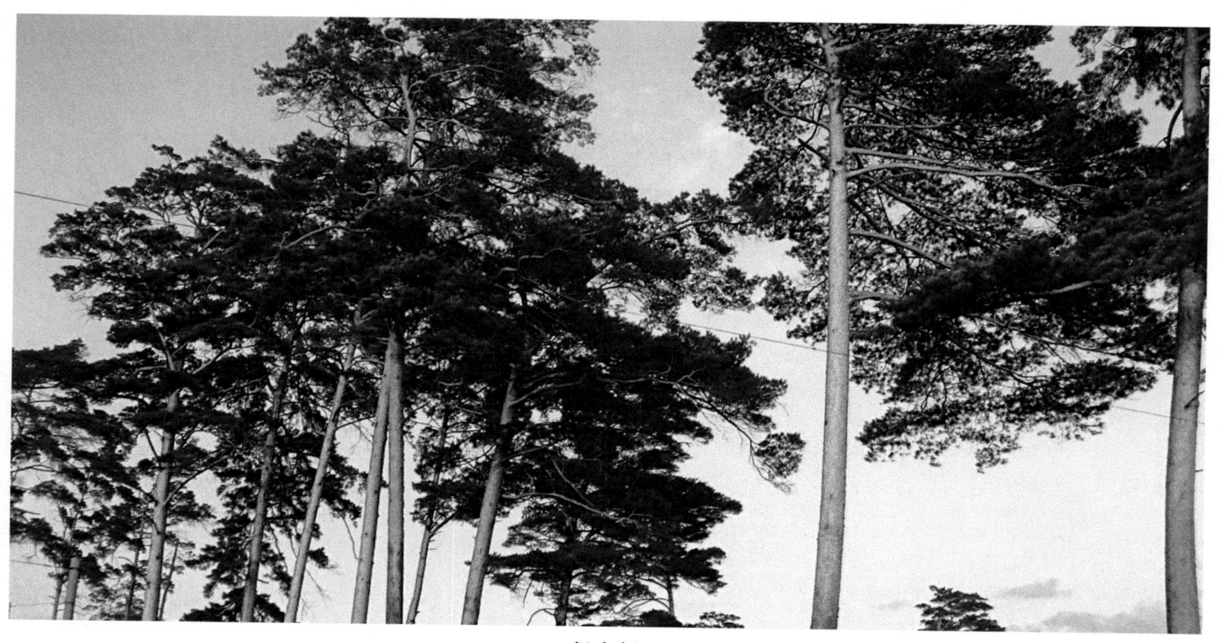

长白松

直径 3 ~ 4.5cm，种鳞背部深紫褐色，鳞盾斜方形或不规则四角形至五角形，灰色或淡褐灰色，强隆起，很少微隆起或近平，球果基部种鳞之鳞盾隆起部分向下弯，横脊明显，纵脊不明显或微明显，鳞脐呈瘤状凸起，具易脱落的短刺；种子长卵圆形或三角状卵圆形，长约 4mm，连翅长约 2cm，种翅淡褐色，有少数褐色条纹，宽约 7mm。

| 生境分布 | 生于长白山北坡海拔 800 ~ 1600m 的山脊及向阳山坡。在海拔 800m 以上的林中组成小片纯林，在海拔 1600m 的林中则与红松、长白鱼鳞云杉等混生。分布于吉林延边（安图）等。

| 资源情况 | 野生资源一般。药材主要来源于野生。

| 采收加工 | 松香：多在夏季采收，在松树干上用刀挖成 V 形或螺旋纹槽，使边材部的油树脂自伤口流出，收集后，加水蒸馏，使松节油馏出，剩下的残渣冷却凝固后即为松香。置阴凉干燥处，防火、防热。

松花粉：同“赤松”。

| 药材性状 | 松香：本品为淡黄色至淡棕色不规则块状，断面呈壳状，有玻璃样光泽，质脆，易碎，燃烧时产生浅黄色到棕色烟雾。

松花粉：同“赤松”。

| 功能主治 | 松香：苦、甘，温。归肝、脾、肺经。燥湿祛风，生肌止痛，杀虫。用于风湿痹痛，痈疽，疥癣，湿疮，金疮出血。

松花粉：同“赤松”。

| 附　　注 | （1）本种针叶较短，较粗硬，叶内两维管束之间距离较宽，种鳞的鳞盾斜方形或不规则多角形，隆起，树皮棕褐色带黄色，这些性状属欧洲赤松 *Pinus sylvestris* L. 的种群范围。与樟子松 *Pinus sylvestris* L. var. *mongolica* Litv. 的区别在于后者树皮为黄色至褐黄色、内侧金黄色，针叶更为粗硬，直径 1.5 ~ 2mm，树脂道较多，6 ~ 11，球果种鳞之鳞盾淡绿褐色；而本种除树皮颜色与樟子松不同外，针叶比樟子松略细，直径 1 ~ 1.5mm，球果种鳞之鳞盾淡褐灰色。本种与赤松 *Pinus densiflora* Sieb. et Zucc. 显然不同，除针叶较粗外，本种针叶内两维管束之间的距离较大，一年生小球果下垂，具直伸的短刺，成熟球果之种鳞的鳞盾强隆起；而赤松虽然变异很大，但针叶内两维管束之间的距离较小，一年生小球果不下垂，鳞脐具斜上伸展之刺，成熟球果种鳞之鳞盾仅微肥厚或部分种鳞上部呈角脊状隆起，这些稳定性状易与长白松相区别。

（2）本种为国家 I 级重点保护野生植物。

松科 Pinaceae 松属 *Pinus*

油松 *Pinus tabuliformis* Carr.

| 植物别名 | 红皮松、短叶松、东北黑松。

| 药 材 名 | 油松节（药用部位：干燥瘤状节或分枝节）、松花粉（药用部位：花粉）、松节油（药材来源：油树脂经蒸馏或其他方法提取的挥发油）、松香（药材来源：树干中取得的油树脂，经蒸馏除去松节油后制得）。

| 形态特征 | 多年生常绿乔木，高达 25m，胸径可达 1m 以上。树皮灰褐色，呈不规则鳞甲状裂，裂隙红褐色。枝轮生，小枝粗壮，淡橙黄色或灰黄色。冬芽宽椭圆形，先端尖，红褐色。叶针形，2 针一束，深绿色，粗硬，长 10 ~ 15cm，直径约 1.5mm，边缘有细齿，两面有气孔线；叶鞘初时淡褐色，渐变成暗灰色。雄球花圆柱形，长 1.2 ~ 1.8cm，在新枝上聚生成穗状。雌球花序阔卵形，长 7mm，紫色，着生于当年生新枝上。球果卵形或圆卵形，长

油松

4 ~ 9cm，有短梗，向下弯垂，成熟时淡黄色或淡褐黄色，宿存数年之久；中部种鳞近长圆状倒卵形，长 1.6 ~ 2cm，鳞盾肥厚，隆起或微隆起，扁菱形或菱状多角形，横脊显着，鳞脐凸起，有尖刺；种子卵圆形或长卵圆形，淡褐色，有斑纹，连翅长 1.5 ~ 1.8cm。花期 4 ~ 5 月，果熟期翌年 10 月。

| 生境分布 | 生于山坡。以长白山区为主要分布区域，分布于吉林延边、白山、通化、吉林、辽源（东丰）等。

| 资源情况 | 野生资源较少。药材主要来源于野生。

| 采收加工 | 油松节：全年均可采收，锯取后阴干。

松花粉：同“赤松”。

松节油：同“赤松”。

松香：同“长白松”。

| 药材性状 | 油松节：本品呈扁圆节段状或不规则的块状，长短粗细不一。外表面黄棕色、灰棕色或红棕色，有时带有棕色至黑棕色油斑，或有残存的栓皮。质坚硬。横截面木部淡棕色，心材色稍深，可见明显的年轮环纹，显油性；髓部小，淡黄棕色。纵断面具纵直或扭曲纹理。有松节油香气，味微苦、辛。

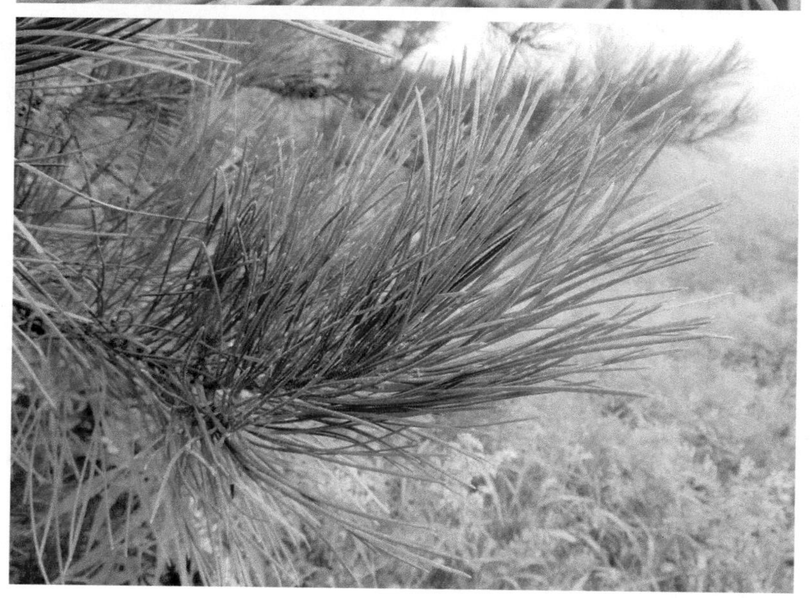

松花粉：同“赤松”。

松节油：同“赤松”。

松香：同“长白松”。

| 功能主治 | 油松节：苦、辛，温。归肝、肾经。祛风除湿，通络止痛。用于风寒湿痹，转筋挛急，痛风，跌打伤痛。

松花粉：同“赤松”。

松节油：同“赤松”。

松香：同“长白松”。

|用法用量| 油松节：内服煎汤，9 ~ 15g。

松花粉：同“赤松”。

松节油：同“赤松”。

松香：内服煎汤，3 ~ 5g；或入丸、散；或浸酒服。外用适量，研末干掺；或调敷。

|附　　注| 本种为吉林省Ⅲ级重点保护野生植物。

松科 Pinaceae 松属 *Pinus*

黑皮油松 *Pinus tabuliformis* Carr. var. *mukdensis* Uyeki

| 药 材 名 | 松节（药用部位：瘤状节或分枝节）、松花粉（药用部位：花粉）、松针（药用部位：叶）。

| 形态特征 | 多年生常绿乔木。树皮深灰色，二年生以上小枝灰褐色或深灰色。枝轮生，小枝粗壮，淡橙黄色或灰黄色。冬芽宽椭圆形，先端尖，红褐色。叶针形，2 针一束，深绿色，粗硬，长 10 ~ 15cm，直径约 1.5mm，边缘有细齿，两面有气孔线。叶鞘初时淡褐色，渐变成暗灰色。雄球花圆柱形，长 1.2 ~ 1.8cm，在新枝上聚生成穗状。雌球花序阔卵形，长 7mm，紫色，着生于当年新枝上。球果卵形或圆卵形，长 4 ~ 9cm，有短梗，向下弯垂，成熟时淡黄色或淡褐黄色，宿存数年之久；中部种鳞近长圆状倒卵形，长 1.6 ~ 2cm，鳞盾肥厚，隆起或微隆起，扁菱形或菱状多角形，横脊显着，鳞脐凸起，有尖刺；

黑皮油松

种子卵圆形或长卵圆形，淡褐色，有斑纹，连翅长 1.5 ～ 1.8cm。花期 4 ～ 5 月，果熟期翌年 10 月。

| 生境分布 | 生于山岭的陡崖之上。吉林无野生分布。吉林东部山区有人工林。

| 资源情况 | 无野生资源。药材主要来源于栽培。

| 采收加工 | 松节：同“赤松”。

松花粉：同“赤松”。

松针：同“偃松”。

| 功能主治 | 松节：同“赤松”。

松花粉：同“赤松”。

松针：同“偃松”。

松科 Pinaceae 松属 *Pinus*

黑松 *Pinus thunbergii* Parl.

| 植物别名 | 日本黑松。

| 药 材 名 | 松针（药用部位：叶）、松花粉（药用部位：花粉）。

| 形态特征 | 多年生常绿乔木，高达 30m，胸径可达 2m。幼树树皮暗灰色，老则灰黑色，粗厚，裂成块片脱落；枝条开展，树冠宽圆锥状或伞形；一年生枝淡褐黄色，无毛；冬芽银白色，圆柱状椭圆形或圆柱形，先端尖，芽鳞披针形或条状披针形，边缘白色丝状。针叶 2 针一束，深绿色，有光泽，粗硬，长 6 ~ 12cm，直径 1.5 ~ 2mm，边缘有细锯齿，背腹面均有气孔线；横切面皮下层细胞 1 ~ 2 层、连续排列，两角上 2 ~ 4 层，树脂道 6 ~ 11，中生。雄球花淡红褐色，圆柱形，长 1.5 ~ 2cm，聚生于新枝下部；雌球花单生或 2 ~ 3 聚生于新枝近先端，直立，有梗，卵圆形，淡紫红色或淡褐红色。球果成熟前

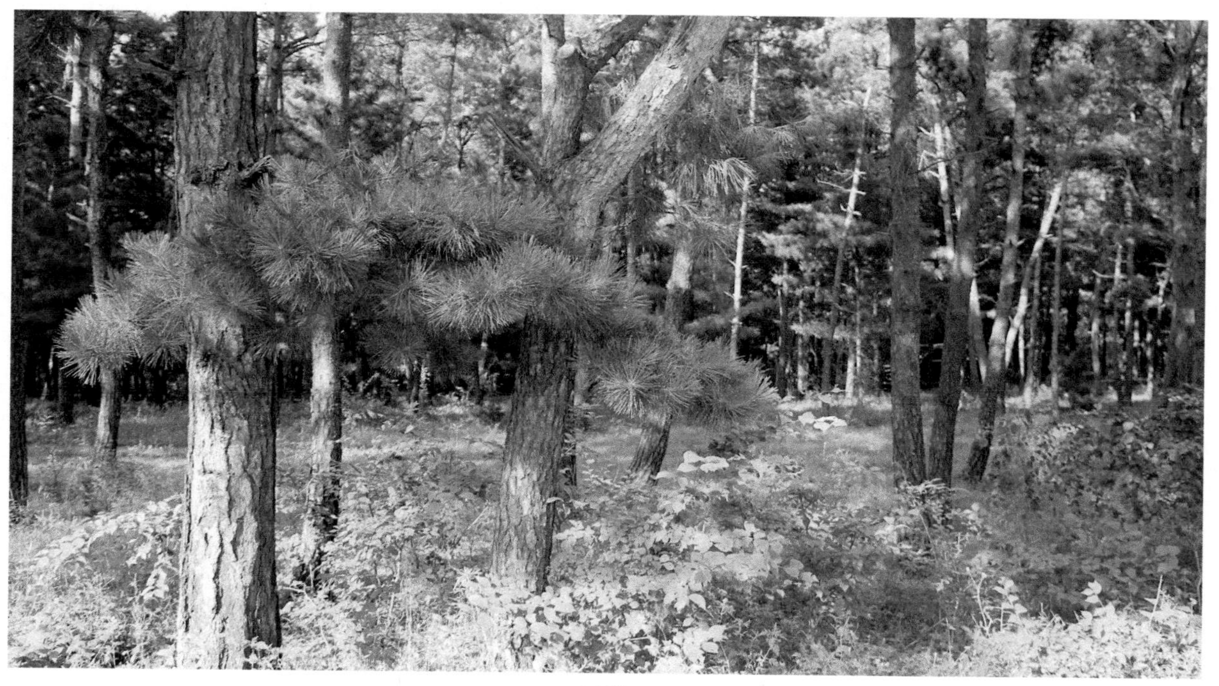

黑松

绿色，成熟时褐色，圆锥状卵圆形或卵圆形，长 4 ~ 6cm，直径 3 ~ 4cm，有短梗，向下弯垂；中部种鳞卵状椭圆形，鳞盾微肥厚，横脊显著，鳞脐微凹，有短刺；种子倒卵状椭圆形，长 5 ~ 7mm，直径 2 ~ 3.5mm，连翅长 1.5 ~ 1.8cm，种翅灰褐色，有深色条纹；子叶 5 ~ 10（多为 7 ~ 8），长 2 ~ 4cm，初生叶条形，长约 2cm，叶缘具疏生短刺毛，或近全缘。花期 4 ~ 5 月，种子翌年 10 月成熟。

| 生境分布 | 生于土层深厚、土质疏松且含有腐殖质的丘陵石山地。以长白山区为主要分布区域，分布于吉林延边、白山、通化、吉林、辽源（东丰）等，吉林东部山区有栽培。

| 资源情况 | 野生资源较少。药材主要来源于栽培。

| 采收加工 | 松针：同“偃松”。
松花粉：同“赤松”。

| 药材性状 | 松针：本品呈针状，长 5 ~ 12cm，直径约 0.1cm。松叶 2 针一束，基部有长约 0.5cm 的鞘，叶片深绿色或枯绿色，表面光滑，中央有 1 细沟。质脆。气微香，味微苦、涩。
松花粉：同“赤松”。

| 功能主治 | 松针：同“偃松”。
松花粉：同“赤松”。

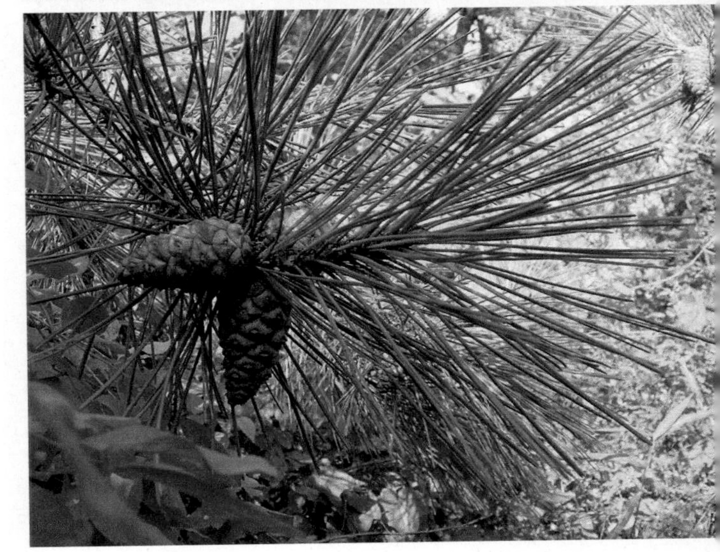

红豆杉科 Taxaceae 红豆杉属 *Taxus*

东北红豆杉 *Taxus cuspidata* Sieb. et Zucc.

东北红豆杉

| 植物别名 |

紫杉、宽叶紫杉、中国紫衫。

| 药 材 名 |

紫杉（药用部位：枝叶。别名：赤柏松、紫柏松）。

| 形态特征 |

多年生常绿乔木，高达 20m，胸径达 1m。树皮红褐色，有浅裂纹；枝条平展或斜上直立，密生；小枝基部有宿存芽鳞，一年生枝呈绿色，秋后呈淡红褐色，二、三年生枝呈红褐色或黄褐色；冬芽淡黄褐色，芽鳞先端渐尖，背面有纵脊。叶排成不规则的 2 列，斜上伸展，约成 45° 角，条形，通常直，稀微弯，长 1 ~ 2.5cm，宽 2.5 ~ 3mm，稀长达 4cm，基部窄，有短柄，先端通常凸尖，上面深绿色，有光泽，下面有 2 灰绿色气孔带，气孔带较绿色边带宽 2 倍，干后呈淡黄褐色，中脉带上无角质乳头状突起点。雄球花有雄蕊 9 ~ 14，各具 5 ~ 8 花药；种子紫红色，有光泽，卵圆形，长约 6mm，上部具 3 ~ 4 钝脊，先端有小钝尖头，种脐通常三角形或四方形，稀矩圆形。花期 5 ~ 6 月，种子 9 ~ 10 月成熟。

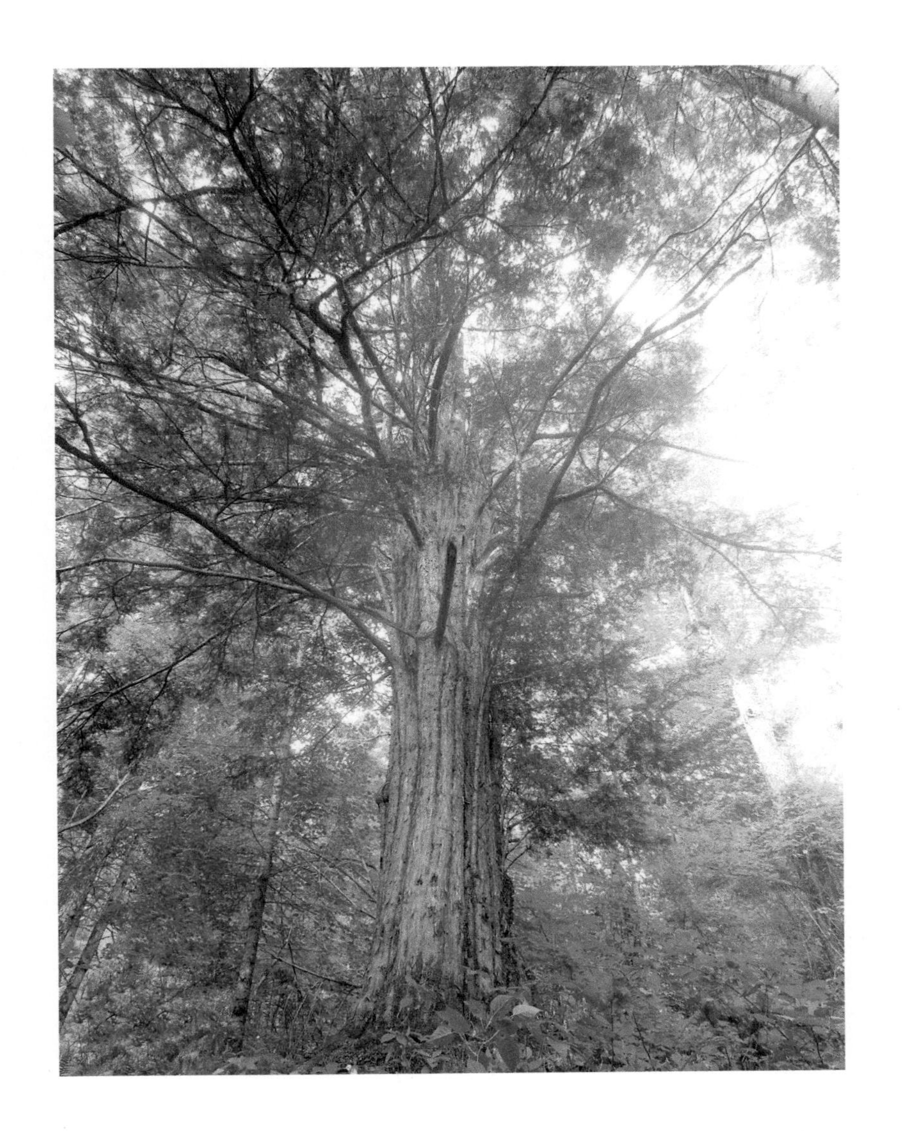

| 生境分布 | 生于吉林老爷岭、张广才岭以及长白山区海拔 500 ~ 1000m 气候冷湿的酸性土地带，常散生于海拔 500 ~ 1000m 的山地林中。分布于吉林通化（通化、集安）、白山（长白、临江、抚松、靖宇、江源）、延边（汪清、敦化、和龙、安图）等。

| 资源情况 | 野生资源稀少。吉林东部山区有栽培。药材主要来源于栽培。

| 采收加工 | 夏、秋季采收，晒干。

| 药材性状 | 本品枝皮呈红褐色，有浅裂；小枝密，互生，棕色或绿黄色，有稍凸起的叶柄残基。枝的横切面灰白色至淡棕色，周围有较薄的栓皮，木部细密，占绝大部分，年轮和放射线可见，髓部细小，棕色，常枯朽。叶易脱落，螺旋状着生，排成不规则 2 列，与小枝约成 45° 角斜展；叶片条形，长 1.5 ~ 2.5cm，宽 2.5 ~ 3mm，先端急尖，边缘反卷，基部狭窄，有短柄，上表面微皱缩，暗棕绿色或棕绿色，

略有光泽，下表面棕色，中脉微隆起。气特异，味先微甜而后苦。

| 功能主治 | 淡，平。归肾经。通经，利尿。用于肾炎浮肿，小便不利，糖尿病，高血压。

| 用法用量 | 内服煎汤，叶，5 ~ 18g；小枝（去皮），9 ~ 15g。

| 附　　注 | （1）本种为国家Ⅰ级、吉林省Ⅰ级重点保护野生植物。

（2）本种是世界上公认的濒临灭绝的天然珍稀抗肿瘤植物，在地球上已有 250 万年的历史，是植物“活化石”。1996 年联合国教科文组织将其列为世界珍稀濒危植物。

麻黄科 Ephedraceae 麻黄属 *Ephedra*

中麻黄 *Ephedra intermedia* Schrenk ex Mey.

|植物别名| 西藏中麻黄。

|药 材 名| 麻黄（药用部位：草质茎。别名：色道麻）、麻黄根（药用部位：根）。

|形态特征| 多年生草本状小灌木，高 20 ~ 100cm。茎直立或匍匐斜上，粗壮，基部分枝多；绿色小枝常被白粉呈灰绿色，直径 1 ~ 2mm，节间通常长 3 ~ 6cm，纵槽纹较细浅。叶 3 裂及 2 裂混见，下部约 2/3 合生成鞘状，上部裂片钝三角形或窄三角状披针形。雄球花通常无梗，数个密集于节上成团状，稀 2 ~ 3 对生或轮生于节上，具 5 ~ 7 对交叉对生或 5 ~ 7 轮（每轮 3 片）苞片，雄花有 5 ~ 8 雄蕊，花丝全部合生，花药无梗；雌球花 2 ~ 3 成簇，对生或轮生于节上，无梗或有短梗，苞片 3 ~ 5 轮（每轮 3 片）或 3 ~ 5 对交叉对生，通常仅基部合生，边缘常有明显膜质窄边，最上 1 轮苞片有 2 ~ 3 雌花；

中麻黄

雌花的珠被管长达 3mm，常呈螺旋状弯曲。雌球花成熟时肉质，红色，椭圆形、卵圆形或矩圆状卵圆形，长 6 ~ 10mm，直径 5 ~ 8mm；种子包于肉质红色的苞片内，不外露，2 或 3，形状变异颇大，常呈卵圆形或长卵圆形，长 5 ~ 6mm，直径约 3mm。花期 5 ~ 6 月，种子 7 ~ 8 月成熟。

| 生境分布 | 生于干旱荒漠、沙滩地区及干旱的山坡或草地上。分布于吉林白城、松原等。

| 资源情况 | 野生资源较少。药材主要来源于野生。

| 采收加工 | 麻黄：秋季采割绿色的草质茎，晒干。

麻黄根：秋末采挖，除去残茎、须根及泥沙，干燥。

| 药材性状 | 麻黄：本品多分枝，直径 1.5 ~ 3mm，有粗糙感。节间长 2 ~ 6cm，膜质鳞叶长 2 ~ 3mm，裂片 3（稀 2），先端锐尖。断面髓部呈三角状圆形。体轻，质脆，易折断，断面略呈纤维性，周边绿黄色，髓部红棕色，近圆形。气微香，味涩、微苦。以干燥、茎粗、淡绿色、内心充实、味苦涩者为佳。

麻黄根：本品呈圆柱形，略弯曲，长 8 ~ 25cm，直径 0.5 ~ 1.5cm。表面红棕色或灰棕色，有纵皱纹和支根痕。外皮粗糙，易成片状剥落。根茎具节，节间长 0.7 ~ 2cm，表面有横长突起的皮孔。体轻，质硬而脆，断面皮部黄白色，木部淡黄色或黄色，射线放射状，中心有髓。气微，味微苦。

| 功能主治 | 麻黄：辛、微苦，温。归肺、膀胱经。发汗散寒，宣肺平喘，利水消肿。用于风寒感冒，胸闷喘咳，风水浮肿，支气管哮喘。

麻黄根：甘，平。归心、肺经。止汗。用于自汗，盗汗。

| 用法用量 | 麻黄：内服煎汤，2 ~ 9g。

麻黄根：内服煎汤，3 ~ 9g。外用适量，研粉撒扑。

| 附　　注 | 本种在生长较大时具木质茎，形体也较高大，在无花时常易与木贼麻黄 *Ephedra equisetina* Bunge 和膜果麻黄 *Ephedra przewalskii* Stapf 相混，与本种的区别在于木贼麻黄的小枝节间细而常较短，叶全为 2 裂；膜果麻黄的叶几乎全为 3 裂，而本种则为 2 ~ 3 裂混见，可以此区分。

柏科 Cupressaceae 刺柏属 *Juniperus*

杜松 *Juniperus rigida* Sieb. et Zucc.

杜松

|植物别名|

刺柏、刚桧、崩松。

|药 材 名|

杜松子（药用部位：果实。别名：杜松实、崩松子）。

|形态特征|

多年生常绿灌木或小乔木，高达 10m。枝条直展，形成塔形或圆柱形的树冠，枝皮褐灰色，纵裂；小枝下垂，幼枝三棱形，无毛。叶 3 叶轮生，条状刺形，质厚，坚硬，长 1.2 ~ 1.7cm，宽约 1mm，上部渐窄，先端锐尖，上面凹下成深槽，槽内有 1 窄白粉带，下面有明显的纵脊，横切面成内凹的"V"状三角形。雄球花椭圆状或近球状，长 2 ~ 3mm，药隔三角状宽卵形，先端尖，背面有纵脊。球果圆球形，直径 6 ~ 8mm，成熟前紫褐色，成熟时淡褐黑色或蓝黑色，常被白粉；种子近卵圆形，长约 6mm，先端尖，有 4 不显著的棱角。

|生境分布|

生于比较干燥的山地或海拔 500m 以下的丘陵地带。分布于吉林白山（长白、抚松、靖宇、江源）、通化（集安、通化）、延边（敦化）、吉林（桦甸）等。吉林部分城镇园林有栽培。

| 资源情况 |

野生资源较少。吉林有栽培。药材主要来源于栽培。

| 采收加工 |

秋季采摘，除去杂质，干燥。

| 药材性状 |

本品呈球形或椭圆形，直径 7 ~ 8mm。表面紫褐色或蓝黑色，有光泽，表面稍被白粉，内含种子 2 ~ 3，也有 1 或 4 者。种子卵圆形，长约 6mm，褐色，先端尖，有 4 不显著的棱角。气芳香特殊，味甘。

| 功能主治 |

辛，温。发汗利尿，祛风除湿，镇痛。用于尿路感染，肾炎，肾结石，小便淋痛，水肿，风湿关节痛。

| 用法用量 |

内服煎汤，3 ~ 9g。外用适量，捣敷。

| 附　　注 |

本种为吉林省Ⅱ级重点保护野生植物。

柏科 Cupressaceae 刺柏属 *Juniperus*

西伯利亚刺柏 *Juniperus sibirica* Burgsd.

西伯利亚刺柏

| 植物别名 |

高山桧、西伯利亚圆柏。

| 药 材 名 |

西伯利亚刺柏（药用部位：果实及枝叶）。

| 形态特征 |

多年生匍匐灌木，高 30 ~ 70cm。枝皮灰色，小枝密，粗壮，直径约 2mm。刺叶 3 叶轮生，斜伸，通常稍呈镰状弯曲，披针形或椭圆状披针形，先端急尖或上部渐窄成锐尖头，长 7 ~ 10mm，宽 1 ~ 1.5mm，上面稍凹，中间有 1 较绿色边带宽的白粉带，间或中下部有微明显的绿色中脉，下面具棱脊。球果圆球形或近球形，直径 5 ~ 7mm，成熟时褐黑色，被白粉，通常有 3 种子，间或 1 ~ 2；种子卵圆形，先端尖，有棱角，长约 5mm。

| 生境分布 |

生于海拔 1500 ~ 2000m 的砾石山地、疏林下及长白山区。分布于吉林白山（长白、抚松、临江）、延边（安图、汪清）等。

| 资源情况 | 野生资源较少。药材主要来源于野生。

| 采收加工 | 秋季采摘果实，除去杂质，干燥。全年均可采收枝叶，鲜用或阴干。

| 功能主治 | 果实，祛风，镇痛，利尿。用于小便不利。枝叶，苦、涩，寒。清热解毒。用于赤巴病扩散，皮肤瘙痒，痔疮。

| 附　　注 | 本种为吉林省Ⅱ级重点保护野生植物。

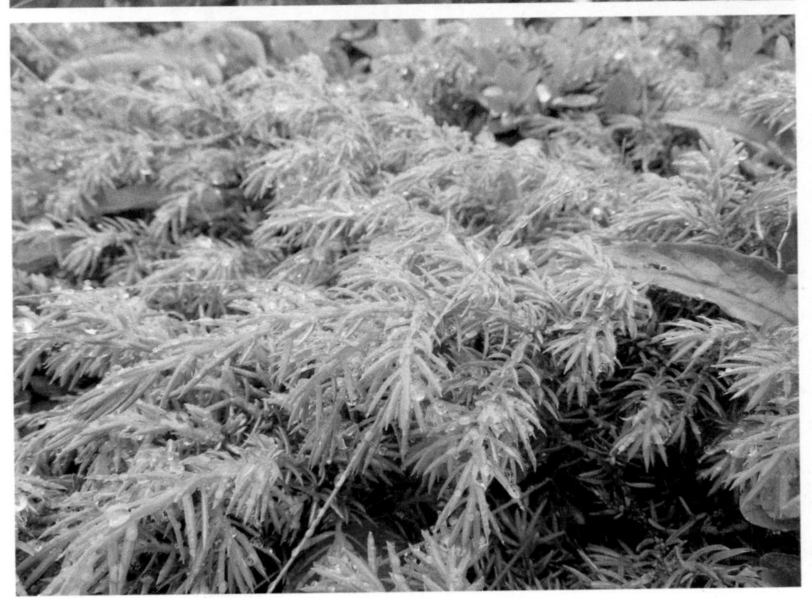

柏科 Cupressaceae 侧柏属 *Platycladus*

侧柏 *Platycladus orientalis* (Linn.) Franco

侧柏

|药材名|

侧柏叶（药用部位：枝梢及叶。别名：辟汗草、扁柏、香柏）、柏子仁（药用部位：种仁。别名：柏实、柏子、柏仁）。

|形态特征|

多年生常绿乔木，高 20m 以上，胸径 1m。树皮薄，浅灰褐色，纵裂成条片；枝条向上伸展或斜展，幼树树冠卵状尖塔形，老树树冠广圆形；生鳞叶的小枝细，向上直展或斜展，扁平，排成 1 平面。叶鳞形，长 1 ~ 3mm，先端微钝，小枝中央叶的露出部分呈倒卵状菱形或斜方形，背面中间有条状腺槽，两侧叶船形，先端微内曲，背部有钝脊，尖头下方有腺点。雄球花黄色，卵圆形，长约 2mm；雌球花近球形，直径约 2mm，蓝绿色，被白粉。球果近卵圆形，长 1.5 ~ 2（~ 2.5）cm，成熟前近肉质，蓝绿色，被白粉，成熟后木质，开裂，红褐色；中间 2 对种鳞倒卵形或椭圆形，鳞背先端的下方有 1 向外弯曲的尖头，上部 1 对种鳞窄长，近柱状，先端有向上的尖头，下部 1 对种鳞极小，长达 13mm，稀退化而不显著；种子卵圆形或近椭圆形，先端微尖，灰褐色或紫褐色，长 6 ~ 8mm，稍有棱脊，无翅或有极窄翅。花期 3 ~ 4 月，球果 10 月成熟。

| 生境分布 | 生于平地、悬崖峭壁及干燥贫脊的山地上。分布于吉林四平（双辽、伊通）、长春（九台）、延边（和龙）等，部分城镇园林有栽培。

| 资源情况 | 野生资源较少。吉林有栽培。药材主要来源于野生。

| 采收加工 | 侧柏叶：夏、秋季采收，阴干。

柏子仁：冬初种子成熟时采收，晒干，压碎种皮，簸净，阴干或鲜用。

| 药材性状 | 侧柏叶：本品带叶枝稍多分枝，小枝扁平，长短不一，淡红褐色。叶细小，鳞片状，先端钝，交互对生，紧密贴伏于小枝上，侧面叶龙骨状，覆盖于正面叶上，深绿色或黄绿色。质脆，易折断。断面黄白色。气清香，味苦、涩、微辛。以枝嫩、色深绿、无碎末者为佳。

柏子仁：本品呈长卵圆形至长椭圆形，亦有呈长圆锥形者，长 3 ~ 7mm，直径 1.5 ~ 3mm。新鲜品淡黄色或黄白色，久置则颜色变深而呈黄棕色，并有油渗出。外面常包有薄膜质的内种皮，先端略尖，圆三棱形，并有深褐色的点，基部钝圆，颜色较浅。断面乳白色至黄白色，含丰富的油质。气微香，味淡而有油性。以粒饱满、黄白色、油性大而不泛油、无皮壳杂质者为佳。

| 功能主治 | 侧柏叶：苦、涩，寒。归肺、肝、脾经。凉血止血，生发乌发。用于吐血，衄血，咯血，便血，崩漏下血，血热脱发，须发早白。

柏子仁：甘，平。归心、肾、大肠经。养心安神，敛汗，润肠通便。用于惊悸怔忡，失眠健忘，盗汗，肠燥便秘。

| 用法用量 | 侧柏叶：内服煎汤，6 ~ 15g；或入丸、散。外用适量，煎汤洗；或捣敷；或研末调敷。

柏子仁：内服煎汤，3 ~ 10g；便溏者制霜用；或入丸、散。外用适量，研末调敷；或鲜品捣敷。

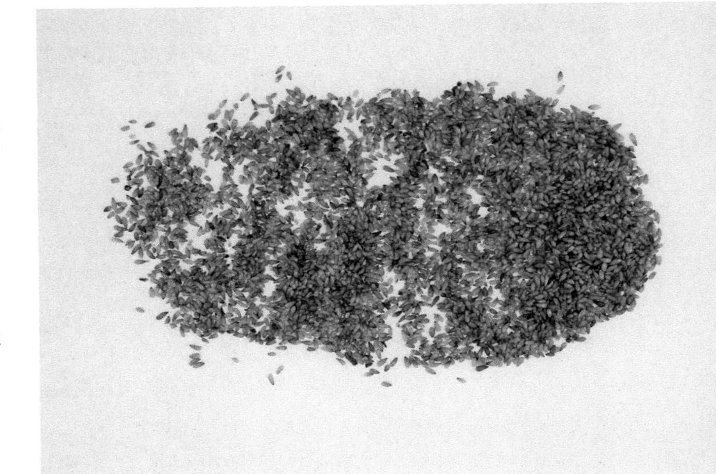

柏科 Cupressaceae 圆柏属 *Sabina*

圆柏 *Sabina chinensis* (Linn.) Ant.

| 植物别名 | 刺柏、珍珠柏、红心柏。

| 药 材 名 | 圆柏（药用部位：树皮、枝叶、种子）。

| 形态特征 | 多年生常绿乔木，高达 20m，胸径达 3.5m。树皮深灰色，纵裂成条片开裂；幼树的枝条通常斜上伸展，形成尖塔形树冠，老树下部大枝平展，形成广圆形的树冠；树皮灰褐色，纵裂，裂成不规则的薄片脱落；小枝通常直或稍呈弧状弯曲，生鳞叶的小枝近圆柱形或近四棱形，直径 1 ~ 1.2mm。叶二型，即刺叶及鳞叶；刺叶生于幼树之上，老龄树则全为鳞叶，壮龄树兼有刺叶与鳞叶；生于一年生小枝的一回分枝的鳞叶 3 叶轮生，直伸而紧密，近披针形，先端微渐尖，长 2.5 ~ 5mm，背面近中部有椭圆形微凹的腺体；刺叶 3 叶交互轮生，斜展，疏松，披针形，先端渐尖，长 6 ~ 12mm，上面微凹，

圆柏

有2白粉带。雌雄异株，稀同株，雄球花黄色，椭圆形，长2.5 ~ 3.5mm，雄蕊5 ~ 7对，常有3 ~ 4花药。球果近圆球形，直径6 ~ 8mm，2年成熟，成熟时暗褐色，被白粉或白粉脱落，有1 ~ 4种子；种子卵圆形，扁，先端钝，有棱脊及少数树脂槽；子叶2，出土，条形，长1.3 ~ 1.5cm，宽约1mm，先端锐尖，下面有2白色气孔带，上面则不明显。

｜生境分布｜ 生于中性土、钙质土及微酸性土。吉林无野生分布，部分城市有栽培。

｜资源情况｜ 吉林偶见栽培。药材主要来源于栽培。

｜采收加工｜ 春季剥取树皮，晾干。全年均可采收枝叶，鲜用或阴干。秋季果实成熟时采收种子，晒干。

｜药材性状｜ 本品带鳞叶的小枝呈近圆柱形或近四棱形。叶二型，有刺状叶及鳞叶，生于不同枝上；鳞叶3叶轮生，直伸而紧密，近披针形，先端渐尖，长2.5 ~ 5mm；刺状叶，3叶互轮生，斜展，疏松，披针形，长0.6 ~ 1cm。气微香，味微涩。

｜功能主治｜ 枝叶、树皮，苦、辛，温。有小毒。祛风散寒，活血消肿，解毒利尿。用于风寒感冒，肺结核，尿路感染。外用于风湿关节痛，荨麻疹，肿毒初起。种子，甘，平。补益心脾，润肠通便。用于血虚，心悸失眠，便秘。

｜用法用量｜ 内服煎汤，鲜品15 ~ 21g。外用捣敷，煎汤熏洗；或烧烟熏。

｜附　　注｜ 在FOC中，本种的拉丁学名被修订为 *Juniperus chinensis* Linnaeus。

柏科 Cupressaceae 圆柏属 *Sabina*

兴安圆柏 *Sabina davurica* (Pall.) Ant.

兴安圆柏

| 植物别名 |

兴安桧、爬山松。

| 药 材 名 |

兴安圆柏（药用部位：叶、果实）。

| 形态特征 |

多年生匍匐常绿灌木。分枝多，枝皮紫褐色，裂成薄片剥落；小枝密集，直立或斜伸，生鳞叶的小枝近圆柱形，直径约1mm。叶二型，常同时出现在生殖枝（即花、果枝）上，刺叶交叉对生，常较细长，斜展或近直立，排列疏松，窄披针形或条状披针形，先端渐尖，有时急尖，长3～9（多为4～6）mm，上（腹）面凹陷，有宽白粉带，下（背）面拱形，有钝脊，近基部有腺体；鳞叶交叉对生，排列紧密，生于1回分枝者较大，生于2～3回分枝者则较小，卵状矩圆形、斜方形或菱状卵形，长1～3mm，先端急尖、渐尖或钝，叶背中部有椭圆形或矩圆形腺体。雄球花卵圆形或近矩圆形，先端圆，长4～5mm，雄蕊6～9对，卵圆形。着生雌球花和球果的小枝弯曲，球果常呈不规则球形，通常较宽，长4～6mm，直径6～8mm，成熟时暗褐色至蓝紫色，被白粉，有1～4种子；

种子卵圆形，扁，先端急尖，有不明显的棱脊。

| 生境分布 |

生于海拔 400 ~ 1400m 的多石山地、山峰岩缝中、砂丘。分布于吉林白山（长白、抚松、临江）、通化（集安、通化）、延边（安图、龙井、敦化）等。

| 资源情况 |

野生资源较少。药材主要来源于野生。

| 采收加工 |

全年均可采收叶，鲜用或阴干。秋季采收成熟果实，晒干。

| 功能主治 |

镇痛止咳，利尿平喘。用于风湿痹痛，肾脏损伤，尿血，膀胱热，浮肿，痛风，排尿困难。

| 附　　注 |

在 FOC 中，本种的拉丁学名被修订为 *Juniperus davurica* Pall.。

柏科 Cupressaceae 圆柏属 *Sabina*

铺地柏 *Sabina procumbens* (Endl.) Iwata et Kusaka

| 植物别名 | 偃柏、矮桧、匍地柏。

| 药 材 名 | 铺地柏（药用部位：枝叶）。

| 形态特征 | 多年生匍匐常绿灌木，高达 75cm。枝条沿地面扩展，褐色，密生小枝，枝梢及小枝向上斜展。刺形叶 3 叶交叉轮生，条状披针形，先端渐尖成角质锐尖头，长 6 ~ 8mm，上面凹，有 2 白粉气孔带，气孔带常在上部汇合，绿色中脉仅下部明显，不达叶之先端，下面凸起，蓝绿色，沿中脉有细纵槽。球果近球形，被白粉，成熟时黑色，直径 8 ~ 9mm，有 2 ~ 3 种子；种子长约 4mm，有棱脊。

| 生境分布 | 生于干燥的砂地上。吉林无野生分布，东部山区、中部半山区有栽培。

铺地柏

| 资源情况 | 吉林有栽培。药材主要来源于栽培。

| 采收加工 | 全年均可采收，鲜用或阴干。

| 功能主治 | 祛风除湿。用于风湿痹痛。

| 附　　注 | 在 FOC 中，本种的拉丁学名被修订为 *Juniperus procumbens* (Endlicher) Siebold ex Miquel。

柏科 Cupressaceae 圆柏属 *Sabina*

粉柏 *Sabina squamata* (Buch.-Hamilt.) Ant. *'Meyeri'*

| 植物别名 | 翠柏、山柏树、高山柏。

| 药 材 名 | 粉柏（药用部位：枝叶）。

| 形态特征 | 多年生常绿灌木或小乔木，高 1 ~ 3m，或呈匍匐状，或为乔木，高 5 ~ 10m，稀高达 16m 或更高，胸径可达 1m。树皮褐灰色；枝条斜伸或平展，枝皮暗褐色或微带紫色或黄色，裂成不规则薄片脱落；小枝直或弧状弯曲，下垂或伸展。叶全为刺形，3 叶交叉轮生，披针形或窄披针形，基部下延生长，通常斜伸或平展、下延部分露出，稀近直伸、下延部分不露出，长 5 ~ 10mm，宽 1 ~ 1.3mm，直或微曲，先端具急尖或渐尖的刺状尖头，上面稍凹，具白粉带，绿色中脉不明显，或有时较明显，下面拱凸具钝纵脊，沿脊有细槽或下部有细槽。雄球花卵圆形，长 3 ~ 4mm，雄蕊 4 ~ 7 对。球果卵圆形或近球形，

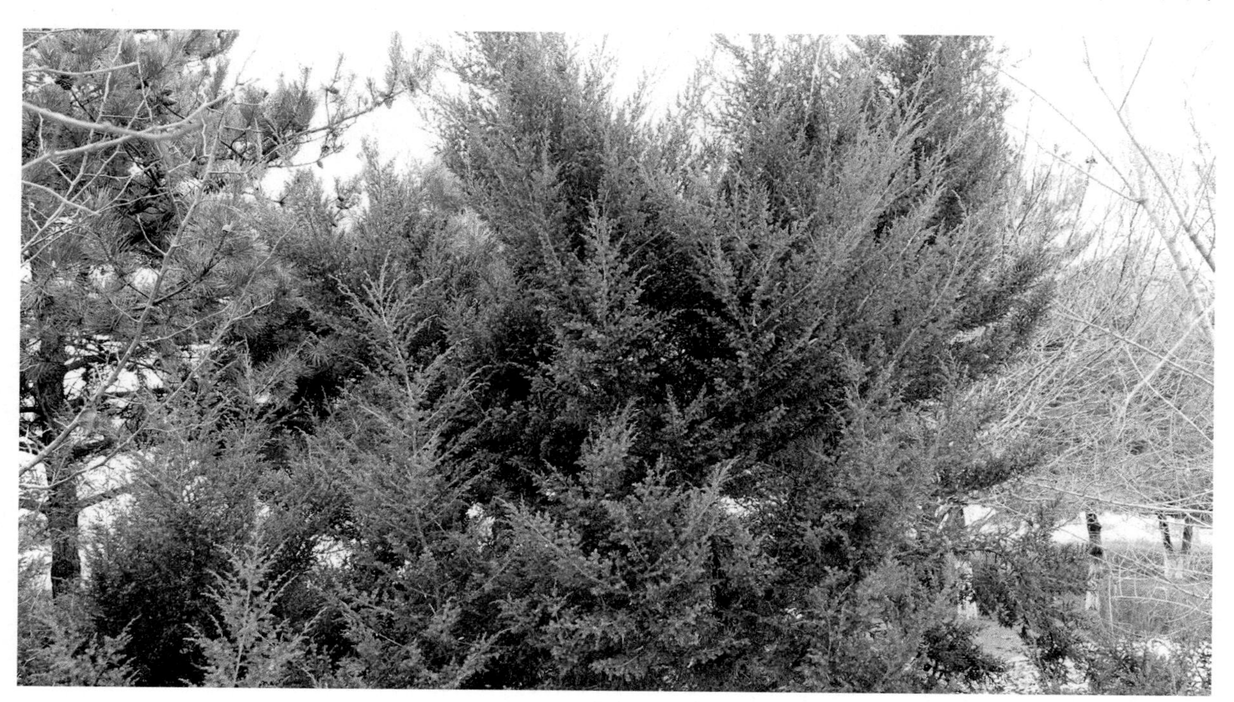

粉柏

成熟前绿色或黄绿色，成熟后黑色或蓝黑色，稍有光泽，无白粉，内有种子 1；种子卵圆形或锥状球形，长 4 ～ 8mm，直径 3 ～ 7mm，有树脂槽，上部常有明显或微明显的 2 ～ 3 钝纵脊。

｜生境分布｜ 生于庭院、盆栽、房前屋后。吉林无野生分布，部分地区有栽培，供观赏。

｜资源情况｜ 吉林偶见栽培。药材主要来源于栽培。

｜采收加工｜ 全年均可采收，鲜用或阴干。

｜功能主治｜ 祛风除湿，解毒消肿。用于风湿痹痛，肾炎水肿，尿路感染，痈疮肿毒。

柏科 Cupressaceae 崖柏属 *Thuja*

朝鲜崖柏 *Thuja koraiensis* Nakai

| 植物别名 | 长白侧柏、朝鲜柏、偃侧柏。

| 药 材 名 | 朝鲜崖柏（药用部位：枝叶或节）、朝鲜崖柏仁（药用部位：种仁。别名：长白侧柏仁、柏子仁）。

| 形态特征 | 多年生常绿乔木，高达 10m，胸径 30 ~ 75cm。幼树树皮红褐色，平滑，有光泽，老树树皮灰红褐色，浅纵裂；枝条平展或下垂，树冠圆锥形；当年生枝绿色，二年生枝红褐色，三、四年生枝灰红褐色。叶鳞形，中央叶近斜方形，长 1 ~ 2mm，先端微尖或钝，下方有明显或不明显的纵脊状腺点，侧面叶船形、宽披针形，先端钝尖、内弯，长与中央叶相等或稍短；小枝上面的鳞叶绿色，下面的鳞叶被或多或少的白粉。雄球花卵圆形，黄色。球果椭圆状球形，长 9 ~ 10mm，直径 6 ~ 8mm，成熟时深褐色；种鳞 4 对，交叉对生，薄木质，最

朝鲜崖柏

下部的种鳞近椭圆形，中间 2 对种鳞近矩圆形，最上部的种鳞窄长，近先端有凸起的尖头；种子椭圆形，扁平，长约 4mm，宽约 1.5mm，两侧有翅。

| 生境分布 | 生于空气湿润、土壤富有腐殖质的山谷地区，在土壤瘠薄的山脊及裸露的岩石缝上也能生长。分布于吉林白山（长白、临江、江源、抚松）、通化（集安）、延边（安图）等。

| 资源情况 | 野生资源稀少。药材主要来源于野生。

| 采收加工 | 朝鲜崖柏：秋、冬季采收为佳，剪下带叶枝梢，除去粗梗，阴干。
朝鲜崖柏仁：秋末果实成熟后采收，除去果皮与种壳，干燥。

| 药材性状 | 朝鲜崖柏：本品大枝平展，小枝扁平，互生，排成 1 平面。鳞形叶二型，交互对生，4 成 1 节，位于小枝上下两面的 1 对紧贴；小枝下面鳞叶略带白粉。气微，味微涩。
朝鲜崖柏仁：本品呈椭圆形，长 8 ~ 10mm，成熟时深褐色。气微，味微涩。

| 功能主治 | 朝鲜崖柏：甘、苦、涩，寒。凉血止血，祛痰止咳，止痢，生发乌发。用于吐血，尿血，子宫出血，慢性支气管炎，百日咳。
朝鲜崖柏仁：甘，平。养心安神，润肠通便。用于心悸失眠，多汗遗精，肠燥便秘。

| 用法用量 | 朝鲜崖柏：内服煎汤，10 ~ 20g。
朝鲜崖柏仁：内服煎汤，5 ~ 20g；或入丸、散。

| 附　注 | 本种为国家Ⅱ级重点保护野生植物。

柏科 Cupressaceae 罗汉柏属 *Thujopsis*

罗汉柏 *Thujopsis dolabrata* (L. f.) Sieb. et Zucc.

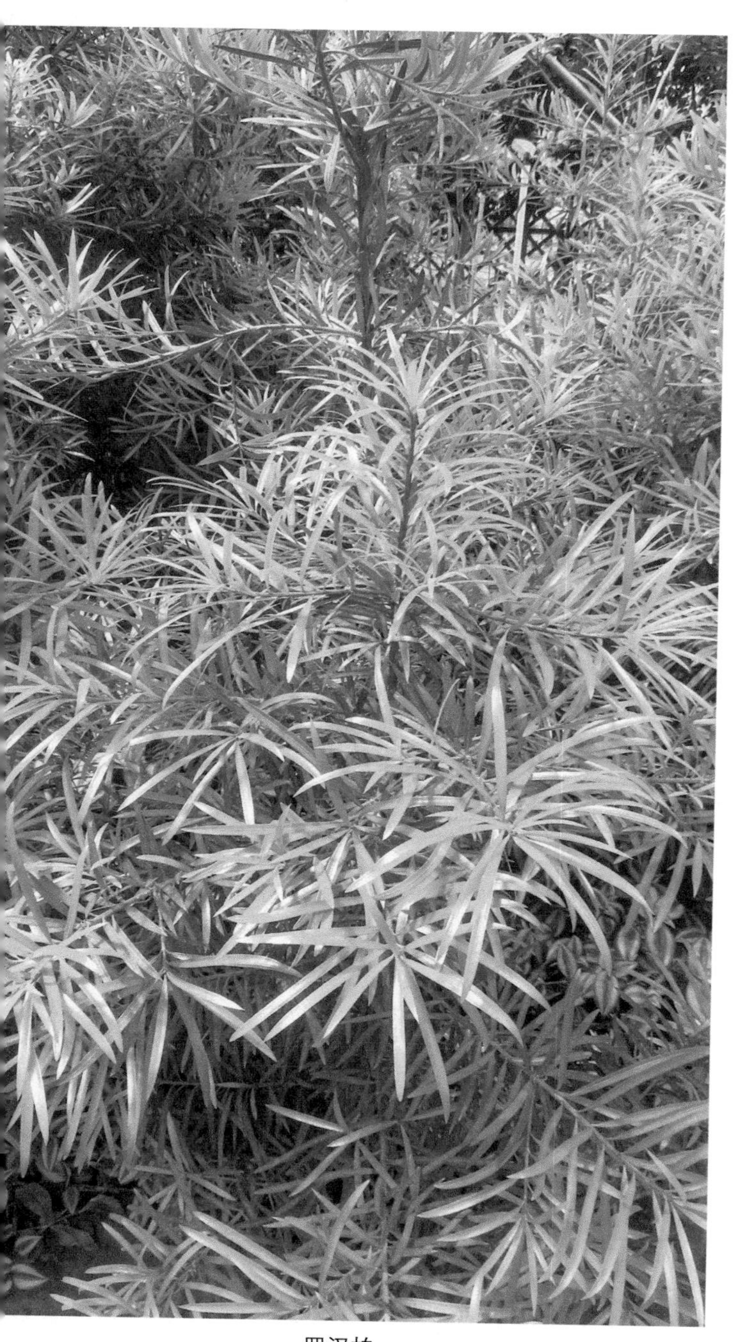
罗汉柏

| 植物别名 |

蜈蚣柏。

| 药 材 名 |

罗汉柏（药用部位：叶）。

| 形态特征 |

多年生常绿乔木，高达 15m。树皮薄，灰色或红褐色，裂成长条片脱落；枝条斜伸，树冠尖塔形；生鳞叶的小枝平展，扁。鳞叶质地较厚，两侧叶卵状披针形，长 4 ~ 7mm，宽 1.5 ~ 2.2mm，先端通常较钝，微内曲，上侧面深绿色，下侧面具 1 较宽的粉白色气孔带；中央叶稍短于两侧叶，露出部分呈倒卵状椭圆形，先端钝圆或近三角状，下面中央叶具 2 明显的粉白色气孔带。球果近圆球形，长 1.2 ~ 1.5cm；种鳞木质，先端的下方具 1 短尖头，发育种鳞的腹面基部具 3 ~ 5 种子；种子近圆形，两侧有窄翅。

| 生境分布 |

生于排水良好、湿润的砂质壤土。吉林无野生分布，部分城市有栽培，用于园林绿化。

| 资源情况 | 吉林有栽培。药材主要来源于栽培。

| 采收加工 | 全年均可采收，鲜用或阴干。

| 功能主治 | 消癥。用于癥瘕积聚。

| 附　　注 | 本种的小枝排列、叶的形状、大小及白粉带等和福建柏 ***Fokienia hodginsii*** (Dunn) Henry et Thomas 相似，在没有球果的情况下，二者容易相混。其区别在于福建柏的鳞叶质地较薄，在枝上明显成节，两侧叶的边缘紧贴中央叶的两侧，中上部不渐窄，先端钝尖或微急尖，微向内曲，中央叶露出部分楔形，较两侧叶窄或近等宽，先端三角状，常有凸尖。而罗汉柏的鳞叶质地较厚，排列较密，不成明显的节，两侧叶的边缘不紧贴中央叶，中上部斜展、渐窄、明显向内弯曲，中央叶较宽长，先端圆钝或近三角状。

被子植物

胡桃科 Juglandaceae 胡桃属 *Juglans*

胡桃楸 *Juglans mandshurica* Maxim.

| 植物别名 | 核桃楸、核桃树、楸子树。

| 药 材 名 | 胡桃楸果仁（药用部位：种仁。别名：山核桃、核桃仁、野核桃）、核桃楸皮（药用部位：树皮。别名：楸树皮）、胡桃楸枝（药用部位：树枝）。

| 形态特征 | 多年生落叶乔木，高达 20m 或更高。枝条扩展，树冠扁圆形；树皮灰色，具浅纵裂；幼枝被短茸毛。奇数羽状复叶生于萌发条上者长可达 80cm，叶柄长 9 ~ 14cm，小叶 15 ~ 23，长 6 ~ 17cm，宽 2 ~ 7cm；生于孕性枝上者集生枝端，长达 40 ~ 50cm，叶柄长 5 ~ 9cm，基部膨大，叶柄及叶轴被短柔毛或星芒状毛；小叶 9 ~ 17，椭圆形至长椭圆形或卵状椭圆形至长椭圆状披针形，边缘具细锯齿，上面初被稀疏短柔毛，后来除中脉外其余无毛，深绿色，下面色淡，

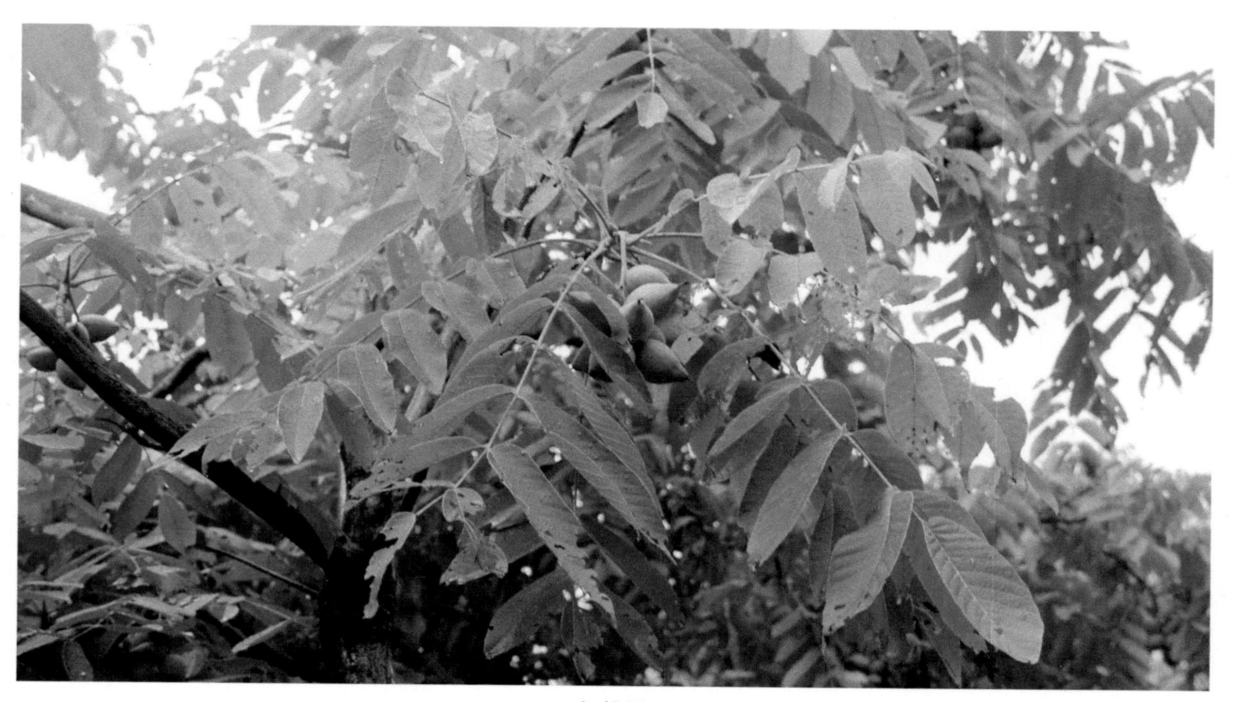

胡桃楸

被贴伏的短柔毛及星芒状毛；侧生小叶对生，无柄，先端渐尖，基部歪斜，截形至近心形；顶生小叶基部楔形。雄性柔荑花序长 9 ~ 20cm，花序轴被短柔毛。雄花具短花柄；苞片先端钝，小苞片 2 位于苞片基部，花被片 1 位于先端而与苞片重叠，2 位于花的基部两侧；雄蕊 12，稀 13 或 14，花药长约 1mm，黄色，药隔急尖或微凹，被灰黑色细柔毛。雌性穗状花序具 4 ~ 10 雌花，花序轴被茸毛。雌花长 5 ~ 6mm，被茸毛，下端被腺质柔毛，花被片披针形或线状披针形，被柔毛，柱头鲜红色，背面被贴伏的柔毛。果序长 10 ~ 15cm，俯垂，通常具 5 ~ 7 果实，果序轴被短柔毛。果实球状、卵状或椭圆状，先端尖，密被腺质短柔毛，长 3.5 ~ 7.5cm，直径 3 ~ 5cm；果核长 2.5 ~ 5cm，表面具 8 纵棱，其中 2 较显著，各棱间具不规则皱曲及凹穴，先端具尖头；内果皮壁内具多数不规则空隙，隔膜内亦具 2 空隙。花期 5 月，果期 8 ~ 9 月。

| 生境分布 | 生于土质肥厚、湿润、排水良好的沟谷两旁及山坡的阔叶林中和较湿润的肥沃土壤中。以长白山区为主要分布区域，分布于吉林延边、白山、通化、吉林、辽源（东丰）等，东部山区、半山区有较大规模的人工林。

| 资源情况 | 野生资源较丰富。吉林有栽培。药材主要来源于栽培。

| 采收加工 | 胡桃楸果仁：秋季果实成熟时采收，除去外果皮、内果皮（壳），取仁，干燥。

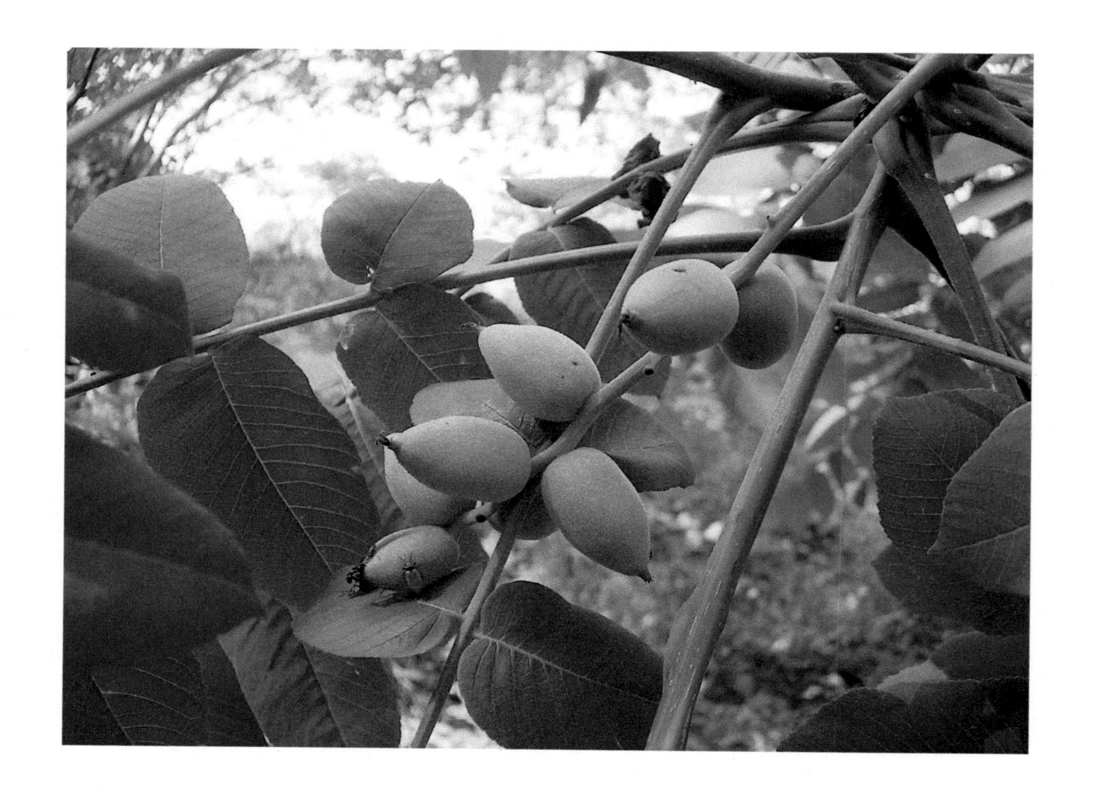

核桃楸皮：春、秋季剥取，除去杂质，晒干。

胡桃楸枝：多于春夏之交采集，晒干。

| 药材性状 | 胡桃楸果仁：本品多破碎，为不规则的块状，有皱曲的沟槽，大小不一；完整者类球形，直径 2 ~ 3cm。种皮棕褐色，膜状，维管束脉纹深褐色。子叶类白色。质脆，富油性。气微，味甘；种皮味涩、微苦。

核桃楸皮：本品常呈板片状、槽状或卷筒状，长短不一，厚 1 ~ 5mm。外表面浅灰棕色至灰棕色。老皮有不规则的纵裂纹；嫩皮平滑，并有凸起的皮孔。内表面棕色，平滑有纵皱纹。质坚韧，不易折断，断面纤维性，棕色。气微，味微苦、涩。

胡桃楸枝：本品长短不一，长 6 ~ 15cm，多弯曲、不整齐，表面棕褐色或棕黑色。质脆，易折断。气微，味微苦。

| 功能主治 | 胡桃楸果仁：甘，温。敛肺定喘，温肾润肠。用于体质虚弱，肺虚咳嗽，肾虚腰痛，便秘，遗精，阳痿，尿路结石，乳汁缺少。

核桃楸皮：苦、辛，微寒。归肝、大肠经。清热燥湿。用于腹痛，湿热下痢，带下黄稠，目赤肿痛，骨痨。

胡桃楸枝：甘，温。杀虫止痒，解毒散结。用于疥疮，瘰疬，肿块。

| 用法用量 | 胡桃楸果仁：内服煎汤，3 ~ 9g；或入丸、散。

核桃楸皮：内服煎汤，5 ~ 10g。

胡桃楸枝：内服煎汤，15 ~ 30g。外用适量，煎汤洗。

| 附　　注 | （1）本种药材核桃楸皮已被列入 2019 年版《吉林省中药材标准》第一册。

（2）吉林民间将本种树皮泡水煎煮，以水洗脚，用于腹泻。

（3）本种为吉林Ⅱ级重点保护野生植物。

胡桃科 Juglandaceae 枫杨属 *Pterocarya*

枫杨 *Pterocarya stenoptera* C. DC.

| 植物别名 | 水麻柳、蜈蚣柳、枫柳。

| 药 材 名 | 枫杨（药用部位：树皮、叶）。

| 形态特征 | 高大落叶乔木，高达 30m，胸径达 1m。幼树树皮平滑，浅灰色，老时则深纵裂；小枝灰色至暗褐色，具灰黄色皮孔；芽具柄，密被锈褐色盾状着生的腺体。叶多为偶数稀为奇数羽状复叶，长 8 ~ 16cm（稀达 25cm），叶柄长 2 ~ 5cm，叶轴具翅至翅不甚发达，与叶柄一样被疏或密的短毛；小叶 10 ~ 16（稀 6 ~ 25），无小叶柄，对生或稀近对生，长椭圆形至长椭圆状披针形，长 8 ~ 12cm，宽 2 ~ 3cm，先端常钝圆或稀急尖，基部歪斜，上方一侧楔形至阔楔形，下方一侧圆形，边缘有向内弯的细锯齿，上面被细小的浅色疣状突起，沿中脉及侧脉被极短的星芒状毛，下面幼时被散生的短

枫杨

柔毛，成长后脱落而仅留有极稀疏的腺体及侧脉腋内留有1丛星芒状毛。雄性柔荑花序长6～10cm，单独生于去年生枝条上叶痕腋内，花序轴常被稀疏的星芒状毛。雄花常具1（稀2或3）发育的花被片，雄蕊5～12。雌性柔荑花序顶生，长10～15cm，花序轴密被星芒状毛及单毛，下端不生花的部分长达3cm，具2长达5mm的不孕性苞片。雌花几乎无梗，苞片及小苞片基部常被细小的星芒状毛，并密被腺体。果序长20～45cm，果序轴常被宿存的毛。果实长椭圆形，长6～7mm，基部常被宿存的星芒状毛；果翅狭，条形或阔条形，长12～20mm，宽3～6mm，具近平行的脉。花期4～5月，果熟期8～9月。

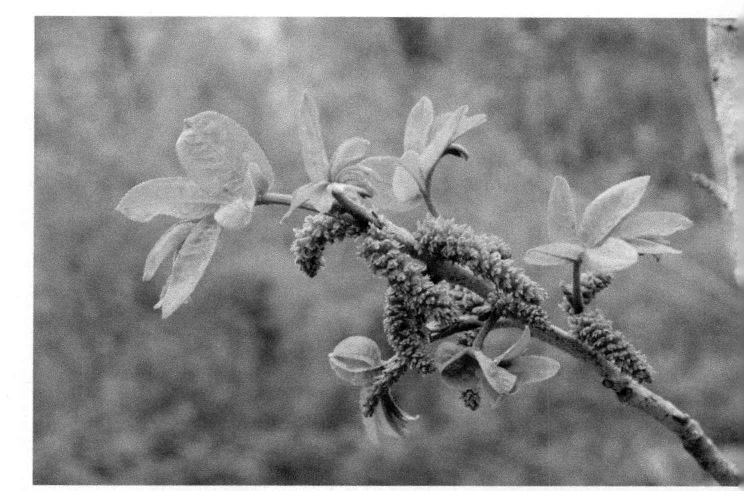

| 生境分布 | 生于沿溪涧河滩、阴湿山坡地的林中。分布于吉林延边、白山、通化等。

| 资源情况 | 野生资源较少。药材主要来源于野生。

| 采收加工 | 春、秋季剥取树皮，晾干。夏、秋季采收叶，鲜用或阴干。

| 功能主治 | 树皮，解毒，杀虫止痒，祛风止痛。用于龋齿痛，疥癣，瘌痢头，久疮，烫火伤。叶，祛风止痒，止痛。用于慢性支气管炎，关节痛，疮疽疖肿，疥癣风痒，皮炎湿疹，烫火伤。

杨柳科 Salicaceae 钻天柳属 *Chosenia*

钻天柳 *Chosenia arbutifolia* (Pall.) A. Skv.

钻天柳

| 植物别名 |

朝鲜柳、顺河柳、红毛柳。

| 药 材 名 |

钻天柳（药用部位：叶）。

| 形态特征 |

落叶乔木，高可达 20 ~ 30m，胸径达 0.5 ~ 1m。树冠圆柱形；树皮褐灰色。小枝无毛，黄色带红色或紫红色，被白粉。芽扁卵形，长 2 ~ 5mm，有光泽，有 1 鳞片。叶长圆状披针形至披针形，长 5 ~ 8cm，宽 1.5 ~ 2.3cm，先端渐尖，基部楔形，两面无毛，上面灰绿色，下面苍白色，常被白粉，边缘稍有锯齿或近全缘；叶柄长 5 ~ 7mm；无托叶。花序先叶开放。雄花序开放时下垂，长 1（~ 3）cm，花序轴无毛，雄蕊 5，短于苞片，着生于苞片基部，花药球形，黄色；苞片倒卵形，不脱落，外面无毛，边缘有长缘毛，无腺体。雌花序直立或斜展，长 1 ~ 2.5cm，花序轴无毛；子房近卵状长圆形，有短柄，无毛，花柱 2，明显，每花柱具有 2 裂的柱头，脱落；苞片倒卵状椭圆形，外面无毛，边缘有长毛，脱落。花期 5 月，果期 6 月。

| **生境分布** | 生于林区、河流两岸排水良好的碎石沙土上。零星分布于吉林延边、白山、通化等。

| **资源情况** | 野生资源稀少。药材主要来源于野生。

| **采收加工** | 夏、秋季采收，鲜用或阴干。

| **功能主治** | 苦，温。清热平喘，止咳化痰，强心镇静。用于肺热咳嗽，咳痰喘息，心悸。

| **附　　注** | 本种为国家Ⅱ级重点保护野生植物。

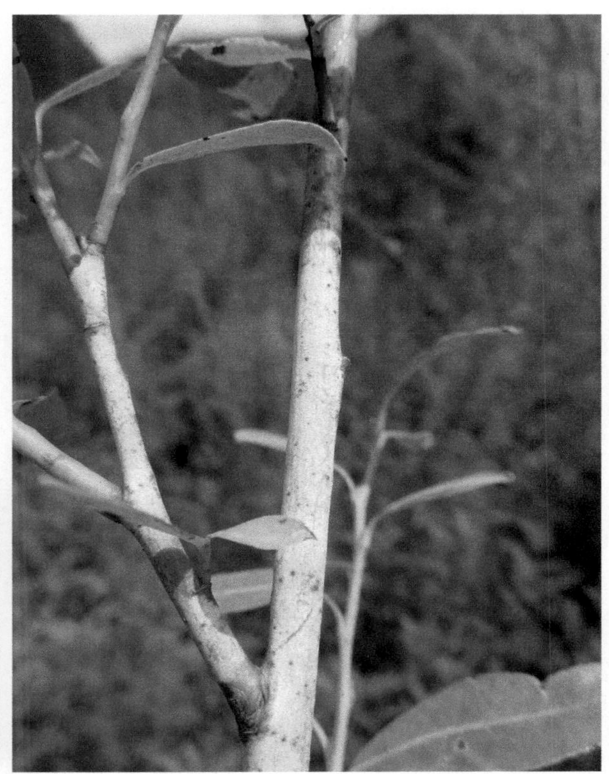

杨柳科 Salicaceae 杨属 *Populus*

加杨 *Populus × canadensis* Moench

加杨

| 植物别名 |

加拿大杨。

| 药 材 名 |

加杨（药用部位：雄花序）。

| 形态特征 |

落叶高大乔木，高 30m 或更高。树干直，树皮粗厚，深沟裂，下部暗灰色，上部褐灰色，大枝微向上斜伸，树冠卵形；萌枝及苗茎棱角明显，小枝圆柱形，稍有棱角，无毛，稀微被短柔毛。芽大，先端反曲，初为绿色，后变为褐绿色，富黏质。叶三角形或三角状卵形，长 7 ~ 10cm，长枝和萌枝叶较大，长 10 ~ 20cm，一般长大于宽，先端渐尖，基部截形或宽楔形，无或有 1 ~ 2 腺体，边缘半透明，有圆锯齿，近基部较疏，具短缘毛，上面暗绿色，下面淡绿色；叶柄侧扁而长，带红色（苗期特明显）。雄花序长 7 ~ 15cm，花序轴光滑，每花有雄蕊 15 ~ 25（~ 40）；苞片淡绿褐色，不整齐，丝状深裂，花盘淡黄绿色，全缘，花丝细长，白色，超出花盘；雌花序有花 45 ~ 50，柱头 4 裂。果序长达 27cm；蒴果卵圆形，长约 8mm，先端锐尖，2 ~ 3 瓣裂。雄株多，雌株少。花期 4 月，果期 5 ~ 6 月。

| **生境分布** | 在土壤肥沃、水分充足的立地条件下生长良好。吉林无野生分布，部分城市有栽培，用于绿化或作行道树。

| **资源情况** | 吉林有栽培。药材主要来源于栽培。

| **采收加工** | 夏季采收，晒干。

| **功能主治** | 苦，寒。归大肠经。清热解毒，化湿止痢。用于湿浊阻滞，细菌性痢疾，肠炎。

| **用法用量** | 内服煎汤，9 ~ 15g。外用适量，热熨。

杨柳科 Salicaceae 杨属 *Populus*

银白杨 *Populus alba* L.

银白杨

|药材名|

银白杨叶（药用部位：叶）。

|形态特征|

乔木，高15～30m。树干不直，雌株更歪斜；树冠宽阔；树皮白色至灰白色，平滑，下部常粗糙。小枝初被白色绒毛，萌条密被绒毛，圆筒形，灰绿色或淡褐色。芽卵圆形，长4～5mm，先端渐尖，密被白绒毛，后局部或全部脱落，棕褐色，有光泽。萌枝和长枝叶卵圆形，掌状3～5浅裂，长4～10cm，宽3～8cm，裂片先端钝尖，基部阔楔形、圆形或平截，或近心形，中裂片远大于侧裂片，边缘呈不规则凹缺，侧裂片几呈钝角开展，不裂或凹缺状浅裂，初时两面被白绒毛，后上面脱落；短枝叶较小，长4～8cm，宽2～5cm，卵圆形或椭圆状卵形，先端钝尖，基部阔楔形、圆形，少微心形或平截，边缘有不规则且不对称的钝牙齿；上面光滑，下面被白色绒毛；叶柄短于或等长于叶片，略侧扁，被白绒毛。雄花序长3～6cm；花序轴有毛，苞片膜质，宽椭圆形，长约3mm，边缘有不规则牙齿和长毛；花盘有短梗，宽椭圆形，歪斜；雄蕊8～10，花丝细长，花药紫红色；雌花序长5～10cm，花序轴有毛，雌蕊具短柄，花柱短，柱头2，有淡黄色长裂片。蒴果细圆锥形，长约5mm，2瓣裂，无毛。花期4～5月，果期5月。

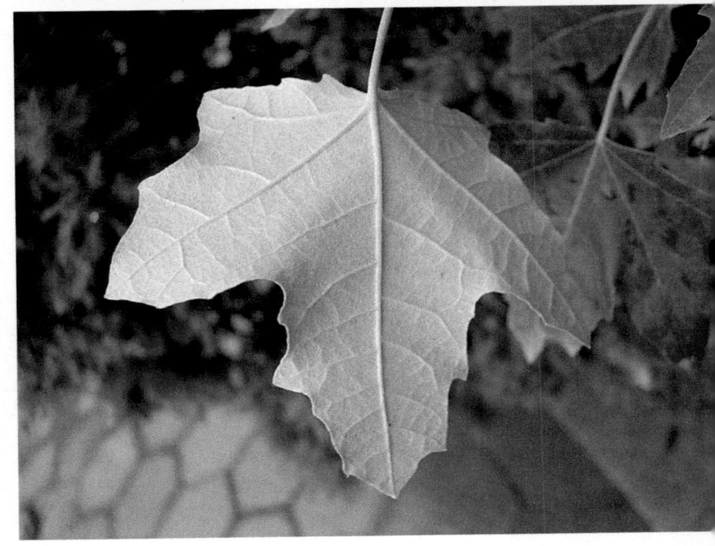

｜**生境分布**｜

生于湿润肥沃的砂质土。吉林无野生分布，部分城市有栽培，用于绿化或作行道树。

｜**资源情况**｜

吉林有栽培。药材主要来源于栽培。

｜**采收加工**｜

夏、秋季采收茎生叶，鲜用或阴干。

｜**药材性状**｜

本品多皱缩、破碎，完整者展平后近圆形，掌状3～5浅裂，长4～10cm，宽3～8cm，先端渐尖，基部阔楔形或圆形，叶缘有小牙齿，上面灰绿色，下面可见白色绒毛；叶柄略侧扁，被白绒毛。质脆易碎。气微香，味微苦。

｜**功能主治**｜

苦，寒。归肺经。祛痰，平喘，止咳。用于咳嗽，咳痰，气喘，慢性气管炎。

｜**用法用量**｜

内服煎汤，3～9g。外用适量，煎汤含漱。

杨柳科 Salicaceae 杨属 *Populus*

山杨 *Populus davidiana* Dode

山杨

| 植物别名 |

响叶杨、白杨、山小叶杨。

| 药 材 名 |

山杨（药用部位：枝、叶）、山杨根皮（药用部位：根皮）、山杨树皮（药用部位：树皮）。

| 形态特征 |

落叶乔木，高达 25m，胸径约 60cm。树皮光滑，灰绿色或灰白色，老树基部黑色，粗糙；树冠圆形。小枝圆筒形，光滑，赤褐色，萌枝被柔毛。芽卵形或卵圆形，无毛，微有黏质。叶三角状卵圆形或近圆形，长、宽近等长，长 3 ~ 6cm，先端钝尖、急尖或短渐尖，基部圆形、截形或浅心形，边缘有密波状浅齿，发叶时显红色，萌枝叶大，三角状卵圆形，下面被柔毛；叶柄侧扁，长 2 ~ 6cm。花序轴有疏毛或密毛；苞片棕褐色，掌状条裂，边缘有密长毛；雄花序长 5 ~ 9cm，雄蕊 5 ~ 12，花药紫红色；雌花序长 4 ~ 7cm，子房圆锥形，柱头 2 深裂，带红色。果序长达 12cm；蒴果卵状圆锥形，长约 5mm，有短柄，2 瓣裂。花期 3 ~ 4 月，果期 4 ~ 5 月。

| 生境分布 | 生于山坡、山脊和沟谷地带。常形成小面积纯林或与其他树种形成混交林。分布于吉林延边、白山、通化、长春、吉林、辽源等。

| 资源情况 | 野生资源较丰富。药材主要来源于野生。

| 采收加工 | 山杨：夏、秋季采收，阴干。

山杨根皮：春季剥取树根皮，晾干。

山杨树皮：春季剥取树干皮，晾干。

| 功能主治 | 山杨：枝，苦，寒。行气消积，解毒敛疮。用于腹胀满坚如石、积年不损者，燕吻疮。叶，苦、辛，温。清热解毒。用于龋齿，骨疽久发，臁疮腿。

山杨根皮：苦，平。清热解毒，止咳，止痛。用于肺热咳嗽，淋浊，白带，妊娠下痢，牙痛，口疮。

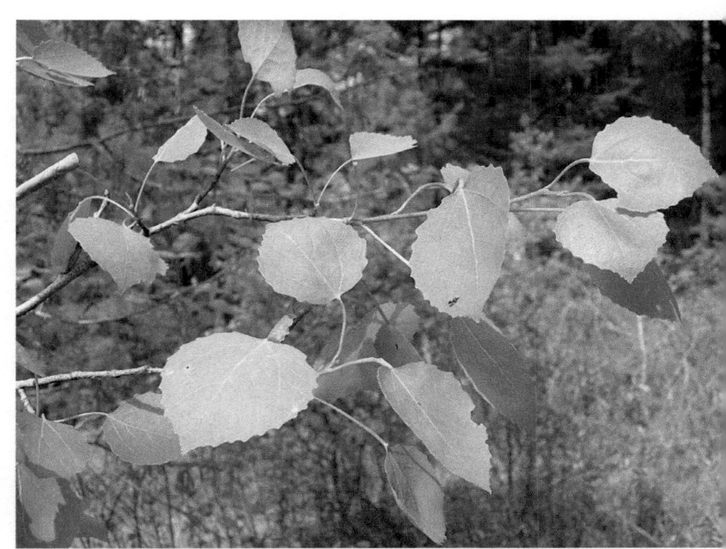

山杨树皮：苦、辛，平。清热解毒，祛风行瘀，凉血止咳，消痰，驱虫。用于高血压，肺热咳嗽，小便淋漓，风痹，脚气，扑损瘀血，妊娠下痢，牙痛，口疮，蛔虫病，秃疮疥癣。

| 用法用量 | 山杨：枝，内服煎汤，9～15g；或浸酒。外用适量，捣敷；或烧灰研末调敷。叶，外用适量，煎汤含漱；或捣敷；或贴敷。

山杨根皮：内服煎汤，9～18g。外用适量，煎汤洗。

山杨树皮：内服煎汤，1.5～3g。外用适量，研末，香油调敷。

杨柳科 Salicaceae 杨属 *Populus*

香杨 *Populus koreana* Rehd.

| 植物别名 | 大青杨、朝鲜杨、皱叶扬。

| 药 材 名 | 香杨（药用部位：树皮、枝叶）。

| 形态特征 | 落叶乔木，高达 30m，胸径 1 ~ 1.5m。树冠广圆形；树皮幼时灰绿色，光滑，老时暗灰色，具深沟裂。小枝圆柱形，粗壮，带黄红褐色，初时有黏性树脂，具香气，完全无毛。芽大，长卵形或长圆锥形，先端渐尖，栗色或淡红褐色，富黏性，具香气。短枝叶椭圆形、椭圆状长圆形、椭圆状披针形或倒卵状椭圆形，长 9 ~ 12cm，先端钝尖，基部狭圆形或宽楔形，边缘具细的腺圆锯齿，上面暗绿色，有明显皱纹，下面带白色或稍呈粉红色；叶柄长 1.5 ~ 3cm，先端有短毛；长枝叶窄卵状椭圆形、椭圆形或倒卵状披针形，长 5 ~ 15cm，宽 8cm 或更宽，基部多为楔形，叶柄长 0.4 ~ 1cm。雄花序长 3.5 ~ 5cm，

香杨

苞片近圆形或肾形，雄蕊 10 ~ 30，花药暗紫色；雌花序长 3.5cm，无毛。蒴果绿色，卵圆形，无柄，无毛，（2 ~ ）4 瓣裂。花期 4 月下旬至 5 月，果期 6 月。

| 生境分布 | 生于河岸、溪边谷地、阔叶林中，常与红松混生。分布于吉林延边、白山、通化、长春、吉林、辽源等。

| 资源情况 | 野生资源较丰富。药材主要来源于野生。

| 采收加工 | 春季剥取树皮，晾干。夏、秋季采收枝叶，鲜用或阴干。

| 功能主治 | 树皮，苦、辛，温。清热解毒，祛风行瘀，凉血，止咳消痰，驱虫。用于瘀血出血，咳嗽咳痰。枝叶，解毒敛疮。用于龋齿，骨疽久发。

| 附　　注 | 本种与大青杨 *Populus ussuriensis* Kom. 形态相似，也是东北地区东部林区高大粗壮林木之一，其主要区别在于小枝光滑，发红，有香气；叶上面具明显深皱纹。

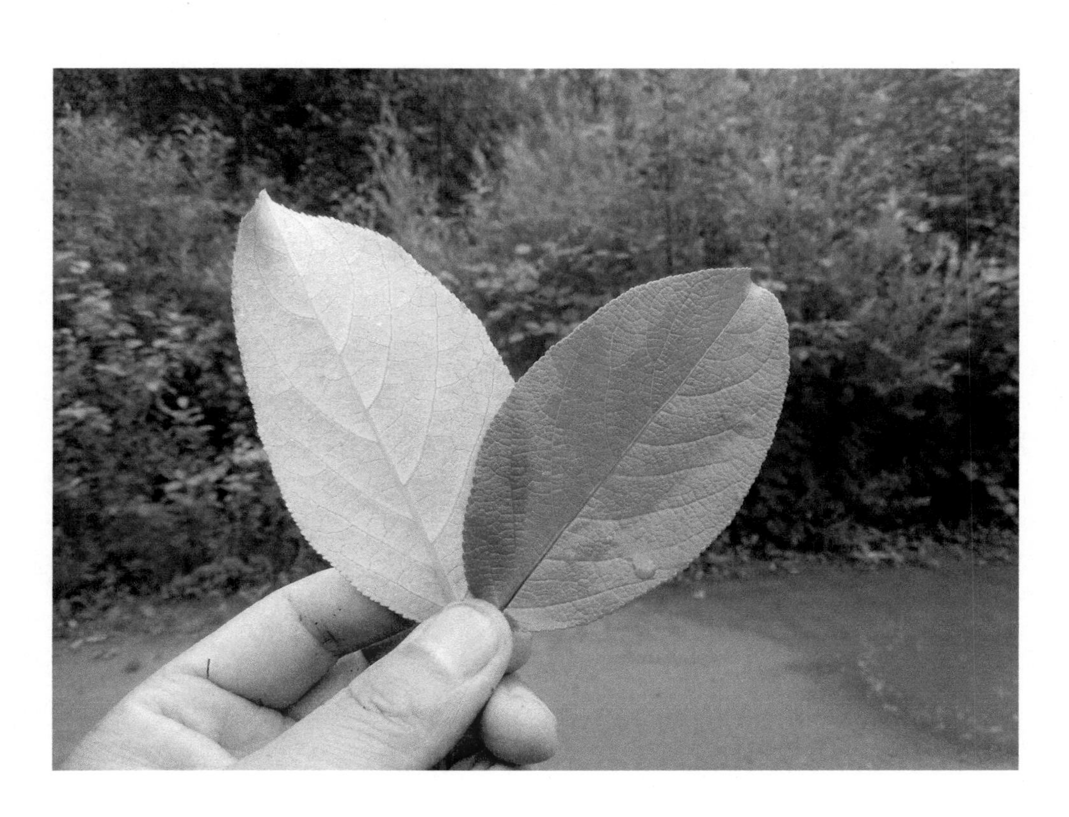

杨柳科 Salicaceae 杨属 *Populus*

毛白杨 *Populus tomentosa* Carr.

| 药 材 名 | 毛白杨（药用部位：树皮、雄花序、叶）。

| 形态特征 | 落叶乔木，高达 30m。树皮幼时暗灰色，壮时灰绿色，渐变为灰白色，老时基部黑灰色，纵裂，粗糙，干直或微弯，皮孔菱形，散生或 2 ~ 4 连生；树冠圆锥形至卵圆形或圆形。侧枝开展，雄株斜上，老树枝下垂；小枝（嫩枝）初被灰毡毛，后光滑。芽卵形，花芽卵圆形或近球形，微被毡毛。长枝叶阔卵形或三角状卵形，长 10 ~ 15cm，宽 8 ~ 13cm，先端短渐尖，基部心形或截形，边缘具深牙齿或波状牙齿，上面暗绿色，光滑，下面密生毡毛，后渐脱落；叶柄上部侧扁，长 3 ~ 7cm，先端通常有 2（3 ~ 4）腺点；短枝叶通常较小，长 7 ~ 11cm，宽 6.5 ~ 10.5cm（有时长达 18cm，宽达 15cm），卵形或三角状卵形，先端渐尖，上面暗绿色，有金属光泽，下面光滑，边缘具深波状牙齿；叶柄稍短于叶片，侧扁，先端无腺点。雄花序长

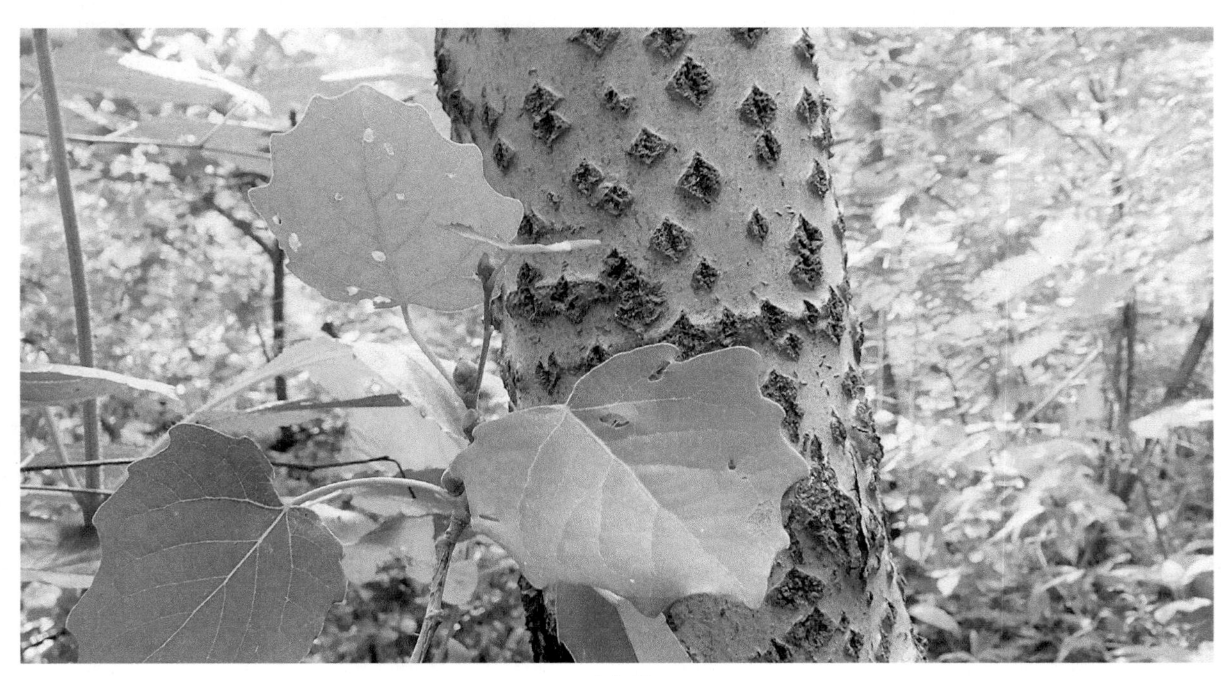

毛白杨

10 ～ 14（～ 20）cm，雄花苞片约具 10 尖头，密生长毛，雄蕊 6 ～ 12，花药红色；雌花序长 4 ～ 7cm，苞片褐色，尖裂，沿边缘有长毛；子房长椭圆形，柱头 2 裂，粉红色。果序长达 14cm；蒴果圆锥形或长卵形，2 瓣裂。花期 3 月，果期 4 ～ 5 月。

| 生境分布 | 生于黏土、壤土、砂壤土或低湿轻度盐碱土。分布于吉林长春、吉林、辽源、白城、松原、四平等，中部地区部分城市有栽培。

| 资源情况 | 野生资源较少。吉林有栽培。药材主要来源于野生。

| 采收加工 | 春、秋季剥取树皮，晾干。夏季采收雄花序，晒干。夏、秋季采收叶，鲜用或阴干。

| 药材性状 | 本品树皮呈板片状或卷筒状，厚 2 ～ 4mm，外表面鲜时暗绿色，干后棕黑色，常残存银灰色的栓皮，皮孔明显，菱形，长 2 ～ 14.5mm，宽 3 ～ 13mm；内表面灰棕色，有细纵条纹理。质地坚韧，不易折断。断面显纤维性及颗粒性。气微，味淡。

| 功能主治 | 树皮，苦，寒。祛痰，利湿，驱虫。用于咳嗽痰喘，急性肝炎，肺炎，慢性气管炎，痔疮，便秘，赤白痢疾，淋浊带下，蛔虫病。雄花序，苦，寒。清热解毒，化湿止痢。用于细菌性痢疾，急性肠炎。叶，消肿去毒。外用于无名肿毒。

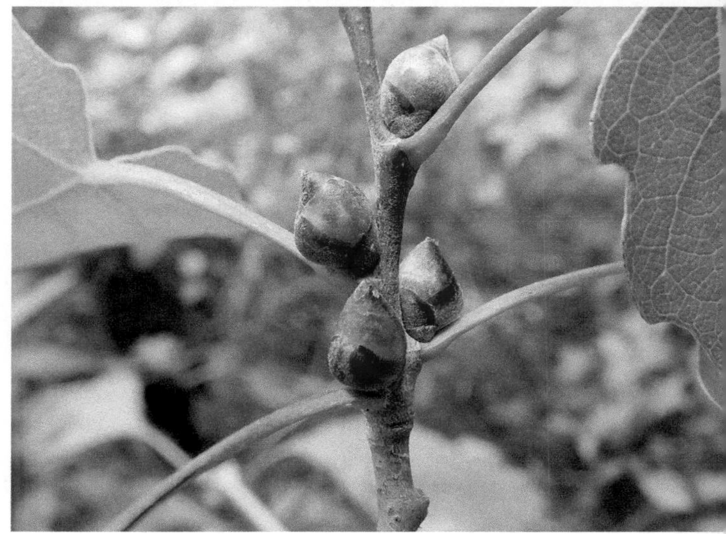

| 用法用量 | 树皮，内服煎汤，10 ～ 15g；外用适量，捣敷。雄花序，内服煎汤，9 ～ 15g；外用适量，热熨。叶，外用适量。

杨柳科 Salicaceae 杨属 *Populus*

大青杨 *Populus ussuriensis* Kom.

大青杨

| 药 材 名 |

大青杨（药用部位：树皮）。

| 形态特征 |

落叶乔木，高达 30m，胸径 1 ~ 2m。树冠圆形；树皮幼时灰绿色，较光滑，老时暗灰色，纵沟裂。嫩枝灰绿色，稀红褐色，有短柔毛，断面近方形。芽色暗，有黏质，圆锥形，长渐尖。叶椭圆形、广椭圆形至近圆形，长 5 ~ 12cm，宽 3（~ 10）cm，先端突短尖，扭曲，基部近心形或圆形，边缘具圆齿，密生缘毛，上面暗绿色，下面微白色，两面沿脉密生或疏生柔毛；叶柄长 1 ~ 4cm，密生与叶脉相同的毛。花序长 12 ~ 18cm，花序轴密生短毛，基部更为明显。蒴果无毛，近无柄，长约 7mm，3 ~ 4 瓣裂。花期 4 月上旬至 5 月上旬，果期 5 月中下旬至 6 月中下旬。

| 生境分布 |

生于山地、江河岸边、沟谷、坡地、针阔叶混交林中。吉林各地均有分布。

| 资源情况 |

野生资源较丰富。药材主要来源于野生。

| **采收加工** | 春季剥取，晾干。

| **功能主治** | 清热解毒，止咳化痰。用于咳嗽咳痰。

| **附　　注** | 生于我国东北地区东部山地的大青杨常被误认为辽杨 *Populus maximowiczii* Henry，但两者区别明显，本种的小枝、叶两面、叶柄、花序轴均被密毛，同时，本种的落叶叶面变黑，而辽杨和香杨落叶的叶面为赤褐色，易以此与辽杨和香杨相区别。

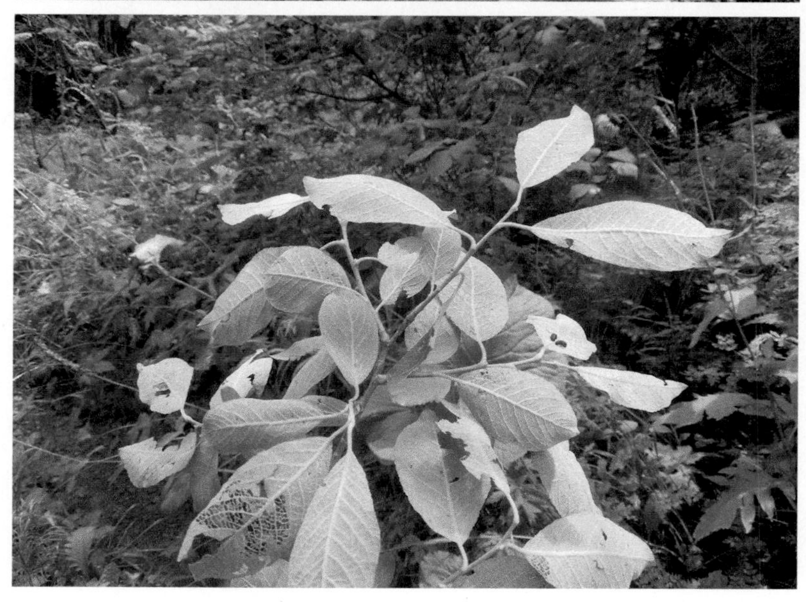

杨柳科 Salicaceae 柳属 *Salix*

垂柳 *Salix babylonica* L.

垂柳

| 植物别名 |

柳树。

| 药 材 名 |

垂柳（药用部位：叶、嫩枝、种子、须根）。

| 形态特征 |

高大落叶乔木，高达 12 ~ 18m，树冠开展而疏散。树皮灰黑色，不规则开裂；枝细，下垂，淡褐黄色、淡褐色或带紫色，无毛。芽线形，先端急尖。叶狭披针形或线状披针形，长 9 ~ 16cm，宽 0.5 ~ 1.5cm，先端长渐尖，基部楔形，两面无毛或微有毛，上面绿色，下面色较淡，锯齿缘；叶柄长（3 ~ ）5 ~ 10mm，有短柔毛；托叶仅生在萌发枝上，斜披针形或卵圆形，边缘有牙齿。花序先叶开放，或与叶同时开放；雄花序长 1.5 ~ 2（ ~ 3）cm，有短梗，花序轴有毛；雄蕊 2，花丝与苞片近等长或较长，基部多少有长毛，花药红黄色；苞片披针形，外面有毛；腺体 2；雌花序长 2 ~ 3（ ~ 5）cm，有梗，基部有 3 ~ 4 小叶，花序轴有毛；子房椭圆形，无毛或下部稍有毛，无柄或近无柄，花柱短，柱头 2 ~ 4 深裂；苞片披针形，长 1.8 ~ 2（ ~ 2.5）mm，外面有毛；腺体 1。

蒴果长 3 ~ 4mm，带绿黄褐色。花期 3 ~ 4 月，果期 4 ~ 5 月。

| 生境分布 | 生于道旁、水边等处。吉林各地均有分布。

| 资源情况 | 野生资源较少。药材主要来源于野生。

| 采收加工 | 夏、秋季采收叶，鲜用或阴干。夏季剪采嫩枝，鲜用或阴干。秋季果实成熟时采收种子，晒干。夏季采挖须根，鲜用或阴干。

| 药材性状 | 本品叶呈狭披针形，长 9 ~ 16cm，宽 0.5 ~ 1.5cm，先端长渐尖，基部楔形，两面无毛，边缘有锯齿，全体灰绿色或淡绿棕色；叶柄长 0.5 ~ 1cm。质地柔软，气微，味微苦、涩。本品嫩枝呈圆柱形，直径 5 ~ 10mm，表面微有纵皱纹，黄色；节间长 0.5 ~ 5cm，上有交叉排列的芽或残留的三角形瘢痕。质脆易断，断面不平坦，皮部薄而浅棕色，木部宽而黄白色，中央有黄白色髓部。气微，味微苦、涩。本品种子细小，倒披针形，长 1 ~ 2mm，黄褐色或淡灰黑色，表面有纵沟，先端簇生白色丝状绒毛，长 2 ~ 4mm，成团状包围在种子外部。本品须根条众多细长，呈不规则尾巴状，多弯曲，有分枝，表面紫棕色至深褐色，较粗糙，有纵沟及根毛，外皮剥落后露出浅棕色内皮和木部。质脆，易折断，断面纤维性。气微，味涩。

| 功能主治 | 叶，用于慢性气管炎，尿道炎，膀胱结石，膀胱炎，高血压；外用于关节肿痛，痈疽肿毒，皮肤瘙痒。嫩枝，苦，寒。祛风，利尿，止痛，消肿。用于风湿痹痛，淋病，白浊，小便不通，传染性肝炎，风肿，疔疮，丹毒，龋齿，龈肿。种子，止血，祛湿，溃痈。用于吐血，湿痹四肢挛急，膝痛，痈疽脓成胀痛不溃，创伤出血。须根，用于风湿拘挛，筋骨疼痛，湿热带下，牙龈肿痛。

| 用法用量 | 内服煎汤，适量。外用适量，煎汤含漱或熏洗。

杨柳科 Salicaceae 柳属 *Salix*

黄柳 *Salix gordejevii* Y. L. Chang et Skv.

| 药 材 名 | 黄柳（药用部位：枝条）。

| 形态特征 | 落叶灌木，高 1 ~ 2m。树皮灰白色，不开裂。小枝黄色，无毛，有光泽。冬芽无毛，长圆形，红黄色。叶线形或线状披针形，长 2 ~ 8cm，宽 3 ~ 6mm，先端短渐尖，基部楔形，边缘有腺锯齿，上面淡绿色，下面较淡，幼叶有短绒毛，后无毛；叶柄长 2 ~ 3mm，无毛；托叶披针形，长 3 ~ 6mm，边缘有腺齿，常早落。花先叶开放，花序椭圆形至短圆柱形，长 1.5 ~ 2.5cm，直径 7 ~ 8mm，无梗；苞片长圆形，先端钝，色暗，两面有灰色长毛；腺体 1，腹生，长约 0.5mm；雄蕊 2，花丝离生，无毛，花药黄色，长圆形；子房长卵形，被极疏柔毛，花柱短，柱头几与花柱等长，但较粗，4 深裂。蒴果无毛，淡褐黄色，长约 4mm，宽约 2mm。花期 4 月，果期 5 月。

黄柳

| 生境分布 | 生于流动沙丘上。分布于吉林白城、松原、四平等。

| 资源情况 | 野生资源较少。药材主要来源于野生。

| 采收加工 | 夏季剪采枝条，鲜用或阴干。

| 功能主治 | 活血消肿。用于跌打损伤。

杨柳科 Salicaceae 柳属 *Salix*

朝鲜柳 *Salix koreensis* Anderss.

朝鲜柳

| 药 材 名 |

朝鲜柳（药用部位：树皮、叶）。

| 形态特征 |

落叶乔木，高达 10 ~ 20m。树冠广卵形；树皮暗灰色，较厚，纵裂。一年生小枝有短柔毛或无毛，灰褐色或褐绿色。芽卵形，长 2 ~ 5mm。叶披针形、卵状披针形或长圆状披针形，长 6 ~ 9（~ 13）cm，宽 1 ~ 1.8cm，先端渐尖，基部楔形至楔状圆形，上面绿色，有短柔毛或近无毛，下面苍白色，沿中脉有短柔毛，边缘有腺锯齿；叶柄长 0.6 ~ 1.3cm，初生时有短柔毛，后近无毛；托叶斜卵形或卵状披针形，先端有长尾尖，边缘有锯齿。花序先叶或与叶近同时开放，近无梗；雄花序狭圆柱形，长 1 ~ 3cm，直径 6 ~ 7mm，基部有 3 ~ 5 小叶，花序轴有毛；雄蕊 2，花丝下部有长柔毛，有时基部合生，花药红色；苞片卵状长圆形，先端急尖，淡黄绿色，两面有毛或内面近无毛；腺体 2，腹生和背生；雌花序椭圆形至短圆柱形，长 1 ~ 2cm，基部 3 ~ 5 小叶；子房卵圆形，无柄，有柔毛，花柱较长，柱头 2 ~ 4 裂，红色；苞片卵状长圆形或卵形，先端急尖或钝头，淡绿色，两面有毛或内面及外面上端无毛；腺体

2，腹生和背生，有时背腺缺。花期 5 月，果期 6 月。

| 生境分布 | 生于河边及山坡上。以长白山区为主要分布区域，分布于吉林延边、白山、通化、吉林、辽源（东丰）等。

| 资源情况 | 野生资源较少。药材主要来源于野生。

| 采收加工 | 春、秋季剥取树皮，晾干。夏季采收叶，鲜用或阴干。

| 功能主治 | 祛风除湿。用于风湿痹痛。

杨柳科 Salicaceae 柳属 *Salix*

旱柳 *Salix matsudana* Koidz.

| 植物别名 | 柳树、河柳、江柳。

| 药 材 名 | 旱柳（药用部位：嫩枝、嫩叶）。

| 形态特征 | 落叶乔木，高达 18m，胸径达 80cm。大枝斜上，树冠广圆形；树皮暗灰黑色，有裂沟；枝细长，直立或斜展，浅褐黄色或带绿色，后变褐色，无毛，幼枝有毛。芽微有短柔毛。叶披针形，长 5 ~ 10cm，宽 1 ~ 1.5cm，先端长渐尖，基部窄圆形或楔形，上面绿色，无毛，有光泽，下面苍白色或带白色，有细腺锯齿缘，幼叶有丝状柔毛；叶柄短，长 5 ~ 8mm，在上面有长柔毛；托叶披针形或缺，边缘有细腺锯齿。花序与叶同时开放；雄花序圆柱形，长 1.5 ~ 2.5（~ 3）cm，直径 6 ~ 8mm，多少有花序梗，花序轴有长毛；雄蕊 2。花丝基部有长毛，花药卵形，黄色；苞片卵形，黄绿色，先端钝，

旱柳

基部多少有短柔毛；腺体 2；雌花序较雄花序短，长达 2cm，直径约 4mm，有 3 ~ 5 小叶生于短花序梗上，花序轴有长毛；子房长椭圆形，近无柄，无毛，无花柱或很短，柱头卵形，近圆裂；苞片同雄花；腺体 2，背生和腹生。果序长达 2（~ 2.5）cm。花期 4 月，果期 4 ~ 5 月。

| 生境分布 | 生于水边、池塘畔、河岸及村庄附近。吉林各地均有分布，部分城镇的公园、河岸等地有栽培。

| 资源情况 | 野生资源丰富。吉林有栽培。药材主要来源于野生。

| 采收加工 | 夏、秋季采收，鲜用或阴干。

| 药材性状 | 本品嫩枝呈圆柱形，浅褐黄色，表面略具纵棱，有光泽，节上有芽或脱落后呈三角形的瘢痕。质轻，易折断，横断面皮部极薄，木部黄白色，疏松，中央有白色髓部。嫩叶多纵向卷曲，完整叶展平后呈披针形，上表面黄绿色，下表面灰绿色，幼叶有丝状柔毛，薄纸质；叶柄短，亦有柔毛。气微，味微苦、涩。

| 功能主治 | 微苦，寒。散风，祛湿，清湿热。用于黄疸性肝炎，风湿性关节炎，湿疹，牛皮癣。

| 用法用量 | 内服煎汤，9 ~ 15g。外用适量。

杨柳科 Salicaceae 柳属 *Salix*

大黄柳 *Salix raddeana* Laksch.

| 药 材 名 | 大黄柳（药用部位：树皮）。

| 形态特征 | 落叶灌木或乔木。枝暗红色或红褐色，嫩枝具灰色长柔毛，后无毛。芽大，急尖，暗褐色，有毛或仅腹面有毛。叶革质，倒卵状圆形、卵形、近圆形或椭圆形，长 3.5 ~ 9（~ 10）cm，宽 3 ~ 4（~ 6）cm，先端短渐尖或急尖，上面暗绿色，有明显的皱纹，下面具灰色绒毛，全缘或有不整齐的牙齿，生在萌枝或壮枝上的叶，边缘都有不整齐的牙齿；叶柄长 1 ~ 1.5cm，有密毛。花先叶开放；雄花序多椭圆形，长约 2.5cm，直径 1.6 ~ 2cm，无梗，花序轴有柔毛；雄蕊 2，花丝纤细，无毛或基部稍有几根疏柔毛，花药长圆形，黄色，比苞片长 4 ~ 5 倍；苞片卵状椭圆形，渐尖，上部黑色或全近黑色，两面密被长柔毛；腺 1，腹生。雌花序长 2 ~ 2.5cm，直径 8 ~ 10mm，随着子房受粉

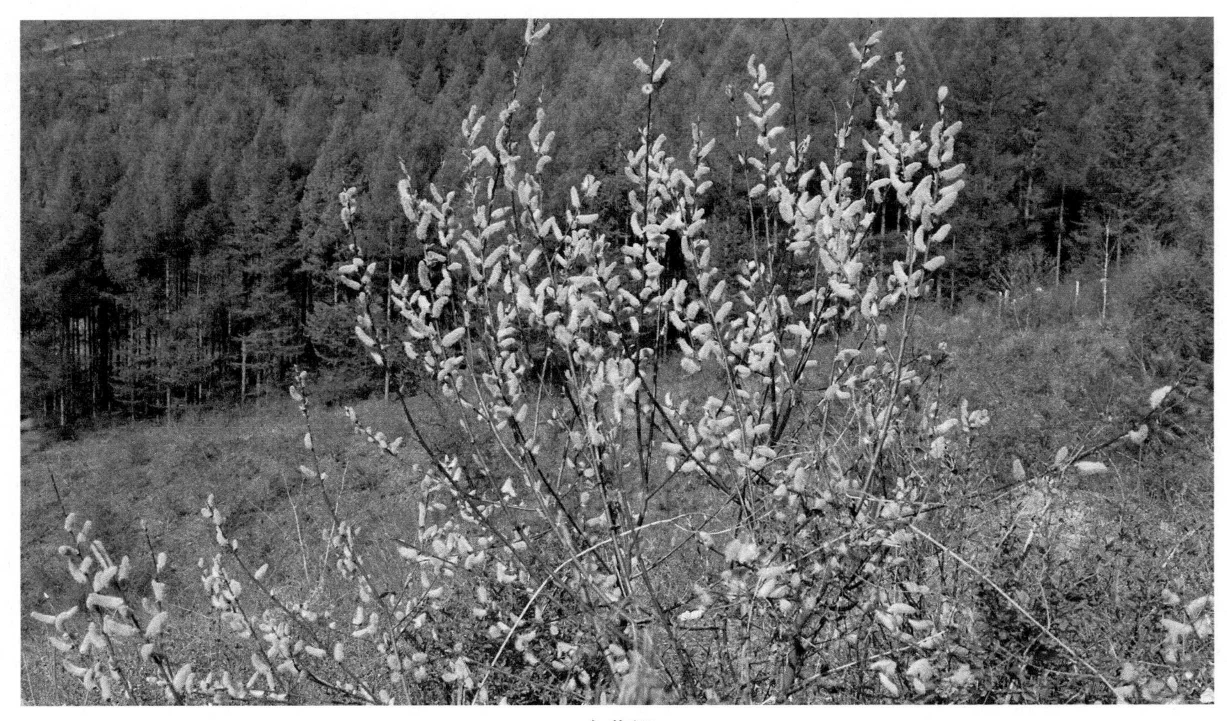

大黄柳

后迅速增粗增长；果序长 7 ～ 8cm，直径达 2cm，有短梗，基部有 1 ～ 3 鳞片；子房长圆锥形，有灰色绢质柔毛，有长柄，长 2 ～ 2.5mm，花柱长约 1mm，柱头 4（或 2）裂；苞片与腺体同雄花。蒴果长达 1cm。花期 4 月中旬，果期 5 月初至 5 月中旬。

| 生境分布 | 生于山坡、林缘，稀生于林中、林区路旁、草甸、沟边、河边沙地、荒地、混交林下、山顶桦林中、山谷溪边、山脚、沼泽、灌丛中。吉林各地均有分布。

| 资源情况 | 野生资源丰富。药材主要来源于野生。

| 采收加工 | 春季剥取，晾干或晒干。

| 功能主治 | 祛风除湿。用于风湿痹证。

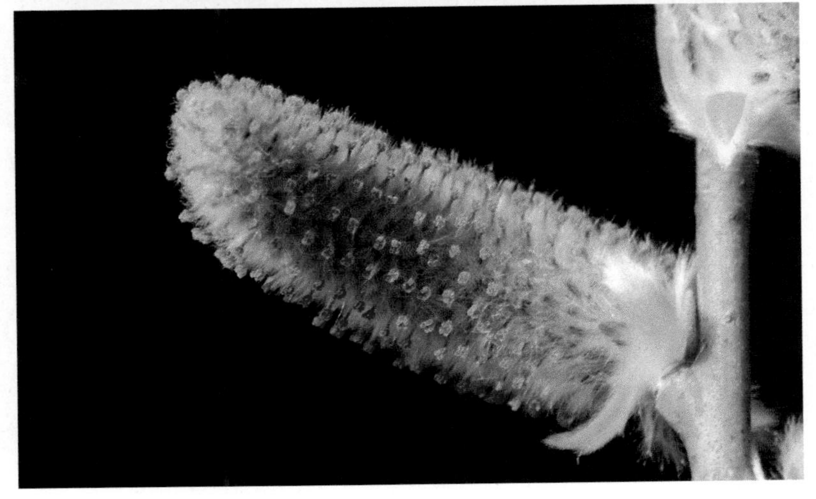

杨柳科 Salicaceae 柳属 *Salix*

粉枝柳 *Salix rorida* Laksch.

| 药 材 名 | 粉枝柳（药用部位：枝条）。

| 形态特征 | 落叶乔木，高达 15m。树冠塔形或圆形；树皮灰褐色，初生时为灰绿色。小枝红褐色，无毛；二年生小枝常被白粉。芽无毛。叶披针形或倒披针形，长 8 ~ 12cm，宽 1 ~ 2cm，无毛或嫩叶有短柔毛，先端渐尖，上面暗绿色，有光泽，下面被白粉，边缘有腺锯齿；叶柄长 0.8cm；托叶卵形、宽卵形或斜卵圆形，边缘有腺齿，长 4 ~ 8mm。花先叶开放；雄花序圆柱形，长 1.5 ~ 3.5cm，直径 1.8 ~ 2cm，无梗；雄蕊 2，长 7 ~ 8.5mm，花丝无毛；苞片倒卵形，全缘，基部两侧各有 3 ~ 4 明显的腺点，有长毛；腺体 1，腹生。雌花序圆柱形，长 3 ~ 4cm，直径 1 ~ 1.5cm；子房卵状圆锥形，长 2 ~ 3mm，绿色，无毛，有长柄，柄长 1 ~ 1.5mm；花柱长 1 ~ 2mm，

粉枝柳

较子房短，柱头 2 裂；苞片倒卵状长圆形，全缘，基部两侧各有 3 ～ 4 明显的腺点，先端黑色，有毛；腺体 1，腹生，长约为子房柄的 1/2。果序长达 5cm。花期 5 月，果期 6 月。

｜生境分布｜ 生于林区山地，沿溪边尤多。以长白山区为主要分布区域，分布于吉林延边、白山、通化、吉林、辽源（东丰）等。

｜资源情况｜ 野生资源较少。药材主要来源于野生。

｜采收加工｜ 夏季采收，鲜用或阴干。

｜功能主治｜ 止痛。用于腰痛。

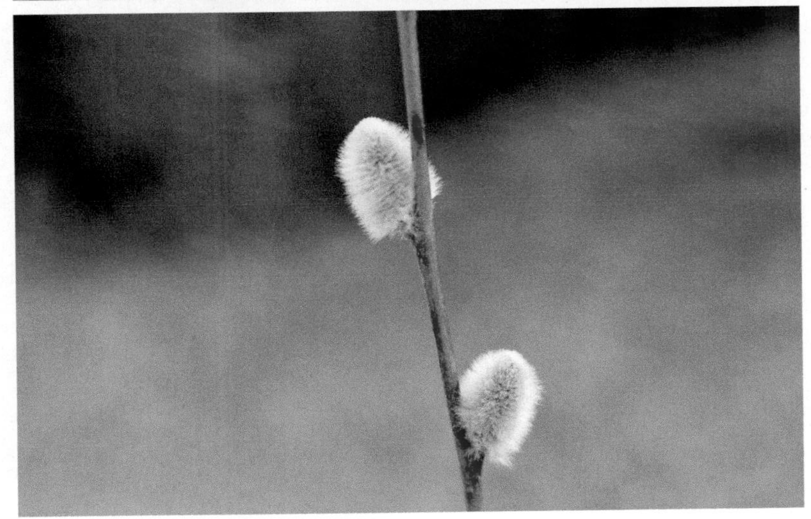

杨柳科 Salicaceae 柳属 *Salix*

蒿柳 *Salix viminalis* L.

| 植物别名 | 绢柳、茜柳。

| 药 材 名 | 蒿柳（药用部位：嫩枝、茎叶）。

| 形态特征 | 落叶灌木或小乔木，高可达 10m。树皮灰绿色。枝无毛，或有极短的短柔毛；幼枝有灰短柔毛或无毛。芽卵状长圆形，紧贴枝上，带黄色或微赤褐色，多有毛。叶线状披针形，长 15 ~ 20cm，宽 0.5 ~ 1.5（~ 2）cm，最宽处在中部以下，先端渐尖或急尖，基部狭楔形，全缘或微波状，内卷，上面暗绿色，无毛或稍有短柔毛，下面有密丝状长毛，有银色光泽；叶柄长 0.5 ~ 1.2cm，有丝状毛；托叶狭披针形，有时浅裂，或镰状，长渐尖，具有腺的齿缘，脱落性，较叶柄短。花先叶开放或与叶同时开放，无梗；雄花序长圆状卵形，长 2 ~ 3cm，宽 1.5cm；雄蕊 2，花丝离生，罕有基部合生，无毛，花

蒿柳

药金黄色，后为暗色；苞片长圆状卵形，钝头或急尖，浅褐色，先端黑色，两面有疏长毛或疏短柔毛；腺体 1，腹生。雌花序圆柱形，长 3 ~ 4cm；子房卵形或卵状圆锥形，无柄或近无柄，有密丝状毛，花柱长 0.3 ~ 2mm，长约为子房的 1/2，柱头 2 裂或近全缘；苞片同雄花；腺体 1，腹生；果序长达 6cm。花期 4 ~ 5 月，果期 5 ~ 6 月。

| **生境分布** | 生于海拔 300 ~ 600m 的河边、溪边、灌丛中。分布于吉林延边、白山、通化、长春、吉林、辽源等。

| **资源情况** | 野生资源丰富。药材主要来源于野生。

| **采收加工** | 夏季和秋末剪采嫩枝，除去杂质，洗净，鲜用或阴干。夏、秋季采收茎叶，鲜用或阴干。

| **功能主治** | 清热解毒，祛风湿。用于风湿痹证。

| **附　　注** | 在 FOC 中，本种的拉丁学名被修订为 *Salix schwerinii* E. L. Wolf。

桦木科 Betulaceae 桤木属 *Alnus*

日本桤木 *Alnus japonica* (Thunb.) Steud.

日本桤木

植物别名

赤杨、日本赤杨、水冬瓜。

药材名

赤杨（药用部位：树皮、嫩枝及叶）。

形态特征

落叶乔木，一般高 6 ~ 15m，较少高达 20m。树皮灰褐色，平滑；枝条暗灰色或灰褐色，无毛，具棱；小枝褐色，无毛或被黄色短柔毛，有时密生腺点；芽具柄，芽鳞 2，光滑。短枝上的叶倒卵形或长倒卵形，长 4 ~ 6cm，宽 2.5 ~ 3cm，先端骤尖、锐尖或渐尖，基部楔形，很少微圆，边缘具疏细齿；长枝上的叶披针形，较少与短枝上的叶同形，较大，长可达 15cm，上面无毛，下面于幼时疏被短柔毛或无毛，脉腋间具簇生的髯毛，有时具腺点，侧脉 7 ~ 11 对；叶柄长 1 ~ 3cm，疏生腺点，幼时疏被短柔毛，后渐无毛。雄花序 2 ~ 5 排成总状，下垂，春季先叶开放。果序矩圆形，长约 2cm，直径 1 ~ 1.5cm，2 ~ 9 呈总状或圆锥状排列；果序梗粗壮，长约 10mm；果苞木质，长 3 ~ 5mm，基部楔形，先端圆，具 5 小裂片。小坚果卵形或倒卵形，长 3 ~ 4mm，宽 2 ~ 2.5mm；果翅厚纸质，极狭，宽为果实的 1/4。

| **生境分布** |

生于溪畔、山坡林中、河边、路旁。分布于吉林延边、白山、通化等。

| **资源情况** |

野生资源较丰富。药材主要来源于野生。

| **采收加工** |

春季剥取树皮，晒干。夏、秋季采收嫩枝及叶，鲜用或阴干。

| **功能主治** |

苦，平。清热降火，祛痰止咳，解毒消肿，止血，止泻。用于肺热咳嗽，咳痰，鼻衄不止，预防水泻，外伤出血。

| **用法用量** |

内服煎汤，15 ~ 30g。外用适量，研末敷；或鲜品捣敷。

桦木科 Betulaceae 桤木属 *Alnus*

东北桤木 *Alnus mandshurica* (Callier) Hand.-Mazz.

| 植物别名 | 东北赤杨、矮赤杨。

| 药 材 名 | 东北桤木（药用部位：树皮、果实）。

| 形态特征 | 落叶灌木或小乔木，高 3 ～ 8（～ 10）m。树皮暗灰色，平滑；枝条灰褐色，无毛；小枝紫褐色，无毛；芽无柄，具 3 ～ 6 芽鳞。叶宽卵形、卵形、椭圆形或宽椭圆形，长 4 ～ 10cm，宽 2.5 ～ 8cm，先端锐尖，基部圆形或微心形，有时宽楔形或两侧不对称，边缘具细而密的重锯齿或单锯齿，除下面的脉腋间具簇生的髯毛外，两面均几无毛，侧脉 7 ～ 13 对；叶柄粗壮，长 5 ～ 20mm，无毛或多少被短柔毛，有时具腺点。果序 3 ～ 5 呈总状排列，矩圆形或近球形，长 1 ～ 2cm；果序梗纤细，下垂，长 5 ～ 20（～ 30）mm，无毛或多少被短柔毛；果苞木质，长 3 ～ 4mm，先端具 5 浅裂片。小坚果

东北桤木

卵形，长约 2mm，膜质翅与果实近等宽。

| 生境分布 |

生于海拔 100 ~ 1700m 的林边、河岸或山坡林中。分布于吉林延边、白山等。

| 资源情况 |

野生资源较丰富。药材主要来源于野生。

| 采收加工 |

春季剥取树皮，晒干。秋季果实成熟时采摘果实，晒干。

| 功能主治 |

苦、涩，凉。清热解毒，收敛固涩。用于腹泻，外伤出血。

| 用法用量 |

内服煎汤，25 ~ 50g。外用适量，捣敷。

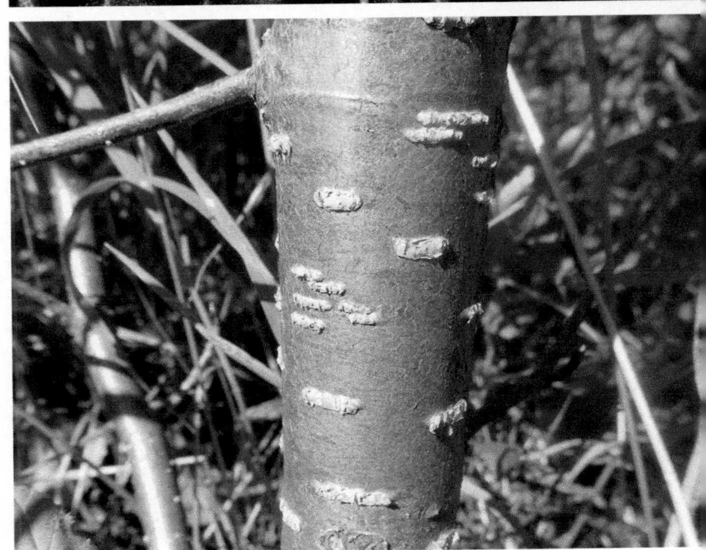

桦木科 Betulaceae 桤木属 *Alnus*

辽东桤木 *Alnus sibirica* Fisch. ex Turcz.

| 植物别名 | 赤杨、色赤杨、水冬瓜。

| 药 材 名 | 辽东桤木（药用部位：树皮。别名：色赤杨）。

| 形态特征 | 落叶乔木，高 6 ~ 15（~ 20）m。树皮灰褐色，光滑；枝条暗灰色，具棱，无毛；小枝褐色，密被灰色短柔毛，很少近无毛；芽具柄，具 2 疏被长柔毛的芽鳞。叶近圆形，很少近卵形，长 4 ~ 9cm，宽 2.5 ~ 9cm，先端圆，很少锐尖，基部圆形或宽楔形，很少截形或近心形，边缘具波状缺刻，缺刻间具不规则的粗锯齿，上面暗褐色，疏被长柔毛，下面淡绿色或粉绿色，密被褐色短粗毛或疏被毛至无毛，有时脉腋间具簇生的髯毛，侧脉 5 ~ 10 对；叶柄长 1.5 ~ 5.5cm，密被短柔毛。果序 2 ~ 8 呈总状或圆锥状排列，近球形或矩圆形，长 1 ~ 2cm；果序梗极短，长 2 ~ 3mm 或几无梗；果苞木质，长

辽东桤木

3 ~ 4mm，先端微圆，具 5 浅裂片。小坚果宽卵形，长约 3mm；果翅厚纸质，极狭，宽为果实的 1/4。

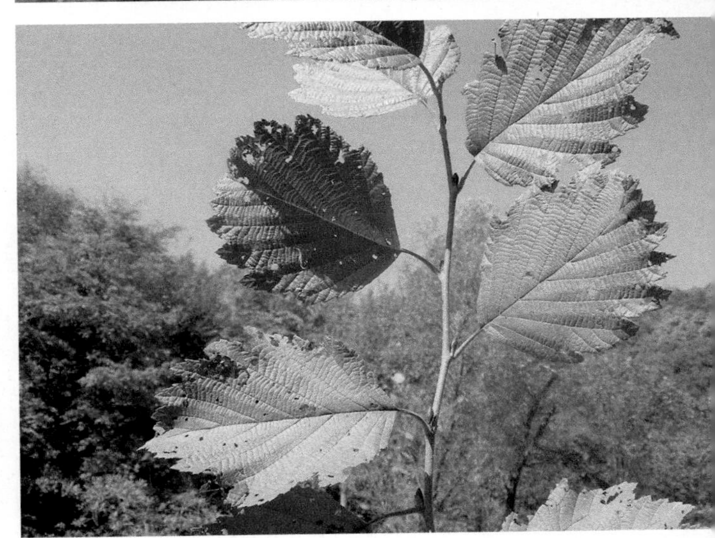

| 生境分布 |

生于海拔 700 ~ 1500m 的山坡林中、岸边或潮湿地。以长白山区为主要分布区域，分布于吉林延边、白山、通化、吉林、辽源（东丰）等，东部山区部分地区有栽培。

| 资源情况 |

野生资源较丰富。吉林有栽培。药材主要来源于野生。

| 采收加工 |

春季剥取树皮，晒干。

| 功能主治 |

苦、涩，平。祛痰镇咳，平喘。用于老年咳嗽痰喘，慢性气管炎。

| 用法用量 |

内服煎汤，10 ~ 15g。

| 附　　注 |

在 FOC 中，本种的拉丁学名被修订为 *Alnus hirsuta* Turczaninow ex Ruprecht。

桦木科 Betulaceae 桦木属 *Betula*

硕桦 *Betula costata* Trautv.

硕桦

| 药 材 名 |

硕桦（药用部位：树皮）。

| 形态特征 |

落叶乔木，高可达 30m 或更高。树皮黄褐色或暗褐色，呈片状剥裂，枝条红褐色，无毛；小枝褐色，密生黄色树脂状腺体，多少有毛。叶厚纸质，卵形或长卵形，长 3.5 ~ 7cm，宽 1.5 ~ 4.5cm，先端渐尖至尾状渐尖，基部圆形或近心形，边缘具细尖重锯齿，上面幼时被毛，下面具或疏或密的腺点，沿脉疏被长柔毛，脉腋间具密髯毛，侧脉 9 ~ 16 对；叶柄长 8 ~ 20mm，疏被短柔毛或无毛。果序单生，直立或下垂，矩圆形，长 1.5 ~ 2cm，直径约 1cm；果序梗长 2 ~ 5mm，疏被短柔毛及树脂腺体；果苞长 5 ~ 8mm，除边缘具纤毛外，其余无毛，中裂片长矩圆形，先端钝，侧裂片矩圆形或近圆形，先端圆，微开展或近直立，长仅及中裂片的 1/3。小坚果倒卵形，长约 2.5mm，无毛，膜质翅宽仅为果实的 1/2。

| 生境分布 |

生于山坡上、针阔叶混交林中。以长白山区为主要分布区域，分布于吉林延边、白山、通化、吉林、辽源（东丰）等。

| 资源情况 | 野生资源较少。药材主要来源于野生。

| 采收加工 | 春、秋季剥取砍伐后的树皮，晾干。

| 功能主治 | 收敛止血。用于外伤出血。

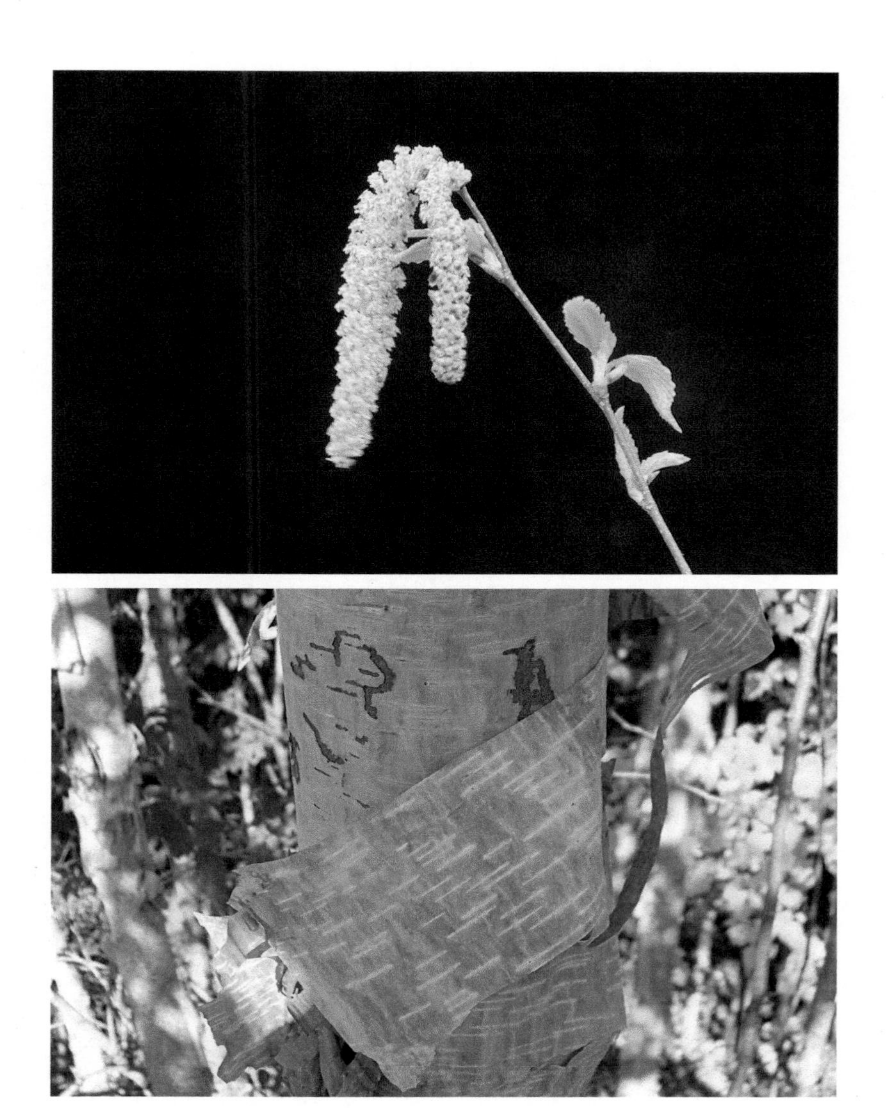

桦木科 Betulaceae 桦木属 *Betula*

黑桦 *Betula dahurica* Pall.

| 植物别名 | 棘皮桦、臭桦。

| 药 材 名 | 黑桦（药用部位：根皮）。

| 形态特征 | 落叶乔木，高 6 ~ 20m。树皮黑褐色，龟裂；枝条红褐色或暗褐色，光亮，无毛；小枝红褐色，疏被长柔毛，密生树脂腺体。叶厚纸质，通常为长卵形，间有宽卵形、卵形、菱状卵形或椭圆形，长 4 ~ 8cm，宽 3.5 ~ 5cm，先端锐尖或渐尖，基部近圆形、宽楔形或楔形，边缘具不规则的锐尖重锯齿，上面无毛，下面密生腺点，沿脉疏被长柔毛，脉腋间具簇生的髯毛，侧脉 6 ~ 8 对；叶柄长 5 ~ 15mm，疏被长柔毛或近无毛。果序矩圆状圆柱形，单生，直立或微下垂，长 2 ~ 2.5cm，直径约 1cm；果序梗长 5 ~ 12mm，疏被长柔毛或几无毛，有时具树脂腺体；果苞长 5 ~ 6mm，背面无毛，边缘具纤毛，

黑桦

基部宽楔形，上部3裂，中裂片矩圆形或披针形，先端钝，侧裂片卵形或宽卵形，斜展、横展至下弯，比中裂片宽或与之等长或稍短。小坚果宽椭圆形，两面无毛，膜质翅宽约为果实的1/2。

| 生境分布 | 生于干旱土层较厚的阳坡、山坡较干燥处、杂木林内、山顶岩石上、潮湿阳坡、针叶林或杂木林下。以长白山区为主要分布区域，分布于吉林延边、白山、通化、吉林、辽源（东丰）等。

| 资源情况 | 野生资源较丰富。药材主要来源于野生。

| 采收加工 | 春、秋季采挖，剥取根皮，洗净，晒干。

| 功能主治 | 苦，平。解热，利尿。用于黄疸。

桦木科 Betulaceae 桦木属 *Betula*

岳桦 *Betula ermanii* Cham.

| 植物别名 | 绒毛岳桦。

| 药 材 名 | 岳桦（药用部位：树皮及嫩芽）。

| 形态特征 | 落叶乔木，高 8 ~ 15（~ 20）m。树皮灰白色，成层、大片剥裂。枝条红褐色，无毛；幼枝暗绿色，密被长柔毛，稍有树脂腺体；芽鳞密被白色绒毛。叶三角状卵形、宽卵形或卵形，长 2 ~ 7cm，宽 1.2 ~ 5cm，先端锐尖、渐尖，有时呈短尾状，基部圆形、截形、宽楔形或微心形，边缘具规则或不规则的锐尖重锯齿，上面疏被毛，下面几无毛，密被腺点，侧脉 8 ~ 12 对，两面沿脉均密被长柔毛；叶柄长 1 ~ 2.4cm，幼时密被长柔毛，以后毛渐脱落。果序单生，直立，矩圆形，长 1.5 ~ 2.7cm，直径 8 ~ 15mm；果序梗短，长 3 ~ 5mm，密被白色长柔毛；果苞长 5 ~ 8mm，除边缘具纤毛外，其余无毛，

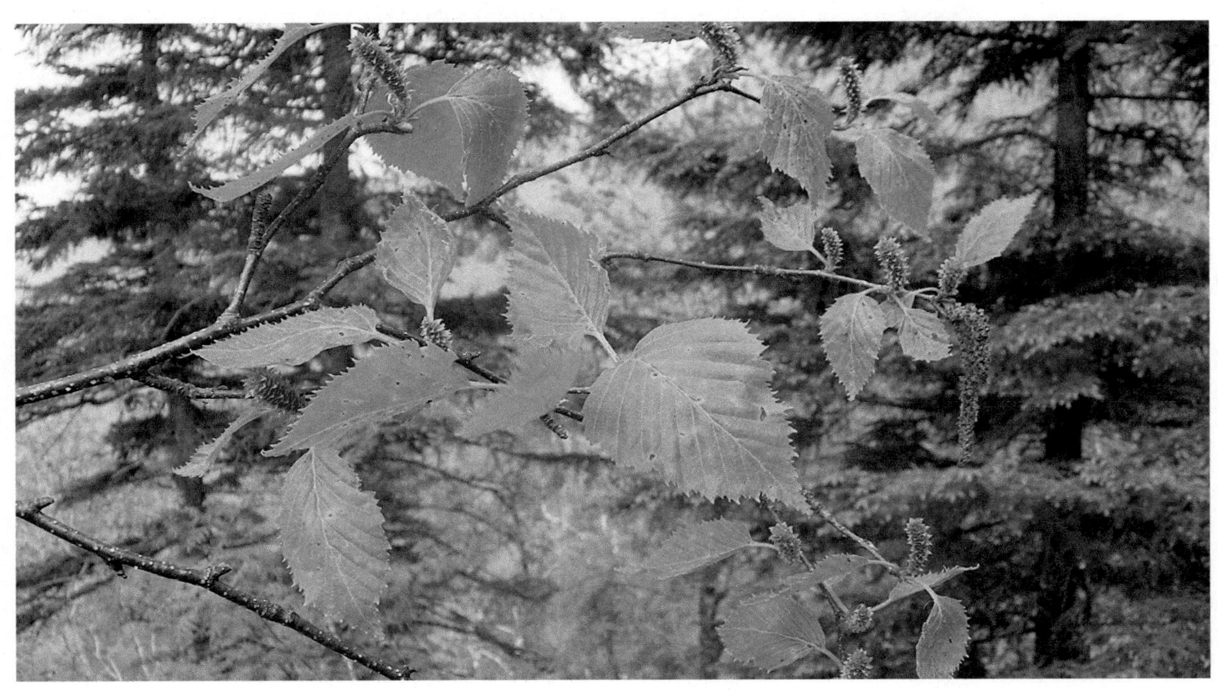

岳桦

基部楔形，3 裂片均为倒披针形或披针形，侧裂片近直立，稍短于中裂片。小坚果倒卵形或长卵形，长约 2.5mm，宽 1.8 ~ 2mm，膜质翅宽为果实的 1/3 或 1/2。

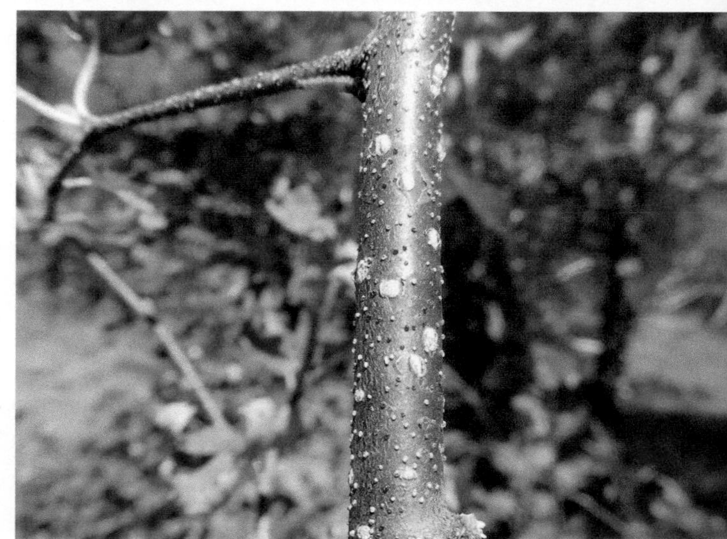

| 生境分布 |

生于海拔 1000 ~ 1700m 的山坡林中，长白山地区有纯林分布。分布于吉林白山（长白、抚松、临江、江源）、延边（安图、和龙、敦化）、通化（通化、集安）等。

| 资源情况 |

野生资源较丰富。药材主要来源于野生。

| 采收加工 |

春、秋季剥取树皮，晒干。初春时采收嫩芽，晒干。

| 功能主治 |

清热解毒，化痰利湿。用于咳嗽、痰多清稀，疮疡，伤口抗菌。

| 附　　注 |

（1）本种的树汁能提高人体免疫力，现已逐渐被开发利用。

（2）本种为吉林省Ⅱ级重点保护野生植物。

桦木科 Betulaceae 桦木属 *Betula*

柴桦 *Betula fruticosa* Pall.

| 药材名 | 柴桦（药用部位：枝叶）。

| 形态特征 | 落叶灌木，高 0.5 ~ 2.5m。树皮白色；枝条暗紫褐色或灰黑色，密生树脂腺体，无毛；小枝褐色，微粗糙，有时被极短的柔毛，密被树脂腺体。叶卵形或长卵形，有时宽卵形，长 1.5 ~ 3（~ 4.5）cm，宽 1 ~ 2（~ 3.5）cm，先端锐尖，有时圆钝，基部圆形或宽楔形，边缘具不规则的细而密的单锯齿，两面皆无毛或沿脉疏被短柔毛，下面密生小腺点，侧脉 5 ~ 8 对；叶柄长 2 ~ 10mm，无毛或幼时被极短的柔毛。果序单生，直立或斜展，矩圆形或短圆柱形，长 1 ~ 2cm，直径 5 ~ 8mm；果序梗短，长 2 ~ 5mm，密被极短的柔毛；果苞长 4 ~ 7mm，边缘具短纤毛，其余无毛，基部楔形，上部的 3 裂片均近矩圆形，先端钝，微开展至斜展，有时近直立，侧裂片稍

柴桦

短于中裂片。小坚果椭圆形，长约 1.5mm，宽约 1mm，膜质翅宽为果实的 1/3 ~ 1/2。

| 生境分布 |

生于林区沼泽地或河溪旁。以长白山区为主要分布区域，分布于吉林延边、白山、通化、吉林、辽源（东丰）等。

| 资源情况 |

野生资源较少。药材主要来源于野生。

| 采收加工 |

夏、秋季采收，鲜用或阴干。

| 功能主治 |

祛风湿。用于风湿痹证。

桦木科 Betulaceae 桦木属 *Betula*

白桦 *Betula platyphylla* Suk.

| 植物别名 | 疣枝桦、粉桦、桦树。

| 药 材 名 | 桦树皮（药用部位：树皮）。

| 形态特征 | 落叶乔木，高可达 27m。树皮灰白色，成层剥裂；枝条暗灰色或暗褐色，无毛，具或疏或密的树脂腺体或无；小枝暗灰色或褐色，无毛亦无树脂腺体，有时疏被毛和疏生树脂腺体。叶厚纸质，三角状卵形、三角状菱形或三角形，少为菱状卵形和宽卵形，长 3 ~ 9cm，宽 2 ~ 7.5cm，先端锐尖、渐尖至尾状渐尖，基部截形、宽楔形或楔形，有时微心形或近圆形，边缘具重锯齿，有时具缺刻状重锯齿或单齿，上面于幼时疏被毛和腺点，成熟后无毛无腺点，下面无毛，密生腺点，侧脉 5 ~ 7（~ 8）对；叶柄细瘦，长 1 ~ 2.5cm，无毛。果序单生，圆柱形或矩圆状圆柱形，通常下垂，长 2 ~ 5cm，直径 6 ~ 14mm；

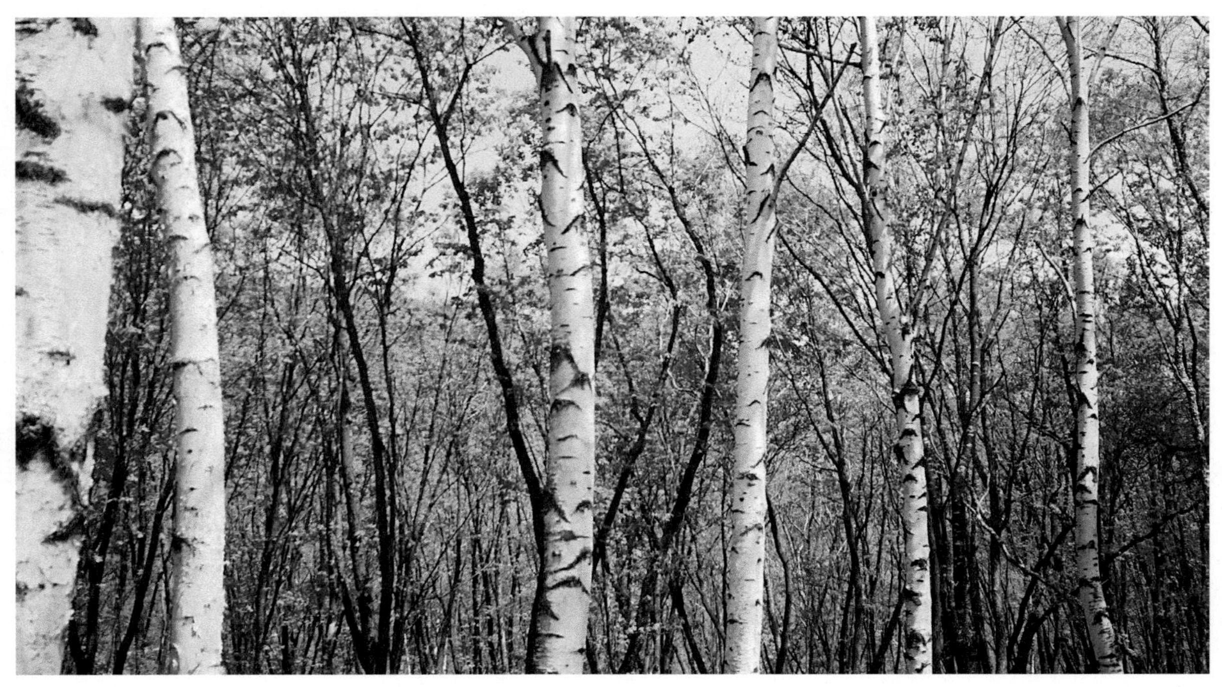

白桦

果序梗细瘦，长 1 ~ 2.5cm，密被短柔毛，成熟后近无毛，具或疏或密的树脂腺体或无；果苞长 5 ~ 7mm，背面密被短柔毛，成熟时毛渐脱落，边缘具短纤毛，基部楔形或宽楔形，中裂片三角状卵形，先端渐尖或钝，侧裂片卵形或近圆形，直立、斜展至向下弯，如为直立或斜展时则较中裂片稍宽且微短，如为横展至下弯时则长与宽均大于中裂片。小坚果狭矩圆形、矩圆形或卵形，长 1.5 ~ 3mm，宽 1 ~ 1.5mm，背面疏被短柔毛，膜质翅较果实长 1/3，较少与之等长，与果实等宽或较果实稍宽。

| 生境分布 | 生于较湿润、肥沃的阴山坡或山谷杂木林中。以长白山区为主要分布区域，分布于吉林延边、白山、通化、吉林、辽源（东丰）等。

| 资源情况 | 野生资源较少。药材主要来源于野生。

| 采收加工 | 春季剥取树皮，或在已采伐的树上剥取树皮，切丝，晒干。

| 药材性状 | 本品呈不规则卷筒状或片状，厚 0.1 ~ 0.6cm。外表面为灰白色而微带红色，上有疙瘩样的枝痕。内表面为淡黄棕色，有深色横条纹。质柔韧，可成层片状剥落，遇火极易燃烧。断面黄棕色。气微香，味苦。

| 功能主治 | 苦，平。归肺、大肠经。清热利湿，解毒，化痰止咳，消肿止痛。用于咳喘，咽喉肿痛，泄泻，肠痈，乳痈，痈疮肿毒。外用于烫火伤，疮肿。

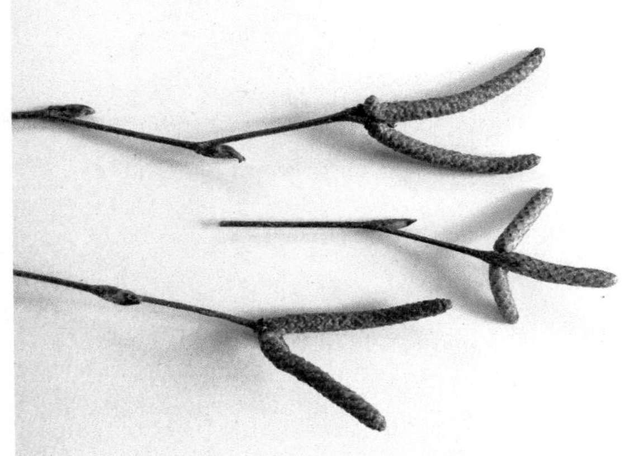

| 用法用量 | 内服煎汤，5 ~ 15g。外用适量，研末调敷。

| 附　　注 | 本种药材桦树皮已被列入 2019 年版《吉林省中药材标准》第二册。

桦木科 Betulaceae 桦木属 *Betula*

赛黑桦 *Betula schmidtii* Regel

|药 材 名| 赛黑桦（药用部位：枝叶）。

|形态特征| 落叶乔木，高达 20 ~ 35m。树皮黑色或黑褐色，呈不规则的块状剥裂；枝条黑褐色，无毛；小枝紫褐色，密被灰色短柔毛，多少具树脂腺体。叶厚纸质，卵形或宽椭圆形，很少椭圆形，长 4 ~ 8cm，宽 2.5 ~ 4.5cm，先端锐尖或短尾状，基部圆形，边缘具不规则的细而密的重锯齿或单齿，上面绿色，光亮，无毛，下面淡绿色，密被腺点，沿脉疏被长柔毛；侧脉 8 ~ 10 对；叶柄长 5 ~ 10mm，幼时密被灰色长柔毛，成熟时稍被毛。果序单生，直立，短圆柱形，长 2 ~ 3cm，直径约 8mm；果序梗粗壮，长 3 ~ 6mm，被或疏或密的短柔毛；果苞长 4 ~ 5mm，无毛，中裂片披针形，侧裂片三角状披针形或披针形，长为中裂片的 1/2。小坚果卵形，长约 2mm，宽

赛黑桦

1 ~ 1.5mm，两面均疏被短柔毛，具极狭之翅。

| **生境分布** | 生于山地。以长白山区为主要分布区域，分布于吉林延边、白山、通化、吉林、辽源（东丰）等。

| **资源情况** | 野生资源较少。药材主要来源于野生。

| **采收加工** | 夏季采收，鲜用或阴干。

| **功能主治** | 祛风除湿。用于风湿痹痛。

| **附　　注** | 本种为吉林省Ⅲ级重点保护野生植物。

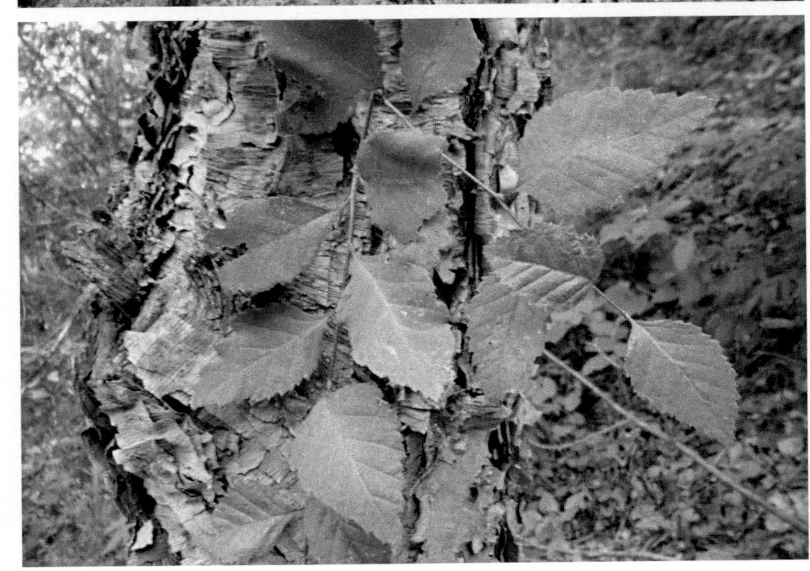

桦木科 Betulaceae 鹅耳枥属 *Carpinus*

千金榆 *Carpinus cordata* Bl.

| 植物别名 | 千金鹅耳枥、鹅耳枥。

| 药 材 名 | 半拉子（药用部位：果穗。别名：见风干、半柱子）。

| 形态特征 | 落叶乔木，高约 15m。树皮灰色；小枝棕色或橘黄色，具沟槽，初疏被长柔毛，后变无毛。叶厚纸质，卵形或矩圆状卵形，较少倒卵形，长 8 ~ 15cm，宽 4 ~ 5cm，先端渐尖，具刺尖，基部斜心形，边缘具不规则的刺毛状重锯齿，上面疏被长柔毛或无毛，下面沿脉疏被短柔毛，侧脉 15 ~ 20 对；叶柄长 1.5 ~ 2cm，无毛或疏被长柔毛。果序长 5 ~ 12cm，直径约 4cm；果序梗长约 3cm，无毛或疏被短柔毛；果序轴密被短柔毛及稀疏的长柔毛；果苞宽卵状矩圆形，长 15 ~ 25mm，宽 10 ~ 13mm，无毛，外侧的基部无裂片，内侧的基部具 1 矩圆形内折的裂片，全部遮盖着小坚果，中裂片外侧内

千金榆

折，边缘的上部具疏齿，内侧的边缘具明显的锯齿，先端锐尖。小坚果矩圆形，长 4 ～ 6mm，直径约 2mm，无毛，具不明显的细肋。

| 生境分布 |

生于海拔 500 ～ 2500m 的较湿润、肥沃的阴山坡或山谷杂木林中。以长白山区为主要分布区域，分布于吉林延边、白山、通化、吉林、辽源（东丰）等。

| 资源情况 |

野生资源较少。药材主要来源于野生。

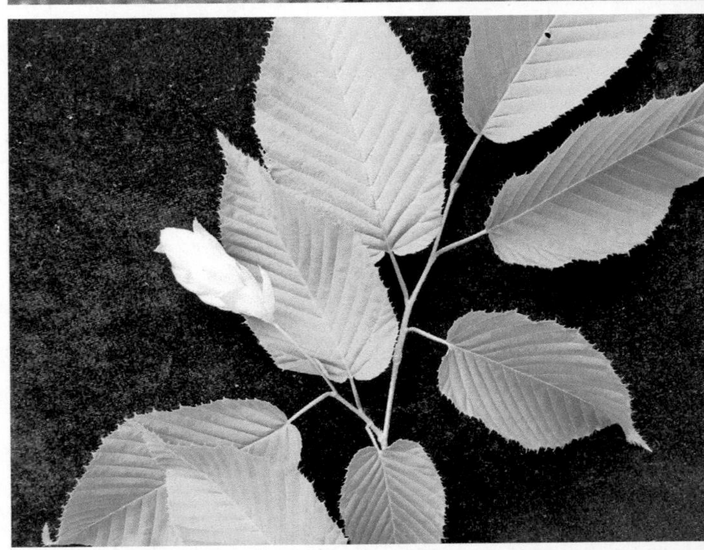

| 采收加工 |

秋季果穗成熟时采摘，阴干。

| 功能主治 |

淡、甘，平。健胃消食。用于脾胃虚弱，食欲不振，脘腹胀满，消化不良。

| 用法用量 |

内服煎汤，10 ～ 15g。

| 附　　注 |

本种为吉林省Ⅲ级重点保护野生植物。

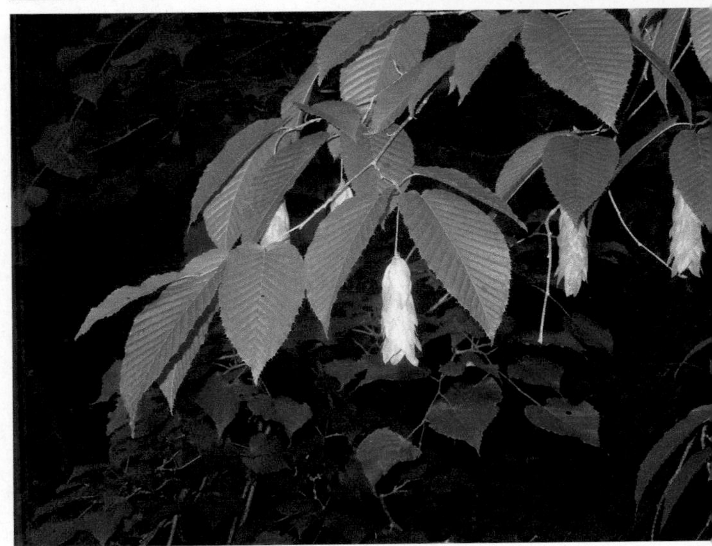

桦木科 Betulaceae 鹅耳枥属 *Carpinus*

鹅耳枥 *Carpinus turczaninowii* Hance

| 药 材 名 | 鹅耳枥（药用部位：树皮和叶）。

| 形态特征 | 落叶乔木，高 5 ~ 10m。树皮暗灰褐色，粗糙，浅纵裂；枝细瘦，灰棕色，无毛；小枝被短柔毛。叶卵形、宽卵形、卵状椭圆形或卵状菱形，有时卵状披针形，长 2.5 ~ 5cm，宽 1.5 ~ 3.5cm，先端锐尖或渐尖，基部近圆形或宽楔形，有时微心形或楔形，边缘具规则或不规则的重锯齿，上面无毛或沿中脉疏生长柔毛，下面沿脉通常疏被长柔毛，脉腋间具髯毛，侧脉 8 ~ 12 对；叶柄长 4 ~ 10mm，疏被短柔毛。果序长 3 ~ 5cm；果序梗长 10 ~ 15mm，果序梗、果序轴均被短柔毛；果苞变异较大，半宽卵形、半卵形、半矩圆形至卵形，长 6 ~ 20mm，宽 4 ~ 10mm，疏被短柔毛，先端钝尖或渐尖，有时钝，内侧的基部具 1 内折的卵形小裂片，外侧的基部无裂片，

鹅耳枥

中裂片内侧全缘或疏生不明显的小齿，外侧边缘具不规则的缺刻状粗锯齿或具 2 ~ 3 齿裂。小坚果宽卵形，长约 3mm，无毛，有时先端疏生长柔毛，有时上部疏生树脂腺体或无。

| 生境分布 |

生于山坡或山谷林中，山顶及贫瘠山坡亦能生长。分布于吉林通化、白山等。

| 资源情况 |

野生资源较少。药材主要来源于野生。

| 采收加工 |

春季剥取树皮，晾干。夏、秋季采收叶，鲜用或阴干。

| 功能主治 |

活血化瘀。用于跌打损伤。

桦木科 Betulaceae 榛属 *Corylus*

榛 *Corylus heterophylla* Fisch.

| 植物别名 | 平榛、榛子。

| 药 材 名 | 榛子（药用部位：种仁。别名：棰子、平榛、山反栗）、榛子花（药用部位：雄花序）。

| 形态特征 | 落叶灌木或小乔木，高 1 ~ 7m。树皮灰色；枝条暗灰色，无毛，小枝黄褐色，密被短柔毛，兼被疏生的长柔毛，多少具刺状腺体或无。叶矩圆形或宽倒卵形，长 4 ~ 13cm，宽 2.5 ~ 10cm，先端凹缺或截形，中央具三角状突尖，基部心形，有时两侧不相等，边缘具不规则的重锯齿，中部以上浅裂，上面无毛，下面于幼时疏被短柔毛，以后仅沿脉疏被短柔毛，其余无毛，侧脉 3 ~ 5 对；叶柄纤细，长 1 ~ 2cm，疏被短毛或近无毛。雄花序单生，长约 4cm。果实单生或 2 ~ 6 簇生成头状；果苞钟状，外面具细条棱，密被短柔毛，兼有疏生的长柔毛，密生刺状腺体，很少无腺体，较果实长但不超过 1 倍，很少

榛

较果实短，上部浅裂，裂片三角形，全缘，很少具疏锯齿；果序梗长约 1.5cm，密被短柔毛。坚果近球形，长 7 ～ 15mm，无毛或仅先端疏被长柔毛。

| 生境分布 | 生于海拔 200 ～ 1000m 的山地阴坡灌丛中，成小面积灌木群落。以长白山区为主要分布区域，分布于吉林延边、白山、通化、吉林、辽源（东丰）等。

| 资源情况 | 野生资源较丰富。药材主要来源于野生。

| 采收加工 | 榛子：秋、冬季采收成熟种子，晒干，除去种皮，收集种仁。
榛子花：清明节前后雄花未散粉时采收，除去杂质，晒干。

| 药材性状 | 榛子：本品近球形，直径 0.5 ～ 1.5cm，表面乳白色或黄白色，有光泽。气微，味淡。
榛子花：本品呈圆柱形，长 1 ～ 3.5cm，直径 4 ～ 7mm，基部具短梗。表面黄棕色至红棕色，柔毛不明显，苞鳞呈覆瓦状排列。质脆，易折断。断面柔毛较多，可见放射状排列的淡黄色或棕色的花药。气微，味微苦、涩。

| 功能主治 | 榛子：甘，平。益气调中，滋养开胃，止咳，明目。用于食欲不振，病后体虚，疲乏，气管炎，脾虚泄泻，痢疾，视物昏花，目多泪，久视无力。
榛子花：苦、涩，凉。归肝、肺经。清热解毒，消肿止痛。用于痈疮肿毒，痄腮，虫蛇咬伤。

| 用法用量 | 榛子：内服煎汤，30 ～ 60g；或研末。
榛子花：内服煎汤，5 ～ 15g。外用适量，研末，凉开水调敷患处。

| 附　　注 | （1）本种药材榛子花已被列入 2019 年版《吉林省中药材标准》第一册。
（2）榛子可食用，为著名坚果。

桦木科 Betulaceae 榛属 *Corylus*

毛榛 *Corylus mandshurica* Maxim.

|植物别名| 小榛树、毛榛子、火榛子。

|药 材 名| 榛子（药用部位：种仁。别名：榧子、平榛、山反栗）、毛榛子花（药用部位：雄花序）。

|形态特征| 灌木，高 3 ~ 4m。树皮暗灰色或灰褐色；枝条灰褐色，无毛；小枝黄褐色，被长柔毛，下部的毛较密。叶宽卵形、矩圆形或倒卵状矩圆形，长 6 ~ 12cm，宽 4 ~ 9cm，先端骤尖或尾状，基部心形，边缘具不规则的粗锯齿，中部以上具浅裂或缺刻，上面疏被毛或几无毛，下面疏被短柔毛，沿脉的毛较密，侧脉约 7 对；叶柄细瘦，长 1 ~ 3cm，疏被长柔毛及短柔毛。雄花序 2 ~ 4 排成总状；苞鳞密被白色短柔毛。果实单生或 2 ~ 6 簇生，长 3 ~ 6cm；果苞管状，在坚果上部缢缩，较果实长 2 ~ 3 倍，外面密被黄色刚毛，兼有白色短柔毛，上部浅

毛榛

裂，裂片披针形；果序梗粗壮，长 1.5 ~ 2cm，密被黄色短柔毛。坚果几球形，长约 1.5cm，先端具小突尖，外面密被白色绒毛。

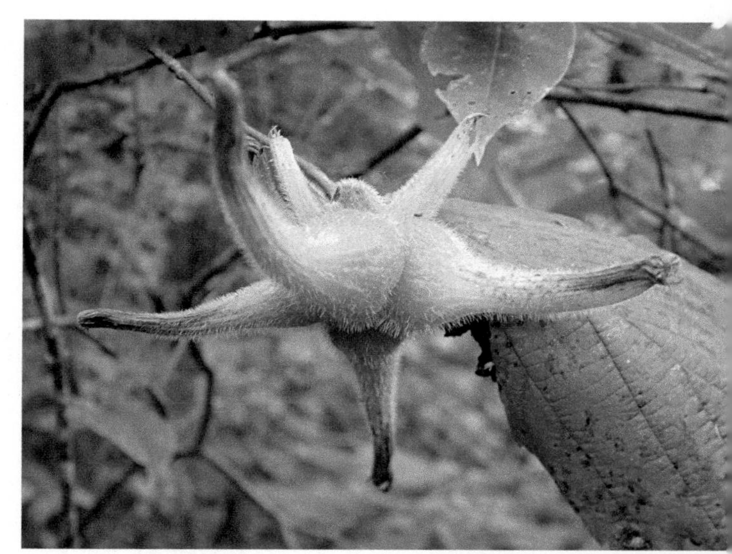

| 生境分布 |

生于山坡灌丛中或林下，多见于温带、暖温带的山地森林带，也见于白桦、山杨、蒙古栎等构成的夏绿阔叶林中或林缘。以长白山区为主要分布区域，分布于吉林延边、白山、通化、吉林、辽源（东丰）等。

| 资源情况 |

野生资源较丰富。药材主要来源于野生。

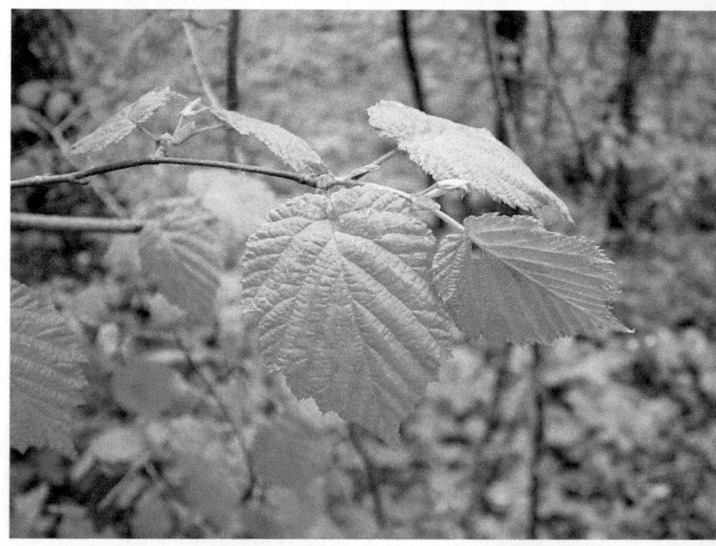

| 采收加工 |

榛子：同“榛”。

毛榛子花：清明前、后五六日采收，晾干，或加工制成干粉。

| 药材性状 |

榛子：本品近球形，直径 0.5 ~ 1.2cm。表面类白色或黄白色，光滑。气微，味微甘。

毛榛子花：本品雄花序单生，类圆柱形，长 0.5 ~ 2.5cm，表面褐色或黑褐色，具柔毛，易折断，具短柄，花序梗具柔毛。气微，味淡。

| 功能主治 |

榛子：同“榛”。

毛榛子花：止血，消肿，敛疮。用于外伤出血，冻伤，疮疖。

壳斗科 Fagaceae 栗属 *Castanea*

栗 *Castanea mollissima* Bl.

| 植物别名 | 板栗。

| 药 材 名 | 栗子（药用部位：种仁。别名：栗果、大栗）、栗树皮（药用部位：根皮或树皮。别名：栗树白皮）、栗叶（药用部位：叶）、栗花（药用部位：花）、栗壳（药用部位：外果皮）、栗毛球（药用部位：总苞。别名：栗毛壳、栗刺壳、板栗壳斗）。

| 形态特征 | 落叶乔木，高达20m，胸径80cm。冬芽长约5mm，小枝灰褐色，托叶长圆形，长10 ~ 15mm，被疏长毛及鳞腺。叶椭圆形至长圆形，长11 ~ 17cm，宽稀达7cm，先端短至渐尖，基部近截平或圆形，或两侧稍向内弯而呈耳垂状，常一侧偏斜而不对称，新生叶的基部常狭楔尖且两侧对称，叶背被星芒状伏贴绒毛或因毛脱落变为几无毛；叶柄长1 ~ 2cm。雄花序长10 ~ 20cm，花序轴被毛，花

栗

3 ~ 5 聚生成簇；雌花 1 ~ 3（~ 5）发育结实，花柱下部被毛。成熟壳斗的锐刺有长有短、有疏有密，密时全遮蔽壳斗外壁，疏时则外壁可见，壳斗连刺直径 4.5 ~ 6.5cm；坚果高 1.5 ~ 3cm，宽 1.8 ~ 3.5cm。花期 4 ~ 6 月，果期 8 ~ 10 月。

| 生境分布 | 生于平地、山地、山坡、混交林。分布于吉林通化、白山等。

| 资源情况 | 野生资源较少。药材主要来源于栽培。

| 采收加工 | 栗子：总苞由青色转黄色、微裂时采收果实，放冷凉处散热，反搭棚遮荫，棚四周夹墙，地面铺河砂，堆栗高 30cm，覆盖混砂，经常洒水保湿，10 月下旬至 11 月入窖贮藏；或剥出种子，晒干。

栗树皮：全年均可剥取根皮或树皮，鲜用或晒干。

栗叶：夏、秋季采收，多鲜用。

栗花：春季采收，鲜用或阴干。

栗壳：剥取种仁时收集外果皮，晒干。

栗毛球：剥取果实时收集总苞，晒干。

| 药材性状 | 栗子：本品呈半球形或扁圆形，先端短尖，直径 2 ~ 3cm，外表面黄白色，光滑，有时具浅纵沟纹。质实稍重，碎断后内部富粉质。气微，味微甜。

栗树皮：本品外表面暗灰色，不规则深纵裂；内表面黄白色或类白色。气微，

味微苦、涩。

栗叶：本品薄革质，长圆状披针形或长圆形，长 8 ~ 15cm，宽 5.5 ~ 7cm，先端尖尾状，基部楔形或两侧不相等，边缘具疏锯齿，齿端为内弯的刺毛状，上面深绿色，有光泽，羽状侧脉 10 ~ 17 对，中脉有毛，下面淡绿色，有白色绒毛；叶柄短，有长毛和短绒毛。气微，味微涩。

栗花：本品雄花序呈穗状，平直，长 9 ~ 20cm；花被片 6，圆形或倒卵圆形，淡黄褐色；雄蕊 8 ~ 10，花丝长约为花被的 3 倍。雌花无梗，生于雄花序下部，每 2 ~ 3（ ~ 5）聚生于有刺的总苞内；花被 6 裂；子房下位，花柱 5 ~ 9。气微，味微涩。

栗壳：本品破碎成大小不等的不规则块片，厚约 1mm。外表面褐色，平滑无毛；内表面淡褐色，平坦。质坚韧，易折断，断面凹凸不平。气微，味微苦、涩。

栗毛球：本品呈球形，直径 3 ~ 5cm，外面有不被毛的锐刺。气微，味微苦、涩。

| 功能主治 | 栗子：甘，温。归脾、胃、肾经。养胃健脾，补肾强筋，活血止血。用于反胃，泄泻，腰腿软弱，吐血，衄血，便血。

栗树皮：微苦、涩，平。解毒消肿，收敛止血。用于疝气，丹毒，口疮，漆疮。

栗叶：微甘，平。清肺止咳，解毒消肿。用于喉疮火毒，顿咳。

栗花：微苦、涩，平。清热燥湿，止血，散结。用于泻痢，便血，瘰疬。

栗壳：甘、涩，平。降逆生津，化痰止咳，清热散结，止血。用于反胃，鼻衄，便血。

栗毛球：甘、涩，平。清热散结，化痰，止血。用于丹毒，瘰疬痰核，百日咳，中风不语，便血，鼻衄。

| 用法用量 | 栗子：内服生食、煮食；或炒存性研末服。外用捣敷。

栗树皮：内服煎汤，5 ~ 10g。外用适量，煎汤洗；或烧灰调敷。

栗叶：内服煎汤，9 ~ 15g。外用适量，煎汤洗；或烧存性研末敷。

栗花：内服煎汤，9 ~ 15g；或研末。

栗壳：内服煎汤，30 ~ 60g；煅炭研末，每次 3 ~ 6g。外用适量，研末调敷。

栗毛球：内服煎汤，9 ~ 30g。外用适量，煎汤洗；或研末调敷。

壳斗科 Fagaceae 栎属 *Quercus*

麻栎 *Quercus acutissima* Carruth.

| 药 材 名 | 橡木皮（药用部位：根皮或树皮）、橡实（药用部位：果实）、橡实壳（药用部位：壳斗）。

| 形态特征 | 落叶乔木，高达 30m，胸径达 1m。树皮深灰褐色，深纵裂。幼枝被灰黄色柔毛，后渐脱落，老时灰黄色，具淡黄色皮孔。冬芽圆锥形，被柔毛。叶片形态多样，通常为长椭圆状披针形，长 8 ~ 19cm，宽 2 ~ 6cm，先端长渐尖，基部圆形或宽楔形，叶缘有刺芒状锯齿，叶片两面同色，幼时被柔毛，老时无毛或叶背面脉上有柔毛，侧脉每边 13 ~ 18；叶柄长 1 ~ 3（~ 5）cm，幼时被柔毛，后渐脱落。雄花序常数个集生于当年生枝下部叶腋，具花 1 ~ 3，花柱 30，壳斗杯形，包着坚果约 1/2，连小苞片直径 2 ~ 4cm，高约 1.5cm；小苞片钻形或扁条形，向外反曲，被灰白色绒毛。坚果卵形或椭圆形，

麻栎

直径 1.5 ~ 2cm，高 1.7 ~ 2.2cm，先端圆形，果脐凸起。花期 3 ~ 4 月，果期翌年 9 ~ 10 月。

| 生境分布 | 生于山地阳坡。分布于吉林延边、白山、通化等。

| 资源情况 | 野生资源较少。药材主要来源于野生。

| 采收加工 | 橡木皮：春、秋季剥取树皮，晒干。秋季采挖根后，趁鲜抽去木心，剥取根皮。

橡实：秋季果实成熟后采收，连壳斗摘下，晒干后除去壳斗，再晒至足干，贮放通风干燥处。

橡实壳：采收橡实时收集壳斗，晒干。

| 药材性状 | 橡木皮：本品表面呈灰黑色，粗糙，具不规则纵裂，软木质；内面类白色。气微，味稍苦、涩。

橡实：本品呈卵状球形至长卵形，长约 2cm，直径 1.5 ~ 2cm，表面淡褐色，果脐凸起。种仁白色。气微，味微涩。

橡实壳：本品呈杯状，直径 1.5 ~ 2cm，高约 2cm。外面鳞片状苞片狭披针形，呈覆瓦状排列，反曲，被灰白色柔毛；内面棕色，平滑。气微，味苦、涩。

| 功能主治 | 橡木皮：苦、涩，微温。涩肠止痢，消瘰疬，除恶疮。用于泻痢，腹痛，瘰疬，恶疮。

橡实：苦、涩，微温。解毒消肿，涩肠固脱。用于泻痢脱肛，痔血，乳腺炎。

橡实壳：涩，微温。涩肠固脱，收敛，止血。用于泻痢脱肛，腹部隐痛，肢体怕冷，肠风下血，崩中带下。

| 用法用量 | 橡木皮：内服煎汤，3 ~ 10g。外用适量，煎汤或加盐，浸洗。

橡实：内服煎汤，3 ~ 10g；或入丸、散，1.5 ~ 3g。外用适量，炒焦研末调涂。

橡实壳：内服煎汤，3 ~ 10g；或炒焦研末，3 ~ 6g。外用适量，烧存性研末，调敷；或煎汤洗。

壳斗科 Fagaceae 栎属 *Quercus*

槲树 *Quercus dentata* Thunb.

| 植物别名 | 槲栎、橡树、菠萝叶。

| 药 材 名 | 槲皮（药用部位：树皮。别名：赤龙皮、槲木皮、槲白皮）、槲叶（药用部位：叶。别名：菠萝叶）、槲籽（药用部位：种子）。

| 形态特征 | 落叶乔木，高达 25m。树皮暗灰褐色，深纵裂。小枝粗壮，有沟槽，密被灰黄色星状绒毛。芽宽卵形，密被黄褐色绒毛。叶片倒卵形或长倒卵形，长 10 ~ 30cm，宽 6 ~ 20cm，先端短钝尖，叶面深绿色，基部耳形，叶缘具波状裂片或粗锯齿，幼时被毛，后渐脱落，叶背面密被灰褐色星状绒毛，侧脉每边 4 ~ 10；托叶线状披针形，长 1.5cm；叶柄长 2 ~ 5mm，密被棕色绒毛。雄花序生于新枝叶腋，长 4 ~ 10cm，花序轴密被淡褐色绒毛，花数朵簇生于花序轴上；花被 7 ~ 8 裂，雄蕊通常 8 ~ 10；雌花序生于新枝上部叶腋，长 1 ~ 3cm。

槲树

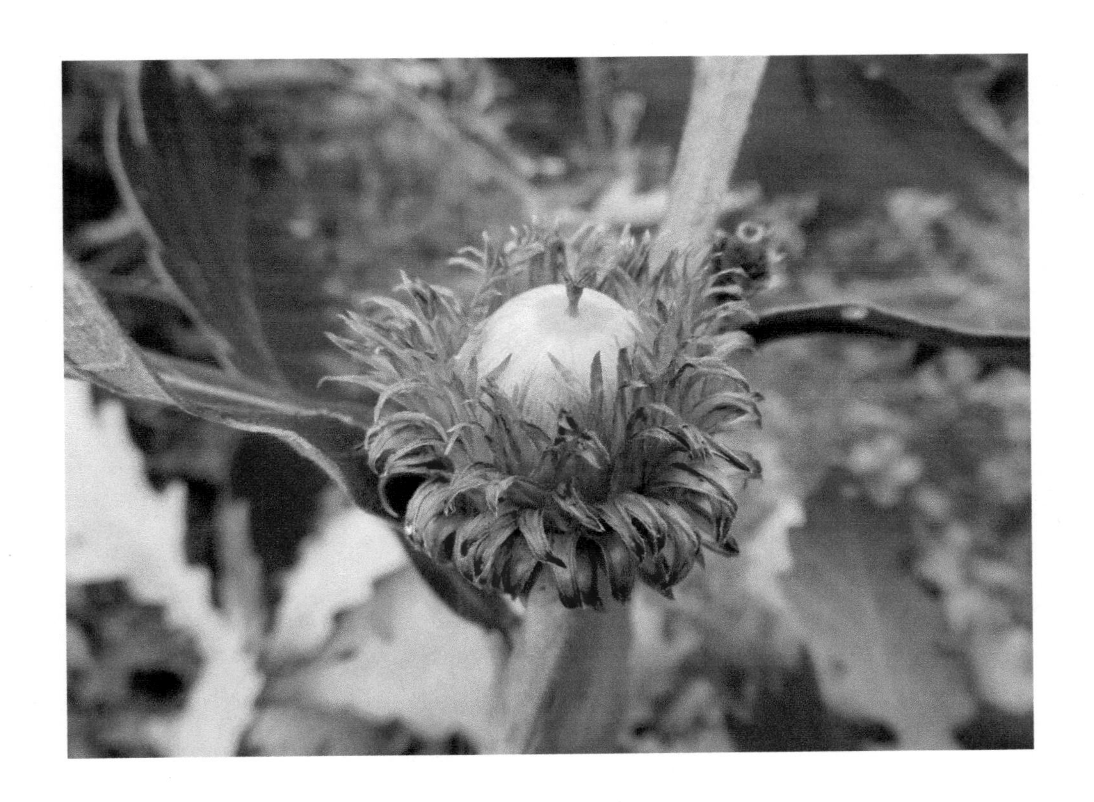

壳斗杯形，包着坚果的 1/3 ~ 1/2，连小苞片直径 2 ~ 5cm，高 0.2 ~ 2cm；小苞片革质，窄披针形，长约 1cm，反曲或直立，红棕色，外面被褐色丝状毛，内面无毛。坚果卵形至宽卵形，直径 1.2 ~ 1.5cm，高 1.5 ~ 2.3cm，无毛，有宿存花柱。花期 4 ~ 5 月，果期 9 ~ 10 月。

| 生境分布 | 生于杂木林或松林中。以长白山区为主要分布区域，分布于吉林延边、白山、通化、吉林、辽源（东丰）等，吉林东部山区有栽培。

| 资源情况 | 野生资源较少。吉林有栽培。药材主要来源于野生。

| 采收加工 | 槲皮：春季剥取，晒干。

槲叶：夏、秋季采收，鲜用或阴干。

槲籽：秋季采收，晒干。

| 功能主治 | 槲皮：苦、涩，平。利湿，清热解毒。用于恶疮，瘰疬，痢疾，肠风下血。

槲叶：甘、苦，平。清热利尿，活血止血。用于吐血，衄血，血痢，尿血，淋证，面鼻皱赤。

槲籽：苦、涩，平。归脾、胃、大肠经。涩肠止痢。用于小儿佝偻病。

用法用量	槲皮：内服煎汤，5 ~ 10g；或熬膏；或烧灰研末。外用适量，煎汤洗；或熬膏敷。 槲叶：内服煎汤，10 ~ 15g；或捣汁；或研末。外用适量，煎汤洗；或烧灰研末敷。 槲籽：内服煎汤，9 ~ 15g；或研粉，0.5 ~ 1g。
附　　注	本种壳斗及树皮可提取栲胶。本种可做食物包材。

壳斗科 Fagaceae 栎属 *Quercus*

蒙古栎 *Quercus mongolica* Fisch. ex Ledeb.

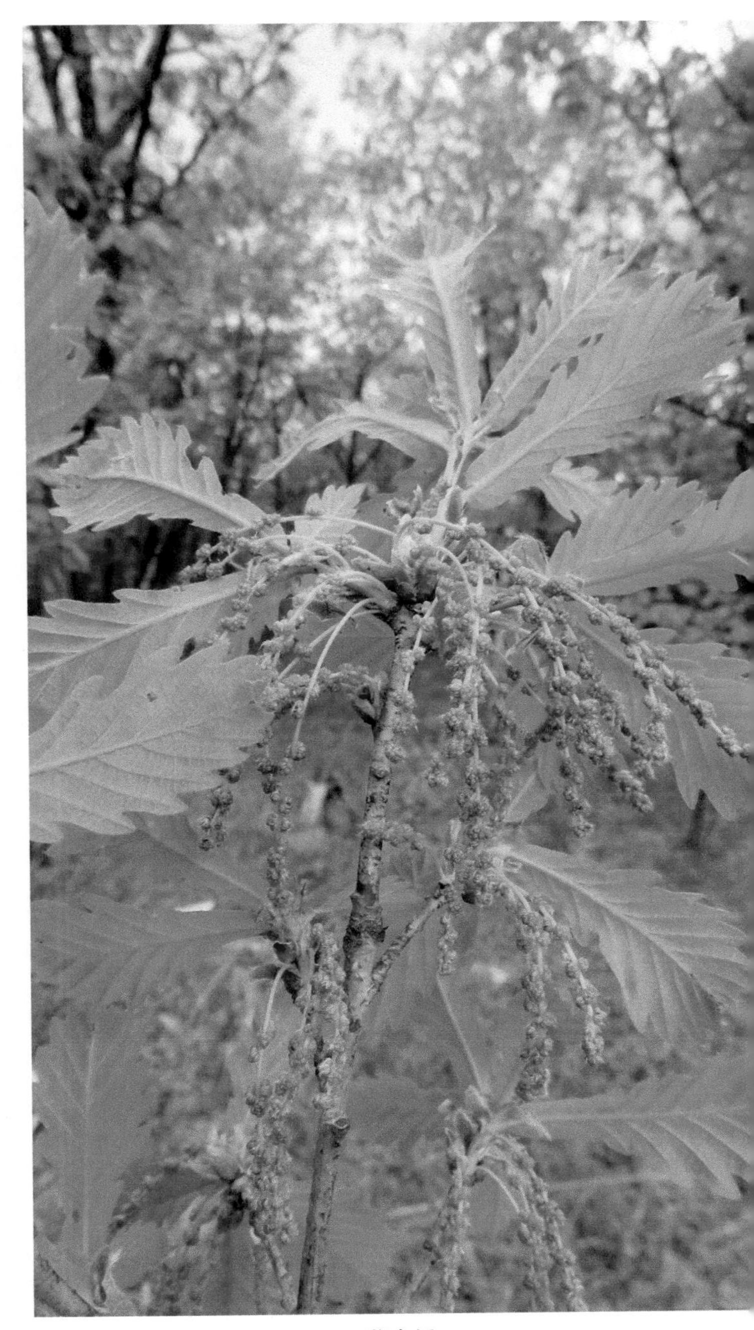
蒙古栎

|植物别名|

蒙栎、青冈栎、柞树。

|药 材 名|

柞树皮（药用部位：树皮）、柞树叶（药用部位：叶）。

|形态特征|

落叶乔木，高达 30m。树皮灰褐色，纵裂。幼枝紫褐色，有棱，无毛。顶芽长卵形，微有棱；芽鳞紫褐色，有缘毛。叶片倒卵形至长倒卵形，长 7 ~ 19cm，宽 3 ~ 11cm，先端短钝尖或短突尖，基部窄圆形或耳形，叶缘具 7 ~ 10 对钝齿或粗齿，幼时沿脉有毛，后渐脱落，侧脉每边 7 ~ 11；叶柄长 2 ~ 8mm，无毛。雄花序生于新枝下部，长 5 ~ 7cm，花序轴近无毛，花被 6 ~ 8 裂，雄蕊通常 8 ~ 10；雌花序生于新枝上端叶腋，长约 1cm，有花 4 ~ 5，通常只 1 ~ 2 发育，花被 6 裂，花柱短，柱头 3 裂。壳斗杯形，包着坚果的 1/3 ~ 1/2，直径 1.5 ~ 1.8cm，高 0.8 ~ 1.5cm，壳斗外壁小苞片三角状卵形，呈半球形瘤状凸起，密被灰白色短绒毛，伸出口部边缘呈流苏状。坚果卵形至长卵形，直径 1.3 ~ 1.8cm，高 2 ~ 2.3cm，无毛，

果脐微凸起。花期 4 ~ 5 月，果期 9 月。

| 生境分布 | 生于海拔 200 ~ 2100m 的山坡向阳干燥处的疏林中，常与辽东栎、杨、桦等混生，有时成纯林。分布于吉林延边、白山、通化、长春、吉林、辽源等。

| 资源情况 | 野生资源较丰富。药材主要来源于野生。

| 采收加工 | 柞树皮：春季剥取，刮去外层粗皮，晒干或煅炭。
柞树叶：夏、秋季采收叶，鲜用或晒干。

| 药材性状 | 柞树皮：本品多呈板片状，有的呈槽状，大小不一，厚 0.1 ~ 0.6cm。外表面棕黄色至棕褐色，有的可见残存的红棕色栓皮，具纵沟纹；内表面黄棕色，具细密纵纹。质硬而脆，易折断，断面纤维性，略呈裂片状分层。气微，味微苦、涩。
柞树叶：本品多破碎，完整叶片倒卵形至长椭圆状倒卵形，长 7 ~ 17cm，宽 4 ~ 10cm，先端钝或急尖，基部耳形，边缘具 7 ~ 10 对深波状钝齿，幼叶脉有毛，老叶无毛，侧脉 7 ~ 11 对；叶柄长 2 ~ 5mm。气微，味淡、微涩。

| 功能主治 | 柞树皮：苦、涩，平。归胃、大肠经。清热利湿，解毒消肿。用于肠炎、腹泻及细菌性痢疾。

柞树叶：微苦、涩，平。清热止痢，止咳，解毒消肿。用于痢疾，肠炎，消化不良，支气管炎，痈肿，痔疮。

| 用法用量 | 柞树皮：内服煎汤，10 ~ 15g；外用适量，煎汤泡脚。

柞树叶：内服煎汤，3 ~ 10g；研末，每次 1 ~ 1.5g，小儿酌减。外用适量，捣敷。

| 附　　注 | （1）本种药材柞树皮已被列入 2019 年版《吉林省中药材标准》第二册。

（2）吉林民间将本种树皮泡水煎煮，以水洗脚，用于腹泻。

（3）本种果实产量大，富含淀粉，脱涩后可以食用；树叶可做食物包材。

榆科 Ulmaceae 朴属 *Celtis*

黑弹树 *Celtis bungeana* Bl.

| 植物别名 | 小叶朴、棒棒树、棒子树。

| 药 材 名 | 棒棒木（药用部位：树干或枝条。别名：黑弹木）。

| 形态特征 | 落叶乔木，高达 10m。树皮灰色或暗灰色；当年生小枝淡棕色，老后色较深，无毛，散生椭圆形皮孔，去年生小枝灰褐色；冬芽棕色或暗棕色，鳞片无毛。叶厚纸质，狭卵形、长圆形、卵状椭圆形至卵形，长 3 ~ 7（~ 15）cm，宽 2 ~ 4（~ 5）cm，基部宽楔形至近圆形，稍偏斜至几乎不偏斜，先端尖至渐尖，中部以上疏具不规则浅齿，有时一侧近全缘，无毛；叶柄淡黄色，长 5 ~ 15mm，上面有沟槽，幼时槽中有短毛，老后脱净；萌发枝上的叶形变异较大，先端可具尾尖且有糙毛。果实单生于叶腋（在极少情况下，1 总梗上可具 2 果），果柄较细软，无毛，长 10 ~ 25mm，果实成熟时蓝

黑弹树

黑色，近球形，直径 6 ~ 8mm；果核近球形，肋不明显，表面极大部分近平滑或略具网孔状凹陷，直径 4 ~ 5mm。花期 4 ~ 5 月，果期 10 ~ 11 月。

| 生境分布 | 生于海拔 150 ~ 2300m 的路旁、山坡、灌丛、林边或向阳山坡及平地。分布于吉林延边、白山、通化等。

| 资源情况 | 野生资源较少。药材主要来源于野生。

| 采收加工 | 夏季割取树干刨片，晒干；或割取枝条，趁鲜剥皮，晒干。

| 药材性状 | 本品树干多刨成薄片状，外表面灰色，平滑。枝条呈圆柱状，灰褐色，有光泽；断面色白，纹理致密；坚硬。气微香，味微苦。

| 功能主治 | 辛、微苦，凉。祛痰，止咳，平喘。用于慢性咳嗽，哮喘。

| 用法用量 | 内服煎汤，30 ~ 60g。

榆科 Ulmaceae 刺榆属 *Hemiptelea*

刺榆 *Hemiptelea davidii* (Hance) Planch.

| 植物别名 | 枢。

| 药 材 名 | 刺榆皮（药用部位：根皮或树皮）、刺榆叶（药用部位：嫩叶）。

| 形态特征 | 落叶小乔木，高可达 10m，或呈灌木状。树皮深灰色或褐灰色，不规则的条状深裂；小枝灰褐色或紫褐色，被灰白色短柔毛，具粗而硬的棘刺；刺长 2 ~ 10cm；冬芽常 3 聚生于叶腋，卵圆形。叶椭圆形或椭圆状矩圆形，稀倒卵状椭圆形，长 4 ~ 7cm，宽 1.5 ~ 3cm，先端急尖或钝圆，基部浅心形或圆形，边缘有整齐的粗锯齿，叶面绿色，幼时被毛，后脱落残留有稍隆起的圆点，叶背淡绿色，光滑无毛，或在脉上有稀疏的柔毛，侧脉 8 ~ 12 对，排列整齐，斜直出至齿尖；叶柄短，长 3 ~ 5mm，被短柔毛；托叶矩圆形、长矩圆形或披针形，长 3 ~ 4mm，淡绿色，边缘具睫毛。小坚果黄绿色，斜

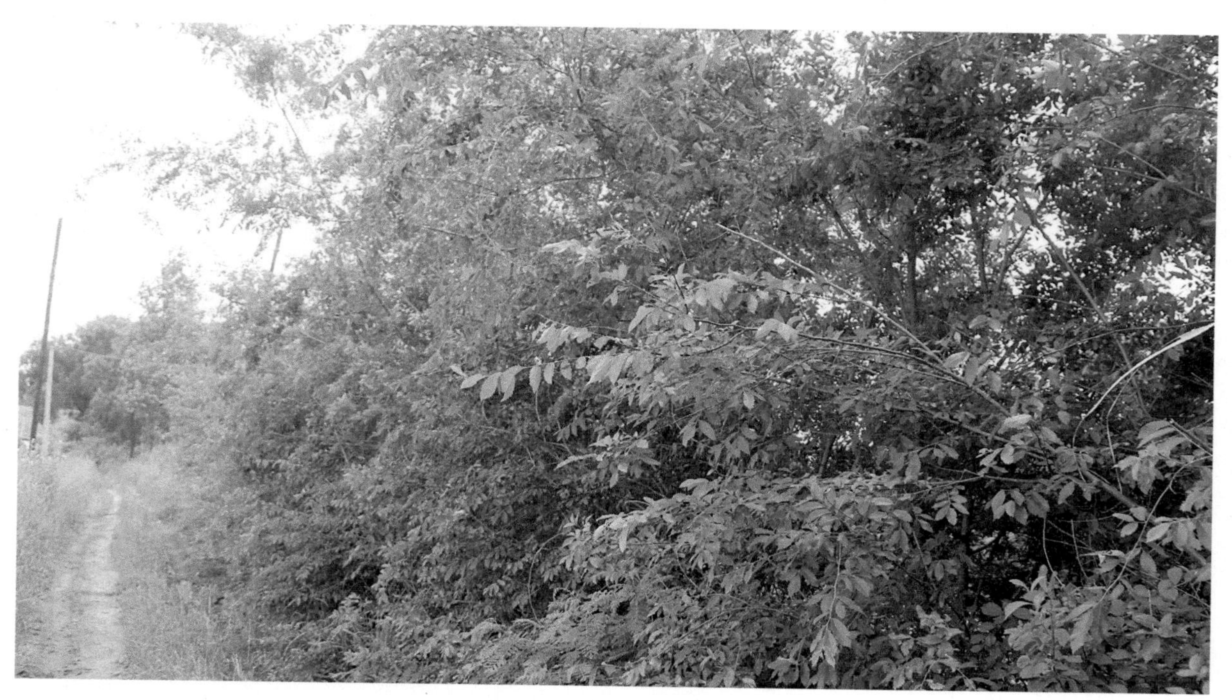

刺榆

卵圆形，两侧扁，长 5 ~ 7mm，在背侧具窄翅，形似鸡头，翅端渐狭成缘状，果柄纤细，长 2 ~ 4mm。花期 4 ~ 5 月，果期 9 ~ 10 月。

| 生境分布 | 生于坡地次生林中，也常见于村落路旁、土堤、石栎河滩。以长白山区为主要分布区域，分布于吉林延边、白山、通化、吉林、辽源（东丰）等。

| 资源情况 | 野生资源丰富。药材主要来源于野生。

| 采收加工 | 刺榆皮：全年均可采收，刮去外层粗皮，鲜用。

刺榆叶：夏、秋季采收，鲜用或阴干。

| 药材性状 | 刺榆皮：本品呈扁平的板块状或两边稍向内卷的块片状，厚 2 ~ 7mm。外表面暗灰色，粗糙且具条状深裂沟；内表面灰褐色，光滑。易折断，断面纤维性。气微，味淡、微涩。

刺榆叶：本品呈椭圆形或椭圆状长圆形，长 2 ~ 6cm，宽 1 ~ 3cm；叶柄长 1 ~ 4mm；先端微钝，基部圆形或广楔形，边缘有粗锯齿；上面深绿色，疏生柔毛或具黑色圆形凹痕，下面黄绿色，具疏柔毛或无毛。气微，味淡。

| 功能主治 | 刺榆皮：苦、辛，微寒。解毒消肿。用于疮痈肿毒，毒蛇咬伤。

刺榆叶：淡，微寒。利水消肿，解毒。用于水肿，疮疡肿毒，毒蛇咬伤。

| 用法用量 | 刺榆皮：内服煎汤，3 ~ 6g。外用适量，鲜品捣敷。

刺榆叶：内服煎汤，3 ~ 6g。外用适量，鲜品捣敷。

| 附　　注 | 本种为吉林省Ⅱ级重点保护野生植物。

榆科 Ulmaceae 榆属 *Ulmus*

春榆 *Ulmus davidiana* Planch. var. *japonica* (Rehd.) Nakai

| 植物别名 | 光叶春榆、栓皮春榆、红榆。

| 药 材 名 | 翼枝榆（药用部位：树皮或根皮）。

| 形态特征 | 落叶乔木或灌木状，高达 15m，胸径 30cm。树皮浅灰色或灰色，纵裂成不规则条状，幼枝被或密或疏的柔毛，当年生枝无毛或多少被毛，小枝有时（通常萌发枝及幼树的小枝）具向四周膨大而不规则纵裂的木栓层；冬芽卵圆形，芽鳞背面被覆部分被毛。叶倒卵形或倒卵状椭圆形，稀卵形或椭圆形，长 4 ~ 9（~ 12）cm，宽 1.5 ~ 4（~ 5.5）cm，先端尾状渐尖或渐尖，基部歪斜，1 侧楔形或圆形，1 侧近圆形至耳状，叶面幼时被散生硬毛，后脱落无毛，常留有圆形毛迹，不粗糙，叶背幼时被密毛，后变无毛，脉腋常被簇生毛，边缘具重锯齿，侧脉每边 12 ~ 22；叶柄长 5 ~ 10（~ 17）mm，

春榆

全被毛或仅上面被毛。花在去年生枝上排成簇状聚伞花序。翅果倒卵形或近倒卵形，长10 ~ 19mm，宽 7 ~ 14mm，果翅通常无毛，稀被疏毛；果核部分常被密毛，或被疏毛，位于翅果中上部或上部，上端接近缺口；宿存花被无毛，裂片 4；果柄被毛，长约 2mm。花果期 4 ~ 5 月。

| 生境分布 |

生于林缘、路旁、阳光充足处、石灰岩山地及谷地。以长白山区为主要分布区域，分布于吉林延边、白山、通化、吉林、辽源（东丰）等。

| 资源情况 |

野生资源较丰富。药材主要来源于野生。

| 采收加工 |

春、秋季采挖根皮或剥取树皮，鲜用或晒干。

| 药材性状 |

本品树皮呈扁平的板块状或两边稍向内卷的块片状，厚 0.2 ~ 1cm。外表面暗灰色，粗糙且具条状深裂沟；内表面黄色或浅黄色。易折断，断面不规则，具纤维性。气微，味淡。

| 功能主治 |

驱虫消积，祛痰利尿。用于小儿疳积，骨瘤，骨结核。

榆科 Ulmaceae 榆属 *Ulmus*

裂叶榆 *Ulmus laciniata* (Trautv.) Mayr.

| 植物别名 | 大叶榆、粘榆、山榆。

| 药 材 名 | 裂叶榆（药用部位：果实）。

| 形态特征 | 落叶乔木，高达 27m，胸径 50cm。树皮淡灰褐色或灰色，浅纵裂，裂片较短，常翘起，表面常呈薄片状剥落；一年生枝幼时被毛，后变无毛或近无毛，二年生枝淡褐灰色、淡灰褐色或淡红褐色，小枝无木栓翅；冬芽卵圆形或椭圆形，内部芽鳞毛较明显。叶倒卵形、倒三角状、倒三角状椭圆形或倒卵状长圆形，长 7 ~ 18cm，宽 4 ~ 14cm，先端通常 3 ~ 7 裂，裂片三角形，渐尖或尾状，不裂之叶先端具或长或短的尾状尖头，基部明显偏斜，楔形、微圆形、半心形或耳状，较长的一侧常覆盖叶柄，与叶柄近等长，其下端常接触枝条，边缘具较深的重锯齿，叶面密生硬毛，粗糙，叶背被柔毛，

裂叶榆

沿叶脉较密，脉腋常有簇生毛，侧脉每边 10 ~ 17；叶柄极短，长 2 ~ 5mm，密被短毛或下面的毛较少。花在去年生枝上排成簇状聚伞花序。翅果椭圆形或长圆状椭圆形，长 1.5 ~ 2cm，宽 1 ~ 1.4cm，除先端凹缺柱头面被毛外，余处无毛；果核部分位于翅果的中部或稍向下；宿存花被无毛，钟状，常 5 浅裂，裂片边缘有毛；果柄常较花被短，无毛。花果期 4 ~ 5 月。

| 生境分布 | 生于排水良好、湿润的山坡、谷地、溪边或混生于林内。以长白山区为主要分布区域，分布于吉林延边、白山、通化、吉林、辽源（东丰）等。

| 资源情况 | 野生资源较少。药材主要来源于野生。

| 采收加工 | 秋季果实成熟时割取果穗，晒干，打下果实，除去杂质，晒干。

| 功能主治 | 消积杀虫。用于饮食积滞。

榆科 Ulmaceae 榆属 *Ulmus*

大果榆 *Ulmus macrocarpa* Hance

| 植物别名 | 黄榆、蒙古黄榆、矮形黄榆。

| 药 材 名 | 大果榆（药用部位：果实。别名：黄榆、山榆、毛榆）、芜荑（药材来源：果实加工品。别名：无夷、芜荑仁、白芜荑）。

| 形态特征 | 落叶乔木或灌木，高达 20m，胸径可达 40cm。树皮暗灰色或灰黑色，纵裂，粗糙，小枝有时（尤以萌发枝及幼树的小枝）两侧具对生而扁平的木栓翅，间或上下亦有微凸起的木栓翅，稀在较老的小枝上有 4 条几等宽而扁平的木栓翅；幼枝有疏毛，一、二年生枝淡褐黄色或淡黄褐色，稀淡红褐色，无毛或一年生枝有疏毛，具散生皮孔；冬芽卵圆形或近球形，芽鳞背面多少被短毛或无毛，边缘有毛。叶宽倒卵形、倒卵状圆形、倒卵状菱形或倒卵形，稀椭圆形，厚革质，大小变异很大，通常长 5 ~ 9cm，宽 3.5 ~ 5cm，最小之叶长 1 ~ 3cm，

大果榆

宽 1 ~ 2.5cm，最大之叶长达 14cm，宽至 9cm，先端短尾状，稀骤凸，基部渐窄至圆形，偏斜或近对称，多少心形或一侧楔形，两面粗糙，叶面密生硬毛或有凸起的毛迹，叶背常有疏毛，脉上较密，脉腋常有簇生毛，侧脉每边 6 ~ 16，边缘具大而浅钝的重锯齿，或兼有单锯齿；叶柄长 2 ~ 10mm，仅上面有毛或下面有疏毛。花自花芽或混合芽抽出，在去年生枝上排成簇状聚伞花序或散生于新枝的基部。翅果宽倒卵状圆形、近圆形或宽椭圆形，长 1.5 ~ 4.7（常 2.5 ~ 3.5）cm，宽 1 ~ 3.9（常 2 ~ 3）cm，基部多少偏斜或近对称，微狭或圆，有时子房柄较明显，先端凹或圆，缺口内缘柱头面被毛，两面及边缘有毛；果核部分位于翅果中部；宿存花被钟形，外被短毛或几无毛，上部 5 浅裂，裂片边缘有毛；果柄长 2 ~ 4mm，被短毛。花果期 4 ~ 5 月。

| 生境分布 | 生于海拔 700 ~ 1800m 的山坡、谷地、台地、黄土丘陵、固定沙丘及岩缝中。分布于吉林吉林、通化、延边等。

| 资源情况 | 野生资源较少。药材主要来源于野生。

| 采收加工 | 大果榆：秋季果实成熟时割取果穗，晒干，打下果实，除去杂质，晒干。

芜荑：夏季果实成熟时采下，晒干，搓去膜翅，取出种子，将 55kg 种子浸入水中，待发酵后，加入家榆树皮面 5kg、红土 15kg、菊花末 2.5kg 与适量温开水混合均匀成糊状，放板上摊平至约 1.3cm 厚，截成约 6.7cm 的方块，晒干，即为成品。亦可在 5 ~ 6 月采果实取种仁，用种子、异叶败酱、家榆树皮以 6 : 2 : 1 的比例混合制成扁平方块，晒干。

| 药材性状 | 大果榆：本品呈倒卵状圆形、近圆形或宽椭圆形，长 1.5 ~ 3.5cm。先端凹或圆，果柄被短毛。气特异，味微酸、涩。

芜荑：本品呈扁平方块状，表面黄褐色，有多数小孔和空隙，杂有纤维和种子。体质松脆而粗糙，断面黄黑色，易呈鳞片状剥离。气特异，味微酸、涩。

| 功能主治 | 大果榆：苦、辛，温。祛痰，利尿，杀虫。用于痰多咳嗽，浮肿，小便不利，蛔虫病。

芜荑：苦、辛，平。归脾、胃经。杀虫，消积。用于蛔虫病，蛲虫病，虫积腹痛，小儿疳积，冷痢，疥癣，恶疮。

| 用法用量 | 大果榆：内服煎汤，9 ~ 15g。

芜荑：内服煎汤，3 ~ 10g；或入丸、散。外用适量，研末调敷。

| 附　　注 | 本种为吉林省Ⅲ级重点保护野生植物。

榆科 Ulmaceae 榆属 *Ulmus*

榔榆 *Ulmus parvifolia* Jacq.

| 药 材 名 | 榔榆（药用部位：树皮或根皮、茎叶）。

| 形态特征 | 落叶乔木，或冬季叶变为黄色或红色宿存至第二年新叶开放后脱落，高达 25m，胸径可达 1m。树冠广圆形，树干基部有时呈板状根，树皮灰色或灰褐色，裂成不规则鳞状薄片剥落，露出红褐色内皮，近平滑，微凹凸不平；当年生枝密被短柔毛，深褐色；冬芽卵圆形，红褐色，无毛。叶质厚，披针状卵形或窄椭圆形，稀卵形或倒卵形，中脉两侧长宽不等，长 1.7 ~ 8（常 2.5 ~ 5）cm，宽 0.8 ~ 3（常 1 ~ 2）cm，先端尖或钝，基部偏斜、楔形或一侧圆，叶面深绿色，有光泽，除中脉凹陷处有疏柔毛外，余处无毛，侧脉不凹陷，叶背色较浅，幼时被短柔毛，后变无毛或沿脉有疏毛，或脉腋有簇生毛，边缘从基部至先端有钝而整齐的单锯齿，稀重锯齿（如萌发枝的叶），

榔榆

侧脉每边 10 ~ 15，细脉在两面均明显，叶柄长 2 ~ 6mm，仅上面有毛。花秋季开放，3 ~ 6 在叶腋簇生或排成簇状聚伞花序；花被上部杯状，下部管状，花被片 4，深裂至杯状花被的基部或近基部；花梗极短，被疏毛。翅果椭圆形或卵状椭圆形，长 10 ~ 13mm，宽 6 ~ 8mm，除先端缺口柱头面被毛外，余处无毛；果翅稍厚，基部的柄长约 2mm，两侧的翅较果核部分窄；果核部分位于翅果的中上部，上端接近缺口，花被片脱落或残存；果柄较管状花被短，长 1 ~ 3mm，有疏生短毛。花果期 8 ~ 10 月。

| 生境分布 | 生于平原、丘陵、山坡及谷地。分布于吉林长春、吉林、辽源、白城、松原、四平等。

| 资源情况 | 野生资源较少。药材主要来源于野生。

| 采收加工 | 春、秋季剥取树皮，或采挖根，剥取根皮，晾干；夏季采收茎叶，鲜用或阴干。

| 功能主治 | 树皮或根皮，甘、微苦，寒。利水，通淋，消痈。用于乳痈，风毒流注。茎叶用于疮肿，腰酸背痛，牙痛。

| 用法用量 | 内服煎汤，10 ~ 15g。

榆科 Ulmaceae 榆属 *Ulmus*

榆树 *Ulmus pumila* L.

| 植物别名 | 家榆、白榆、榆钱儿。

| 药 材 名 | 榆白皮（药用部位：树皮或根皮的韧皮部。别名：榆皮、榆根白皮、榆树皮）、榆枝（药用部位：枝）、榆花（药用部位：花）。

| 形态特征 | 落叶乔木，高达 25m，胸径 1m，在干瘠之地长成灌木状。幼树树皮平滑，灰褐色或浅灰色，大树之皮暗灰色，不规则深纵裂，粗糙；小枝无毛或有毛，淡黄灰色、淡褐灰色或灰色，稀淡褐黄色或黄色，有散生皮孔，无膨大的木栓层及凸起的木栓翅；冬芽近球形或卵圆形，芽鳞背面无毛，内层芽鳞的边缘具白色长柔毛。叶椭圆状卵形、长卵形、椭圆状披针形或卵状披针形，长 2 ~ 8cm，宽 1.2 ~ 3.5cm，先端渐尖或长渐尖，基部偏斜或近对称，一侧楔形至圆形，另一侧圆形至半心形，叶面平滑无毛，叶背幼时有短柔毛，后变无毛或部分脉腋有簇生毛，边缘具重锯齿或单锯齿，侧脉每边 9 ~ 16，叶柄

榆树

长 4 ~ 10mm，通常仅上面有短柔毛。花先叶开放，在去年生枝的叶腋成簇生状。翅果近圆形，稀倒卵状圆形，长 1.2 ~ 2cm，除先端缺口柱头面被毛外，余处无毛；果核部分位于翅果的中部，上端不接近或接近缺口，成熟前后其色与果翅相同，初淡绿色，后白黄色；宿存花被无毛，4 浅裂，裂片边缘有毛；果柄较花被短，长 1 ~ 2mm，被（或稀无）短柔毛。花果期 3 ~ 6 月。

| 生境分布 | 生于海拔 1000m 以下的山坡、山谷、川地、丘陵及沙岗等处。吉林各地均有分布。

| 资源情况 | 野生资源较丰富。药材主要来源于野生。

| 采收加工 | 榆白皮：春季或 8 ~ 9 月割下老枝条，立即剥取内皮，晒干。

榆枝：夏、秋季采收，切厚片，晒干。

榆花：3 ~ 4 月采收，鲜用或晒干。

| 药材性状 | 榆白皮：本品呈板片状或浅槽状，长短不一，厚 3 ~ 7mm；外表面浅黄白色或灰白色，较平坦，皮孔横生，嫩皮较明显，有不规则的纵向浅裂纹，偶有残存的灰褐色粗灰；内表面黄棕色，具细密的纵棱纹。质柔韧，纤维性。气微，味淡，有黏性。

榆枝：本品呈圆形厚片，表面类白色，中心髓部小，呈白色，周边黄褐色。质坚硬。气微，味微涩。

榆花：本品略呈类球形或不规则团状，直径 5 ~ 8mm，有短梗，暗紫色。花被钟形，4 ~ 5 裂。体轻，质柔韧。气微，味淡。

| 功能主治 | 榆白皮：甘，平。利水消肿，通淋。用于小便不通，淋浊，水肿，痈疽发背，丹毒，疥癣。

榆枝：甘，平。利尿通淋。用于气淋。

榆花：甘，平。清热定惊，利尿疗疮。用于小儿惊痫，小便不利，头疮。

| 用法用量 | 榆白皮：内服煎汤，4.5 ~ 9g；或研末。外用适量，煎汤洗；或捣敷；或研末调敷。

榆枝：内服煎汤，9 ~ 15g。

榆花：内服煎汤，5 ~ 9g。外用适量，研末调敷。

桑科 Moraceae 波罗蜜属 *Artocarpus*

波罗蜜 *Artocarpus heterophyllus* Lam.

|植物别名| 木波罗、树波罗。

|药 材 名| 波罗蜜（药用部位：果肉、种子。别名：菠萝蜜、牛肚子果、树波罗）。

|形态特征| 常绿乔木，高 10 ~ 20m，胸径 30 ~ 50cm。老树常有板状根；树皮厚，黑褐色；小枝直径 2 ~ 6mm，具纵皱纹至平滑，无毛；托叶抱茎，环状，遗痕明显。叶革质，螺旋状排列，椭圆形或倒卵形，长 7 ~ 15cm 或更长，宽 3 ~ 7cm，先端钝或渐尖，基部楔形，成熟之叶全缘，在幼树和萌发枝上的叶常分裂，表面墨绿色，干后浅绿色或淡褐色，无毛，有光泽，背面浅绿色，略粗糙，叶肉细胞具长臂，组织中有球形或椭圆形树脂细胞，侧脉羽状，每边 6 ~ 8，中脉在背面显著凸起；叶柄长 1 ~ 3cm；托叶抱茎，卵形，长 1.5 ~ 8cm，外面被贴伏柔毛或无毛，脱落。花雌雄同株，花序生于老茎或短枝

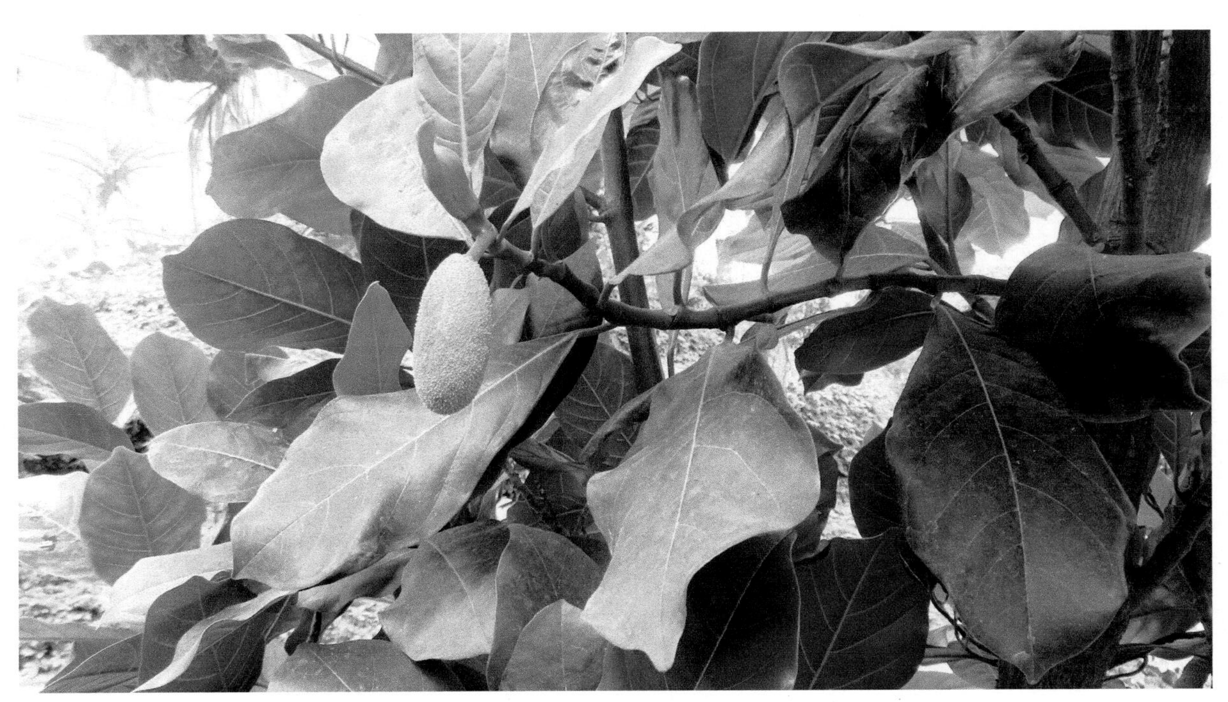

波罗蜜

上，雄花序有时着生于枝端叶腋或短枝叶腋，圆柱形或棒状椭圆形，长 2 ~ 7cm，花多数，其中有些花不发育，总花梗长 10 ~ 50mm；雄花花被管状，长 1 ~ 1.5mm，上部 2 裂，被微柔毛，雄蕊 1，花丝在花蕾中直立，花药椭圆形，无退化雌蕊；雌花花被管状，顶部齿裂，基部陷于肉质球形花序轴内，子房 1 室。聚花果椭圆形至球形或不规则形状，长 30 ~ 100cm，直径 25 ~ 50cm，幼时浅黄色，成熟时黄褐色，表面有坚硬六角形瘤状突起和粗毛；核果长椭圆形，长约 3cm，直径 1.5 ~ 2cm。花期 2 ~ 3 月。

| 生境分布 | 生于农田、庭院等。吉林无野生分布，部分地区有栽培，多见于庭院、药园等。

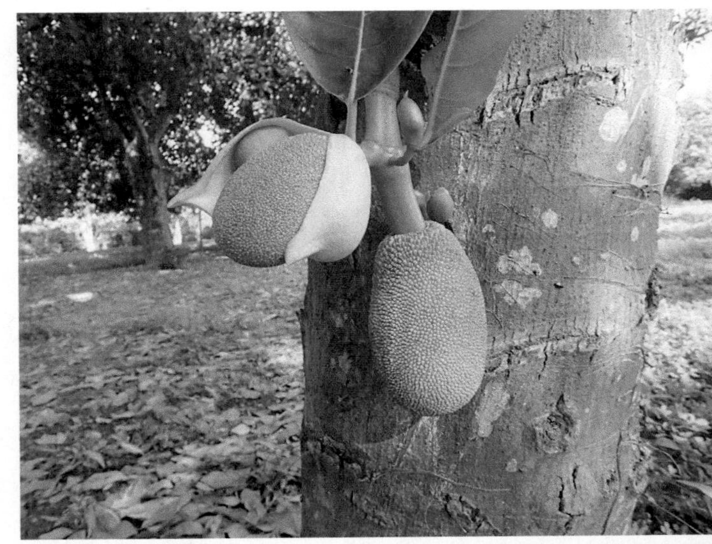

| 资源情况 | 吉林偶见栽培。药材主要来源于栽培。

| 采收加工 | 果实成熟时采摘果实，早熟种为 5 ~ 6 月，迟熟种为 8 ~ 9 月；也可采未成熟的果实，晒干或鲜用。果实成熟时收集种子，晒干或鲜用。

| 功能主治 | 甘、微酸，平。生津除烦，解酒醒脾。用于产后缺乳，气虚，胸闷痛，疮疖肿痛，腺体发炎，手脚疼痛，毒蛇咬伤。

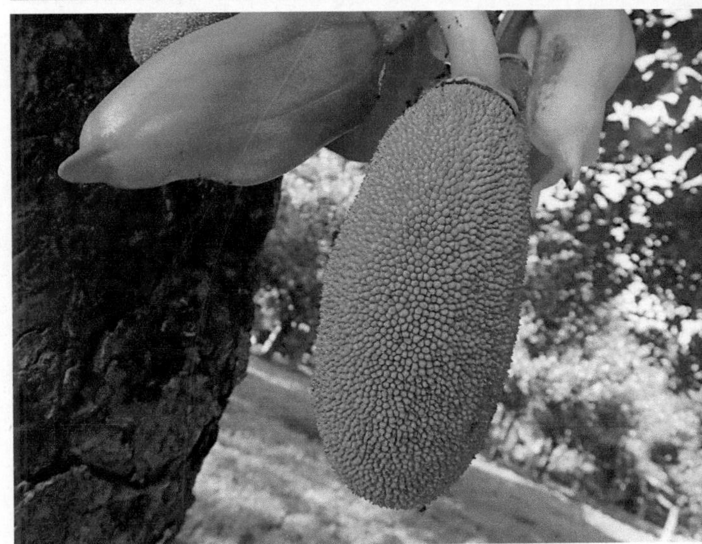

| 用法用量 | 内服，鲜品生食，50 ~ 100g。

桑科 Moraceae 大麻属 *Cannabis*

大麻 *Cannabis sativa* L.

| 植物别名 | 线麻、籽麻、火麻。

| 药 材 名 | 火麻仁（药用部位：果实。别名：麻于仁、线麻子、黄麻仁）。

| 形态特征 | 一年生直立草本，高 1 ~ 3m。枝具纵沟槽，密生灰白色贴伏毛。叶掌状全裂，裂片披针形或线状披针形，长 7 ~ 15cm（中裂片最长），宽 0.5 ~ 2cm，先端渐尖，基部狭楔形，表面深绿色，微被糙毛，背面幼时密被灰白色贴伏毛，后变无毛，边缘具向内弯的粗锯齿，中脉及侧脉在表面微下陷，背面隆起；叶柄长 3 ~ 15cm，密被灰白色贴伏毛；托叶线形。雄花序长达 25cm，花黄绿色，花被 5，膜质，外面被细伏贴毛，雄蕊 5，花丝极短，花药长圆形，小花柄长 2 ~ 4mm；雌花绿色；花被 1，紧包子房，略被小毛，子房近球形，为苞片包被。瘦果被宿存黄褐色苞片所包，果皮坚脆，表面具细网

大麻

纹。花期 5 ~ 6 月，果期 7 月。

| 生境分布 | 生于农田、路旁、荒野及村屯附近。吉林各地均有分布，吉林东部山区、中部半山区有栽培。

| 资源情况 | 野生资源较丰富。吉林偶见栽培。药材主要来源于野生。

| 采收加工 | 秋季果实成熟后，割下果穗或连茎割下，晒干，打下果实，除去杂质，干燥。

| 药材性状 | 本品呈卵圆形，长 4 ~ 5.5mm，直径 2.5 ~ 4mm。表面灰绿色或灰黄色，有微细的白色或棕色网纹，两边有棱，先端略尖，基部有 1 圆形果柄痕。果皮薄而脆，易破碎。种皮绿色，子叶 2，乳白色，富油性。气微，味淡。

| 功能主治 | 甘，平。归脾、胃、大肠经。润肠通便。用于血虚津亏，肠燥便秘。

| 用法用量 | 内服煎汤，10 ~ 15g；或入丸、散。外用适量，捣敷；或煎汤洗。

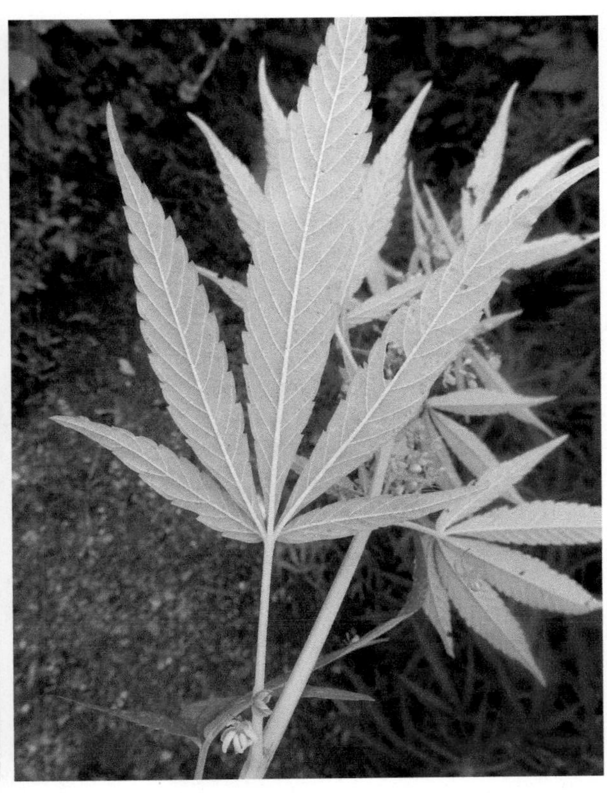

桑科 Moraceae 葎草属 *Humulus*

啤酒花 *Humulus lupulus* Linn.

| 植物别名 | 蛇麻草、酒花。

| 药 材 名 | 啤酒花（药用部位：未成熟带花果穗。别名：忽布、香蛇麻、野酒花）。

| 形态特征 | 多年生攀缘草本，茎、枝和叶柄密生绒毛和倒钩刺。叶卵形或宽卵形，长 4 ~ 11cm，宽 4 ~ 8cm，先端急尖，基部心形或近圆形，不裂或 3 ~ 5 裂，边缘具粗锯齿，表面密生小刺毛，背面疏生小毛和黄色腺点；叶柄长不超过叶片。雄花排列为圆锥花序，花被片与雄蕊均为 5；雌花每 2 朵生于 1 苞片腋间，苞片呈覆瓦状排列为 1 近球形的穗状花序。果穗球果状，直径 3 ~ 4cm；宿存苞片干膜质，果实增大，长约 1cm，无毛，具油点。瘦果扁平，每苞腋 1 ~ 2，内藏。花期秋季。

| 生境分布 | 生于光照较好的山地林缘、灌丛或河流两岸的湿地，连片分布。吉

啤酒花

林部分地区有栽培。

| 资源情况 | 无野生分布，吉林偶见栽培。药材主要来源于栽培。

| 采收加工 | 夏、秋季花初开时采摘，阴干或烘干。

| 功能主治 | 苦，平。归肝、胃经。健胃消食，养心安神，利尿消肿。用于消化不良，腹胀，浮肿，小便淋痛，肺痨，失眠。

| 用法用量 | 内服煎汤，3 ~ 9g。

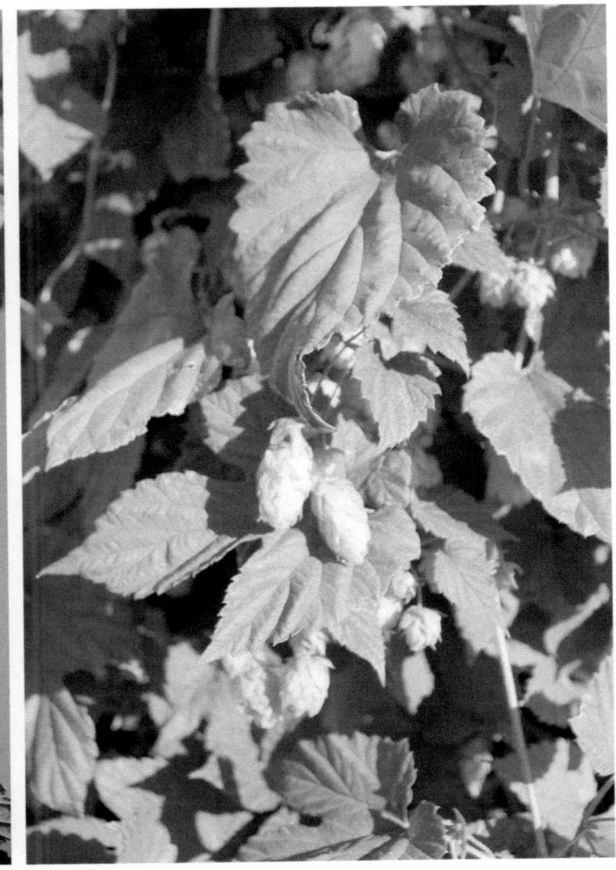

桑科 Moraceae 葎草属 *Humulus*

葎草 *Humulus scandens* (Lour.) Merr.

| 植物别名 | 拉拉秧、勒草、锯锯藤。

| 药 材 名 | 葎草（药用部位：地上部分。别名：勒草、穿肠草、拉拉秧）。

| 形态特征 | 缠绕草本，茎、枝和叶柄均具倒钩刺。叶纸质，肾状五角形，掌状 5 ～ 7 深裂，稀 3 裂，长、宽均 7 ～ 10cm，基部心形，表面粗糙，疏生糙伏毛，背面有柔毛和黄色腺体，裂片卵状三角形，边缘具锯齿；叶柄长 5 ～ 10cm。雄花小，黄绿色，圆锥花序，长 15 ～ 25cm；雌花序球果状，直径约 5mm，苞片纸质，三角形，先端渐尖，具白色绒毛；子房被苞片所包，柱头 2，伸出苞片外。瘦果成熟时露出苞片外。花期春、夏季，果期秋季。

| 生境分布 | 生于沟边、荒地、废墟、林缘边。吉林各地均有分布。

葎草

| 资源情况 | 野生资源丰富。药材主要来源于野生。

| 采收加工 | 6 月初至 9 月末采收，除去杂质，晒干。

| 药材性状 | 本品为缠绕草本，茎、枝和叶柄均密生倒钩刺。茎淡绿色，有纵棱，呈六角柱形，不易折断。叶对生，有长柄，叶片呈肾状五角形，直径 7 ~ 10cm，掌状 5 深裂，稀为 3 或 7 裂，裂片卵形或卵状三角形，边缘呈锯齿状，先端急尖或渐尖，基部心形，两面生粗糙硬毛，下表面有黄色腺点。有时可见圆锥花序，长约 15 ~ 25cm，雄花小，花被 5 片，黄绿色；雌花序球果状，直径约 0.5cm，包片纸质，卵状披针形，具白色绒毛。体轻。气微，味淡、微苦。

| 功能主治 | 清热解毒，利尿通淋，退热除蒸。用于肺热咳嗽，发热烦渴，热淋涩痛，湿热泻痢，骨蒸潮热；外治痈疖肿毒、湿疹、虫蛇咬伤。

| 用法用量 | 内服煎汤，10 ~ 20g；外用适量。

| 附　　注 | 本种药材已被列入 2019 年版《吉林省中药材标准》第一册。

桑科 Moraceae 桑属 *Morus*

 *Morus alba* L.

| 植物别名 | 桑树、野桑。

| 药 材 名 | 桑白皮（药用部位：根皮）、桑枝（药用部位：嫩枝）、桑叶（药用部位：叶）、桑椹（药用部位：果穗）。

| 形态特征 | 落叶乔木或为灌木，高 3 ~ 10m 或更高，胸径可达 50cm。树皮厚，灰色，具不规则浅纵裂；冬芽红褐色，卵形，芽鳞覆瓦状排列，灰褐色，有细毛；小枝有细毛。叶卵形或广卵形，长 5 ~ 15cm，宽 5 ~ 12cm，先端急尖、渐尖或圆钝，基部圆形至浅心形，边缘锯齿粗钝，有时叶为各种分裂，表面鲜绿色，无毛，背面沿脉有疏毛，脉腋有簇毛；叶柄长 1.5 ~ 5.5cm，具柔毛；托叶披针形，早落，外面密被细硬毛。花单性，腋生或生于芽鳞腋内，与叶同时生出；雄花序下垂，长 2 ~ 3.5cm，密被白色柔毛，雄花花被片宽椭圆形，淡绿色，花丝在

桑

芽时内折，花药 2 室，球形至肾形，纵裂；雌花序长 1 ~ 2cm，被毛，总花梗长 5 ~ 10mm，被柔毛，雌花无梗，花被片倒卵形，先端圆钝，外面和边缘被毛，两侧紧抱子房，无花柱，柱头 2 裂，内面有乳头状突起。聚花果卵状椭圆形，长 1 ~ 2.5cm，成熟时红色或暗紫色。花期 4 ~ 5 月，果期 5 ~ 8 月。

| 生境分布 | 生于山坡疏林中。以长白山区为主要分布区域，分布于吉林延边、白山、通化、吉林、辽源（东丰）等，中部、西部地区有栽培。

| 资源情况 | 野生资源较少。吉林有栽培。药材主要来源于栽培。

| 采收加工 | 桑白皮：秋末叶落至次春发芽前采挖根部，刮去黄棕色粗皮，纵向剖开，剥取根皮，晒干。

桑枝：春末夏初采收，去叶，晒干；或趁鲜切片，晒干。

桑叶：初霜后采收，除去杂质，晒干。

桑椹：4 ~ 6 月果实变红时采收，晒干或略蒸后晒干。

| 药材性状 | 桑白皮：本品呈扭曲的卷筒状、槽状或板片状，长短、宽窄不一，厚 1 ~ 4mm；外表面白色或淡黄白色，较平坦，有的残留橙黄色或棕黄色鳞片状粗皮；内表面黄白色或灰黄色，有细纵纹。体轻，质韧，纤维性强，难折断，易纵向撕裂，

撕裂时有粉尘飞扬。气微，味微甘。以色白、皮厚、粉性足者为佳。

桑枝：本品呈长圆柱形，少有分枝，长短不一，直径 0.5 ~ 1.5cm；表面灰黄色或黄褐色，有多数黄褐色点状皮孔及细纵纹，并有灰白色略呈半圆形的叶痕和黄棕色的腋芽。质坚韧，不易折断，断面纤维性。切片厚 0.2 ~ 0.5cm，皮部较薄，木部黄白色，射线放射状，髓部白色或黄白色。气微，味淡。以质嫩、断面黄白色者为佳。

桑叶：本品多皱缩、破碎，完整者有柄，叶片展平后呈卵形或宽卵形，长 8 ~ 15cm，宽 7 ~ 13cm；先端渐尖，基部截形、圆形或心形，边缘有锯齿或钝锯齿，有的不规则分裂；上表面黄绿色或浅黄棕色，有的有小疣状突起，下表面颜色稍浅，叶脉凸出，小脉网状，脉上被疏毛，脉基具簇毛。质脆。气微，味微苦、涩。以叶片完整、大而厚、色黄绿、质脆、无杂质者为佳。

桑椹：本品为聚花果，由多数小瘦果集合而成，呈长圆形，长 1 ~ 2cm，直径 0.5 ~ 0.8cm，黄棕色、棕红色或暗紫色，有短果序梗。小瘦果卵圆形，稍扁，长约 2mm，宽约 1mm，外具肉质花被片 4。气微，味微酸而甜。

| 功能主治 |

桑白皮：甘，寒。归肺、脾经。泻肺平喘，利水消肿。用于肺热喘咳，水肿胀满尿少，面目肌肤浮肿。

桑枝：苦，平。归肝经。祛风湿，利关节。用于风湿痹病，肩臂、关节酸痛麻木。

桑叶：苦、甘，寒。归肺、肝经。疏散风热，清肺润燥，清肝明目。用于风热感冒，肺热燥咳，头晕头痛，目赤昏花。

桑椹：甘，寒。归肝、肾经。滋阴补血，生津润燥。用于肝肾阴虚，眩晕耳鸣，心悸失眠，须发早白，津伤口渴，内热消渴，肠燥便秘。

| 用法用量 | 桑白皮：内服煎汤，6 ~ 12g；或入散剂。外用适量，捣汁涂；或煎汤洗。

桑枝：内服煎汤，30 ~ 60g；或熬膏。外用适量，煎汤熏洗。

桑叶：内服煎汤，5 ~ 10g；或入丸、散。外用适量，煎汤洗；或捣敷。

桑椹：内服煎汤，10 ~ 15g；或熬膏、浸酒、生啖；或入丸、散。外用适量，浸水洗。

| 附　　注 | 本种在吉林产出量较大，有一定的药用历史。在《吉林通志》（1891 年）、《抚松县志》（1930 年）中均有关于“桑”的记载。在《（民国）安图县志》（1929 年）、《珲春乡土志》（1935 年）、《（伪康德）通化县志》（1935 年）等地方志中均有关于“桑白皮”的记载。在《永吉县志》（1931 年）中有关于“桑叶”的记载。在《吉林新志》（1934 年）中有关于“桑葚”的记载。

桑科 Moraceae 桑属 *Morus*

鸡桑 *Morus australis* Poir.

| 植物别名 | 山桑、集桑、小叶桑。

| 药 材 名 | 鸡桑（药用部位：根或根皮、叶）。

| 形态特征 | 落叶灌木或小乔木。树皮灰褐色；冬芽大，圆锥状卵圆形。叶卵形，长 5 ~ 14cm，宽 3.5 ~ 12cm，先端急尖或尾状，基部楔形或心形，边缘具粗锯齿，不分裂或 3 ~ 5 裂，表面粗糙，密生短刺毛，背面疏被粗毛；叶柄长 1 ~ 1.5cm，被毛；托叶线状披针形，早落。雄花序长 1 ~ 1.5cm，被柔毛，雄花绿色，具短梗，花被片卵形，花药黄色；雌花序球形，长约 1cm，密被白色柔毛，雌花花被片长圆形，暗绿色，花柱很长，柱头 2 裂，内面被柔毛。聚花果短椭圆形，直径约 1cm，成熟时红色或暗紫色。花期 3 ~ 4 月，果期 4 ~ 5 月。

鸡桑

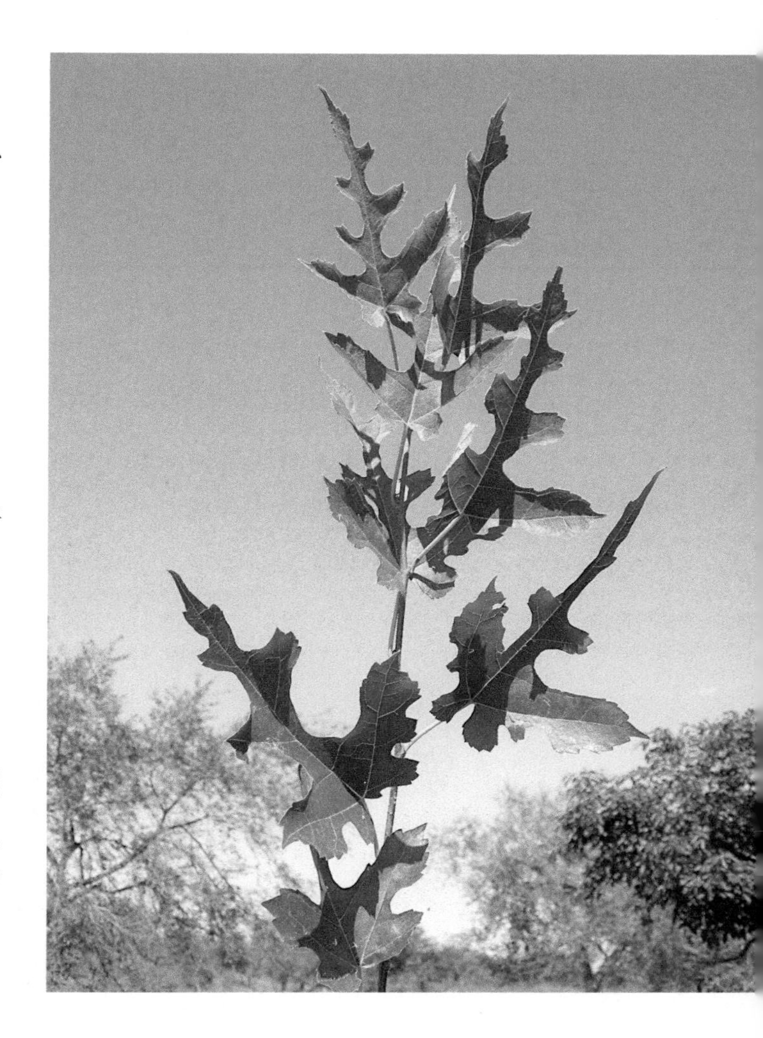

| 生境分布 |

生于石灰岩山地、林缘或荒地。分布于吉林白城、松原等。

| 资源情况 |

野生资源较少。药材主要来源于野生。

| 采收加工 |

秋季茎叶枯萎时采挖根，除去泥土及须根，干燥；或趁鲜剥取根皮，晒干。夏、秋季采收叶，鲜用或阴干。

| 功能主治 |

根或根皮，甘、辛，寒。泻肺火，利小便。用于肺热咳嗽，衄血，水肿，腹泻，黄疸。叶，甘、辛，寒。归肺经。清热解毒，解表。用于感冒咳嗽，邪热郁肺。

| 用法用量 |

根或根皮，内服煎汤，6 ~ 15g。叶，内服煎汤，3 ~ 9g。

桑科 Moraceae 桑属 *Morus*

蒙桑 *Morus mongolica* Schneid.

| **植物别名** | 裂叶蒙桑、蒐桑、岩桑。

| **药 材 名** | 蒙桑（药用部位：根皮、叶、果实）。

| **形态特征** | 落叶小乔木或灌木。树皮灰褐色，纵裂；小枝暗红色，老枝灰黑色；冬芽卵圆形，灰褐色。叶长椭圆状卵形，长 8 ~ 15cm，宽 5 ~ 8cm，先端尾尖，基部心形，边缘具三角形单锯齿，稀为重锯齿，齿尖有长刺芒，两面无毛；叶柄长 2.5 ~ 3.5cm。雄花序长 3cm；雄花花被暗黄色，外面及边缘被长柔毛，花药 2 室，纵裂；雌花序短圆柱状，长 1 ~ 1.5cm，总花梗纤细，长 1 ~ 1.5cm；雌花花被片外面上部疏被柔毛或近无毛，花柱长，柱头 2 裂，内面密生乳头状突起。聚花果长 1.5cm，成熟时红色至紫黑色。花期 3 ~ 4 月，果期 4 ~ 5 月。

蒙桑

| 生境分布 |

生于山地或林中。分布于吉林白城、松原等。

| 资源情况 |

野生资源较少。药材主要来源于野生。

| 采收加工 |

秋季茎叶枯萎时采挖根，剥皮，除去泥土及须根，干燥。夏、秋季采收叶，晒干。夏、秋季果穗成熟时采收果实，晒干，或煮烫后晒干。

| 功能主治 |

根皮，利尿消肿，止咳平喘。用于水肿，咳痰。叶，祛风清热，清肺止咳，凉血明目。用于风温头痛，目赤，口渴，肺热咳嗽，风痹，下肢象皮腿。果实，益肠胃，补肝肾，养血祛风。用于肝肾亏虚，血虚。

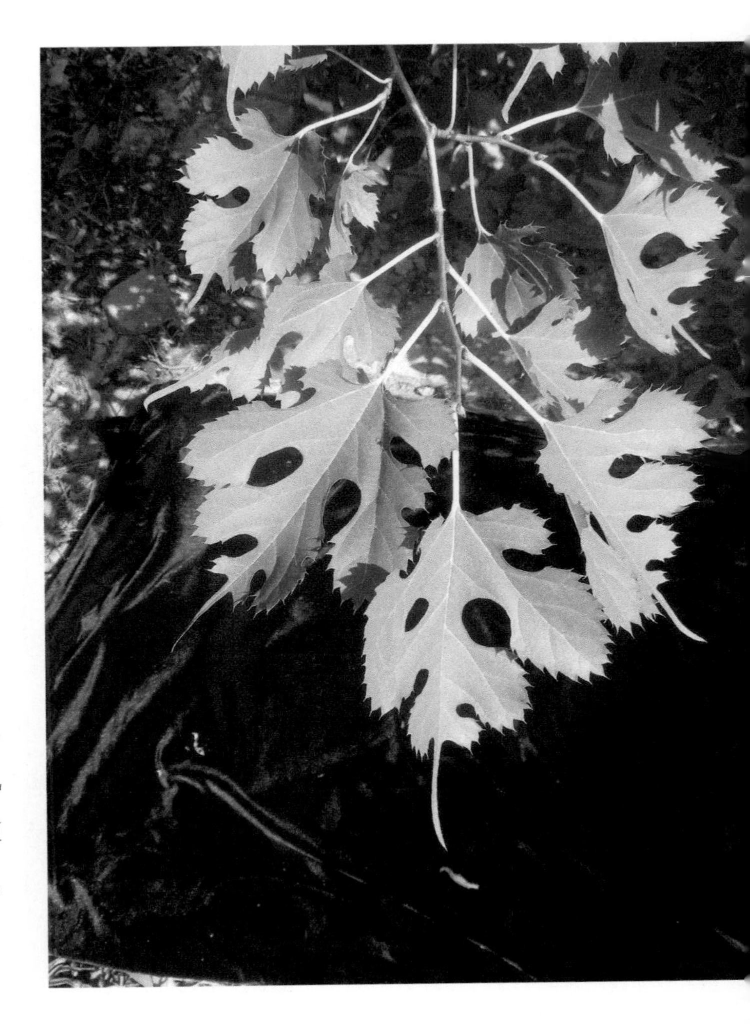

荨麻科 Urticaceae 苎麻属 *Boehmeria*

细野麻 *Boehmeria gracilis* C. H. Wright

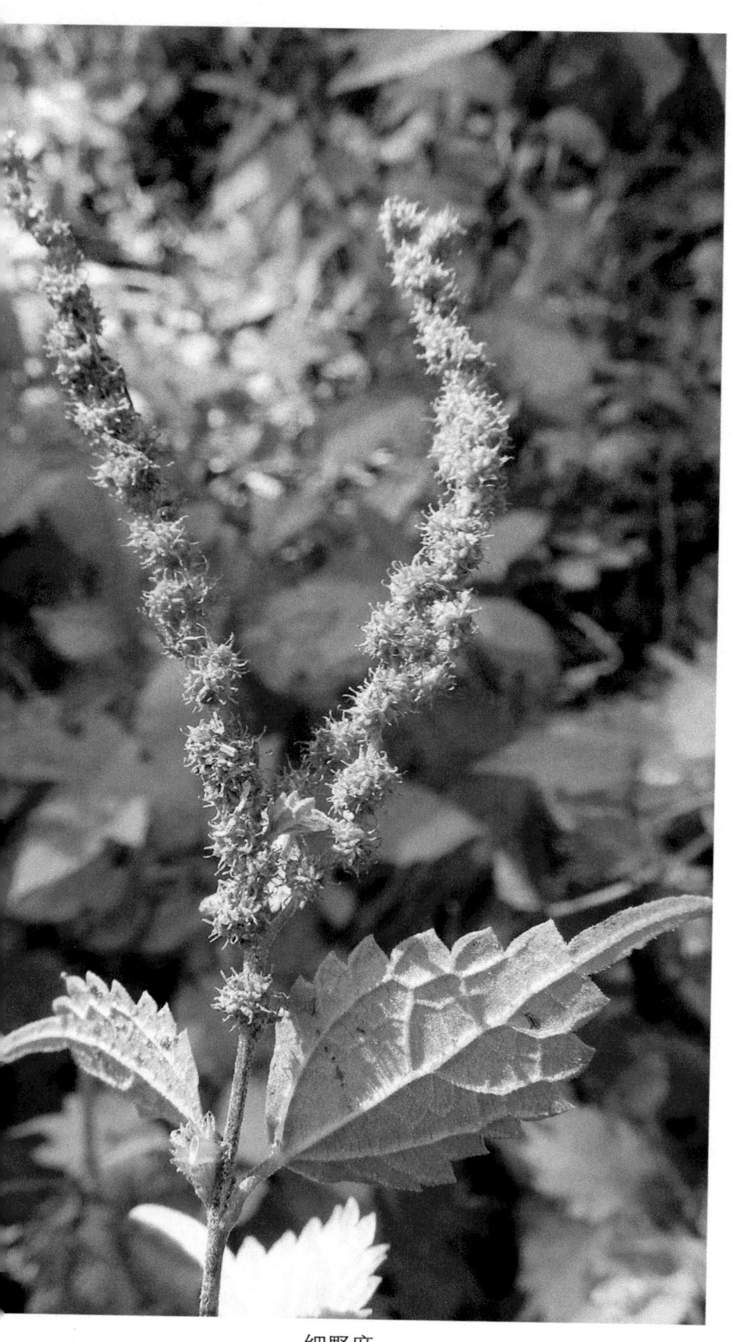
细野麻

|植物别名|

东北苎麻、细穗苎麻、猫尾巴蒿。

|药材名|

麦麸草（药用部位：全草。别名：东北苧麻、小赤麻）。

|形态特征|

亚灌木或多年生草本，高 40 ~ 120cm。茎和分枝疏被短伏毛。叶对生，同一对叶近等大或稍不等大；叶片草质，圆卵形、菱状宽卵形或菱状卵形，长 3 ~ 7（~ 10）cm，宽 2 ~ 6（~ 7.5）cm，先端骤尖，基部圆形、圆截形或宽楔形，边缘在基部之上有牙齿（牙齿每侧 8 ~ 13，正三角形或三角形），两面疏被短伏毛，侧脉 1 ~ 2 对；叶柄长 1 ~ 7cm，疏被短伏毛。穗状花序单生于叶腋，通常雌雄异株，有时雌雄同株，此时，茎上部的雌性，下部的雄性，或有时下部的含有雄的和雌的团伞花序，长 2.5 ~ 13cm，不分枝，花序轴疏被短伏毛；团伞花序直径 1 ~ 2.5mm；苞片狭三角形至钻形，长 1 ~ 1.5mm。雄花无梗，花被片 4，船状椭圆形，长约 1.2mm，外面有短毛；雄蕊 4，长约 1.6mm，花药长约 0.6mm；退化雌蕊椭圆形，长约 0.5mm。

雌花花被纺锤形，长 0.7 ~ 1mm，先端有 2 小齿，外面密被短伏毛，果期呈菱状倒卵形，长约 1.5mm；柱头长 1 ~ 2mm。瘦果卵球形，长约 1.2mm，基部有短柄。花期 6 ~ 8 月。

| 生境分布 | 生于海拔 700 ~ 1400m 的丘陵、低山草坡、山谷石边阴处、沟边。分布于吉林延边、白山、通化等。

| 资源情况 | 野生资源较少。药材主要来源于野生。

| 采收加工 | 夏、秋季采挖，除去杂质，晒干。

| 药材性状 | 本品茎有分枝，表面有短伏毛。叶对生，多皱缩，展平后叶片卵形或宽卵形，长 2 ~ 10cm，宽 1.5 ~ 7cm，先端尾尖，基部宽楔形，边缘有粗锯齿，两面均有短粗毛；叶柄长 1 ~ 7cm。果实倒卵形，上部有少量短毛。宿存柱头丝状。气微，味涩、微苦。

| 功能主治 | 涩、微苦，平。清热解毒，除风止痒，利湿。用于皮肤发痒，湿毒。

| 用法用量 | 内服煎汤，6 ~ 9g。外用适量，煎汤洗。

荨麻科 Urticaceae 蝎子草属 *Girardinia*

蝎子草 *Girardinia suborbiculata* C. J. Chen

| 植物别名 | 艾麻、野绿麻、螫麻子。

| 药 材 名 | 蝎子草（药用部位：全草。别名：红藿毛草、火麻草）。

| 形态特征 | 一年生草本。茎高 30 ~ 100cm，麦秆色或紫红色，疏生刺毛和细糙伏毛，几不分枝。叶膜质，宽卵形或近圆形，长 5 ~ 19cm，宽 4 ~ 18cm，先端短尾状或短渐尖，基部近圆形、截形或浅心形，稀宽楔形，边缘具 8 ~ 13 缺刻状的粗牙齿或重牙齿，稀在中部 3 浅裂，上面疏生纤细的糙伏毛，下面有稀疏的微糙毛，两面生很少刺毛，基出脉 3，侧脉 3 ~ 5 对，稍弧曲，在边缘处彼此不明显的网结；叶柄长 2 ~ 11cm，疏生刺毛和细糙伏毛；托叶披针形或三角状披针形，长 6 ~ 10mm，外面疏生细伏毛。花雌雄同株，雌花序单个或雌雄花序成对生于叶腋；雄花序穗状，长 1 ~ 2cm；雌花序短穗状，常在

蝎子草

下部有 1 短分枝，长 1 ~ 6cm；团伞花序枝密生刺毛，连同主轴生近贴生的短硬毛。雄花具梗，在芽时直径约 1mm；花被片 4 深裂，卵形，内凹，外面疏生短硬毛；退化雌蕊杯状。雌花近无梗，花被片大的 1 枚近盔状，先端 3 齿，长约 0.4mm，在果时增长至约 0.8mm，外面疏生短刚毛，小的 1 枚小，条形，长及大的约一半，有时败育。瘦果宽卵形，双凸透镜状，长约 2mm，成熟时灰褐色，有不规则的粗疣点。花期 7 ~ 9 月，果期 9 ~ 11 月。

| 生境分布 | 生于海拔 50 ~ 800m 的林下、沟边或住宅旁阴湿处。分布于吉林延边、白山、通化等。

| 资源情况 | 野生资源一般。药材主要来源于野生。

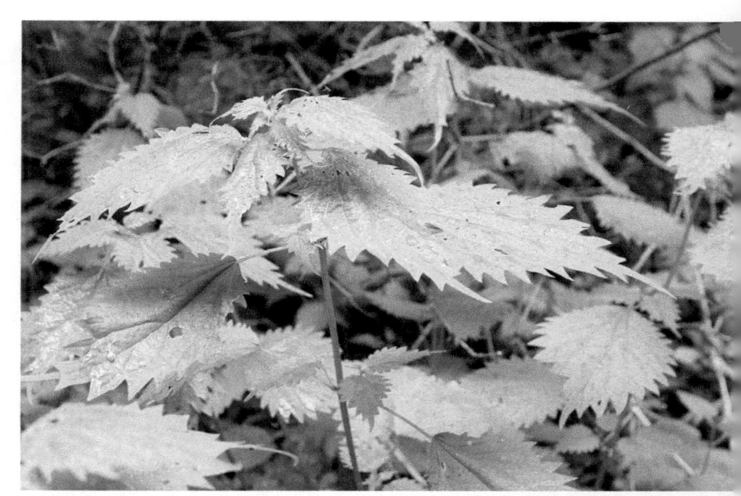

| 采收加工 | 夏、秋季采挖，除去杂质，晒干。

| 功能主治 | 辛，温；有毒。祛风除湿，通经活络，解毒消肿。用于腰腿疼痛，麻木不仁，风痹水肿，瘰疬，毒蛇咬伤。

| 用法用量 | 外用适量。用鲜草在痛处刷打数次，至局部发红、发热、起疙瘩。限用于疼痛处，用后如烧灼红肿不退，可用肥皂水、苏打水或氨水洗涤。

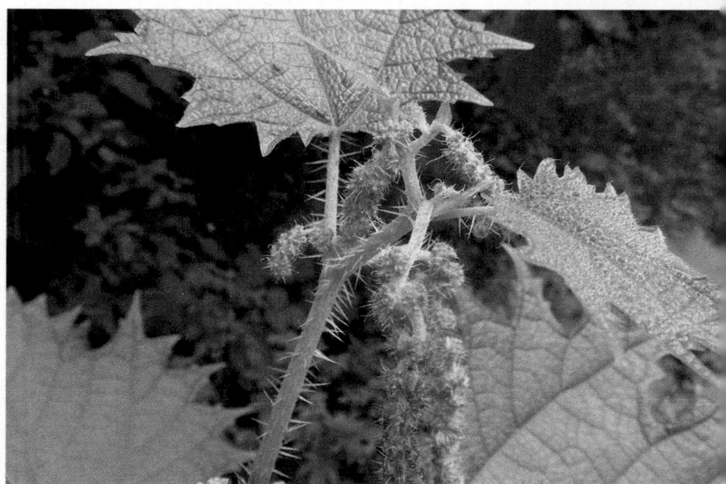

| 附　　注 | 在 FOC 中，本种的拉丁学名被修订为 *Girardinia diversifolia* subsp. *suborbiculata* (C. J. Chen) C. J. Chen & Friis。

荨麻科 Urticaceae 艾麻属 *Laportea*

珠芽艾麻 *Laportea bulbifera* (Sieb. et Zucc.) Wedd.

| **植物别名** | 艾麻、珠芽螫麻、螫麻子。

| **药 材 名** | 野绿麻（药用部位：全草。别名：艾麻草、红禾麻、禾麻草）。

| **形态特征** | 多年生草本。根数条，丛生，纺锤状，红褐色。茎下部多少木质化，高 50 ~ 150cm，不分枝或少分枝，在上部常呈“之”字形弯曲，具 5 纵棱，有短柔毛和稀疏的刺毛，以后渐脱落；珠芽 1 ~ 3，常生于不生长花序的叶腋，木质化，球形，直径 3 ~ 6mm，多数植株无珠芽。叶卵形至披针形，有时宽卵形，长（6 ~ ）8 ~ 16cm，宽（2.5 ~ ）3.5 ~ 8cm，先端渐尖，基部宽楔形或圆形，稀浅心形，边缘自基部以上有牙齿或锯齿，上面生糙伏毛和稀疏的刺毛，下面脉上生短柔毛和稀疏的刺毛，尤其主脉上的刺毛较长，钟乳体细点状，上面明显，基出脉 3，其侧出的 1 对稍弧曲，伸达中部边缘，侧脉 4 ~ 6 对，

珠芽艾麻

伸向齿尖；叶柄长 1.5 ~ 10cm，毛被同茎上部；托叶长圆状披针形，长 5 ~ 10mm，先端 2 浅裂，背面肋上生糙毛。花序雌雄同株，稀异株，圆锥状，花序轴上生短柔毛和稀疏的刺毛；雄花序生于茎顶部以下的叶腋，具短梗，长 3 ~ 10cm，分枝多，开展；雌花序生于茎顶部或近顶部叶腋，长 10 ~ 25cm，花序梗长 5 ~ 12cm，分枝较短，常着生于花序轴的一侧。雄花具短梗或无梗，在芽时扁圆球形，直径约 1mm：花被片 5，长圆状卵形，内凹，外面近先端无角状突起物，外面有微毛；雄蕊 5；退化雌蕊倒梨形，长约 0.4mm；小苞片三角状卵形，长约 0.7mm。雌花具梗，花被片 4，不等大，分生，侧生的 2 枚较大，紧包被着子房，长圆状卵形或狭倒卵形，长约 1mm，以后增大，外面多少被短糙毛，背生的 1 枚圆卵形，兜状，长约 0.5mm，腹生的 1 枚最短，三角状卵形，长 0.3mm；子房具雌蕊柄，直立，后弯曲；柱头丝形，长 2 ~ 4mm，周围密生短毛。瘦果圆状倒卵形或近半圆形，偏斜，扁平，长 2 ~ 3mm，光滑，有紫褐色细斑点；雌蕊柄增长至约 0.5mm，下弯；宿存花被片侧生的 2 枚长约 1.5mm，伸达果实的近中部，外面生短糙毛，有时近光滑；花梗长 2 ~ 4mm，在两侧面扁化成膜质翅，有时果序枝也扁化成翅，匙形，先端有深的凹缺。花期 6 ~ 8 月，果期 8 ~ 12 月。

| 生境分布 | 生于山坡林下、林缘路边半阴坡湿润处。以长白山区为主要分布区域，分布于吉林延边、白山、通化、吉林、辽源（东丰）等。

| 资源情况 | 野生资源丰富。药材主要来源于野生。

| 采收加工 | 夏、秋季采挖，除去杂质，晒干。

| 功能主治 | 辛，温。祛风除湿，活血调经，利水化湿，消肿。用于风湿关节痛，四肢麻木，跌打损伤，无名肿毒，皮肤瘙痒，月经不调，尿路结石，水肿，疳积，小儿肺热咳喘。

| 用法用量 | 内服煎汤，9 ~ 15g，鲜品 30g；或浸酒。

荨麻科 Urticaceae 墙草属 *Parietaria*

墙草 *Parietaria micrantha* Ledeb.

| 植物别名 | 石薯、石茹菰、白石薯。

| 药 材 名 | 墙草（药用部位：全草）。

| 形态特征 | 一年生铺散草本，长 10 ~ 40cm。茎上升平卧或直立，肉质，纤细，多分枝，被短柔毛。叶膜质，卵形或卵状心形，长 0.5 ~ 3cm，宽 0.4 ~ 2.2cm，先端锐尖或钝尖，基部圆形或浅心形，稀宽楔形或骤狭，上面疏生短糙伏毛，下面疏生柔毛，钟乳体点状，在上面明显，基出脉 3，侧出的 1 对稍弧曲，伸达中部边缘，侧脉常 1 对，常从叶的近基部伸出达上部，在近边缘消失；叶柄纤细，长 0.4 ~ 2cm，被短柔毛。花杂性，聚伞花序数朵，具短梗或近簇生状；苞片条形，单生于花梗的基部或 3 枚在基部合生成轮生状，着生于花被的基部，绿色，外面被腺毛，在果时伸长达 1.5mm。两性花具梗，长约 0.6mm，

墙草

花被片 4 深裂，褐绿色，外面有毛，膜质，裂片长圆状卵形；雄蕊 4，花丝纤细，花药近球形，淡黄色；柱头画笔头状。雌花具短梗或近无梗；花被片合生成钟状，4 浅裂，浅褐色，薄膜质，裂片三角形。果实坚果状，卵形，长 1 ~ 1.3mm，黑色，极光滑，有光泽，具宿存的花被和苞片。花期 6 ~ 7 月，果期 8 ~ 10 月。

| 生境分布 | 生于山坡阴湿草地屋宅、墙上或岩石下阴湿处。以长白山区为主要分布区域，分布于吉林延边、白山、通化、吉林、辽源（东丰）等。

| 资源情况 | 野生资源较少。药材主要来源于野生。

| 采收加工 | 夏、秋季采收，除去杂质，晒干。

| 功能主治 | 淡，平。清热解毒，拔脓消肿。用于脚底挫伤瘀血，深部脓肿，背疽，疔疖，多发性脓肿，白秃疮，睾丸炎。

| 用法用量 | 外用适量，鲜品捣敷。

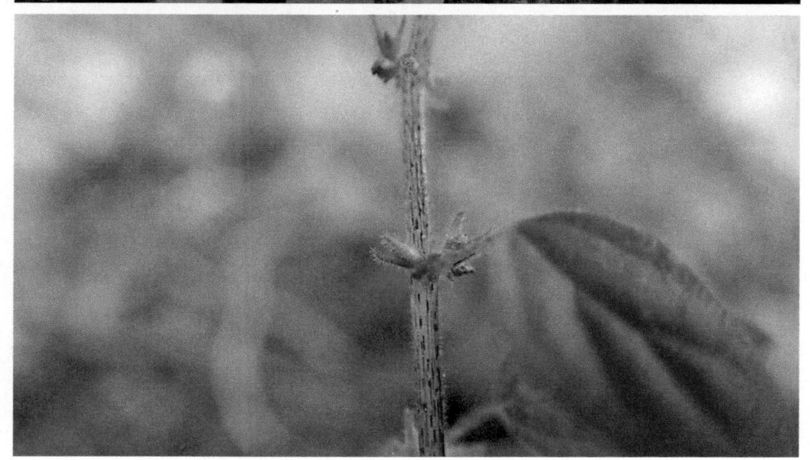

荨麻科 Urticaceae 冷水花属 *Pilea*

山冷水花 *Pilea japonica* (Maxim.) Hand.-Mazz.

| 植物别名 | 山美豆、苔水花、华东冷水花。

| 药 材 名 | 苔水花（药用部位：全草。别名：日本冷水花）。

| 形态特征 | 一年生草本。茎肉质，无毛，高（5 ~ ）30（ ~ 60）cm，不分枝或具分枝。叶对生，在茎先端的叶密集成近轮生，同对的叶不等大，菱状卵形或卵形，稀三角状卵形或卵状披针形，长 1 ~ 6（ ~ 10）cm，宽 0.8 ~ 3（ ~ 5）cm，先端常锐尖，有时钝尖或粗尾状渐尖，基部楔形，稀近圆形或近截形，稍不对称，边缘具短睫毛，下部全缘，其余每侧有数枚圆锯齿或钝齿，下部的叶有时全缘，两面生极稀疏的短毛，基出脉 3，其侧生的 1 对弧曲，伸达叶中上部齿尖，或与最下部的侧脉在近边缘处环结，侧脉 2 ~ 3（ ~ 5）对，钟乳体细条形，长 0.3 ~ 0.4mm，在上面明显；叶柄纤细，长 0.5 ~ 2（ ~ 5）cm，

山冷水花

光滑无毛；托叶膜质，淡绿色，长圆形，长3～5mm，半宿存。花单性，雌雄同株，常混生或异株；雄聚伞花序具细梗，常紧缩成头状或近头状，长1～1.5cm；雌聚伞花序具纤细的长梗，连同总梗长1～3（～5）cm，团伞花簇常紧缩成头状或近头状，1～2或数枚疏松排列于花枝上，花序轴近无毛或具微柔毛；苞片卵形，长约0.4mm。雄花具梗，在芽时倒卵形或倒圆锥形，长约1mm；花被片5，覆瓦状排列，合生至中部，倒卵形，内凹，在外面近先端处有短角，其中2枚较长；雄蕊5；退化雌蕊明显，长圆锥状，长约0.5mm。雌花具梗；花被片5，近等大，长圆状披针形，与子房近等长，其中2～3在背面常有龙骨状突起，先端生稀疏短刚毛；子房卵形；退化雄蕊明显，鳞片状，长圆状披针形，在果时长约0.8mm。瘦果卵形，稍扁，长1～1.4mm，成熟时灰褐色，外面有疣状突起，几乎被宿存花被包裹。花期7～9月，果期8～11月。

| 生境分布 | 生于海拔500～1900m的山坡林下、山谷溪旁草丛或石缝中、树干长苔藓的阴湿处，常成片生长。分布于吉林延边、白山、通化等。

| 资源情况 | 野生资源较丰富。药材主要来源于野生。

| 采收加工 | 夏、秋季采挖，除去杂质，晒干。

| 功能主治 | 甘，凉。清热解毒，渗湿利尿，调经。用于扁桃体炎，尿路感染，宫颈炎，赤白带下。

| 用法用量 | 内服煎汤，6～9g，鲜品15～30g。

荨麻科 Urticaceae 冷水花属 *Pilea*

镜面草 *Pilea peperomioides* Diels

植物别名 翠屏草。

药材名 镜面草（药用部位：全草。别名：岩金花、紫常绿）。

形态特征 多年生肉质草本植物，无毛，丛生，具根茎。茎直立，粗壮，不分枝，高 2 ~ 13cm，直径 5 ~ 10mm，节很密集，带绿色，干时变棕褐色。叶聚生茎先端，茎上部密生鳞片状的托叶，叶痕大，半圆形；叶片肉质，干时变纸质，近圆形或圆卵形，长 2.5 ~ 9cm，宽 2 ~ 8cm，盾状着生，先端钝形或圆形，基部圆形或微缺，全缘或浅波状，上面绿色，下面灰绿色，干时呈细蜂窝状，钟乳体细杆状，长 0.1 ~ 0.2mm，在上面较明显；基出脉 3，弧曲，在近先端彼此网结，外向侧脉数对在近边缘处彼此结成网，其中最下面 2 ~ 3 对几乎从叶柄先端伸出，连同基出脉构成放射状的脉纹，侧脉不明显；叶柄

镜面草

长 2 ~ 17cm；托叶鳞片状，淡绿色，干时变棕褐色，三角状卵形，长约 7mm，先端短尾状渐尖，密布条形钟乳体。雌雄异株；花序单生于先端叶腋，聚伞圆锥状，长 10 ~ 28cm，花序梗粗壮，长 5 ~ 14cm，花疏松地排列于曲折生长的花枝上；苞片小，披针形，长约 0.5mm。雄花具梗，带紫红色，在芽时倒卵形，长约 2.5mm；花被片 4，倒卵形，外面近先端有短角；雄蕊 4；退化雌蕊很小，长圆形。雌花近无梗；花被片 3，不等大，中间 1 枚近船形，果时长不及果实的一半，侧生的 2 枚狭三角形，比中间 1 枚短近 2 倍。瘦果卵形，稍扁，歪斜，长约 0.8mm，表面有紫红色细疣状突起。花期 4 ~ 7 月，果期 7 ~ 9 月。

| 生境分布 | 生于海拔 2000 ~ 2800m 的林下潮湿处的峭壁上。吉林无野生分布，吉林东部山区有栽培。

| 资源情况 | 吉林偶见栽培。药材主要来源于栽培。

| 采收加工 | 全年均可采收，洗净，鲜用或晒干。

| 功能主治 | 微苦、辛，寒。清热解毒，祛瘀消肿。用于丹毒，骨折。

| 用法用量 | 内服煎汤，6 ~ 9g。外用适量，捣敷。

荨麻科 Urticaceae 冷水花属 *Pilea*

矮冷水花 *Pilea peploides* (Gaudich.) Hook. et Arn.

| 植物别名 | 圆叶豆瓣草、坐镇草。

| 药 材 名 | 矮冷水花（药用部位：全草）。

| 形态特征 | 一年生小草本，无毛，常丛生。茎肉质，带红色，纤细，高 3 ~ 20cm，直径 1 ~ 2mm，下部裸露，节间疏长，上部节间较密，不分枝或有少数分枝。叶膜质，常集生于茎和枝的顶部，同对的近等大，菱状圆形，稀扁圆状菱形或三角状卵形，长 3.5 ~ 18mm，宽 3 ~ 16mm，先端钝，稀近锐尖，基部常楔形或宽楔形，稀近圆形，全缘或波状，稀上部具不明显的钝齿，两面生紫褐色斑点，尤其在下面更明显，钟乳体条形，长约 0.4mm，常近横向排列，在上面明显，基出脉 3，在近先端边缘处消失，二级脉不明显；叶柄纤细，长 3 ~ 20mm；托叶很小，三角形。雌雄同株，雌花序与雄花序常同生于叶腋，或

矮冷水花

分别单生于叶腋，有时雌雄花混生；聚伞花序密集成头状；雄花序长 3 ~ 10mm，花序梗长 1.5 ~ 7mm；雌花序长 2 ~ 6mm，花序梗长 1 ~ 4mm 或近无。雄花具梗，淡黄色，在芽时长约 0.8mm；花被片 4，卵形，外面近先端无短角状突起；雄蕊 4；退化雌蕊不明显。雌花具短梗，淡绿色；花被片 2，不等大，腹生的 1 枚较大，近船形或倒卵状长圆形，在果时增厚，与果实近等长或稍短，外面有条形钟乳体，背生的 1 枚膜质，三角状卵形，长仅为前者的 1/5；退化雄蕊长圆形，长及果实的约 1/2，不育雌花的较发达，带状，比果实稍短。瘦果，卵形，先端稍歪斜，长约 0.5mm，成熟时黄褐色，光滑。花期 4 ~ 7 月，果期 7 ~ 8 月。

| 生境分布 | 生于山坡石缝阴湿处或长苔藓的石上。分布于吉林延边、白山、通化、长春、吉林、辽源等。

| 资源情况 | 野生资源较少。药材主要来源于野生。

| 采收加工 | 夏、秋季采收，除去杂质，晒干。

| 功能主治 | 清热解毒，祛瘀止痛，利尿。外用于跌打损伤，痈疖肿毒，骨折，外伤感染，毒蛇咬伤。

荨麻科 Urticaceae 冷水花属 *Pilea*

透茎冷水花 *Pilea pumila* (L.) A. Gray

| 植物别名 | 荫地冷水花、美豆。

| 药 材 名 | 透茎冷水花（药用部位：全草。别名：美豆、直苎麻、肥肉草）。

| 形态特征 | 一年生草本。茎肉质，直立，高 5 ~ 50cm。叶近膜质，同对的近等大，近平展，菱状卵形或宽卵形，长 1 ~ 9cm，宽 0.6 ~ 5cm，先端渐尖、短渐尖、锐尖或微钝，基部常宽楔形，有时钝圆；叶柄长 0.5 ~ 4.5cm；托叶卵状长圆形，长 2 ~ 3mm。花雌雄同株并常同序，雄花常生于花序的下部，花序蝎尾状，密集，生于几乎每个叶腋，长 0.5 ~ 5cm，雌花枝在果时增长。雄花具短梗或无梗，在芽时倒卵形，长 0.6 ~ 1mm；花被片常 2，近船形，外面近先端处有短角状突起；雄蕊 2 ~ 4；退化雌蕊不明显。雌花花被片 3，近等大，或侧生的 2 枚较大，中间的 1 枚较小，条形，在果时长不过果实或与果实近等

透茎冷水花

长；退化雄蕊在果时增大，椭圆状长圆形，长及花被片的一半。瘦果三角状卵形，扁，长 1.2 ~ 1.8mm，初时光滑，常有褐色或深棕色斑点，成熟时色斑多少隆起。花期 6 ~ 8 月，果期 8 ~ 10 月。

| 生境分布 | 生于海拔 400 ~ 2200m 的山坡、林缘、林内、路旁及岩石缝等阴湿处，常成片生长。以长白山区为主要分布区域，分布于吉林延边、白山、通化、吉林、辽源（东丰）等。

| 资源情况 | 野生资源较丰富。药材主要来源于野生。

| 采收加工 | 夏、秋季采挖，除去杂质，晒干。

| 功能主治 | 芳香化湿，截疟杀虫，利尿消肿。用于脘腹疼痛，疟疾，急性肾炎，尿道炎，子宫内膜炎。

| 用法用量 | 内服煎汤，15 ~ 30g。外用适量，捣敷。

荨麻科 Urticaceae 冷水花属 *Pilea*

荫地冷水花 *Pilea pumila* (L.) A. Gray var. *hamaoi* (Makino) C. J. Chen

| 植物别名 | 小接筋草。

| 药 材 名 | 荫地冷水花（药用部位：根茎、叶）。

| 形态特征 | 一年生草本。茎肉质，直立，高 5 ~ 50cm。叶近膜质，同对的近等大，近平展，菱状卵形或宽卵形，长 1 ~ 9cm，宽 0.6 ~ 5cm，先端常锐尖或微钝，稀短渐尖基部常宽楔形，有时钝圆；叶柄长 0.5 ~ 4.5cm；托叶卵状长圆形，长 2 ~ 3mm。花雌雄同株并常同序，雄花常生于花序的下部，花序蝎尾状，密集，生于几乎每个叶腋，长 0.5 ~ 5cm，雌花枝在果时增长。雄花具短梗或无梗，在芽时倒卵形，长 0.6 ~ 1mm；雌花被片较宽，在果时卵状或倒卵状长圆形，侧生的 2 枚或 1 枚常稍长过果实，中肋明显，中间的 1 枚较侧生的短约 1 倍，不育雌花的花被片明显增长，中央有 1 条绿色带，边缘膜质，透明。

荫地冷水花

花期 7 ~ 9 月，果期 9 ~ 10 月。

| 生境分布 | 生于 350 ~ 900m 的林下和溪边阴处较潮湿的地方。以长白山区为主要分布区域，分布于吉林延边、白山、通化、吉林、辽源（东丰）等。

| 资源情况 | 野生资源较丰富。药材主要来源于野生。

| 采收加工 | 夏、秋季采挖，除去杂质，晒干。

| 功能主治 | 甘，寒。清热利尿，消肿解毒，安胎。用于急性肾炎，子宫内膜炎，子宫脱垂，胎动不安，先兆流产，糖尿病。

荨麻科 Urticaceae 荨麻属 *Urtica*

狭叶荨麻 *Urtica angustifolia* Fisch. ex Hornem

| 植物别名 | 窄叶荨麻、哈拉海、螯麻子。

| 药 材 名 | 荨麻（药用部位：全草）、荨麻根（药用部位：根）。

| 形态特征 | 多年生草本，有木质化根茎。茎高 40 ~ 150cm，下部直径达 8mm，四棱形，疏生刺毛和稀疏的细糙毛，分枝或不分枝。叶披针形至披针状条形，稀狭卵形，长 4 ~ 15cm，宽 1 ~ 3.5（~ 5.5）cm，先端长渐尖或锐尖，基部圆形，稀浅心形，边缘有粗牙齿或锯齿，9 ~ 19，齿尖常前倾或稍内弯，上面粗糙，生细糙伏毛和粗而密的缘毛，下面沿脉疏生细糙毛，基出脉 3，其侧生的 1 对近直伸达上部齿尖或与侧脉网结，侧脉 2 ~ 3 对；叶柄短，长 0.5 ~ 2cm，疏生刺毛和糙毛；托叶每节 4，离生，条形，长 6 ~ 12mm。雌雄异株，花序圆锥状，有时分枝短而少近穗状，长 2 ~ 8cm，花序轴纤细。雄花近无

狭叶荨麻

梗，在芽时直径约 0.2mm，开放后直径约 2.5mm；花被片 4，在近中部合生，裂片卵形，外面上部疏生小刺毛和细糙毛；退化雌蕊碗状，长约 0.2mm。雌花小，近无梗。瘦果卵形或宽卵形，双凸透镜状，长 0.8 ~ 1mm，近光滑或有不明显的细疣点；宿存花被片 4，在下部合生，外面被稀疏的微糙毛或近无毛，内面 2 枚椭圆状卵形，长稍盖过果实，外面 2 枚狭倒卵形，较内面的短约 3 倍，伸达内面花被片的中部稀中上部。花期 6 ~ 8 月，果期 8 ~ 9 月。

| 生境分布 | 生于山地河谷溪边或台地潮湿处。吉林各地均有分布。

| 资源情况 | 野生资源丰富。药材主要来源于野生。

| 采收加工 | 荨麻：夏、秋季采收，除去杂质，切段，晒干。

荨麻根：夏、秋季采挖，除去杂质，洗净，晒干或鲜用。

| 功能主治 | 荨麻：苦、辛，温；有小毒。祛风通络，平肝定惊，消积通便，解毒。用于风湿痹痛，产后抽风，小儿惊风，小儿麻痹后遗症，高血压，消化不良，大便不通，荨麻疹，跌打损伤，虫蛇咬伤。

荨麻根：苦、辛，温；有小毒。祛风，活血，止痛。用于风湿疼痛，荨麻疹，湿疹，高血压。

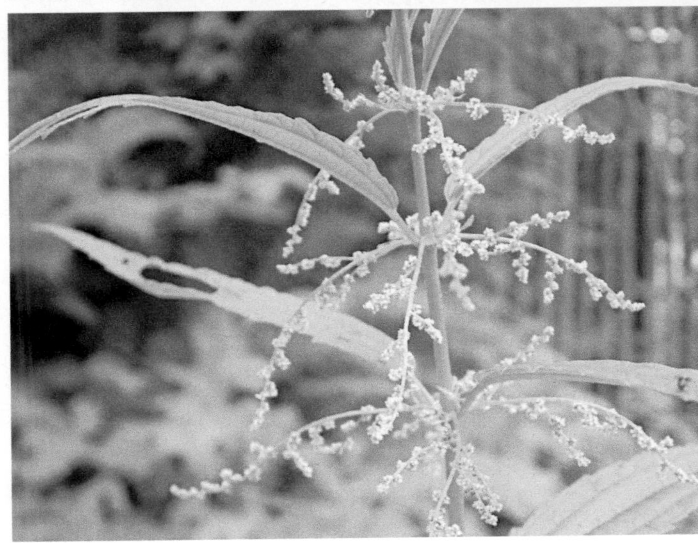

| 用法用量 | 荨麻：内服煎汤，5 ~ 10g。外用适量，捣汁外搽；或煎汤洗。

荨麻根：内服煎汤，15 ~ 30g；或浸酒。外用适量，煎汤洗。

| 附　　注 | 本种幼苗可食用。

荨麻科 Urticaceae 荨麻属 *Urtica*

麻叶荨麻 *Urtica cannabina* L.

麻叶荨麻

| 植物别名 |

蝎子草。

| 药 材 名 |

荨麻（药用部位：全草）、荨麻根（药用部位：根）。

| 形态特征 |

多年生草本，横走的根茎木质化。茎高50 ~ 150cm，下部直径达1cm，四棱形，常近于无刺毛，有时疏生、稀稍密生刺毛和具稍密的微柔毛，具少数分枝。叶片五角形，掌状3全裂、稀深裂，1回裂片再羽状深裂，自下而上变小，在其上部呈裂齿状，2回裂片常有数目不等的裂齿或浅锯齿，侧生的1回裂片的外缘最下1枚2回裂片常较大而平展，上面常只疏生细糙毛，后渐变无毛，下面有短柔毛和在脉上疏生刺毛，钟乳体细点状，在上面密布；叶柄长2 ~ 8cm，生刺毛或微柔毛；托叶每节4，离生，条形，长5 ~ 15mm，两面被微柔毛。花雌雄同株，雄花序圆锥状，生于下部叶腋，长5 ~ 8cm，斜展，生于最上部叶腋的雄花序中常混生雌花；雌花序生于上部叶腋，常穗状，有时在下部有少数分枝，长2 ~ 7cm，花序轴粗硬，直立或斜展。雄花具短梗，在芽时直径 1.2 ~ 1.5mm；花被片 4，合生至中部，裂片卵形，外面被微柔毛；退化雌蕊近碗状，长约 0.2mm，近无柄，淡黄色或白色，透明。雌花序有极短的梗。瘦果狭卵形，先端锐尖，稍扁，长 2 ~ 3mm，成熟时变灰褐色，表面有明显或不明显的褐红色点；宿存花被片 4，在下部 1/3 合生，近膜质，内面 2 椭圆状卵形，先端钝圆，长 2 ~ 4mm，外面生刺毛 1 ~ 4 和细糙毛，外面 2 卵形或 1 长圆状卵形，内面较外面的长 3 ~ 4 倍，外面常有 1 根刺毛。花期 7 ~ 8 月，果期 8 ~ 10 月。

| 生境分布 | 生于海拔 800m 以上的丘陵性草原、坡地、沙丘坡上、河漫滩、河谷、溪旁等处。分布于吉林白城、松原等。

| 资源情况 | 野生资源较丰富。药材主要来源于野生。

| 采收加工 | 同“狭叶荨麻”。

| 功能主治 | 同“狭叶荨麻”。

| 用法用量 | 同“狭叶荨麻”。

荨麻科 Urticaceae 荨麻属 *Urtica*

宽叶荨麻 *Urtica laetevirens* Maxim.

宽叶荨麻

| 植物别名 |

螫麻、哈拉海、螫麻子。

| 药 材 名 |

荨麻（药用部位：全草）、荨麻根（药用部位：根）。

| 形态特征 |

多年生草本，根茎匍匐。茎纤细，高 30 ~ 100cm，节间常较长，四棱形，近无刺毛或有稀疏的刺毛和疏生细糙毛，在节上密生细糙毛，不分枝或少分枝。叶常近膜质，卵形或披针形，向上的常渐变狭，长 4 ~ 10cm，宽 2 ~ 6cm，先端短渐尖至尾状渐尖，基部圆形或宽楔形，边缘除基部和先端全缘外，有锐或钝的牙齿或牙齿状锯齿，两面疏生刺毛和细糙毛，钟乳体常呈短杆状，有时点状，基出脉 3，其侧出的 1 对多少弧曲，伸达叶上部齿尖或与侧脉网结，侧脉 2 ~ 3 对；叶柄纤细，长 1.5 ~ 7cm，向上的渐变短，疏生刺毛和细糙毛；托叶每节 4，离生或有时上部的多少合生，条状披针形或长圆形，长 3 ~ 8mm，被微柔毛。雌雄同株，稀异株；雄花序近穗状，纤细，生于上部叶腋，长达 8cm；雌花序近穗状，生于下部叶腋，较短，纤细，稀缩短成簇生状，小团伞花簇稀疏地着生于花序轴上。雄花无梗或具短梗，在芽时直径约 1mm，开放后直径约 2mm；花被片 4，在近中部合生，裂片卵形，内凹，外面疏生微糙毛；退化雌蕊近杯状，先端凹陷至中空，中央有柱头残迹，基部多少具柄。雌花具短梗。瘦果卵形，双凸透镜状，长近 1mm，先端稍钝，成熟时变灰褐色，多少有疣点，果柄上部有关节；宿存花被片 4，在基部合生，外面疏生微糙毛，内面 2 椭圆状卵形，与果实近等大，外面 2 狭卵形，或倒卵形，伸达内面花被片的中下部。花期 6 ~ 8 月，果期 8 ~ 9 月。

| 生境分布 | 生于山谷溪边或山坡林下阴湿处。吉林各地均有分布。

| 资源情况 | 野生资源较丰富。药材主要来源于野生。

| 采收加工 | 同“狭叶荨麻”。

| 药材性状 | 荨麻：本品呈短段状，长短不等，长 1.4 ~ 3.8cm，直径 1.5 ~ 4mm，绿色至红紫色，有钝棱，疏生螯毛和短柔毛，节上有对生叶。叶宽可达 6cm，5 ~ 7 对掌状浅裂，裂片有三角状粗锯齿，叶绿色，皱缩易碎。花序穗状，皱缩，数个腋生，具短总梗。瘦果密集，宽卵形，稍扁，长约 1.5mm。体轻，质软。气微，味淡、微辛。

| 功能主治 | 同“狭叶荨麻”。

| 用法用量 | 同“狭叶荨麻”。

檀香科 Santalaceae 百蕊草属 *Thesium*

百蕊草 *Thesium chinense* Turcz.

| 植物别名 | 百乳草、中华百蕊草。

| 药 材 名 | 百蕊草（药用部位：全草。别名：百乳草、地石榴、小草）、百蕊草根（药用部位：根）。

| 形态特征 | 多年生柔弱草本，高 15 ~ 40cm，全株多少被白粉，无毛。茎细长，簇生，基部以上疏分枝，斜升，有纵沟。叶线形，长 1.5 ~ 3.5cm，宽 0.5 ~ 1.5mm，先端急尖或渐尖，具单脉。花单一，5 基数，腋生；花梗短或很短，长 3 ~ 3.5mm；苞片 1，线状披针形；小苞片 2，线形，长 2 ~ 6mm，边缘粗糙；花被绿白色，长 2.5 ~ 3mm，花被管呈管状，花被裂片先端锐尖，内弯，内面的微毛不明显；雄蕊不外伸；子房无柄，花柱很短。坚果椭圆状或近球形，长、宽均 2 ~ 2.5mm，淡绿色，表面有明显、隆起的网脉，先端的宿存花被近球形，长约 2mm；果

百蕊草

柄长 3.5mm。花期 4 ~ 5 月，果期 6 ~ 7 月。

| 生境分布 | 生于荫蔽湿润或潮湿的小溪边、田野、草甸，也见于草甸和沙漠地带边缘、干草原与栎树林的石砾坡地上。以长白山区为主要分布区域，分布于吉林延边、白山、通化、吉林、辽源（东丰）、白城、松原、四平等。

| 资源情况 | 野生资源稀少。药材主要来源于野生。

| 采收加工 | 百蕊草：夏、秋季采收，除去杂质，晒干。
百蕊草根：夏、秋季采挖，除去杂质，晒干。

| 药材性状 | 百蕊草：本品多分枝，长 20 ~ 40cm。茎丛生，纤细，长 12 ~ 30cm，暗黄绿色，具纵棱；质脆，易折断，断面中空。叶互生，线状披针形，长 1 ~ 3cm，宽 0.5 ~ 15mm，灰绿色。小花单生于叶腋，近无梗。坚果近球形，直径约 2mm，表面灰黄色，有网状雕纹，有宿存叶状小苞片 2。气微，味淡。以果多、色灰绿、无泥沙者为佳。
百蕊草根：本品呈圆锥形，直径 1 ~ 4mm；表面棕黄色，有纵皱纹，具细支根。

| 功能主治 | 百蕊草：辛、微苦、涩，寒。归脾、肾经。清热解毒，补肾涩精。用于急性乳腺炎，风热咳喘，乳蛾，乳痈，肺炎，肺脓疡，扁桃体炎，上呼吸道感染，肾虚腰痛，头昏，遗精，滑精。
百蕊草根：微苦、辛，平。行气活血，通乳。用于月经不调，乳汁不下。

| 用法用量 | 百蕊草：内服煎汤，9 ~ 30g；或研末；或浸酒。外用适量，研末调敷。
百蕊草根：内服煎汤，3 ~ 10g。

| 附　　注 | 百蕊草全国年产销量约 500t，吉林虽有资源，但无商家收购，有少量药材商品产出，均为自产自销。

檀香科 Santalaceae 百蕊草属 *Thesium*

急折百蕊草 *Thesium refractum* C. A. Mey.

| 药 材 名 | 九仙草（药用部位：全草。别名：山柏枝、绿珊瑚、撒花一棵针）。

| 形态特征 | 多年生草本，高 20 ~ 40cm。根茎直，颇粗壮。茎有明显的纵沟。叶线形，长 3 ~ 5cm，宽 2 ~ 2.5mm，先端常钝，基部收狭不下延，无柄，两面粗糙，通常单脉。总状花序腋生或顶生；花白色，长 5 ~ 6mm；总花梗呈“之”字形曲折；花梗长 5 ~ 7mm，细长，有棱，花后外倾并渐反折；苞片 1，长 6 ~ 8mm，叶状，开展；小苞片 2；花被筒状或阔漏斗状，上部 5 裂，裂片线状披针形；雄蕊 5，内藏；子房柄很短，花柱圆柱状，不外伸。坚果椭圆状或卵形，长 3mm，直径 2 ~ 2.5mm，表面有 5 ~ 10 不很明显的纵脉（或棱），纵棱偶分叉；宿存花被长 1.5cm；果柄长达 1cm，果熟时反折。花期 7 月，果期 9 月。

急折百蕊草

| 生境分布 | 生于草甸或砂砾坡地。以长白山区为主要分布区域，分布于吉林延边、白山、通化、吉林、辽源（东丰）等。

| 资源情况 | 野生资源稀少。药材主要来源于野生。

| 采收加工 | 夏、秋季采收，晒干。

| 功能主治 | 辛、微苦，凉。归肺、肝、脾经。解表清热，祛风止痉。用于感冒，中暑，小儿肺炎，惊风。

| 用法用量 | 内服煎汤，6 ~ 12g。

蓼科 Polygonaceae 木蓼属 *Atraphaxis*

木蓼 *Atraphaxis frutescens* (L.) Ewersm.

| **植物别名** | 鞑靼荞麦、鞑靼蓼。

| **药 材 名** | 木蓼（药用部位：块根及根茎）。

| **形态特征** | 灌木，高 50 ~ 100cm，多分枝。主干粗壮，树皮暗灰褐色，呈纤细状剥离；木质枝开展，细弱弯拐，先端无刺；当年生枝细长，直立或开展，无毛，先端具叶或花。托叶鞘圆筒状，褐色，长 2 ~ 5mm，上部斜形，膜质，透明，2 裂，先端具 2 尖锐的牙齿；叶蓝绿色至灰绿色，狭披针形、披针形或长圆形，长 1 ~ 2.5cm，宽 5 ~ 15mm，先端渐尖或钝，具短尖，基部渐狭成短柄，边缘通常下卷，两面均无毛，具凸起的中脉及不明显的羽状脉纹。花序为疏松的总状花序，顶生，长 4 ~ 6cm，稀达 10cm；花梗长 5 ~ 8mm，关节位于中部或中部稍下；花被片 5，粉红色，具白色边缘，内轮花被片圆形或阔椭

木蓼

圆形，稀长圆形，长 4 ~ 7mm，宽 4 ~ 6mm，先端圆或钝，基部近截形或稍心形，全缘或波状，具凸出的网脉，外轮花被片卵圆形，向下反折。瘦果狭卵形，具 3 棱，先端渐尖，黑褐色，光亮。花果期 5 ~ 8 月。

| 生境分布 | 生于砾石坡地、戈壁滩、山谷灌丛、干涸河道、干旱草原、沙丘及田边。分布于吉林白城、松原、四平等。

| 资源情况 | 野生资源较少。药材主要来源于野生。

| 采收加工 | 秋季采挖，除去地上部分及须根，洗净泥土，晒干或烘干。

| 功能主治 | 甘、苦，平。健胃顺气，除湿止痛。用于胃痛，痢疾，腰腿痛。

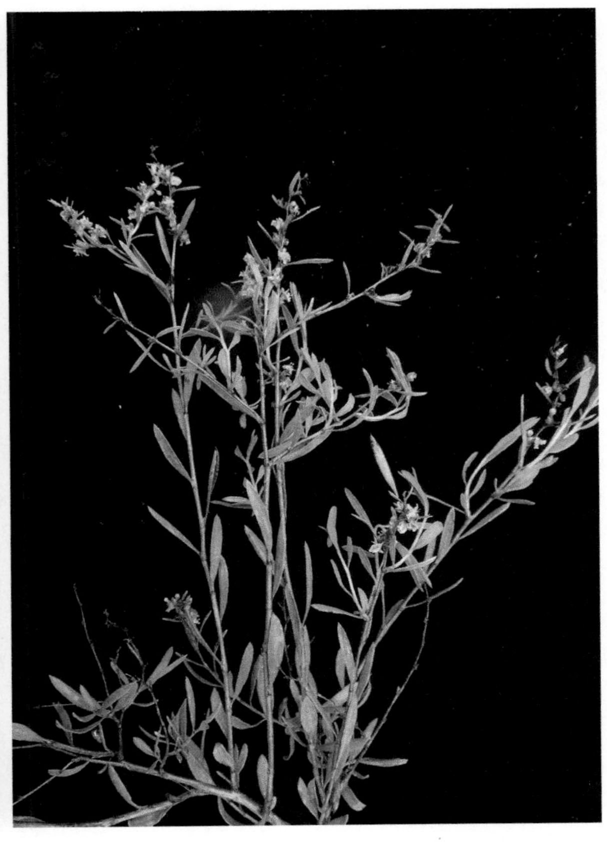

蓼科 Polygonaceae 荞麦属 *Fagopyrum*

荞麦 *Fagopyrum esculentum* Moench

| 药材名 | 荞麦（药用部位：茎叶。别名：三角麦、乌麦、莜麦）、荞麦子（药用部位：种子）。

| 形态特征 | 一年生草本，茎直立，高 30 ~ 90cm，上部分枝，绿色或红色，具纵棱，无毛或于一侧沿纵棱具乳头状突起。叶三角形或卵状三角形，长 2.5 ~ 7cm，宽 2 ~ 5cm，先端渐尖，基部心形，两面沿叶脉具乳头状突起；下部叶具长叶柄，上部叶较小，近无梗；托叶鞘膜质，短筒状，长约 5mm，先端偏斜，无缘毛，易破裂脱落。花序总状或伞房状，顶生或腋生，花序梗 1 侧具小突起；苞片卵形，长约 2.5mm，绿色，边缘膜质，每苞内具 3 ~ 5 花；花梗比苞片长，无关节，花被 5 深裂，白色或淡红色，花被片椭圆形，长 3 ~ 4mm；雄蕊 8，比花被短，花药淡红色；花柱 3，柱头头状。瘦果卵形，具 3 锐棱，

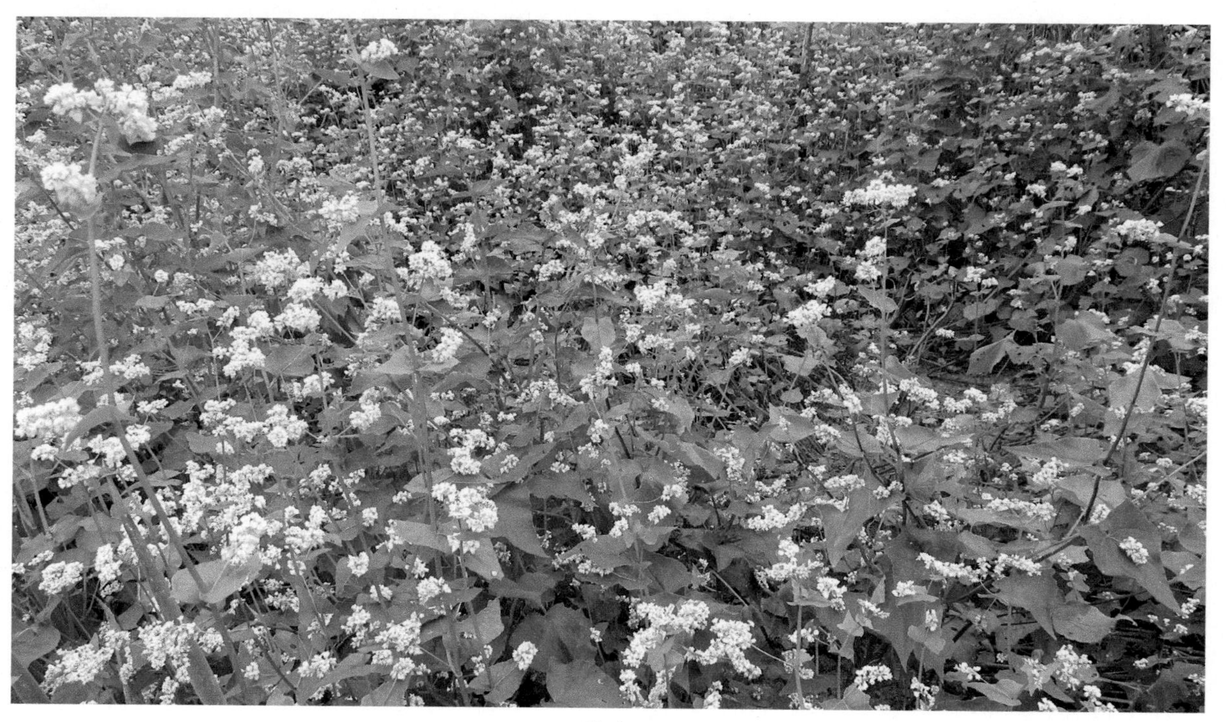

荞麦

先端渐尖，长 5 ～ 6mm，暗褐色，无光泽，比宿存花被长。花期 5 ～ 9 月，果期 6 ～ 10 月。

| 生境分布 | 生于荒地、路边。分布于吉林延边、白山、通化、长春、吉林、辽源等，吉林东部地区有田间栽培。

| 资源情况 | 野生资源较少。吉林有栽培。药材主要来源于栽培。

| 采收加工 | 荞麦：夏、秋季采割茎叶，除去杂质，晒干。

荞麦子：秋季果实成熟时采收，晒干，打下种子，除去杂质，晒干。

| 药材性状 | 荞麦：本品茎呈圆柱形，上部具分枝，红色，具纵棱，无毛或于一侧沿纵棱具乳头状突起。叶三角形或卵状三角形，先端渐尖，基部心形，两面沿叶脉具乳头状突起。气微，味淡。

荞麦子：瘦果三角状卵形或三角形，具 3 锐棱，先端渐尖，长 5 ～ 6mm，暗褐色，无光泽，比宿存花被长。气微，味淡。

| 功能主治 | 荞麦：酸，寒。降血压，止血。用于高血压，毛细血管脆弱性出血，视网膜出血，肺出血。

荞麦子：甘、微酸，寒。归脾、胃、大肠经。健脾消积，下气宽肠，解毒敛疮。用于肠胃积滞，泄泻，痢疾，结肠癌，带下，自汗，盗汗，疱疹，丹毒，痈疽，发背，瘰疬，烫火伤。

| 用法用量 | 荞麦：内服煎汤，5 ～ 10g，鲜品 30 ～ 60g。

荞麦子：内服入丸、散；或制面食服。外用适量，研末掺；或调敷。

| 附　　注 | （1）在《长白汇征录》（1910 年）记载的本地物产中有关于“荞麦”的记载。

（2）本种种子含淀粉，为制作冷面糕点等的优质原料，过敏体质者慎食。

蓼科 Polygonaceae 何首乌属 *Fallopia*

卷茎蓼 *Fallopia convolvulus* (L.) Love

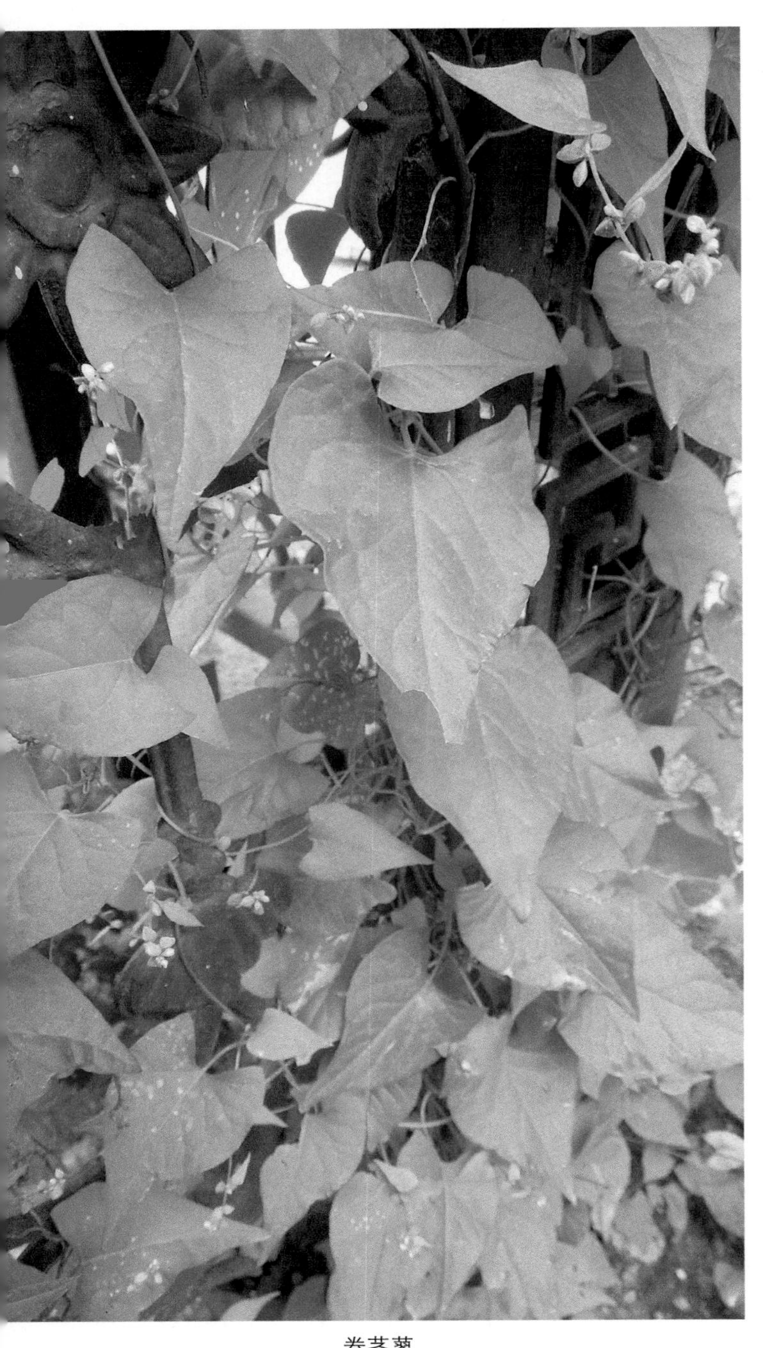
卷茎蓼

| 植物别名 |

烙铁头、荞麦葛。

| 药 材 名 |

卷茎蓼（药用部位：全草或根）。

| 形态特征 |

一年生草本。茎缠绕，长 1 ~ 1.5m，具纵棱，自基部分枝，具小突起。叶卵形或心形，长 2 ~ 6cm，宽 1.5 ~ 4cm，先端渐尖，基部心形，两面无毛，下面沿叶脉具小突起，全缘，边缘具小突起；叶柄长 1.5 ~ 5cm，沿棱具小突起；托叶鞘膜质，长 3 ~ 4mm，偏斜，无缘毛。花序总状，腋生或顶生，花稀疏，下部间断，有时成花簇，生于叶腋；苞片长卵形，先端尖，每苞具 2 ~ 4 花；花梗细弱，比苞片长，中上部具关节；花被 5 深裂，淡绿色，边缘白色，花被片长椭圆形，外面 3 背部具龙骨状突起或狭翅，被小突起；果时稍增大，雄蕊 8，比花被短；花柱 3，极短，柱头头状。瘦果椭圆形，具 3 棱，长 3 ~ 3.5mm，黑色，密被小颗粒，无光泽，包于宿存花被内。花期 5 ~ 8 月，果期 6 ~ 9 月。

| 生境分布 | 生于山坡草地、山谷灌丛、沟边湿地。以长白山区为主要分布区域，分布于吉林延边、白山、通化、吉林、辽源（东丰）、白城、松原、四平等。

| 资源情况 | 野生资源较少。药材主要来源于野生。

| 采收加工 | 夏、秋季采收全草，除去杂质，洗净、晒干。夏、秋季采挖根，除去杂质，洗净、晒干。

| 功能主治 | 全草，辛，温。清热解毒，消肿，利湿止痒。用于湿疹瘙痒，水肿。根，健胃，止咳，镇痛。用于肺热咳嗽，顿咳，胃痛。

蓼科 Polygonaceae 何首乌属 *Fallopia*

齿翅蓼 *Fallopia dentatoalata* (F. Schm.) Holub

| 植物别名 | 乌麦。

| 药 材 名 | 齿翅蓼（药用部位：全草）。

| 形态特征 | 一年生草本。茎缠绕，长 1 ~ 2m，分枝，无毛，具纵棱，沿棱密生小突起，有时茎下部小突起脱落。叶卵形或心形，长 3 ~ 6cm，宽 2.5 ~ 4cm，先端渐尖，基部心形，两面无毛，沿叶脉具小突起，全缘，边缘具小突起；叶柄长 2 ~ 4cm，具纵棱及小突起；托叶鞘短，偏斜，膜质，无缘毛，长 3 ~ 4mm。花序总状，腋生或顶生，长 4 ~ 12cm，花排列稀疏，间断，具小叶；苞片漏斗状，膜质，长 2 ~ 3mm，偏斜，先端急尖，无缘毛，每苞内具 4 ~ 5 花；花被 5 深裂，红色，花被片外面 3 背部具翅，果时增大，翅通常具齿，基部沿花梗明显下延，花被果时外形呈倒卵形，长 8 ~ 9mm，直径 5 ~ 6mm；花梗细弱，

齿翅蓼

果实成熟后延长，长可达 6mm，中下部具关节；雄蕊 8，比花被短；花柱 3，极短，柱头头状。瘦果椭圆形，具 3 棱，长 4 ~ 4.5mm，黑色，密被小颗粒，微有光泽，包于宿存花被内。花期 7 ~ 8 月，果期 9 ~ 10 月。

| 生境分布 |

生于海拔 150 ~ 2800m 的山坡草丛、山谷湿地。分布于吉林延边、白山、通化等。

| 资源情况 |

野生资源较少。药材主要来源于野生。

| 采收加工 |

夏、秋季采收，晒干。

| 功能主治 |

清肝明目。用于目赤。

蓼科 Polygonaceae 何首乌属 *Fallopia*

篱蓼 *Fallopia dumetorum* (L.) Holub

| 药材名 | 篱蓼（药用部位：全草）。

| 形态特征 | 一年生草本。茎缠绕，长 70 ~ 150cm，具纵棱，沿棱具小突起，无毛，多分枝。叶卵状心形，长 3 ~ 6cm，宽 1.5 ~ 4cm，先端渐尖，基部心形或箭形，两面无毛，沿叶脉具小突起，全缘；叶柄长 1 ~ 3cm，具小突起；托叶鞘短，膜质，偏斜，长 2 ~ 3mm，先端尖，无缘毛。花序总状，通常腋生，稀疏；苞片膜质，长 1.5 ~ 2mm，具脉，每苞内具 2 ~ 5 花；花梗细弱，丝形，果时延长，长 3 ~ 5mm，中下部具关节；花被 5 深裂，淡绿色，花被片椭圆形，外面 3 背部具翅，果时增大，翅近膜质，全缘，基部微下延，花被果时外形呈圆形，直径 4 ~ 5mm；雄蕊 8；花柱 3，柱头头状。瘦果椭圆形，长 3 ~ 4mm，具 3 棱，黑色，平滑，有光泽，包于宿存花被内。花期 6 ~ 8 月，

篱蓼

果期 8 ~ 9 月。

| 生境分布 | 生于山坡草地、山谷灌丛。以长白山区为主要分布区域，分布于吉林延边、白山、通化、吉林、辽源（东丰）等。

| 资源情况 | 野生资源较少。药材主要来源于野生。

| 采收加工 | 夏、秋季采收，除去杂质，晒干。

| 功能主治 | 通便。用于便秘。

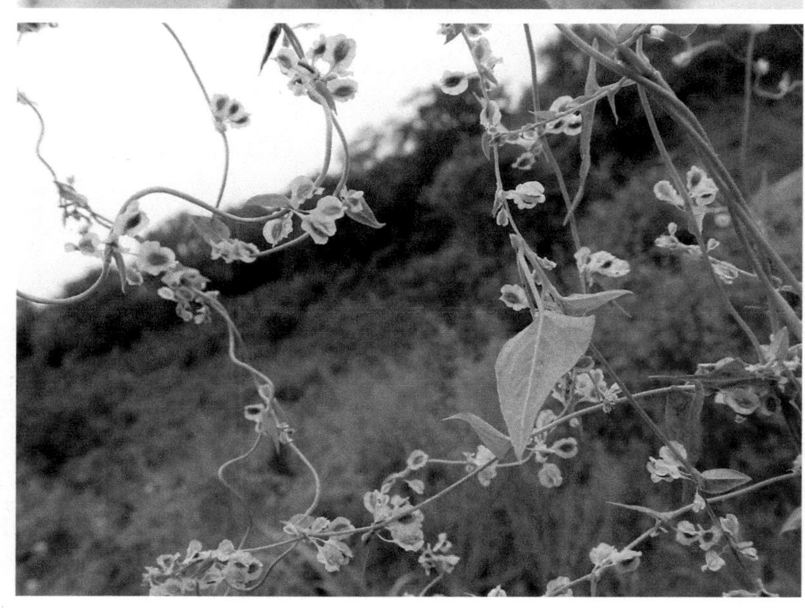

蓼科 Polygonaceae 何首乌属 *Fallopia*

毛脉蓼 *Fallopia multiflora* (Thunb.) Harald. var. *cillinerve* (Nakai) A. J. Li

| 药 材 名 | 红药子（药用部位：块根）。

| 形态特征 | 多年生草本。块根肥厚，长椭圆形，黑褐色。茎缠绕，长 2 ~ 4m，多分枝，具纵棱，无毛，微粗糙，下部木质化。叶卵形或长卵形，长 3 ~ 7cm，宽 2 ~ 5cm，先端渐尖，基部心形或近心形，两面粗糙，全缘，叶下面沿叶脉具乳头状突起；叶柄长 1.5 ~ 3cm；托叶鞘膜质，偏斜，无毛，长 3 ~ 5mm。花序圆锥状，顶生或腋生，长 10 ~ 20cm，分枝开展，具细纵棱，沿棱密被小突起；苞片三角状卵形，具小突起，先端尖，每苞内具 2 ~ 4 花；花梗细弱，长 2 ~ 3mm，下部具关节，果时延长；花被 5 深裂，白色或淡绿色，花被片椭圆形，大小不相等，外面 3 较大，背部具翅，果时增大，花被果时外形近圆形，直径 6 ~ 7mm；雄蕊 8，花丝下部较宽；花柱 3，极短，柱头头状。

毛脉蓼

瘦果卵形，具3棱，长2.5～3mm，黑褐色，有光泽，包于宿存花被内。花期8～9月，果期9～10月。

| 生境分布 | 生于山谷灌丛、山坡石缝。分布于吉林延边、白山、通化等。

| 资源情况 | 野生资源较少。药材主要来源于野生。

| 采收加工 | 秋季采挖，除去地上残茎，洗净，晒干。

| 药材性状 | 本品呈不规则块状，或略呈圆柱形，长8～15cm或更长，直径3～7cm，表面棕黄色。根头部有多数茎基呈疙瘩状。质极坚硬，难折断，剖面深黄色。木质部深浅黄色呈环状，近髓部另有分散的浅黄色木质部束。气微，味苦。

| 功能主治 | 清热解毒，凉血止血，解痉止痛，祛风湿，强腰膝，止泻，调经。用于乳蛾，扁桃体炎，胃炎，肠炎，吐泻痢疾，溃疡病，尿路感染，吐血，衄血，便血，功能性子宫出血，月经不调，胆道蛔虫病，外伤感染，外伤出血，劳伤。

| 用法用量 | 内服煎汤，3～5g；或研粉，1～2g。外用适量，研粉敷。

蓼科 Polygonaceae 山蓼属 *Oxyria*

山蓼 *Oxyria digyna* (L.) Hill.

| 植物别名 | 肾叶高山蓼、肾叶酸模、酸浆草。

| 药 材 名 | 山蓼（药用部位：全草。别名：肾叶山蓼、酸浆菜、酸浆草）。

| 形态特征 | 多年生草本。根茎粗壮，直径 5 ~ 10mm。茎直立，高 15 ~ 20cm，单生或数条自根茎发出，无毛，具细纵沟。基生叶叶片肾形或圆肾形，长 1.5 ~ 3cm，宽 2 ~ 5cm，纸质，先端圆钝，基部宽心形，近全缘，上面无毛，下面沿叶脉具极稀疏短硬毛；叶柄无毛，长可达 12cm；无茎生叶，极少具 1 ~ 2 小叶；托叶鞘短筒状，膜质，先端偏斜。花序圆锥状，分枝极稀疏，无毛，花两性，苞片膜质，每苞内具 2 ~ 5 花；花梗细长，中下部具关节；花被片 4，呈 2 轮，果时内轮 2 增大，倒卵形，长 2 ~ 2.5mm，紧贴果实，外轮 2，反折；雄蕊 6，花药长圆形，花丝钻状；子房扁平，花柱 2，柱头画笔状。瘦果卵形，双

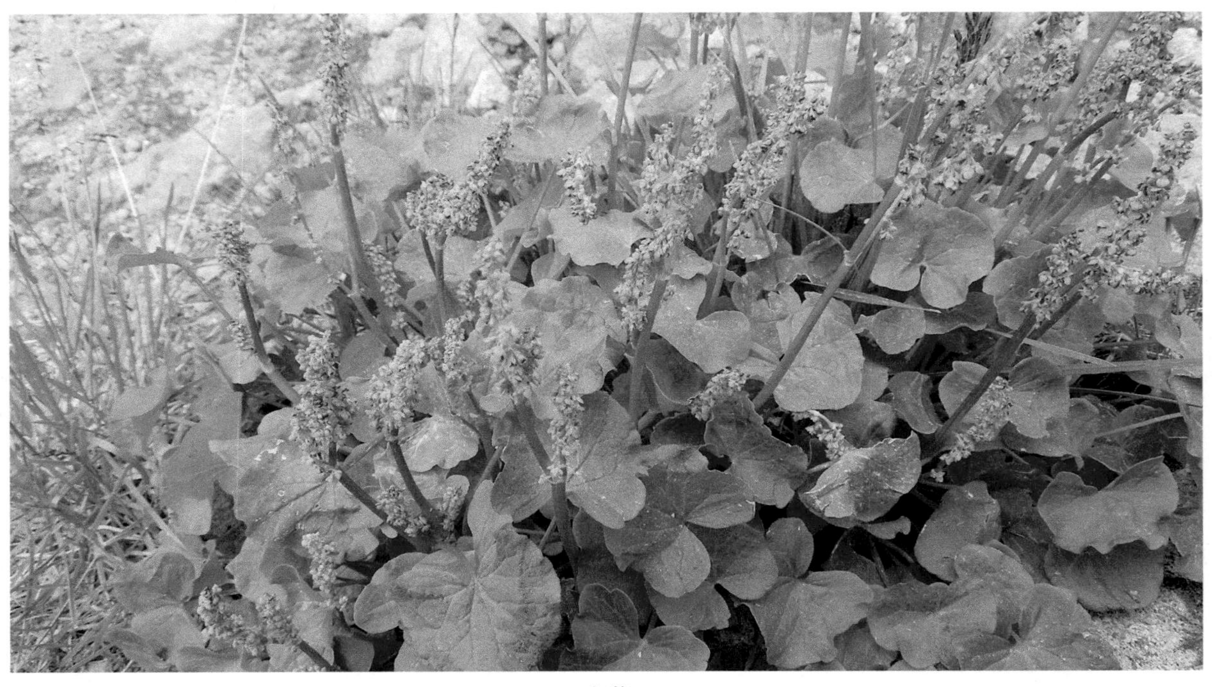

山蓼

凸镜状，长 2.5 ~ 3mm，两侧边缘具膜质翅，连翅外形近圆形，先端凹陷，基部心形，直径 4 ~ 5（~ 6）mm；翅较宽，膜质，淡红色，边缘具小齿。花期 6 ~ 7 月，果期 8 ~ 9 月。

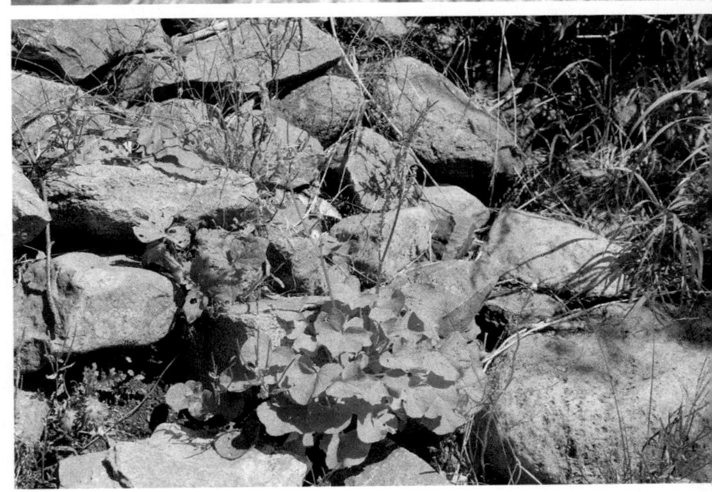

| 生境分布 |

生于高山山坡、山谷砾石滩及海拔 1700m 以上的苔原带。分布于吉林延边、白山、通化等。

| 资源情况 |

野生资源稀少。药材主要来源于野生。

| 采收加工 |

夏、秋季采挖，除去杂质，晒干。

| 功能主治 |

酸，凉。清热利湿，疏肝理气。用于肝气不舒，肝炎，坏血病。

| 用法用量 |

内服煎汤，9 ~ 12g。

| 附　　注 |

本种为吉林省Ⅱ级重点保护野生植物。

蓼科 Polygonaceae 蓼属 *Polygonum*

两栖蓼 *Polygonum amphibium* L.

|**植物别名**| 小黄药、天蓼。

|**药材名**| 两栖蓼（药用部位：全草。别名：小黄药、水荭、天蓼）。

|**形态特征**| 多年生草本，根茎横走。生于水中者茎漂浮，无毛，节部生不定根。叶长圆形或椭圆形，浮于水面，长 5 ~ 12cm，宽 2.5 ~ 4cm，先端钝或微尖，基部近心形，两面无毛，全缘，无缘毛；叶柄长 0.5 ~ 3cm，自托叶鞘近中部发出；托叶鞘筒状，薄膜质，长 1 ~ 1.5cm，先端截形，无缘毛。生于陆地者茎直立，不分枝或自基部分枝，高 40 ~ 60cm。叶披针形或长圆状披针形，长 6 ~ 14cm，宽 1.5 ~ 2cm，先端急尖，基部近圆形，两面被短硬伏毛，全缘，具缘毛；叶柄 3 ~ 5mm，自托叶鞘中部发出；托叶鞘筒状，膜质，长 1.5 ~ 2cm，疏生长硬毛，先端截形，具短缘毛。总状花序呈穗状，顶生或腋生，

两栖蓼

长 2 ~ 4cm，苞片宽漏斗状；花被 5 深裂，淡红色或白色，花被片长椭圆形，长 3 ~ 4mm；雄蕊通常 5，比花被短；花柱 2，比花被长，柱头头状。瘦果近圆形，双凸透镜状，直径 2.5 ~ 3mm，黑色，有光泽，包于宿存花被内。花期 7 ~ 8 月，果期 8 ~ 9 月。

| 生境分布 | 生于湖泊边缘的浅水中、沟边及田边湿地。以长白山区为主要分布区域，分布于吉林延边、白山、通化、吉林、辽源（东丰）、白城、松原、四平等。

| 资源情况 | 野生资源较少。药材主要来源于野生。

| 采收加工 | 夏、秋季采挖，除去杂质，晒干。

| 药材性状 | 本品茎枝呈长圆柱形而微扁，节部略膨大，并生多数黑色细须状不定根；表面褐色至棕褐色，有细密纵走肋线，无毛。叶多卷曲，展平后，水生叶呈长圆形或长圆状披针形，长 5 ~ 12cm，宽 2.5 ~ 4cm，先端急尖或钝，基部心形或圆形，无毛；陆生叶或伸出水面叶呈长圆状披针形，长 4 ~ 8cm，宽 1 ~ 1.5cm，先端渐尖，两面被短伏毛；托叶鞘筒状，先端截形；叶柄由托叶鞘中部以上伸出。有时可见穗状花序。气微，味微涩。

| 功能主治 | 苦，平。清热解毒，利湿杀虫。用于痢疾，尿血，潮热多汗，肥大性脊椎炎；外用于疔疮，脚浮肿，无名肿毒。

| 用法用量 | 内服煎汤，9 ~ 15g。外用适量，鲜品捣敷。

蓼科 Polygonaceae 蓼属 *Polygonum*

萹蓄 *Polygonum aviculare* L.

| 植物别名 | 萹蓄蓼、乌蓼、猪牙草。

| 药 材 名 | 萹蓄（药用部位：地上部分。别名：萹蓄蓼、异叶蓼）。

| 形态特征 | 一年生草本。茎平卧、上升或直立，高 10 ~ 40cm，自基部多分枝，具纵棱。叶椭圆形、狭椭圆形或披针形，长 1 ~ 4cm，宽 3 ~ 12mm，先端钝圆或急尖，基部楔形，全缘，两面无毛，下面侧脉明显；叶柄短或近无柄，基部具关节；托叶鞘膜质，下部褐色，上部白色，撕裂脉明显。花单生或数朵簇生于叶腋，遍布于植株；苞片薄膜质；花梗细，顶部具关节；花被 5 深裂，花被片椭圆形，长 2 ~ 2.5mm，绿色，边缘白色或淡红色；雄蕊 8，花丝基部扩展；花柱 3，柱头头状。瘦果卵形，具 3 棱，长 2.5 ~ 3mm，黑褐色，密被由小点组成的细条纹，无光泽，与宿存花被近等长或稍超过。花期 5 ~ 7 月，果期 6 ~ 8 月。

萹蓄

生境分布 生于田边、路边、沟边、湿地及荒地。吉林各地均有分布。

资源情况 野生资源丰富。药材主要来源于野生。

采收加工 夏季叶茂盛时采收，除去根和杂质，晒干。

药材性状 本品呈圆柱形而略扁，有分枝，长 15 ～ 40cm，直径 0.2 ～ 0.3cm。表面灰绿色或棕红色，有细密微突起的纵纹；节部稍膨大，有浅棕色、膜质的托叶鞘，节间长约 3cm；质硬，易折断，断面髓部白色。叶互生，近无柄或具短柄，叶片多脱落、皱缩或破碎，完整者展平后呈披针形，全缘，两面均呈棕绿色或灰绿色。气微，味微苦。以色绿、叶多、质嫩、无杂质者为佳。

功能主治 苦，微寒。归膀胱经。利尿通淋，杀虫，止痒。用于热淋涩痛，小便短赤，虫积腹痛，皮肤湿疹，阴痒带下。

用法用量 内服煎汤，9 ～ 15g；或捣汁。外用适量，捣敷；或煎汤洗。

附　注 （1）萹蓄在吉林产量大，药用历史较久。在《通化县乡土志》（1910 年）、《（宣统）安图县志》（1911 年）、《辉南县志》（1927 年）等十余部地方志中均有关于“萹蓄”的记载。

（2）吉林萹蓄野生资源丰富，分布广泛，但因价格低廉，很少有人采收。萹蓄作为药材虽有少量产出，也都是自产自销，无商品供市。

蓼科 Polygonaceae 蓼属 *Polygonum*

褐鞘蓼 *Polygonum aviculare* L. var. *fusco-ochreatum* (Kom.) A. J. Li

| 药 材 名 | 褐鞘蓼（药用部位：全草）。

| 形态特征 | 一年生草本。茎平卧、上升或直立，高 10 ~ 40cm，自基部多分枝，具纵棱。叶椭圆形、狭椭圆形或披针形，长 1 ~ 4cm，宽 3 ~ 12mm，先端钝圆或急尖，基部楔形，全缘，两面无毛，下面侧脉明显；叶柄短或近无柄，基部具关节；托叶鞘膜质，全部为褐色，撕裂脉明显。花单生或数朵簇生于叶腋，遍布于植株；苞片薄膜质；花梗细，顶部具关节；花被 5 深裂，花被片椭圆形，长 2 ~ 2.5mm，绿色，边缘白色或淡红色；雄蕊 8，花丝基部扩展；花柱 3，柱头头状。瘦果卵形，具 3 棱，长 2.5 ~ 3mm，黑褐色，密被由小点组成的细条纹，无光泽，与宿存花被近等长或稍超过。花期 5 ~ 7 月，果期 6 ~ 8 月。

| 生境分布 | 生于田边路旁。以长白山区为主要分布区域，分布于吉林延边、白山、

褐鞘蓼

通化、吉林、辽源（东丰）等。

| 资源情况 | 野生资源较丰富。药材主要来源于野生。

| 采收加工 | 夏、秋季采收，除去杂质，晒干。

| 功能主治 | 清热解毒，芳香化湿，截疟杀虫。用于疟疾，虫积腹痛，湿热淋证。

蓼科 Polygonaceae 蓼属 *Polygonum*

拳参 *Polygonum bistorta* L.

|药 材 名| 拳参（药用部位：根茎。别名：紫参、草河车、刀剪药）。

|形态特征| 多年生草本。根茎肥厚，直径 1 ~ 3cm，弯曲，黑褐色。茎直立，高 50 ~ 90cm，不分枝，无毛，通常 2 ~ 3 自根茎发出。基生叶宽披针形或狭卵形，纸质，长 4 ~ 18cm，宽 2 ~ 5cm，先端渐尖或急尖，基部截形或近心形，沿叶柄下延成翅，两面无毛或下面被短柔毛，边缘外卷，微呈波状，叶柄长 10 ~ 20cm；茎生叶披针形或线形，无柄；托叶筒状，膜质，下部绿色，上部褐色，先端偏斜，开裂至中部，无缘毛。总状花序呈穗状，顶生，长 4 ~ 9cm，直径 0.8 ~ 1.2cm，紧密；苞片卵形，先端渐尖，膜质，淡褐色，中脉明显，每苞片内含 3 ~ 4 花；花梗细弱，开展，长 5 ~ 7mm，比苞片长；花被 5 深裂，白色或淡红色，花被片椭圆形，长 2 ~ 3mm；雄蕊 8，

拳参

花柱 3，柱头头状。瘦果椭圆形，两端尖，褐色，有光泽，长约 3.5mm，稍长于宿存的花被。花期 6 ~ 7 月，果期 8 ~ 9 月。

| 生境分布 | 生于山坡草地、山顶草甸、林缘、山谷湿地等处。以长白山区为主要分布区域，分布于吉林延边、白山、通化、吉林、辽源（东丰）等。

| 资源情况 | 野生资源较丰富。药材主要来源于野生。

| 采收加工 | 春初发芽前或秋季茎叶将枯萎时采挖，除去地上部分及须根，洗净泥土，晒干或烘干。

| 药材性状 | 本品呈扁长条形或扁圆柱形，弯曲，有的对卷弯曲，两端略尖，或一端渐细，长 6 ~ 13cm，直径 1 ~ 2.5cm，表面紫褐色或紫黑色，粗糙，一面隆起，一面稍平坦或略具凹槽，全体密具粗环纹，有残留须根或根痕。质硬，断面浅棕红色或棕红色，维管束呈黄白色点状，排列成环。气微，味苦、涩。以粗大、断面红色者为佳。

| 功能主治 | 苦、涩，微寒。归肺、肝、大肠经。清热解毒，消肿止血。用于赤痢热泻，肺热咳嗽，痈肿瘰疬，口舌生疮，血热吐衄，痔疮出血，蛇虫咬伤。

| 用法用量 | 内服煎汤，5 ~ 10g；或入丸、散。外用适量，捣敷；或煎汤含漱；或熏洗。

| 附　　注 | 拳参一直以来用量较小，价格较低。近年来，因开发出以拳参为主要原料的治疗跌打损伤的中成药和皮肤外用药品，拳参投料用量增长，成为小品种畅销药材。吉林主要用同属植物耳叶蓼 *Polygonum manshuriense* V. Petr. ex Kom. 等近缘种作拳参使用，多自产自销。

蓼科 Polygonaceae 蓼属 *Polygonum*

柳叶刺蓼 *Polygonum bungeanum* Turcz.

柳叶刺蓼

| 植物别名 |

轮叶狐尾藻。

| 药 材 名 |

柳叶刺蓼（药用部位：根、果实）。

| 形态特征 |

一年生草本。茎直立或上升，高30～90cm，分枝，具纵棱，被稀疏的倒生短皮刺，皮刺长1～1.5mm。叶披针形或狭椭圆形，长3～10cm，宽1～3cm，先端通常急尖，基部楔形，上面沿叶脉具短硬伏毛，下面被短硬伏毛，边缘具短缘毛；叶柄长5～10mm，密生短硬伏毛；托叶鞘筒状，膜质，具硬伏毛，先端截形，具长缘毛。总状花序呈穗状，顶生或腋生，长5～9cm，通常分枝，下部间断，花序梗密被腺毛；苞片漏斗状，包围花序轴，无毛或有时具腺毛，无缘毛，绿色或淡红色，每苞内具3～4花；花梗粗壮，比苞片稍长；花被5深裂，白色或淡红色，花被片椭圆形，长3～4mm；雄蕊7～8，比花被短；花柱2，中下部合生，柱头头状。瘦果近圆形，双凸透镜状，黑色，无光泽，长约3mm，包于宿存的花被内。花期7～8月，果期8～9月。

| 生境分布 |

生于山谷草地、田边、路旁湿地。分布于吉林延边（延吉、汪清、珲春）、白山（浑江）、吉林（吉林）、辽源（东辽）、白城（洮北）、松原（长岭）等。

| 资源情况 |

野生资源较少。药材主要来源于野生。

| 采收加工 |

秋季采挖根，除去地上残茎，洗净，晒干。秋季采收成熟果实，晒干。

| 功能主治 |

根，清热解毒，利尿，明目。用于化脓性骨髓炎，尿路感染，结膜炎。果实，清热，软坚，活血止痛，消瘀破积，健脾利湿。用于气管炎，骨节疼痛，跌打损伤，瘰疬，痈肿疮疖。

蓼科 Polygonaceae 蓼属 *Polygonum*

稀花蓼 *Polygonum dissitiflorum* Hemsl.

|药材名| 稀花蓼（药用部位：全草。别名：白回归、连牙刺）。

|形态特征| 一年生草本。茎直立或下部平卧，分枝，具稀疏的倒生短皮刺，通常疏生星状毛，高 70 ~ 100cm。叶卵状椭圆形，长 4 ~ 14cm，宽 3 ~ 7cm，先端渐尖，基部戟形或心形，边缘具短缘毛，上面绿色，疏生星状毛及刺毛，下面淡绿色，疏生星状毛，沿中脉具倒生皮刺；叶柄长 2 ~ 5cm，通常具星状毛及倒生皮刺；托叶鞘膜质，长 0.6 ~ 1.5cm，偏斜，具短缘毛。花序圆锥状，顶生或腋生，花稀疏，间断；花序梗细，紫红色，密被紫红色腺毛；苞片漏斗状，包围花序轴，长 2.5 ~ 3mm，绿色，具缘毛，每苞内具 1 ~ 2 花；花梗无毛，与苞片近等长；花被 5 深裂，淡红色，花被片椭圆形，长约 3mm；雄蕊 7 ~ 8，比花被短；花柱 3，中下部合生。瘦果近球形，先端微

稀花蓼

具3棱，暗褐色，长33.5mm，包于宿存花被内。花期6～8月，果期7～9月。

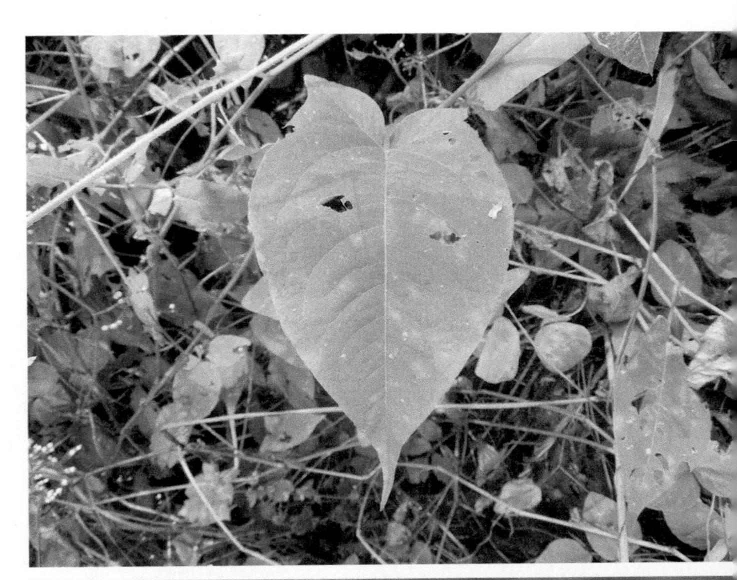

| 生境分布 |

生于河边湿地、山谷草丛及林下阴湿地。以长白山区为主要分布区域，分布于吉林延边、白山、通化、吉林、辽源（东丰）等。

| 资源情况 |

野生资源较少。药材主要来源于野生。

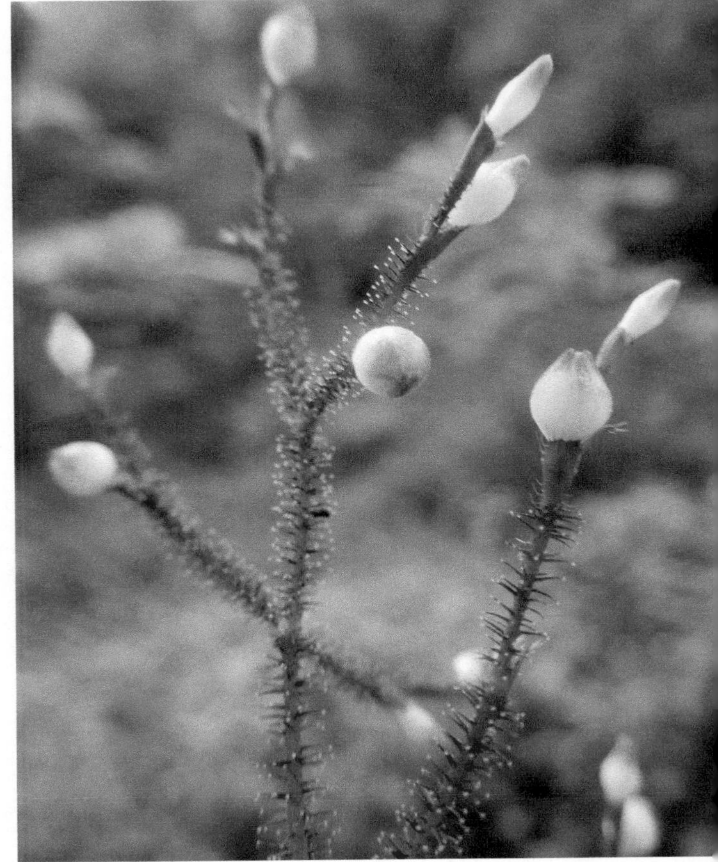

| 采收加工 |

夏、秋季采挖，除去杂质，晒干。

| 功能主治 |

清热解毒，利尿，止痛止泻。用于毒蛇咬伤，小便淋痛，腹痛，泄泻，肝炎。

蓼科 Polygonaceae 蓼属 *Polygonum*

叉分蓼 *Polygonum divaricatum* L.

叉分蓼

| 植物别名 |

分叉蓼、叉枝蓼、酸不溜。

| 药 材 名 |

酸不溜根（药用部位：根。别名：酸不留根、酸不溜）。

| 形态特征 |

多年生草本。茎直立，高 70 ~ 120cm，无毛，自基部分枝，分枝呈叉状，开展，植株外型呈球形。叶披针形或长圆形，长 5 ~ 12cm，宽 0.5 ~ 2cm，先端急尖，基部楔形或狭楔形，边缘通常具短缘毛，两面无毛或被疏柔毛；叶柄长约 0.5cm；托叶鞘膜质，偏斜，长 1 ~ 2cm，疏生柔毛或无毛，开裂，脱落。花序圆锥状，分枝开展；苞片卵形，边缘膜质，背部具脉，每苞片内具 2 ~ 3 花；花梗长 2 ~ 2.5mm，与苞片近等长，顶部具关节；花被 5 深裂，白色，花被片椭圆形，长 2.5 ~ 3mm，大小不相等；雄蕊 7 ~ 8，比花被短；花柱 3，极短，柱头头状。瘦果宽椭圆形，具 3 锐棱，黄褐色，有光泽，长 5 ~ 6mm，超出宿存花被约 1 倍。花期 7 ~ 8 月，果期 8 ~ 9 月。

| 生境分布 | 生于山坡草地、山谷灌丛。吉林各地均有分布。

| 资源情况 | 野生资源稀少。药材主要来源于野生。

| 采收加工 | 夏、秋季采挖，除去杂质，晒干。

| 药材性状 | 本品呈长圆锥形，多扭曲，少数有分枝，长短不一，直径 2 ~ 14cm。表面红棕色，粗糙，具多数不规则纵皱纹或纵沟，根头具茎痕。质坚硬，不易折断，断面不平坦，粉白色或浅棕红色，可见裂隙，有的中心呈枯朽状或中空。气特异，味酸涩。

| 功能主治 | 酸、甘，温。归脾、肾经。温肾散寒，理气止痛，止泻止痢，固涩收敛。用于寒疝，阴囊汗出，胃痛，腹泻痢疾，外伤出血，烫火伤。

| 用法用量 | 内服煎汤，10 ~ 15g；或研末。外用适量，煎汤熏洗。

| 附　　注 | （1）本种药材已被列入 2019 年版《吉林省中药材标准》第二册。

（2）本种嫩茎可食，生食或做菜。

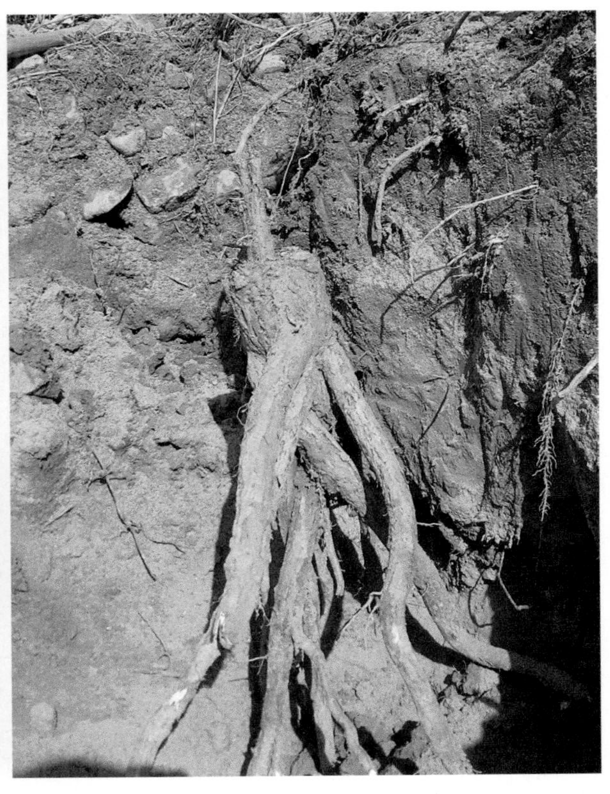

蓼科 Polygonaceae 蓼属 *Polygonum*

长箭叶蓼 *Polygonum hastato-sagittatum* Mak.

| 药 材 名 | 长箭叶蓼（药用部位：全草）。

| 形态特征 | 一年生草本。茎直立或下部近平卧，高 40 ~ 90cm，分枝，具纵棱，沿棱具倒生短皮刺，皮刺长 0.3 ~ 1mm。叶披针形或椭圆形，长 3 ~ 7（~ 10）cm，宽 1 ~ 2（~ 3）cm，先端急尖或近渐尖，基部箭形或近戟形，上面无毛或被短柔毛，有时被短星状毛，下面有时被短星状毛，沿中脉具倒生皮刺，边缘具短缘毛；叶柄长 1 ~ 2.5cm，具倒生皮刺；托叶鞘筒状，膜质，长 1.5 ~ 2cm，先端截形，具长缘毛。总状花序呈短穗状，长 1 ~ 1.5cm，顶生或腋生，花序梗二歧状分枝，密被短柔毛及腺毛；苞片宽椭圆形或卵形，长 2.5 ~ 3mm，具缘毛，每苞内通常具 2 花；花梗长 4 ~ 6mm，密被腺毛，比苞片长；花被 5 深裂，淡红色，花被片宽椭圆形，长 3 ~ 4mm；雄蕊 7 ~ 8，

长箭叶蓼

花柱 3，中下部合生，柱头头状。瘦果卵形，具 3 棱，深褐色，具光泽，长 3 ~ 4mm，包于宿存花被内。花期 8 ~ 9 月，果期 9 ~ 10 月。

| 生境分布 | 生于海拔 50 ~ 3200m 的水边、沟边湿地。分布于吉林延边、白山、通化等。

| 资源情况 | 野生资源较少。药材主要来源于野生。

| 采收加工 | 夏、秋季采收，除去杂质，晒干。

| 功能主治 | 清热解毒，祛风除湿，活血止痛。用于痈肿疮毒，头疮脚癣，风湿痹痛，腰痛，神经痛，跌打损伤，瘀血肿痛，月经不调，毒蛇咬伤。

蓼科 Polygonaceae 蓼属 *Polygonum*

普通蓼 *Polygonum humifusum* Merk ex C. Koch

| **药材名** | 普通蓼（药用部位：地上部分、根）。

| **形态特征** | 一年生草本。茎平卧，自基部多分枝，高 20 ～ 30cm。叶椭圆形或倒披针形，长 11.5cm，宽 3 ～ 5mm，先端微钝或稍尖，基部狭楔形，上面中脉明显，侧脉不明显，下面中脉微凸出，侧脉明显，叶柄极短，具关节；托叶鞘膜质，下部淡褐色，上部白色，具 3 ～ 4 脉。花 2 ～ 5，生于叶腋，遍布于植株；花被 5 深裂，开裂至 2/3。花被片长圆形，长 1.5 ～ 2mm，边缘白色或淡红色。瘦果长卵形，具 3 棱，先端急尖，深褐色，密被小点，微有光泽，长 2 ～ 2.5mm，稍凸出于花被。花期 6 ～ 7 月，果期 8 ～ 9 月。

| **生境分布** | 生于田边路旁、河岸沙地。分布于吉林白城、松原、四平等。

普通蓼

| 资源情况 | 野生资源较少。药材主要来源于野生。

| 采收加工 | 夏、秋季采挖全草，除去杂质，洗净，将地上部分与根分别晒干。

| 功能主治 | 地上部分，清热，利尿，杀虫。用于小便不利。根，活血镇痛。用于跌打损伤，内感疼痛。

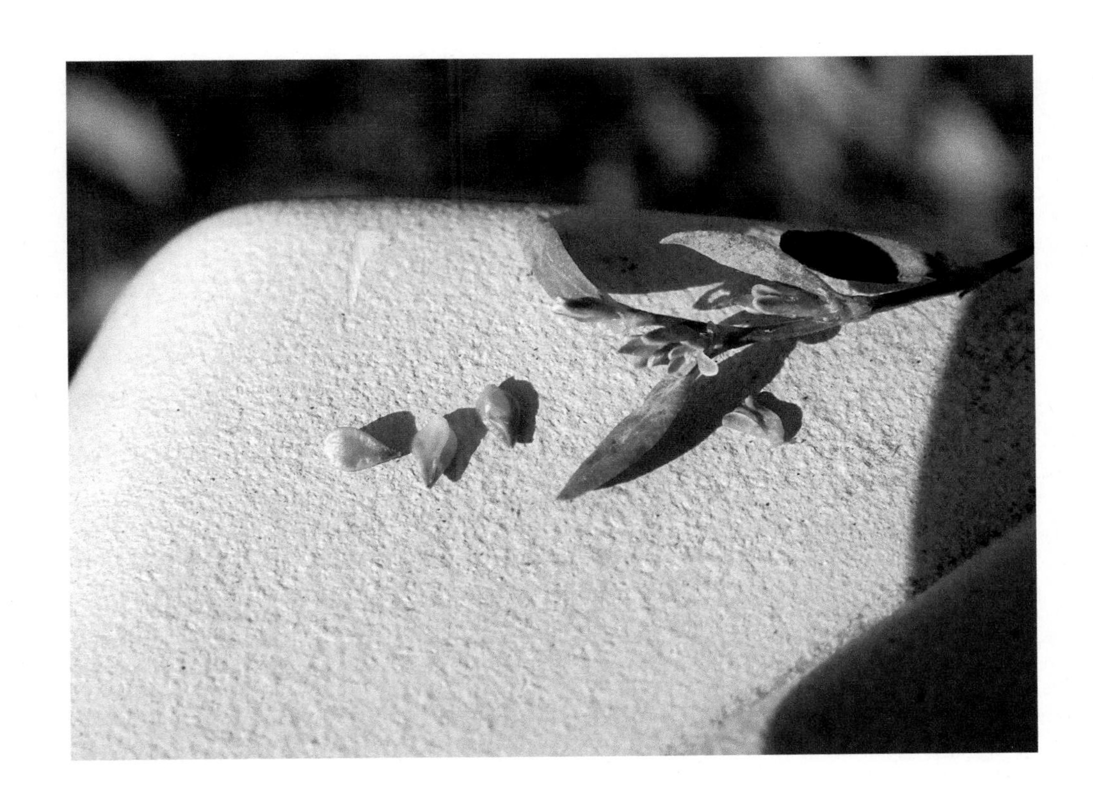

蓼科 Polygonaceae 蓼属 *Polygonum*

水蓼 *Polygonum hydropiper* L.

| 植物别名 | 辣蓼、辣蓼草、水胡椒。

| 药 材 名 | 水蓼（药用部位：全草。别名：辣蓼）。

| 形态特征 | 一年生草本，高 40 ~ 70cm。茎直立，多分枝，无毛，节部膨大。叶披针形或椭圆状披针形，长 4 ~ 8cm，宽 0.5 ~ 2.5cm，先端渐尖，基部楔形，全缘，具缘毛，两面无毛，被褐色小点，有时沿中脉具短硬伏毛，具辛辣味，叶腋具闭花受精花；叶柄长 4 ~ 8mm；托叶鞘筒状，膜质，褐色，长 1 ~ 1.5cm，疏生短硬伏毛，先端截形，具短缘毛，通常托叶鞘内藏有花簇。总状花序呈穗状，顶生或腋生，长 3 ~ 8cm，通常下垂，花稀疏，下部间断；苞片漏斗状，长 2 ~ 3mm，绿色，边缘膜质，疏生短缘毛，每苞内具 3 ~ 5 花；花梗比苞片长；花被 5 深裂，稀 4 裂，绿色，上部白色或淡红色，被黄褐色透明腺点，

水蓼

花被片椭圆形，长 3 ~ 3.5mm；雄蕊 6，稀 8，比花被短；花柱 2 ~ 3，柱头头状。瘦果卵形，长 2 ~ 3mm，双凸透镜状或具 3 棱，密被小点，黑褐色，无光泽，包于宿存花被内。花期 5 ~ 9 月，果期 6 ~ 10 月。

| 生境分布 | 生于河滩、水沟边、山谷湿地。以长白山区为主要分布区域，分布于吉林延边、白山、通化、吉林、辽源（东丰）、白城、四平（双辽）等。

| 资源情况 | 野生资源较丰富。药材主要来源于野生。

| 采收加工 | 夏、秋季采收，除去杂质，晒干。

| 药材性状 | 本品茎呈圆柱形，有分枝，长 30 ~ 70cm；表面灰绿色或棕红色，有细棱线，节膨大；质脆，易折断，断面浅黄色，中空。叶互生，有柄；叶片皱缩或破碎，完整者展平后呈披针形或卵状披针形，长 5 ~ 10cm，宽 0.7 ~ 1.5cm，先端渐尖，基部楔形，全缘，上表面棕褐色，下表面褐绿色，两面有棕黑色斑点及细小的腺点；托叶鞘筒状，长 0.8 ~ 1.1cm，紫褐色，缘毛长 1 ~ 3mm。总状花序呈穗状，长 4 ~ 10cm，花簇稀疏间断；花被淡绿色，5 裂，密被腺点。气微，味辛辣。以叶多、带花、味辛辣浓烈者为佳。

| 功能主治 | 辛，平。归脾、胃、大肠经。清热解毒，利水渗湿，止痢止痒。用于痢疾，泄泻，中暑腹痛。

| 用法用量 | 内服煎汤，15 ~ 30g，鲜品 30 ~ 60g；或捣汁。外用适量，煎汤浸洗；或捣敷。

| 附　　注 | 水蓼是中国的一种传统中草药，全国大部分地区都有分布，资源十分丰富。水蓼作为中药材，用量小，价格低，但在植物源农药、医药、兽药、食品添加剂等方面有着良好的开发前景。吉林水蓼资源丰富，但开发利用尚在起步阶段，有少量药材商品产出，多为自产自销。

蓼科 Polygonaceae 蓼属 *Polygonum*

酸模叶蓼 *Polygonum lapathifolium* L.

酸模叶蓼

| 药材名 |

大马蓼（药用部位：全草。别名：蓼草、旱苗蓼、白辣蓼）。

| 形态特征 |

一年生草本，高 40 ~ 90cm。茎直立，具分枝，无毛，节部膨大。叶披针形或宽披针形，长 5 ~ 15cm，宽 1 ~ 3cm，先端渐尖或急尖，基部楔形，上面绿色，常有 1 个大的黑褐色新月形斑点，两面沿中脉被短硬伏毛，全缘，边缘具粗缘毛；叶柄短，具短硬伏毛；托叶鞘筒状，长 1.5 ~ 3cm，膜质，淡褐色，无毛，具多数脉，先端截形，无缘毛，稀具短缘毛。总状花序呈穗状，顶生或腋生，近直立，花紧密，通常由数个花穗再组成圆锥状，花序梗被腺体；苞片漏斗状，边缘具稀疏短缘毛；花被淡红色或白色，4（~ 5）深裂，花被片椭圆形，外面两面较大，脉粗壮，先端分叉，外弯；雄蕊通常 6。瘦果宽卵形，双凹，长 2 ~ 3mm，黑褐色，有光泽，包于宿存花被内。花期 6 ~ 8 月，果期 7 ~ 9 月。

| 生境分布 |

生于山谷湿地、山坡草丛、田边、路旁、荒地或沟边湿地。吉林各地均有分布。

| 资源情况 |

野生资源较丰富。药材主要来源于野生。

| 采收加工 |

夏、秋季采收，除去杂质，晒干。

| 功能主治 |

辛、苦，凉。清热解毒，除湿化滞，止痢，杀虫，利尿，消肿，止痒。用于痢疾，肠炎，风湿；外用于湿疹，瘰疬，各种疮毒。

| 用法用量 |

内服煎汤，15 ~ 30g。外用适量，煎汤熏洗；或捣敷。

蓼科 Polygonaceae 蓼属 *Polygonum*

绵毛酸模叶蓼 *Polygonum lapathifolium* L. var. *salicifolium* Sihbth.

| 药 材 名 | 辣蓼草（药用部位：全草、果实）。

| 形态特征 | 一年生草本，高 40 ~ 90cm。茎直立，具分枝，无毛，节部膨大。叶披针形或宽披针形，长 5 ~ 15cm，宽 1 ~ 3cm，先端渐尖或急尖，基部楔形，上面绿色，常有 1 个大的黑褐色新月形斑点，两面沿中脉被短硬伏毛，全缘，边缘具粗缘毛，叶下面密生白色绵毛；叶柄短，具短硬伏毛；托叶鞘筒状，长 1.5 ~ 3cm，膜质，淡褐色，无毛，具多数脉，先端截形，无缘毛，稀具短缘毛。总状花序呈穗状，顶生或腋生，近直立，花紧密，通常由数个花穗再组成圆锥状，花序梗被腺体；苞片漏斗状，边缘具稀疏短缘毛；花被淡红色或白色，4（~ 5）深裂，花被片椭圆形，外面两面较大，脉粗壮，先端分叉，外弯；雄蕊通常 6。瘦果宽卵形，双凹，长 2 ~ 3mm，黑褐色，有

绵毛酸模叶蓼

光泽，包于宿存花被内。花期 6 ~ 8 月，果期 7 ~ 9 月。

| 生境分布 | 生于海拔 30 ~ 3900m 的田边、路旁、水边、荒地或沟边湿地。分布于吉林延边（延吉、和龙）、长春（农安）、吉林（磐石）、四平（梨树、双辽）、通化（柳河）、松原（长岭、乾安、扶余）、白城（镇赉）等。

| 资源情况 | 野生资源较少。药材主要来源于野生。

| 采收加工 | 夏、秋季采收全草，除去杂质，晒干。秋季采收果实，晒干。

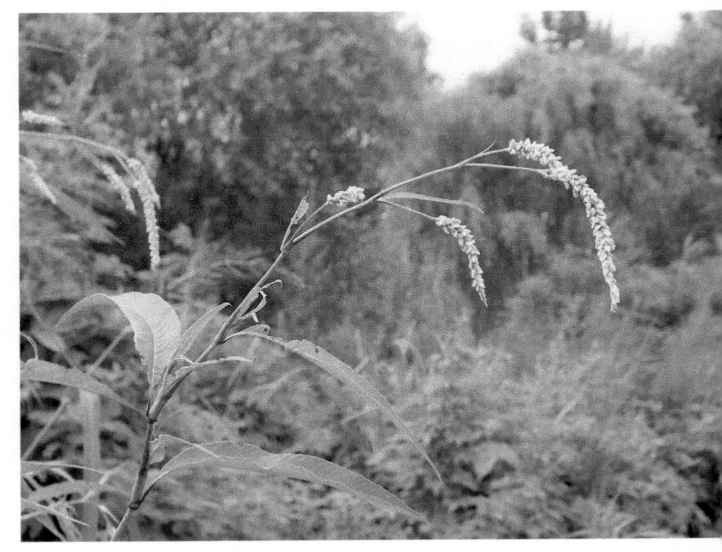

| 药材性状 | 本品茎直径约 6mm，表面有紫红色斑点。叶上面中央常有黑褐色新月形斑，无毛或被稀白色绵毛，下面密被白色绵毛，有腺点；托叶鞘无缘毛。圆锥花序，花密生；花被 4 裂，有腺点。气微，味辛辣。

| 功能主治 | 全草，清热解毒，消肿止痛，止痢，止血，祛风利湿，消滞。用于肿疡，痢疾腹痛，霍乱，日射病，毒蛇咬伤。果实，消瘀破积，健脾利湿，利尿。用于水肿，疮毒。

蓼科 Polygonaceae 蓼属 *Polygonum*

长鬃蓼 *Polygonum longisetum* De Br.

| 植物别名 | 假长尾蓼。

| 药 材 名 | 白辣蓼（药用部位：全草或种子）。

| 形态特征 | 一年生草本。茎直立、上升或基部近平卧，自基部分枝，高30 ~ 60cm，无毛，节部稍膨大。叶披针形或宽披针形，长5 ~ 13cm，宽1 ~ 2cm，先端急尖或狭尖，基部楔形，上面近无毛，下面沿叶脉具短伏毛，边缘具缘毛；叶柄短或近无柄；托叶鞘筒状，长7 ~ 8mm，疏生柔毛，先端截形，具缘毛，长6 ~ 7mm。总状花序呈穗状，顶生或腋生，细弱，下部间断，直立，长2 ~ 4cm；苞片漏斗状，无毛，边缘具长缘毛，每苞内具5 ~ 6花；花梗长2 ~ 2.5mm，与苞片近等长；花被5深裂，淡红色或紫红色，花被片椭圆形，长1.5 ~ 2mm；雄蕊6 ~ 8；花柱3，中下部合生，柱头头状。瘦果宽

长鬃蓼

卵形，具3棱，黑色，有光泽，长约2mm，包于宿存花被内。花期6～8月，果期7～9月。

| 生境分布 |

生于山谷水边、河边草地。以长白山区为主要分布区域，分布于吉林延边、白山、通化、吉林、辽源（东丰）等。

| 资源情况 |

野生资源较少。药材主要来源于野生。

| 采收加工 |

夏、秋季采挖全草，除去杂质，晒干。秋季果实成熟时采割植株或摘取果穗，晒干，收集种子，除去杂质，晒干种子。

| 功能主治 |

全草，辛，温。归肝、胃、大肠经。清热解毒，止痢，活血祛瘀，利湿止痒，温中散寒，消肿止痛。用于虚寒痢疾，腹痛，痈肿疮疡，跌打损伤，无名肿痛，毒蛇咬伤。种子，消瘀破积，健脾利湿。用于胁腹癥积，水臌，胃痛。

| 用法用量 |

内服煎汤，9～30g。外用适量，捣敷；或煎汤洗。

蓼科 Polygonaceae 蓼属 *Polygonum*

耳叶蓼 *Polygonum manshuriense* V. Petr. ex Kom.

| 植物别名 | 倒根草、草河车、拳参。

| 药 材 名 | 耳叶蓼（药用部位：根茎）。

| 形态特征 | 多年生草本。根茎短，肥厚，弯曲，直径约 1cm，黑色。茎直立，高 60 ~ 80cm，通常数个自根茎发出，不分枝，无毛。基生叶长圆形或披针形，纸质，长 13 ~ 15cm，宽 2 ~ 3cm，先端渐尖，基部楔形，沿叶柄下延成狭翅，全缘，上面绿色，下面灰绿色，两面无毛，叶柄长可达 15cm；茎生叶 5 ~ 7，披针形，无柄，上部的叶抱茎，具叶耳；托叶鞘筒状，膜质，下部绿色，上部褐色，偏斜，开裂至中部，无缘毛。总状花序呈穗状，顶生，长 4 ~ 8cm，直径约 1cm；苞片卵形，膜质，先端骤尖；每苞内具 2 ~ 3 花；花梗长 4 ~ 5mm，比苞片长，先端具关节；花被 5 深裂，淡红色或白色，花被片椭圆

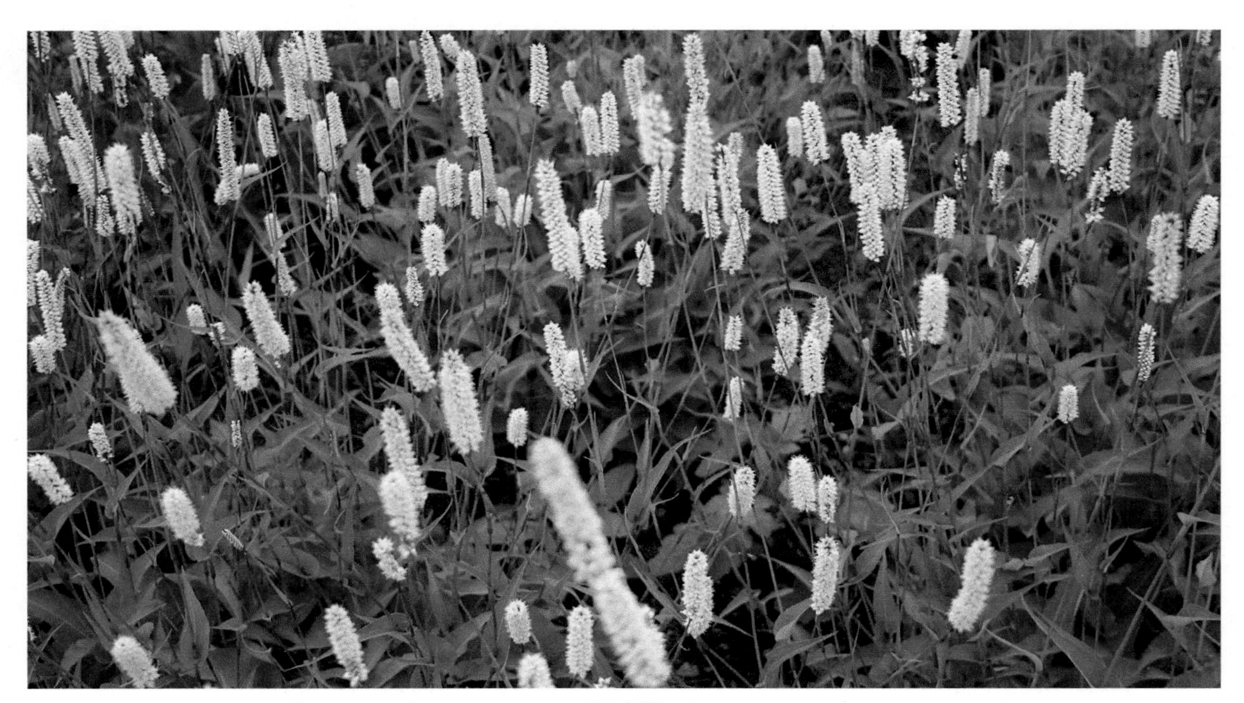

耳叶蓼

形，长约 3mm；雄蕊 8，比花被长；花柱 3，柱头头状。瘦果卵形，具 3 锐棱，长约 3mm，有光泽，包于宿存花被内。花期 6 ~ 7 月，果期 8 ~ 9 月。

| 生境分布 | 生于山坡草地、山坡水沟旁、林缘、山谷湿地或湿草地。以长白山区为主要分布区域，分布于吉林延边、白山、通化、吉林、辽源（东丰）等。

| 资源情况 | 野生资源丰富。药材主要来源于野生。

| 采收加工 | 夏、秋季采收，除去杂质，晒干。

| 药材性状 | 本品呈扁圆柱形，弯曲成虾状，长 4 ~ 15cm。表面紫褐色或紫黑色，稍粗糙，有较密环节及残留须根或根痕，一面隆起，另面较平坦或略具凹槽。质硬，断面近肾形，浅棕红色，黄白色维管束细点排成断续环状。气微，味苦、涩。

| 功能主治 | 苦，寒。清热解毒，镇惊，凉血止血，利湿消肿。用于热病惊搐，破伤风，赤痢，痈肿，瘰疬，咽喉肿痛，口腔炎，牙龈炎，肠炎，便血。

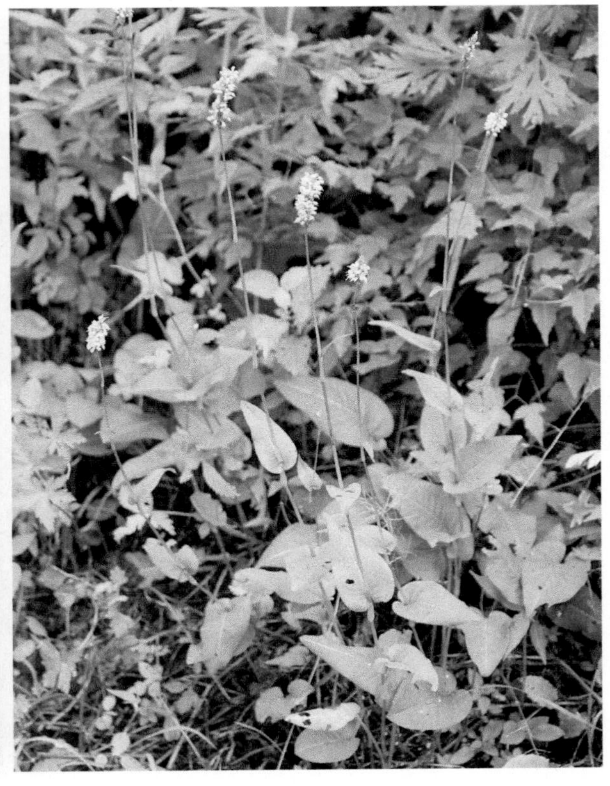

蓼科 Polygonaceae 蓼属 *Polygonum*

尼泊尔蓼 *Polygonum nepalense* Meisn.

| 植物别名 | 头状蓼、野荞麦草、野荞子。

| 药 材 名 | 猫儿眼睛（药用部位：全草。别名：小猫眼、野荞子）。

| 形态特征 | 一年生草本。茎外倾或斜上，自基部多分枝，无毛或在节部疏生腺毛，高 20 ~ 40cm。茎下部叶卵形或三角状卵形，长 3 ~ 5cm，宽 2 ~ 4cm，先端急尖，基部宽楔形，沿叶柄下延成翅，两面无毛或疏被刺毛，疏生黄色透明腺点，茎上部较小；叶柄长 1 ~ 3cm，或近无柄，抱茎；托叶鞘筒状，长 5 ~ 10mm，膜质，淡褐色，先端斜截形，无缘毛，基部具刺毛。花序头状，顶生或腋生，基部常具 1 叶状总苞片，花序梗细长，上部具腺毛；苞片卵状椭圆形，通常无毛，边缘膜质，每苞内具 1 花；花梗比苞片短；花被通常 4 裂，淡紫红色或白色，花被片长圆形，长 2 ~ 3mm，先端圆钝；雄蕊 5 ~ 6，与花被近等

尼泊尔蓼

长，花药暗紫色；花柱 2，下部合生，柱头头状。瘦果宽卵形，双凸透镜状，长 2 ~ 2.5mm，黑色，密生洼点。无光泽，包于宿存花被内。花期 5 ~ 8 月，果期 7 ~ 10 月。

| 生境分布 | 生于耕地、水边、田边、山谷路旁湿地、林下、高山草地及疏林草地。以长白山区为主要分布区域，分布于吉林延边、白山、通化、吉林、辽源（东丰）等。

| 资源情况 | 野生资源丰富。药材主要来源于野生。

| 采收加工 | 夏、秋季采收，除去杂质，晒干。

| 功能主治 | 苦，寒。清热解毒，活血，利水，收敛固肠。用于喉痛，目赤，牙龈肿痛，关节疼痛，赤白痢，大便失常。

| 用法用量 | 内服煎汤，9 ~ 15g。

蓼科 Polygonaceae 蓼属 *Polygonum*

倒根蓼 *Polygonum ochotense* V. Petr. ex Kom.

倒根蓼

植物别名

白山拳蓼、倒根草。

药材名

倒根蓼（药用部位：根茎。别名：白山拳参、草河车、倒根草）。

形态特征

多年生草本。根茎粗壮，弯曲，黑褐色。茎直立，高 15 ~ 40cm，无毛。基生叶卵状披针形或长圆状披针形，近革质，长 5 ~ 8cm，宽 1.5 ~ 3cm，先端渐尖，基部圆形或微心形，沿叶柄微下延，上面绿色，无毛，下面密被灰白色短柔毛，边缘外卷，微波状，叶柄长 6 ~ 10cm；茎生叶 3 ~ 4，卵状披针形，较小，具短柄，上部的叶抱茎；托叶鞘筒状，膜质，被短柔毛，下部绿色，上部褐色，开裂至中部，无缘毛。总状花序呈短穗状，长 2 ~ 3cm，直径 1 ~ 1.5cm，紧密；苞片膜质，褐色，先端长渐尖，具芒尖；花梗细弱，先端具关节；花被淡红色，5 深裂，花被片椭圆形，长 2.5 ~ 3mm；雄蕊 8，比花被长，花药紫色，花柱 3，细长，伸出花被之外，柱头头状。瘦果长卵形，具 3 棱，褐色，有光泽，长约 4mm，包于宿存的花被内。花期 7 ~ 8 月，果期 8 ~ 9 月。

| 生境分布 |

生于海拔 1500 ~ 2500m 的山坡草地。分布于吉林白山（长白、抚松）、延边（安图）、长春（九台）等。

| 资源情况 |

野生资源较少。药材主要来源于野生。

| 采收加工 |

秋季采挖，除去茎叶及须根，洗净，晒干。

| 功能主治 |

苦，微寒；有小毒。清热解毒，凉血止血，收敛。用于细菌性痢疾，肠炎，慢性气管炎，痔疮出血，子宫出血；外用于口腔炎，牙龈炎，痈疖肿毒。

| 用法用量 |

内服煎汤，5 ~ 10g，鲜品 15 ~ 25g。外用适量，煎汤含漱；或用醋磨汁涂。

| 附　　注 |

本种为吉林省Ⅱ级重点保护野生植物。

蓼科 Polygonaceae 蓼属 *Polygonum*

红蓼 *Polygonum orientale* L.

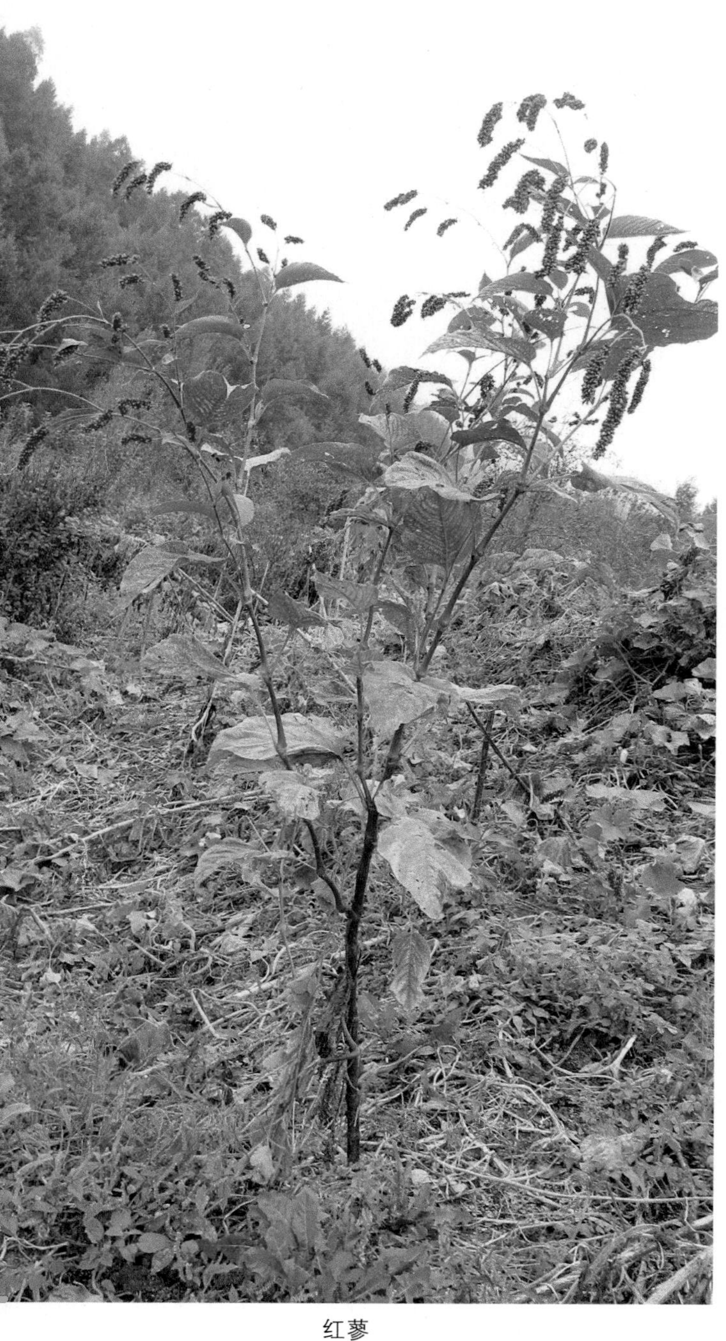

红蓼

| 植物别名 |

东方蓼、荭草、天蓼。

| 药 材 名 |

水红花子（药用部位：成熟果实。别名：水红子）。

| 形态特征 |

一年生草本。茎直立，粗壮，高 1 ~ 2m，上部多分枝，密被开展的长柔毛。叶宽卵形、宽椭圆形或卵状披针形，长 10 ~ 20cm，宽 5 ~ 12cm，先端渐尖，基部圆形或近心形，微下延，全缘，密生缘毛，两面密生短柔毛，叶脉上密生长柔毛；叶柄长 2 ~ 10cm，具开展的长柔毛；托叶鞘筒状，膜质，长 1 ~ 2cm，被长柔毛，具长缘毛，通常沿先端具草质、绿色的翅。总状花序呈穗状，顶生或腋生，长 3 ~ 7cm，花紧密，微下垂，通常数个再组成圆锥状；苞片宽漏斗状，长 3 ~ 5mm，草质，绿色，被短柔毛，边缘具长缘毛，每苞内具 3 ~ 5 花；花梗比苞片长；花被 5 深裂，淡红色或白色，花被片椭圆形，长 3 ~ 4mm；雄蕊 7，比花被长；花盘明显；花柱 2，中下部合生，比花被长，柱头头状。瘦果近圆形，双凹，直径 3 ~ 3.5mm，黑褐色，有光泽，包于宿存花被内。花期 6 ~ 9 月，果期 8 ~ 10 月。

| 生境分布 | 生于沟边湿地、村边路旁、沟渠水塘边缘的湿地以及废弃建筑物周边，数量多，群落大。吉林各地均有分布。

| 资源情况 | 野生资源丰富。药材主要来源于野生。

| 采收加工 | 秋季果实成熟时割取果穗，晒干，打下果实，除去杂质，晒干种子。

| 药材性状 | 本品呈扁圆形，直径 2 ~ 3.5mm，厚 1 ~ 1.5mm；表面棕黑色，有的呈红棕色，有光泽，两面微凹，中部略有纵向隆起；先端有凸起的柱基，基部有浅棕色略凸起的果柄痕，有的有膜质花被残留。质硬。气微，味淡。以种子饱满者为佳。

| 功能主治 | 咸，微寒。归肝、胃经。散血消癥，消积止痛，利水消肿。用于癥瘕痞块，瘿瘤，食积不消，胃脘胀痛，水肿腹水。

| 用法用量 | 内服煎汤，6 ~ 9g，大剂量可至 30g；或研末；或熬膏；或浸酒。外用适量，熬膏；或捣敷。

| 附　　注 | 水红花子全国每年用量大约 500t。吉林是水红花子的主产区，年产量 80 ~ 100t，产区主要集中在中部和南部半山区各地，价格走势一般。

蓼科 Polygonaceae 蓼属 *Polygonum*

杠板归 *Polygonum perfoliatum* L.

| 植物别名 | 贯叶蓼、刺犁头、穿叶蓼。

| 药 材 名 | 杠板归（药用部位：地上部分。别名：河白草、蛇倒退、梨头刺）。

| 形态特征 | 一年生草本。茎攀缘，多分枝，长 1 ~ 2m，具纵棱，沿棱具稀疏的倒生皮刺。叶三角形，长 3 ~ 7cm，宽 2 ~ 5cm，先端钝或微尖，基部截形或微心形，薄纸质，上面无毛，下面沿叶脉疏生皮刺；叶柄与叶片近等长，具倒生皮刺，盾状着生于叶片的近基部；托叶鞘叶状，草质，绿色，圆形或近圆形，穿叶，直径 1.5 ~ 3cm。总状花序呈短穗状，不分枝，顶生或腋生，长 1 ~ 3cm；苞片卵圆形，每苞内具花 2 ~ 4；花被 5 深裂，白色或淡红色，花被片椭圆形，长约 3mm，果时增大，呈肉质，深蓝色；雄蕊 8，略短于花被；花柱 3，中上部合生，柱头头状。瘦果球形，直径 3 ~ 4mm，黑色，

杠板归

有光泽，包于宿存花被内。花期 6 ~ 8 月，果期 7 ~ 10 月。

| 生境分布 | 生于田边、路旁、山谷湿地以及近林缘荒地或村庄附近的荒草乱木堆、土堆上。以长白山区为主要分布区域，分布于吉林延边、白山、通化、吉林、辽源（东丰）、长春（德惠）、松原（扶余）等。

| 资源情况 | 野生资源丰富。药材主要来源于野生。

| 采收加工 | 夏季开花时采收，除去杂质，晒干。

| 药材性状 | 本品略呈方柱形，有棱角，多分枝，直径可达 0.2cm；表面紫红色或紫棕色，棱角上有倒生钩刺，节略膨大，节间长 2 ~ 6cm，断面纤维性，黄白色，有髓或中空。叶互生，有长柄，盾状着生；叶片多皱缩，展平后呈近等边三角形，灰绿色至红棕色，下表面叶脉和叶柄均有倒生钩刺；托叶鞘包于茎节上或脱落。短穗状花序顶生或生于上部叶腋，苞片圆形，花小，多萎缩或脱落。气微，茎味淡，叶味酸。

| 功能主治 | 酸、苦，微寒。清热解毒，利水消肿，止咳。用于咽喉肿痛，肺热咳嗽，小儿顿咳，水肿尿少，湿热泻痢，湿疹，疖肿，蛇虫咬伤。

| 用法用量 | 内服煎汤，15 ~ 30g。外用适量，鲜品捣敷；或干品煎汤洗。

| 附　　注 | （1）杠板归药材用量小，走销迟缓，药材市场上少有人经营。吉林无药材商品产出。

（2）本种叶可生食。

蓼科 Polygonaceae 蓼属 *Polygonum*

春蓼 *Polygonum persicaria* L.

春蓼

| 植物别名 |

马蓼、桃叶蓼。

| 药 材 名 |

春蓼（药用部位：全草）。

| 形态特征 |

一年生草本。茎直立或上升，分枝或不分枝，疏生柔毛或近无毛，高 40 ～ 80cm。叶披针形或椭圆形，长 4 ～ 15cm，宽 1 ～ 2.5cm，先端渐尖或急尖，基部狭楔形，两面疏生短硬伏毛，下面中脉上毛较密，上面近中部有时具黑褐色斑点，边缘具粗缘毛；叶柄长 5 ～ 8mm，被硬伏毛；托叶鞘筒状，膜质，长 1 ～ 2cm，疏生柔毛，先端截形，缘毛长 1 ～ 3mm。总状花序呈穗状，顶生或腋生，较紧密，长 2 ～ 6cm，通常数个再集成圆锥状，花序梗具腺毛或无毛；苞片漏斗状，紫红色，具缘毛，每苞内含 5 ～ 7 花；花梗长 2.5 ～ 3mm；花被通常 5 深裂，紫红色，花被片长圆形，长 2.5 ～ 3mm，脉明显；雄蕊 6 ～ 7，花柱 2，偶 3，中下部合生，瘦果近圆形或卵形，双凸透镜状，稀具 3 棱，长 2 ～ 2.5mm，黑褐色，平滑，有光泽，包于宿存花被内。花期 6 ～ 9 月，果期 7 ～ 10 月。

| 生境分布 | 生于沟边湿地。吉林各地均有分布。

| 资源情况 | 野生资源较少。药材主要来源于野生。

| 采收加工 | 夏、秋季采收，除去杂质，晒干。

| 功能主治 | 辛，温。归肺、脾、大肠经。发汗除湿，消食止泻，疗伤。用于痢疾，泄泻，蛇咬伤，创伤，消化不良，腹泻。

| 用法用量 | 内服煎汤，6 ~ 12g。

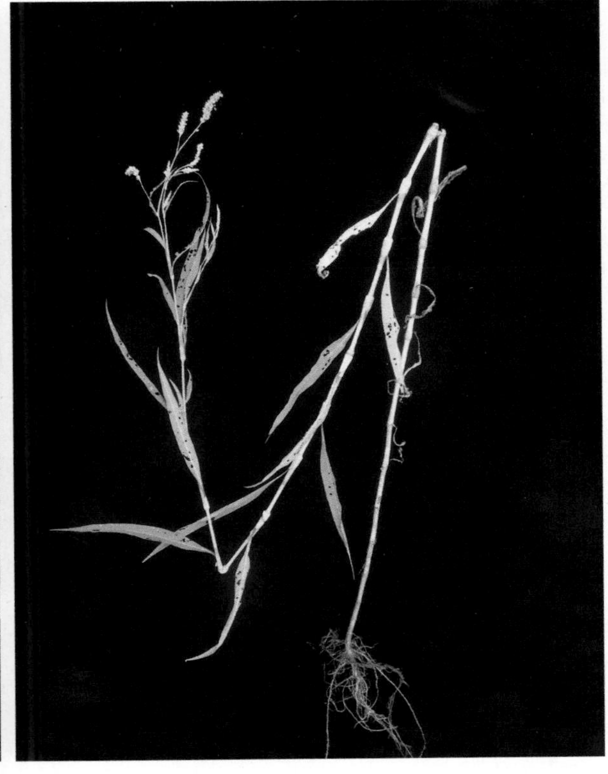

蓼科 Polygonaceae 蓼属 *Polygonum*

习见蓼 *Polygonum plebeium* R. Br.

| 药材名 | 小萹蓄（药用部位：全草。别名：小叶扁蓄、水扁蓄、扁蓄）。

| 形态特征 | 一年生草本。茎平卧，自基部分枝，长 10 ~ 40cm，具纵棱，沿棱具小突起，通常小枝的节间比叶片短。叶狭椭圆形或倒披针形，长 0.5 ~ 1.5cm，宽 2 ~ 4mm，先端钝或急尖，基部狭楔形，两面无毛，侧脉不明显；叶柄极短或近无柄；托叶鞘膜质，白色，透明，长 2.5 ~ 3mm，先端撕裂。花 3 ~ 6 簇生于叶腋，遍布于全植株；苞片膜质；花梗中部具关节，比苞片短；花被 5 深裂，花被片长椭圆形，绿色，背部稍隆起，边缘白色或淡红色，长 1 ~ 1.5mm；雄蕊 5，花丝基部稍扩展，比花被短；花柱 3，稀 2，极短，柱头头状。瘦果宽卵形，具 3 锐棱或呈双凸透镜状，长 1.5 ~ 2mm，黑褐色，平滑，有光泽，包于宿存花被内。花期 5 ~ 8 月，果期 6 ~ 9 月。

习见蓼

| **生境分布** | 生于海拔 30 ~ 2200m 的田边、路旁、水边湿地，分布于吉林延边、白山、通化等。

| **资源情况** | 野生资源较少。药材主要来源于野生。

| **采收加工** | 开花时采收，晒干。

| **功能主治** | 苦，凉。归膀胱、大肠、肝经。利尿通淋，清热解毒，化湿杀虫。用于热淋，石淋，黄疸，痢疾，恶疮疥癣，外阴湿痒，蛔虫病。

| **用法用量** | 内服煎汤，10 ~ 15g，鲜品 30 ~ 60g；或捣汁。外用适量，捣敷；或煎汤洗。

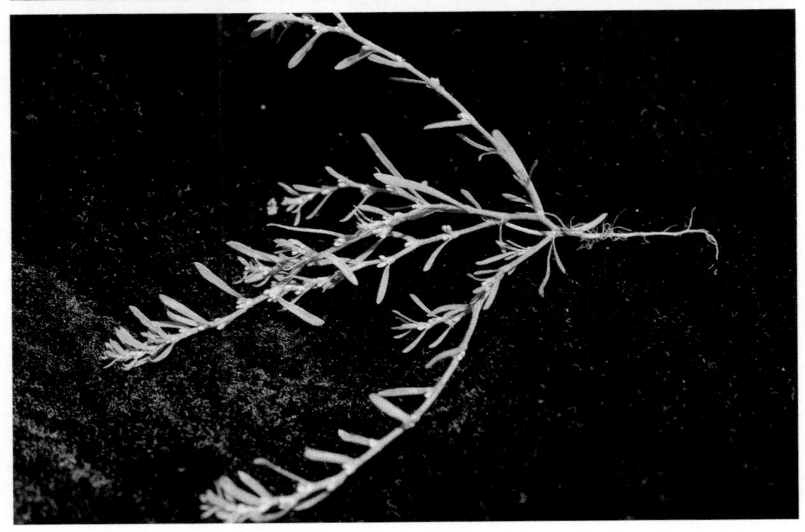

蓼科 Polygonaceae 蓼属 *Polygonum*

刺蓼 *Polygonum senticosum* (Meisn.) Franch. et Sav.

| **植物别名** | 廊茵、蛇不钻。

| **药 材 名** | 刺蓼（药用部位：全草。别名：急解素、蛇不钻、猫舌草）。

| **形态特征** | 茎攀缘，长 1 ~ 1.5m，多分枝，被短柔毛，四棱形，沿棱具倒生皮刺。叶片三角形或长三角形，长 4 ~ 8cm，宽 2 ~ 7cm，先端急尖或渐尖，基部戟形，两面被短柔毛，下面沿叶脉具稀疏的倒生皮刺，边缘具缘毛；叶柄粗壮，长 2 ~ 7cm，具倒生皮刺；托叶鞘筒状，边缘具叶状翅，翅肾圆形，草质，绿色，具短缘毛。花序头状，顶生或腋生，花序梗分枝，密被短腺毛；苞片长卵形，淡绿色，边缘膜质，具短缘毛，每苞内具花 2 ~ 3；花梗粗壮，比苞片短；花被 5 深裂，淡红色，花被片椭圆形，长 3 ~ 4mm；雄蕊 8，呈 2 轮，比花被短；花柱 3，中下部合生，柱头头状。瘦果近球形，微具 3 棱，黑褐色，

刺蓼

无光泽，长 2.5 ~ 3mm，包于宿存花被内。花期 6 ~ 7 月，果期 7 ~ 9 月。

| 生境分布 |

生于山坡、山谷、山沟、林缘、林下。以长白山区为主要分布区域，分布于吉林延边、白山、通化、吉林、辽源（东丰）等。

| 资源情况 |

野生资源较丰富。药材主要来源于野生。

| 采收加工 |

夏、秋季采收，除去杂质，晒干。

| 功能主治 |

苦、微辛，平。解毒消肿，理气止痛，利湿止痒，固脱。用于蛇头疮，疔疮，黄水疮，顽固性痈疖，婴儿胎毒，跌伤，湿疹，痒痈，内外痔，毒蛇咬伤。

| 用法用量 |

不作内服。外用适量，煎汤洗；或捣敷。

蓼科 Polygonaceae 蓼属 *Polygonum*

西伯利亚蓼 *Polygonum sibiricum* Laxm.

西伯利亚蓼

|药 材 名|

西伯利亚蓼（药用部位：全草。别名：剪刀股、野茶、驴耳朵）。

|形态特征|

多年生草本，高 10 ~ 25cm。根茎细长。茎外倾或近直立，自基部分枝，无毛。叶片长椭圆形或披针形，无毛，长 5 ~ 13cm，宽 0.5 ~ 1.5cm，先端急尖或钝，基部戟形或楔形，全缘，叶柄长 8 ~ 15mm；托叶鞘筒状，膜质，上部偏斜，开裂，无毛，易破裂。花序圆锥状，顶生，花排列稀疏，通常间断；苞片漏斗状，无毛，通常每苞内具 4 ~ 6 花；花梗短，中上部具关节；花被 5 深裂，黄绿色，花被片长圆形，长约 3mm；雄蕊 7 ~ 8，稍短于花被，花丝基部较宽；花柱 3，较短，柱头头状。瘦果卵形，具 3 棱，黑色，有光泽，包于宿存的花被内或凸出。花果期 6 ~ 9 月。

|生境分布|

生于路边、湖边、河滩、山谷湿地、砂质盐碱地。分布于吉林白城（通榆、镇赉、洮南）、松原（长岭、前郭尔罗斯）等。

| 资源情况 |

野生资源较丰富。药材主要来源于野生。

| 采收加工 |

夏、秋季采收，除去杂质，晒干。

| 功能主治 |

苦、微辛，微寒。清热解毒，祛风除湿，利水，清胃肠积热，泻下。用于便秘，腹水，黄水病，腹痛，癥瘕，瘀血疼痛，关节积液，皮肤瘙痒。

| 用法用量 |

内服研末，3g。外用适量，煎汤洗。

蓼科 Polygonaceae 蓼属 *Polygonum*

箭叶蓼 *Polygonum sieboldii* Meisn.

| 植物别名 | 雀翅、火箭叶蓼、戟叶杠板归。

| 药 材 名 | 箭叶蓼（药用部位：全草。别名：沼地蓼、雀翘）。

| 形态特征 | 一年生草本。茎基部外倾，上部近直立，有分枝，无毛，四棱形，沿棱具倒生皮刺。叶宽披针形或长圆形，长 2.5 ~ 8cm，宽 1 ~ 2.5cm，先端急尖，基部箭形，上面绿色，下面淡绿色，两面无毛，下面沿中脉具倒生短皮刺，全缘，无缘毛；叶柄长 1 ~ 2cm，具倒生皮刺；托叶鞘膜质，偏斜，无缘毛，长 0.5 ~ 1.3cm。花序头状，通常成对，顶生或腋生，花序梗细长，疏生短皮刺；苞片椭圆形，先端急尖，背部绿色，边缘膜质，每苞内具 2 ~ 3 花；花梗短，长 1 ~ 1.5mm，比苞片短；花被 5 深裂，白色或淡紫红色，花被片长圆形，长约 3mm；雄蕊 8，比花被短；花柱 3，中下部合生。瘦果宽卵形，具 3 棱，

箭叶蓼

黑色，无光泽，长约2.5mm，包于宿存花被内。花期6～9月，果期8～10月。

| 生境分布 |

生于山谷、沟旁、水边、湿地。吉林各地均有分布。

| 资源情况 |

野生资源较丰富。药材主要来源于野生。

| 采收加工 |

夏、秋季采收，除去杂质，晒干。

| 功能主治 |

酸、涩，平。祛风除湿，清热解毒，消肿止痛，止痒。用于风湿关节痛，肠炎痢疾，毒蛇咬伤，疮疖肿毒，瘰疬，带状疱疹，湿疹皮炎，皮肤瘙痒，痔疮，黄水疮。

| 用法用量 |

内服全草捣烂取汁，每次1小杯，每日3次。外用适量，捣敷。

蓼科 Polygonaceae 蓼属 *Polygonum*

戟叶蓼 *Polygonum thunbergii* Sieb. et Zucc.

| 植物别名 | 小青草、藏氏蓼。

| 药 材 名 | 戟叶蓼（药用部位：全草。别名：鹿蹄草、藏氏蓼、凹叶蓼）。

| 形态特征 | 一年生草本。茎直立或上升，具纵棱，沿棱具倒生皮刺，基部外倾，节部生根，高 30 ～ 90cm。叶戟形，长 4 ～ 8cm，宽 2 ～ 4cm，先端渐尖，基部截形或近心形，两面疏生刺毛，极少具稀疏的星状毛，边缘具短缘毛，中部裂片卵形或宽卵形，侧生裂片较小，卵形；叶柄长 2 ～ 5cm，具倒生皮刺，通常具狭翅；托叶鞘膜质，边缘具叶状翅，翅近全缘，具粗缘毛。花序头状，顶生或腋生，分枝，花序梗具腺毛及短柔毛；苞片披针形，先端渐尖，边缘具缘毛，每苞内具 2 ～ 3 花；花梗无毛，比苞片短；花被 5 深裂，淡红色或白色，花被片椭圆形，长 3 ～ 4mm；雄蕊 8，2 轮，比花被短；花柱 3，中下

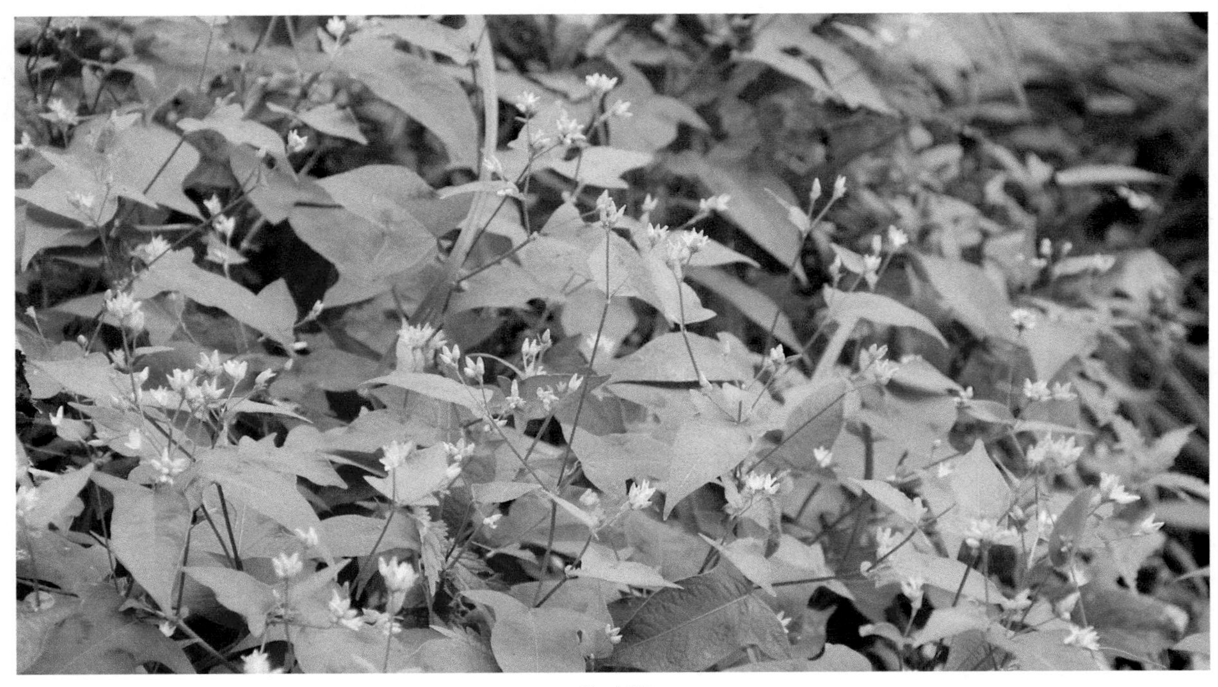

戟叶蓼

部合生，柱头头状。瘦果宽卵形，具 3 棱，黄褐色，无光泽，长 3 ~ 3.5mm，包于宿存花被内。花期 7 ~ 9 月，果期 8 ~ 10 月。

| 生境分布 | 生于山坡林下、山坡草地、湿草地、水边、荒地林缘。以长白山区为主要分布区域，分布于吉林延边、白山、通化、吉林、辽源（东丰）等。

| 资源情况 | 野生资源丰富。药材主要来源于野生。

| 采收加工 | 夏、秋季采收，除去杂质，晒干。

| 功能主治 | 祛风镇痛，渗湿辟秽，利水消肿，清热解毒，活血止咳。用于痧证，感冒，肠炎，腹泻，痢疾，毒蛇咬伤。

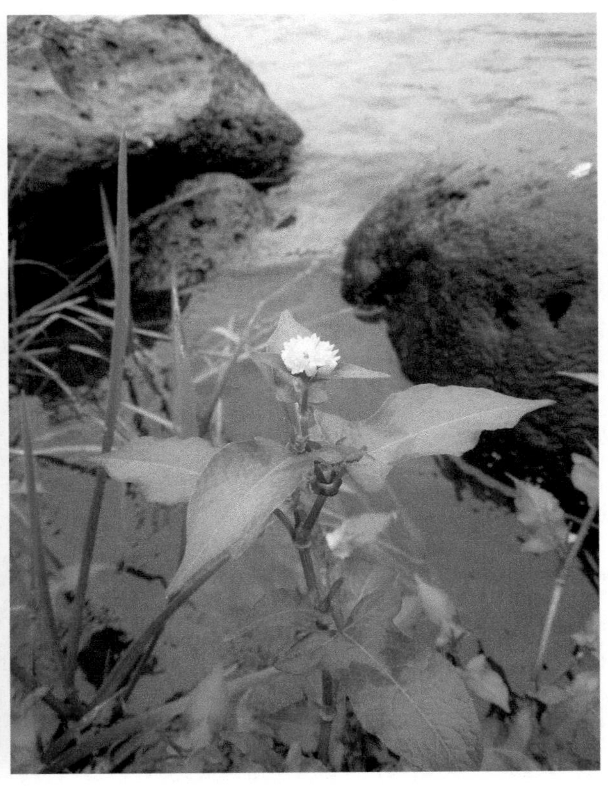

蓼科 Polygonaceae 蓼属 *Polygonum*

香蓼 *Polygonum viscosum* Buch.-Ham. ex D. Don

| 植物别名 | 粘毛蓼、辣蓼、辣柳。

| 药 材 名 | 香蓼（药用部位：全草。别名：水毛蓼、红杆蓼）。

| 形态特征 | 一年生草本，植株具香味。茎直立或上升，多分枝，密被开展的长糙硬毛及腺毛，高 50 ~ 90cm。叶卵状披针形或椭圆状披针形，长 5 ~ 15cm，宽 2 ~ 4cm，先端渐尖或急尖，基部楔形，沿叶柄下延，两面被糙硬毛，叶脉上毛较密，全缘，密生短缘毛；托叶鞘膜质，筒状，长 1 ~ 1.2cm，密生短腺毛及长糙硬毛，先端截形，具长缘毛。总状花序呈穗状，顶生或腋生，长 2 ~ 4cm，花紧密，通常数个再组成圆锥状，花序梗密被开展的长糙硬毛及腺毛；苞片漏斗状，具长糙硬毛及腺毛，边缘疏生长缘毛，每苞内具 3 ~ 5 花；花梗比苞片长；花被 5 深裂，淡红色，花被片椭圆形，长约 3mm；雄蕊 8，

香蓼

比花被短；花柱 3，中下部合生。瘦果宽卵形，具 3 棱，黑褐色，有光泽，长约 2.5mm，包于宿存花被内。花期 7 ~ 9 月，果期 8 ~ 10 月。

| 生境分布 | 生于湿地、湿草地、水沟边草丛。以长白山区为主要分布区域，分布于吉林延边、白山、通化、吉林、辽源（东丰）等。

| 资源情况 | 野生资源较少。药材主要来源于野生。

| 采收加工 | 夏、秋季采收，除去杂质，晒干。

| 药材性状 | 本品茎枝呈长圆柱形，上部或有分枝，表面褐绿色至黑绿色，密被长茸毛并具腺毛，粗糙，有黏性，断面中空。叶卷曲，易破碎，展平后呈披针形或宽披针形，长 4 ~ 13cm，宽 1 ~ 2.5cm；先端渐尖，基部楔形，褐绿色至黑绿色，两面及叶缘均被短伏毛，沿主脉具长茸毛；托叶鞘筒状，先端截形，基部有狭翅，密被长茸毛。气芳香，味微涩。

| 功能主治 | 辛，平。祛风除湿。用于风寒湿痹关节痛，局部红肿，疼痛不已。

| 用法用量 | 内服煎汤，6 ~ 15g。

蓼科 Polygonaceae 蓼属 *Polygonum*

珠芽蓼 *Polygonum viviparum* L.

| 植物别名 | 石凤丹、零余子蓼、珠芽拳蓼。

| 药 材 名 | 珠芽蓼（药用部位：根茎。别名：山谷子、猴娃七、山高粱）。

| 形态特征 | 多年生草本。根茎粗壮，弯曲，黑褐色，直径 1 ~ 2cm。茎直立，高 15 ~ 60cm，不分枝，通常 2 ~ 4 自根茎发出。基生叶长圆形或卵状披针形，长 3 ~ 10cm，宽 0.5 ~ 3cm，先端尖或渐尖，基部圆形、近心形或楔形，两面无毛，边缘脉端增厚，外卷，具长叶柄；茎生叶较小，披针形，近无柄；托叶鞘筒状，膜质，下部绿色，上部褐色，偏斜，开裂，无缘毛。总状花序呈穗状，顶生，紧密，下部生珠芽；苞片卵形，膜质，每苞内具 1 ~ 2 花；花梗细弱；花被 5 深裂，白色或淡红色，花被片椭圆形，长 2 ~ 3mm；雄蕊 8，花丝不等长；花柱 3，下部合生，柱头头状。瘦果卵形，具 3 棱，深褐色，有光泽，

珠芽蓼

长约 2mm，包于宿存花被内。花期 5 ~ 7 月，果期 7 ~ 9 月。

| 生境分布 | 多生长在阳光充足、气候冷凉的山坡草地、山谷溪旁、沙河滩底、林下及林缘等地。分布于吉林延边、白山、通化等。

| 资源情况 | 野生资源较少。药材主要来源于野生。

| 采收加工 | 夏季采挖，除去茎叶及须根，洗净，晒干。

| 药材性状 | 本品呈扁圆柱形或团块状，常弯曲成虾状，长 2 ~ 5cm，直径 0.3 ~ 1.5cm；表面呈棕褐色，稍粗糙，可见较密的环节及根痕；一面隆起，另一面较平坦或略具凹槽；有时先端具棕褐色叶鞘残基。质较硬，折断面平坦，灰棕色或紫红色；白色点状的维管束排列成断续的环状。气微，味苦、涩。

| 功能主治 | 苦、涩、微甘，温。活血化瘀，止血止痛，清热解毒，收敛，涩肠止痢。用于咽喉肿痛，扁桃体炎，胃痛，腹痛，关节痛，吐血，衄血，崩漏，带下，乳蛾，痢疾，里急后重，便血，跌打损伤，外伤出血，局部溃疡。

| 用法用量 | 内服煎汤，9g。外用适量，研粉敷。

| 附　　注 | 本种为吉林省Ⅲ级重点保护野生植物。

蓼科 Polygonaceae 虎杖属 *Reynoutria*

虎杖 *Reynoutria japonica* Houtt.

| 植物别名 | 斑庄根、大接骨、酸桶芦。

| 药 材 名 | 虎杖（药用部位：根及根茎。别名：花斑竹、酸筒杆、酸汤梗）。

| 形态特征 | 多年生草本。根茎粗壮，横走。茎直立，高 1 ~ 2m，粗壮，空心，具明显的纵棱，具小突起，无毛，散生红色或紫红斑点。叶宽卵形或卵状椭圆形，长 5 ~ 12cm，宽 4 ~ 9cm，近革质，先端渐尖，基部宽楔形、截形或近圆形，全缘，疏生小突起，两面无毛，沿叶脉具小突起；叶柄长 1 ~ 2cm，具小突起；托叶鞘膜质，偏斜，长 3 ~ 5mm，褐色，具纵脉，无毛，先端截形，无缘毛，常破裂，早落。花单性，雌雄异株，花序圆锥状，长 3 ~ 8cm，腋生；苞片漏斗状，长 1.5 ~ 2mm，先端渐尖，无缘毛，每苞内具 2 ~ 4 花；花梗长 2 ~ 4mm，中下部具关节；花被 5 深裂，淡绿色，雄花花被片

虎杖

具绿色中脉，无翅，雄蕊 8，比花被长；雌花花被片外面 3 背部具翅，果时增大，翅扩展下延，花柱 3，柱头流苏状。瘦果卵形，具 3 棱，长 4 ~ 5mm，黑褐色，有光泽，包于宿存花被内。花期 8 ~ 9 月，果期 9 ~ 10 月。

| 生境分布 | 生于山坡灌丛、山谷、路旁、田边湿地。吉林无野生分布，部分地区的药用植物园及公园有栽培。

| 资源情况 | 吉林有栽培。药材主要来源于栽培。

| 采收加工 | 春、秋季采挖，除去须根，洗净，趁鲜切短段或厚片，晒干。

| 药材性状 | 本品多为圆柱形短段或不规则厚片，长 1 ~ 7cm，直径 0.5 ~ 2.5cm。外皮棕褐色，有纵皱纹和须根痕，切面皮部较薄，木部宽广，棕黄色，射线放射状，皮部与木部较易分离。根茎髓中有隔或呈空洞状。质坚硬。气微，味微苦、涩。以粗壮、坚实、断面色黄者为佳。

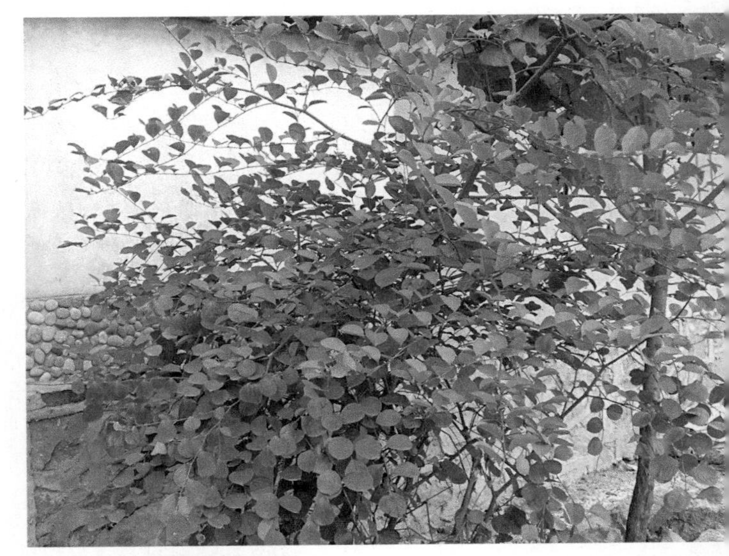

| 功能主治 | 微苦，微寒。利湿退黄，清热解毒，散瘀止痛，止咳化痰。用于湿热黄疸，淋浊，带下，风湿痹痛，痈肿疮毒，烫火伤，闭经，癥瘕，跌打损伤，肺热咳嗽。

| 用法用量 | 内服煎汤，9 ~ 15g。外用适量，捣敷；或煎汤浸渍。

| 附　　注 | 2020 年版《中国药典》记载本种的拉丁学名为 *Polygonum cuspidatum* Sieb. et Zucc.。

蓼科 Polygonaceae 大黄属 *Rheum*

波叶大黄 *Rheum undulatum* L.

波叶大黄

| 植物别名 |

华北大黄、长叶波叶大黄。

| 药 材 名 |

山大黄（药用部位：根及根茎。别名：唐大黄、土大黄、峪黄）。

| 形态特征 |

多年生高大草本，高 1 ~ 1.5m。茎粗壮，中空，光滑无毛，只近节部稍具糙毛。基生叶大，叶片三角状卵形或近卵形，长 30 ~ 40cm，宽 20 ~ 30cm，先端钝尖或钝急尖，常扭向一侧，基部心形，边缘具强皱波，基出脉 5 ~ 7，于叶下面凸起，叶上面深绿色，光滑无毛或在叶脉处具稀疏短毛，下面浅绿色，被毛；叶柄粗壮，宽扁，半圆柱状，通常短于叶片，被有短毛；上部叶较小，多三角形或卵状三角形。大型圆锥花序，花白绿色，5 ~ 8 簇生；花梗长 2.5 ~ 4mm，关节位于下部；花被片不开展，外轮 3 稍小而窄，内轮 3 稍大，椭圆形，长近 2mm；雄蕊与花被等长；子房略为菱状椭圆形，花柱较短，向外反曲，柱头膨大，较平坦。果实三角状卵形至近卵形，长 8 ~ 9mm，宽 6.5 ~ 7.5mm，先端钝，基部心形，翅较窄，宽 1.5 ~ 2mm，纵脉位于翅的中间部分；种子卵形，棕褐色，稍具光泽。花期 6 月，果期 7 月以后。

| 生境分布 | 生于山地、山坡、石隙、草原。分布于吉林延边、白山、通化等。

| 资源情况 | 野生资源极少。药材主要来源于野生。

| 采收加工 | 秋末茎叶枯萎或翌年春季发芽前采挖，除去细根，刮去外皮，切瓣或段，干燥。

| 药材性状 | 本品呈不规则类圆柱形，上端较粗，下端稍细，长 5 ~ 10cm，直径 1.5 ~ 5cm。栓皮多已刮去，表面红褐色带黄色，无横纹，质坚而轻。断面无星点，有细密而直的红棕色射线。新断面黄色至棕红色，在紫外光下显蓝紫色荧光。气微，味苦、涩。

| 功能主治 | 苦，寒。泻热通便，行瘀破滞。用于热结便秘，湿热黄疸，痈肿疔毒，跌打瘀痛，口疮糜烂，烫火伤。

| 用法用量 | 内服煎汤，3 ~ 10g；或研末。外用适量，研末撒；或调敷。

| 附　　注 | 在 FOC 中，本种的拉丁学名被修订为 *Rheum rhabarbarum* Linnaeus。

蓼科 Polygonaceae 酸模属 *Rumex*

酸模 *Rumex acetosa* L.

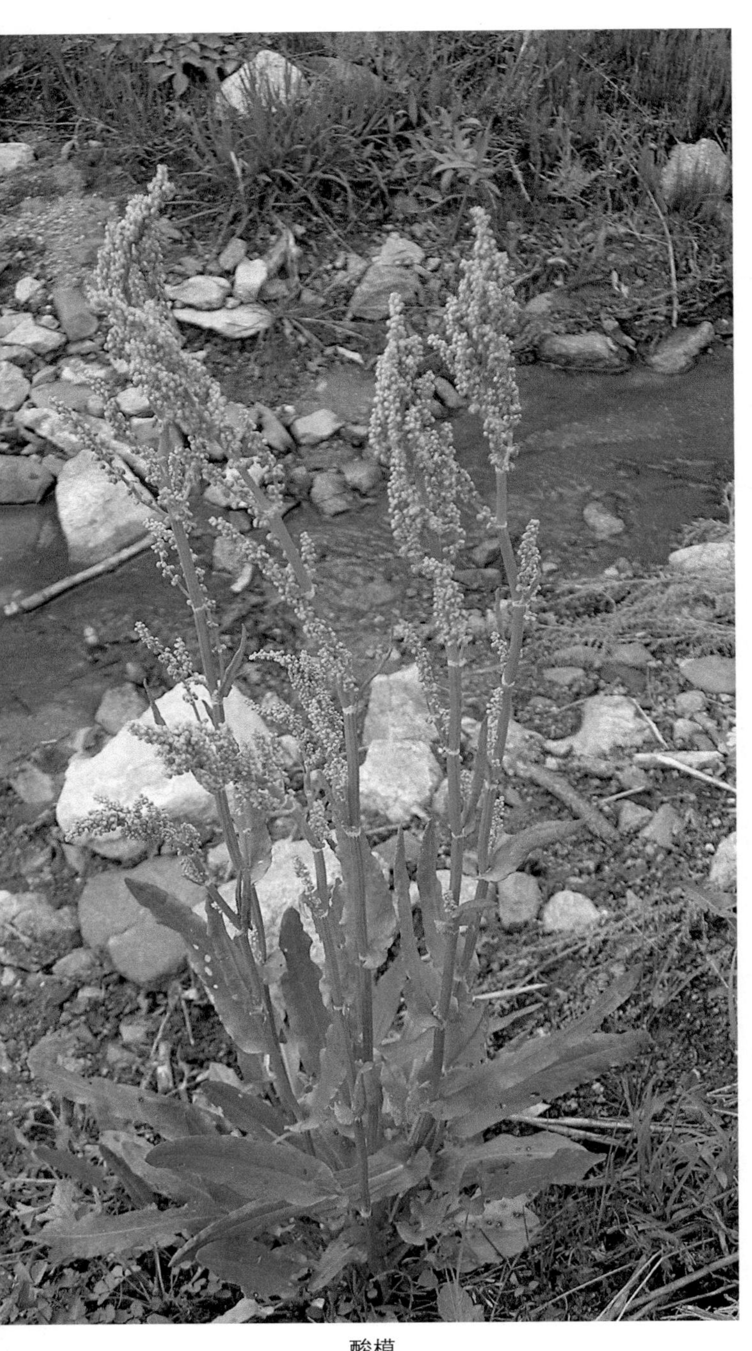

酸模

| 植物别名 |

酸鸡溜、酸不溜。

| 药 材 名 |

酸模（药用部位：根。别名：野菠菜、酸溜溜、水牛舌头）。

| 形态特征 |

多年生草本。根为须根。茎直立，高 40 ~ 100cm，具深沟槽，通常不分枝。基生叶和茎下部叶箭形，长 3 ~ 12cm，宽 2 ~ 4cm，先端急尖或圆钝，基部裂片急尖，全缘或微波状，叶柄长 2 ~ 10cm；茎上部叶较小，具短叶柄或无柄；托叶鞘膜质，易破裂。花序狭圆锥状，顶生，分枝稀疏；花单性，雌雄异株；花梗中部具关节；花被片 6，2 轮，雄花内花被片椭圆形，长约 3mm，外花被片较小，雄蕊 6；雌花内花被片果时增大，近圆形，直径 3.5 ~ 4mm，全缘，基部心形，网脉明显，基部具极小的小瘤，外花被片椭圆形，反折。瘦果椭圆形，具 3 锐棱，两端尖，长约 2mm，黑褐色，有光泽。花期 5 ~ 7 月，果期 6 ~ 8 月。

| 生境分布 | 生于路边、山坡、湿地、林缘、沟边。吉林各地均有分布。

| 资源情况 | 野生资源丰富。药材主要来源于野生。

| 采收加工 | 夏、秋季采收，除去杂质，晒干。

| 药材性状 | 本品根茎粗短，先端有残留的茎基，常数条相聚簇生；根稍肥厚，长 3.5 ~ 7cm，直径 1 ~ 6mm，表面棕紫色或棕色，有细纵皱纹。质脆，易折断，断面棕黄色，粗糙，纤维性。气微，味微苦、涩。

| 功能主治 | 酸、苦，寒。清热解毒，凉血，利尿，健胃，通便，杀虫。用于热痢，小便淋痛，吐血，恶疮，疥癣，皮肤病，神经性皮炎，湿疹，劳伤，支气管炎，咳嗽，便秘，内痔出血。

| 用法用量 | 内服煎汤，9 ~ 15g。外用适量，捣敷。

蓼科 Polygonaceae 酸模属 *Rumex*

黑龙江酸模 *Rumex amurensis* F. Schm. ex Maxim.

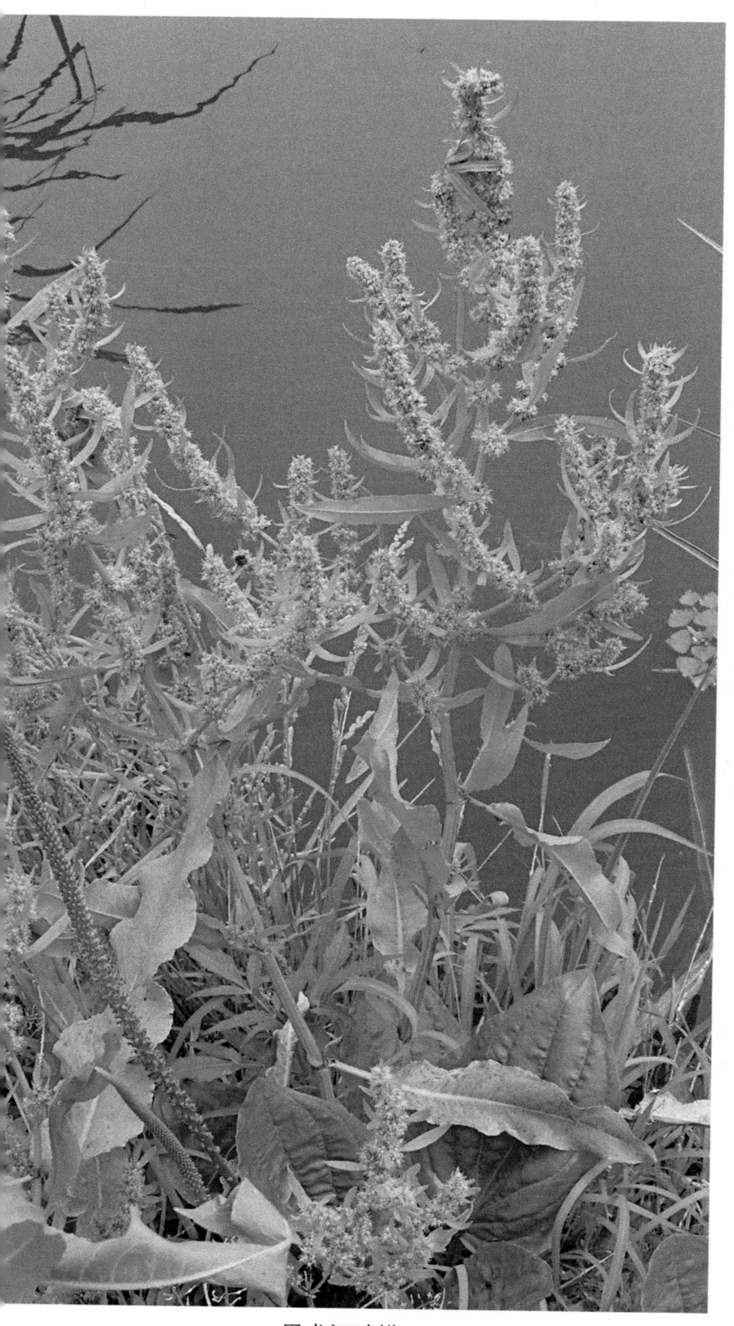
黑龙江酸模

植物别名

黑水酸模。

药材名

黑龙江酸模（药用部位：全草）。

形态特征

一年生草本。茎直立，高 10 ~ 30cm，自基部分枝。茎下部叶倒披针形或狭长圆形，长 2 ~ 7cm，宽 3 ~ 12mm，先端钝或急尖，基部狭楔形，两面无毛，边缘微波状；茎上部叶线状披针形；叶柄长 1 ~ 2.5cm；托叶鞘膜质，易破裂而脱落。花序总状，具叶，由数个再组成圆锥状，花两性，多花轮生于叶腋，上部较密；花梗基部具关节；花被 6，2 轮，外花被片椭圆形，较小，内花被片果时增大，三角状卵形，全部具小瘤，其中 1 片边缘每侧具 2 针刺，针刺先端直伸或微弯，长 3 ~ 4mm，另 2 片边缘每侧具 2 小齿。瘦果椭圆形，具 3 锐棱，两端尖，淡褐色，有光泽，长约 1.5mm。花期 5 ~ 6 月，果期 6 ~ 7 月。

生境分布

生于海拔 30 ~ 300m 的水沟湿地、河流及湖泊沿岸。以长白山区为主要分布区域，分布于吉林延边、白山、通化、吉林、辽源（东丰）等。

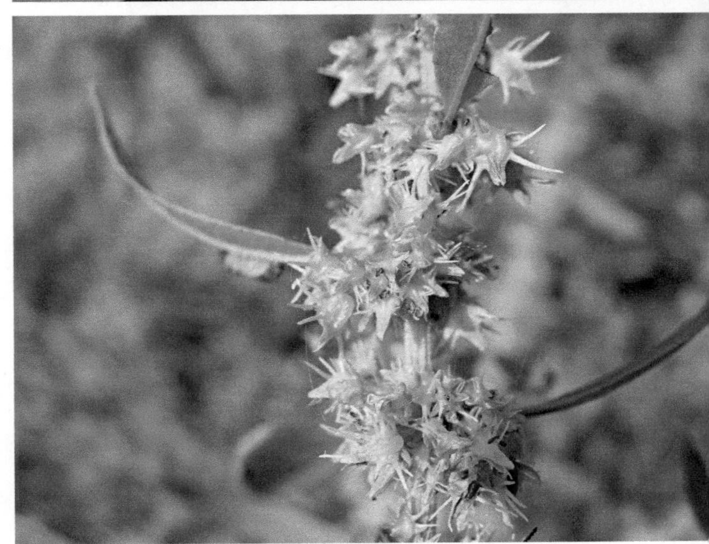

| 资源情况 |

野生资源较少。药材主要来源于野生。

| 采收加工 |

夏、秋季采收，除去杂质，晒干。

| 功能主治 |

清热解毒，凉血利尿，健胃，通便，杀虫。用于津伤便秘，小便不利。

| 附　　注 |

本种在吉林民间作酸模用。

蓼科 Polygonaceae 酸模属 *Rumex*

水生酸模 *Rumex aquaticus* L.

| 药 材 名 | 水生酸模（药用部位：根及根茎）。

| 形态特征 | 多年生草本。茎直立，高 30 ~ 120cm，通常上部分枝，具沟槽。基生叶长圆状卵形或卵形，长 10 ~ 30cm，宽 4 ~ 13cm，先端尖，基部心形，边缘波状，两面无毛或下面沿叶脉具乳头状突起；叶柄与叶片近等长，无毛或具乳头状突起；茎生叶较小，长圆形或宽披针形；托叶鞘膜质，易破裂。花序圆锥状，狭窄，分枝近直立；花两性；花梗纤细，丝状，中下部具关节，关节果时不明显；外花被片长圆形，长约 2mm，内花被片果时增大，卵形，长 5 ~ 8mm，宽 4 ~ 6mm，先端尖，基部近截形，近全缘，全部无小瘤。瘦果椭圆形，两端尖，具 3 锐棱，长 3 ~ 4mm，褐色，有光泽。花期 5 ~ 6 月，果期 6 ~ 7 月。

| 生境分布 | 生于海拔 200 ~ 3600m 的山谷水边、沟边湿地。以长白山区为主要

水生酸模

分布区域，分布于吉林延边、白山、通化、吉林、辽源（东丰）等。

| 资源情况 | 野生资源丰富。药材主要来源于野生。

| 采收加工 | 夏、秋季采挖，除去杂质，晒干。

| 功能主治 | 清热，凉血，利尿，通便，利湿。用于消化不良，急性肝炎，血崩，湿疹，顽癣。

蓼科 Polygonaceae 酸模属 *Rumex*

皱叶酸模 *Rumex crispus* L.

皱叶酸模

| 植物别名 |

羊蹄叶、羊蹄、土大黄。

| 药 材 名 |

牛耳大黄根（药用部位：根。别名：土大黄、四季菜根、火风棠）、牛耳大黄叶（药用部位：叶）。

| 形态特征 |

多年生草本。根粗壮，黄褐色。茎直立，高 50 ~ 120cm，不分枝或上部分枝，具浅沟槽。基生叶披针形或狭披针形，长 10 ~ 25cm，宽 2 ~ 5cm，先端急尖，基部楔形，边缘皱波状；茎生叶较小，狭披针形；叶柄长 3 ~ 10cm；托叶鞘膜质，易破裂。花序狭圆锥状，花序分枝近直立或上升；花两性，淡绿色；花梗细，中下部具关节，关节果时稍膨大；花被片 6，外花被片椭圆形，长约 1mm，内花被片果时增大，宽卵形，长 4 ~ 5mm，网脉明显，先端稍钝，基部近截形，近全缘，全部具小瘤，稀 1 具小瘤，小瘤卵形，长 1.5 ~ 2mm。瘦果卵形，先端急尖，具 3 锐棱，暗褐色，有光泽。花期 5 ~ 6 月，果期 6 ~ 7 月。

| 生境分布 | 生于河滩、田边、路旁、水边、荒地或沟边湿地。以长白山区为主要分布区域，分布于吉林延边、白山、通化、吉林、辽源（东丰）等。

| 资源情况 | 野生资源丰富。药材主要来源于野生。

| 采收加工 | 牛耳大黄根：夏、秋季采挖，除去杂质，晒干。

牛耳大黄叶：春、夏季采收，除去杂质，晒干。

| 药材性状 | 牛耳大黄根：本品呈不规则圆锥状条形，长 10 ~ 20cm，直径达 2.5cm，单根或于中段有数个分枝。根头先端具干枯的茎基，其周围可见多数片状棕色的干枯叶基。表面棕色至深棕色，有不规则纵皱纹及多数近圆形的须根痕。质硬，断面黄棕色，纤维性。气微，味苦。

牛耳大黄叶：本品呈枯绿色，皱缩；展平后基生叶具长叶柄，叶片薄纸质，披针形至长圆形，长 16 ~ 22cm，宽 1.5 ~ 4cm，基部多为楔形；茎生叶较小，叶柄较短，叶片多长披针形，先端急尖，基部圆形、截形或楔形，边缘具波状皱褶，两面无毛；托叶鞘筒状，膜质。气微，味苦、涩。

| 功能主治 | 牛耳大黄根：苦，寒。归心、肝、大肠经。清热凉血，化痰止咳，通便，杀虫。用于急性肝炎，慢性支气管炎，吐血，血崩，血小板减少性紫癜，大便燥结，痢疾，疥癣，秃疮，疔疖。

牛耳大黄叶：清热解毒，止咳。用于热结便秘，咳嗽，痈肿疮毒。

| 用法用量 | 牛耳大黄根：内服煎汤，18 ~ 30g。外用适量，捣敷；或磨汁涂；或煎汤洗。

牛耳大黄叶：内服煎汤；或作菜食。外用适量，捣敷。

蓼科 Polygonaceae 酸模属 *Rumex*

毛脉酸模 *Rumex gmelinii* Turcz. ex Ledeb.

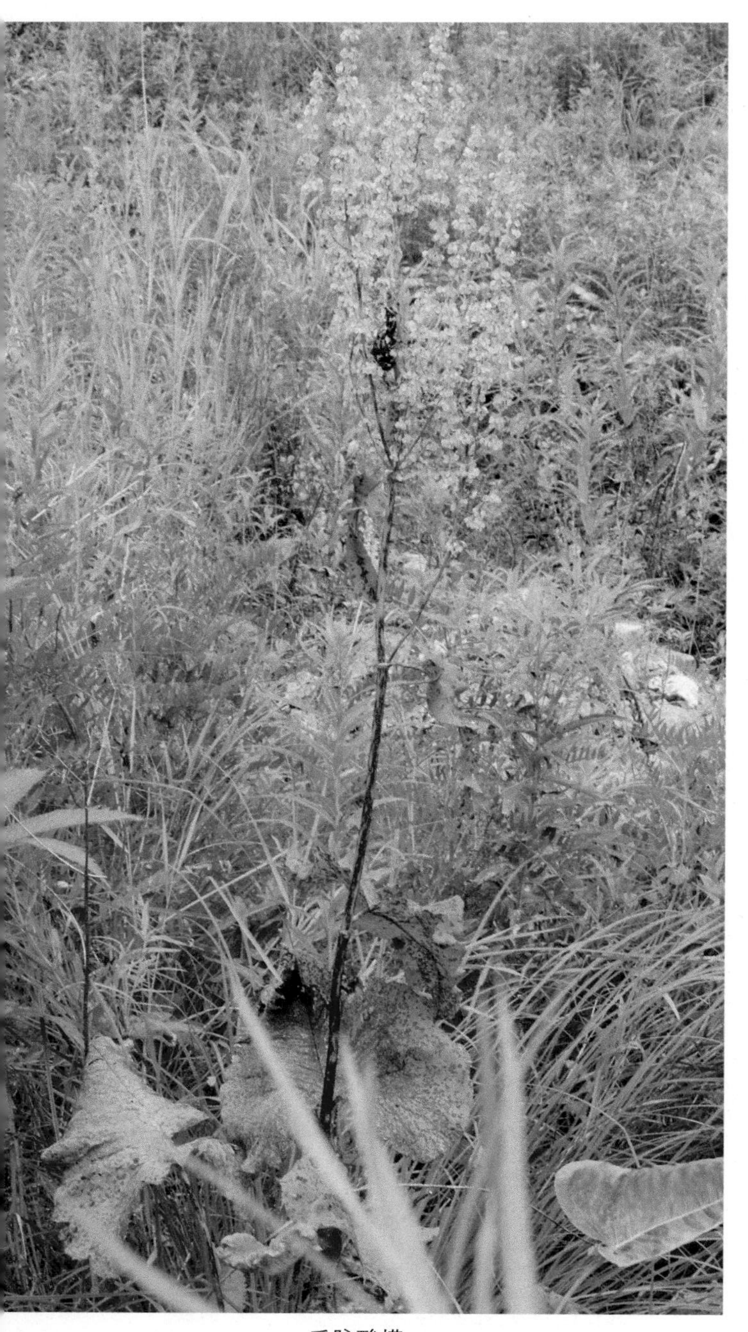
毛脉酸模

| 植物别名 |

羊蹄叶、羊铁叶。

| 药 材 名 |

毛脉酸模（药用部位：根）。

| 形态特征 |

多年生草本。茎直立，高 40 ~ 100cm，粗壮，无毛，具沟槽，黄绿色或淡红色。基生叶钝三角状卵形，长 8 ~ 25cm，宽 5 ~ 20cm，先端圆钝，基部深心形，上面无毛，下面沿叶脉密生乳头状突起，全缘或呈微波状，叶柄长可达 30cm；茎生叶较小，长圆状卵形，先端圆钝，基部心形，叶柄比叶片短；托叶鞘膜质，破裂。花序圆锥状，通常具叶；花两性；花梗细弱，基部具关节；外花被片长圆形，长约 2mm；内花被片果时增大，椭圆状卵形，长 5 ~ 6mm，先端钝，基部圆形，具网脉，全部无小瘤；雄蕊 6；花柱 3。瘦果卵形，具 3 棱，长 2.5 ~ 3mm，深褐色，有光泽。花期 5 ~ 6 月，果期 6 ~ 7 月。

| 生境分布 |

生于水边、灌丛、路旁、河岸及山谷湿地。分布于吉林延边、白山、通化等。

| 资源情况 | 野生资源较丰富。药材主要来源于野生。

| 采收加工 | 秋季采挖，除去杂质，晒干。

| 功能主治 | 苦，寒。清热解毒，止血消肿，泻下，杀虫。用于各种出血症，慢性胃炎，肝炎，胆囊炎，支气管炎，胸膜炎，便秘；外用于急性乳腺炎，秃疮，脂溢性皮炎，烧伤，黄水疮，疔疖，外痔，顽癣，手足癣，头癣，体癣，脚气。

| 用法用量 | 内服煎汤，15 ~ 30g。外用适量，捣敷；或煎汤洗。

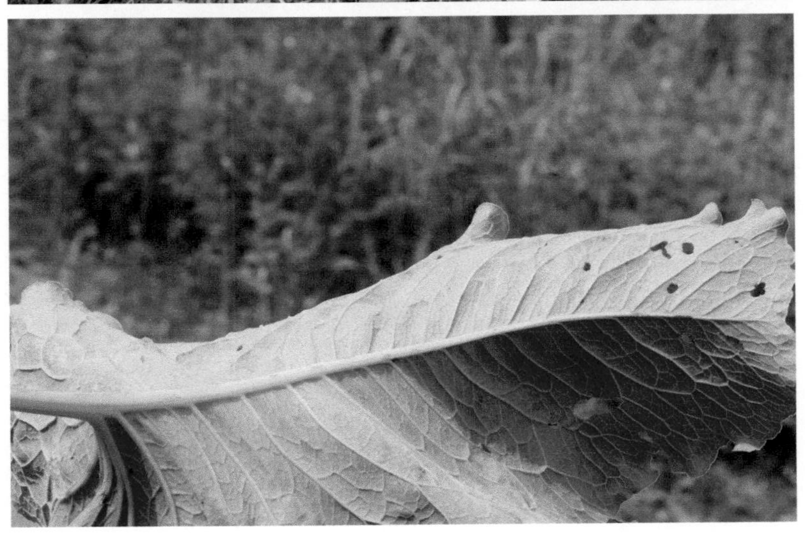

蓼科 Polygonaceae 酸模属 *Rumex*

刺酸模 *Rumex maritimus* L.

| 植物别名 | 长刺酸模。

| 药 材 名 | 假菠菜（药用部位：全草或根。别名：酸模、皱叶羊蹄、羊蹄根）。

| 形态特征 | 一年生草本。茎直立，高 15 ~ 60cm，自中下部分枝，具深沟槽。茎下部叶披针形或披针状长圆形，长 4 ~ 15（~ 20）cm，宽 1 ~ 3（~ 4）cm，先端急尖，基部狭楔形，边缘微波状；叶柄长 1 ~ 2.5cm，茎上部叶近无柄；托叶鞘膜质，早落。花序圆锥状，具叶，花两性，多花轮生；花梗基部具关节；外花被片椭圆形，长约 2mm，内花被片果时增大，狭三角状卵形，长 2.5 ~ 3mm，宽约 1.5mm，先端急尖，基部截形，边缘每侧具 2 ~ 3 针刺，针刺长 2 ~ 2.5mm，全部具长圆形小瘤，小瘤长约 1.5mm。瘦果椭圆形，两端尖，具 3 锐棱，黄褐色，有光泽，长 1.5mm。花期 5 ~ 6 月，果期 6 ~ 7 月。

刺酸模

| **生境分布** | 生于田边、山野、路旁阴湿地。以长白山区为主要分布区域，分布于吉林延边、白山、通化、吉林、辽源（东丰）等。

| **资源情况** | 野生资源较少。药材主要来源于野生。

| **采收加工** | 夏、秋季采收，除去杂质，晒干。

| **药材性状** | 本品根粗大，单根或数根簇生，偶有分枝，表面棕褐色，断面黄色。茎粗壮。基生叶较大，叶具长柄，叶片披针形至长圆形，长可达 20cm 以上，宽 1.5 ~ 4cm，基部多为楔形；茎生叶叶柄短，叶片较小，先端急尖，基部圆形、截形或楔形，边缘具波状皱褶；托叶鞘筒状，膜质。圆锥花序，小花黄色或淡绿色。气微，味苦、涩。

| **功能主治** | 酸、甘、微苦，凉。清热解毒，凉血杀虫。用于肺痨咯血，痈疮疖肿，秃疮，疥癣，皮肤瘙痒，跌打肿痛，痔疮出血。

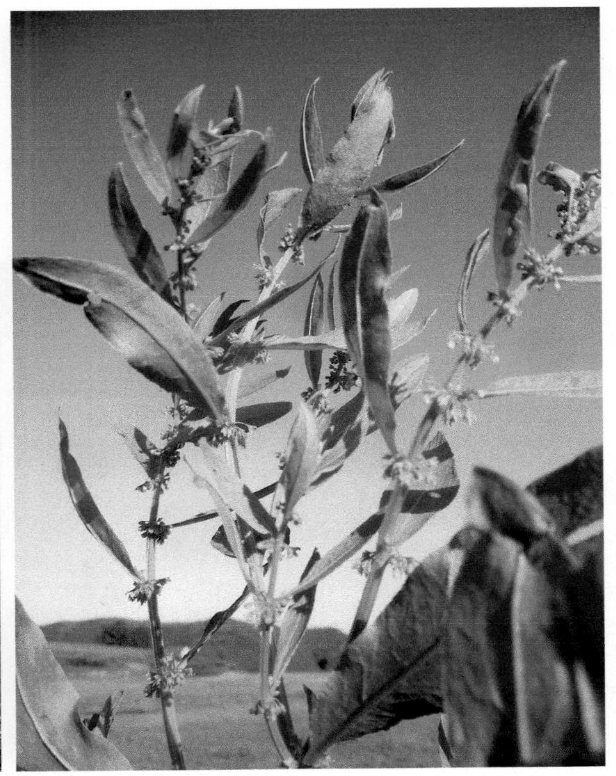

蓼科 Polygonaceae 酸模属 *Rumex*

巴天酸模 *Rumex patientia* L.

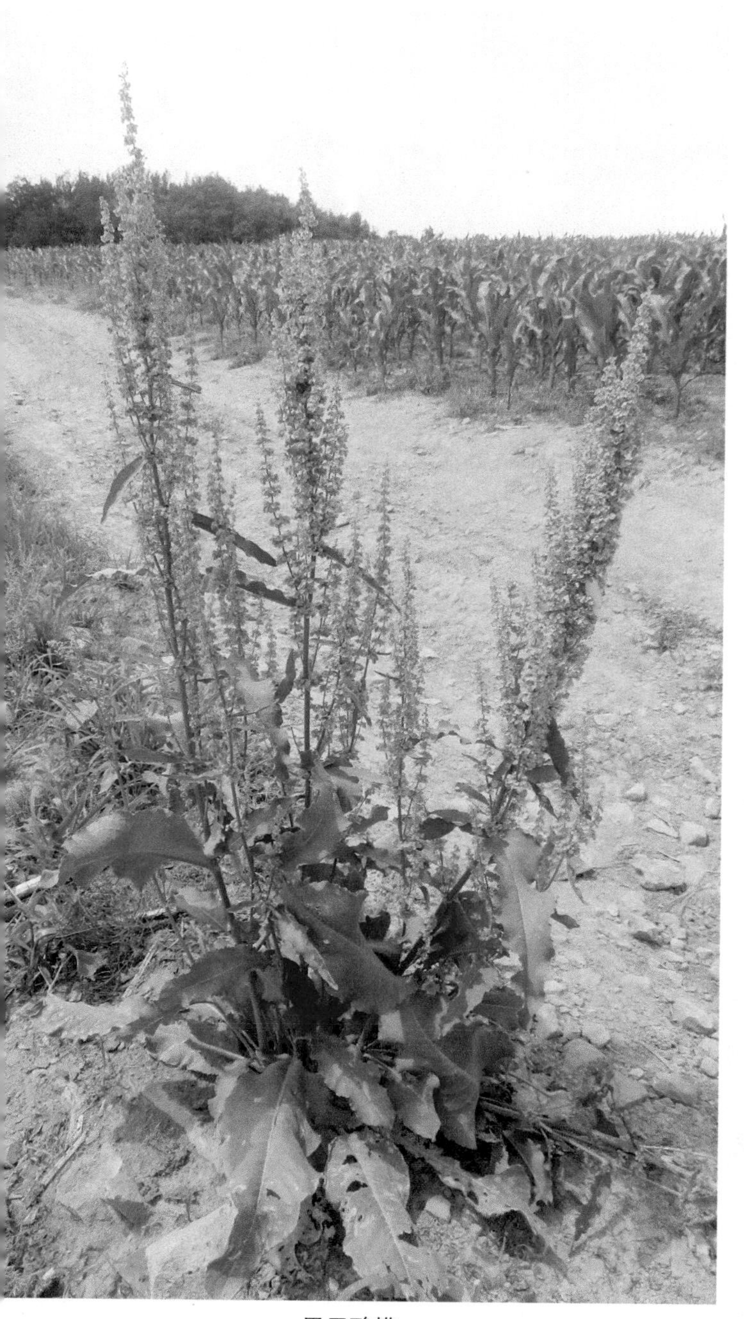

巴天酸模

| 植物别名 |

洋铁酸模、牛西西、羊蹄叶。

| 药 材 名 |

牛西西（药用部位：根。别名：酸模根、羊铁酸模、山大黄）。

| 形态特征 |

多年生草本。根肥厚，直径可达 3cm。茎直立，粗壮，高 90 ~ 150cm，上部分枝，具深沟槽。基生叶长圆形或长圆状披针形，长 15 ~ 30cm，宽 5 ~ 10cm，先端急尖，基部圆形或近心形，边缘波状，叶柄粗壮，长 5 ~ 15cm；茎上部叶披针形，较小，具短叶柄或近无柄；托叶鞘筒状，膜质，长 2 ~ 4cm，易破裂。花序圆锥状，大型；花两性；花梗细弱，中下部具关节；关节果时稍膨大；外花被片长圆形，长约 1.5mm，内花被片果时增大，宽心形，长 6 ~ 7mm，先端圆钝，基部深心形，近全缘，具网脉，全部或一部分具小瘤；小瘤长卵形，通常不能全部发育。瘦果卵形，具 3 锐棱，先端渐尖，褐色，有光泽，长 2.5 ~ 3mm。花期 5 ~ 6 月，果期 6 ~ 7 月。

| 生境分布 | 生于低山、路旁、草地、沟边湿地及水边。吉林各地均有分布。

| 资源情况 | 野生资源较丰富。药材主要来源于野生。

| 采收加工 | 夏、秋季采挖，除去杂质，晒干。

| 药材性状 | 本品呈圆柱形或类圆锥形，有少数分枝，长达 20cm，直径达 5cm。根头部膨大，先端有残存茎基，周围有棕黑色的鳞片状叶基纤维束与须根痕，其下有密集的横纹。表面棕灰色至棕褐色，具纵皱纹与点状突起的须根痕，及横向延长的皮孔样瘢痕。质坚韧，难折断，折断面黄灰色，纤维性甚强。气微，味苦。

| 功能主治 | 苦、酸，寒。清热解毒，凉血止血，活血通便，杀虫。用于功能性子宫出血，吐血，咯血，衄血，牙龈出血，胃、十二指肠出血，便血，紫癜，水肿，痢疾，泄泻，肝炎，跌打损伤，大便秘结，痈疮疥癣，脂溢性皮炎。

| 用法用量 | 内服煎汤，10 ~ 30g。外用适量，捣敷；或醋磨涂；或研末调敷；或煎汤洗。

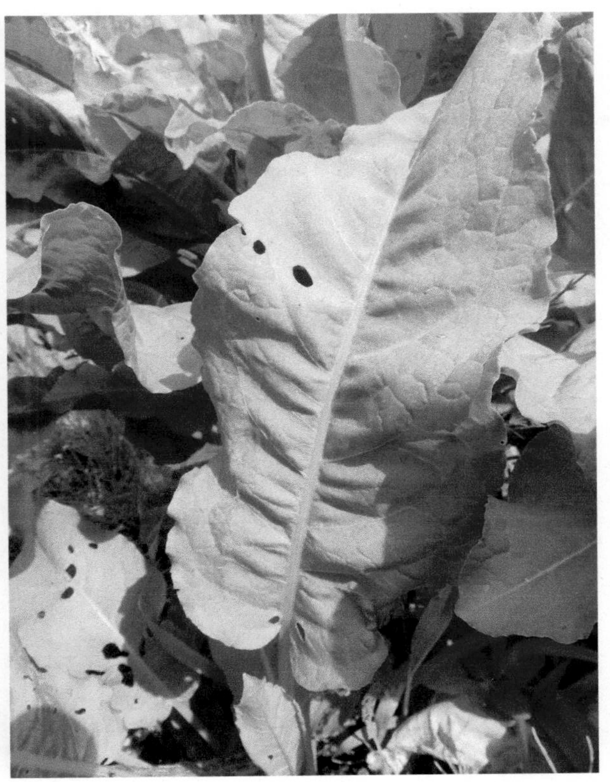

紫茉莉科 Nyctaginaceae 紫茉莉属 *Mirabilis*

紫茉莉 *Mirabilis jalapa* L.

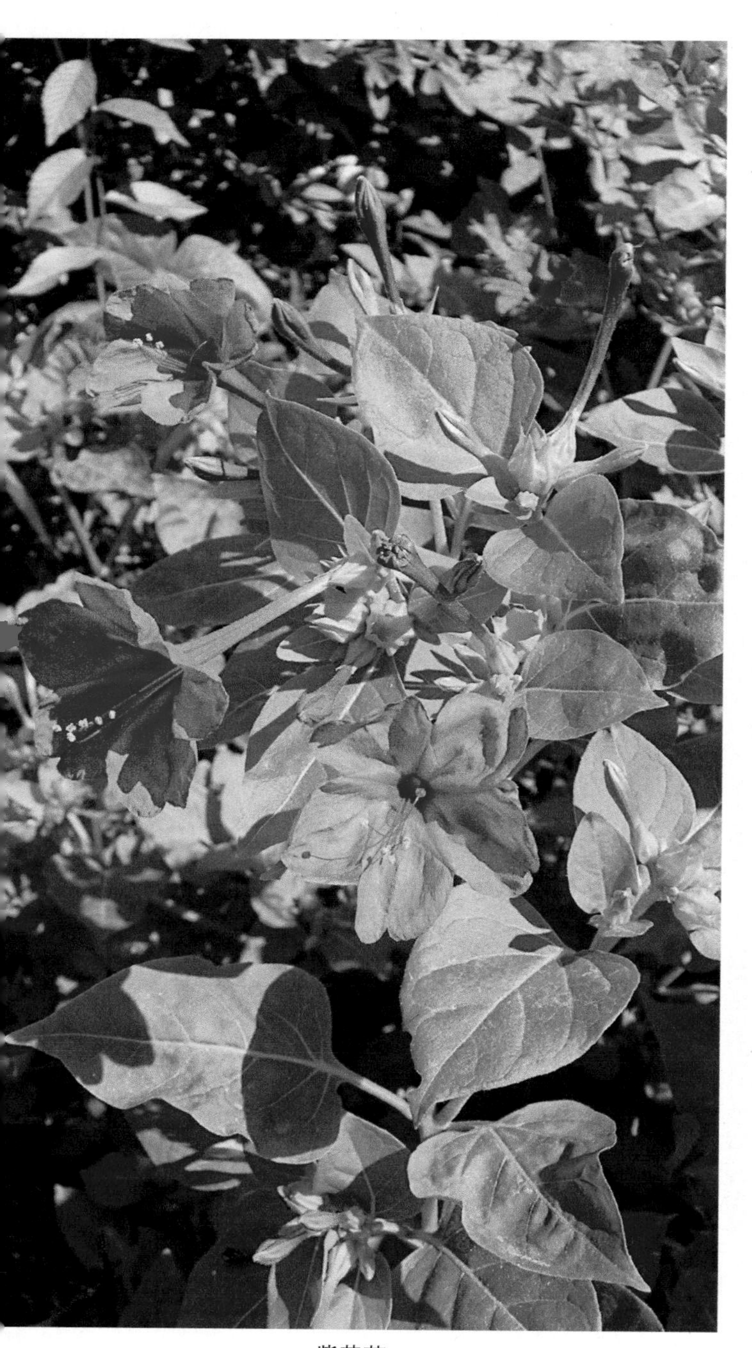

紫茉莉

| 植物别名 |

晚晚花、野丁香、苦丁。

| 药 材 名 |

紫茉莉（药用部位：全草。别名：胭脂花、胭粉豆、夜娇娇）、紫茉莉根（药用部位：块根。别名：花粉头、水粉头、粉子头）、紫茉莉子（药用部位：果实。别名：白粉果、土山柰）。

| 形态特征 |

一年生草本，高可达 1m。根肥粗，倒圆锥形，黑色或黑褐色。茎直立，圆柱形，多分枝，无毛或疏生细柔毛，节稍膨大。叶片卵形或卵状三角形，长 3 ~ 15cm，宽 2 ~ 9cm，先端渐尖，基部截形或心形，全缘，两面均无毛，脉隆起；叶柄长 1 ~ 4cm，上部叶几无柄。花常数朵簇生枝端；花梗长 1 ~ 2mm；总苞钟形，长约 1cm，5 裂，裂片三角状卵形，先端渐尖，无毛，具脉纹，果时宿存；花被紫红色、黄色、白色或杂色，高脚碟状，筒部长 2 ~ 6cm，檐部直径 2.5 ~ 3cm，5 浅裂；花午后开放，有香气，次日午前凋萎；雄蕊 5，花丝细长，常伸出花外，花药球形；花柱单生，线形，伸出花外，柱头头状。瘦果球形，直径 5 ~ 8mm，革质，黑色，表面具皱纹；种子内胚乳白粉质。花期 6 ~ 10 月，果期 8 ~ 11 月。

| 生境分布 | 生于土层深厚、疏松肥沃的土壤。吉林无野生分布，部分城市庭院、公园有栽培。

| 资源情况 | 吉林有栽培。药材主要来源于栽培。

| 采收加工 | 紫茉莉：秋、冬季采收，切片，晒干。

紫茉莉根：秋、冬季采挖，切片，晒干。

紫茉莉子：夏、秋季采收，晒干。

| 药材性状 | 紫茉莉根：本品呈长圆锥形或圆柱形，有的压扁，有的可见支根，长 5 ~ 10cm，直径 1.5 ~ 5cm。表面灰黄色，有纵皱纹及须根痕，先端有茎基痕。质坚硬，不易折断，断面不整齐，可见环纹。无臭，味淡，有刺喉感。

紫茉莉子：本品呈卵圆形，长 5 ~ 8mm，直径 5 ~ 8mm。表面黑色，有 5 明显棱脊，先端有花柱基痕，基部有果柄痕。种子黄棕色，胚乳较发达，白色，粉质。质硬。

| 功能主治 | 紫茉莉：甘、淡，微寒。清热解毒，祛风渗湿，活血。用于痈肿疮毒，疥癣，跌打损伤，解毒疗伤。

紫茉莉根：甘、淡，凉。清热解毒，利尿通淋，活血散瘀。用于水肿，淋浊，月经不调，带下病，肺痨咳嗽，关节痛，急性关节炎，跌打损伤，痈疽发背。

紫茉莉子：甘，微寒。疗疮去斑。用于斑痣粉刺，雀斑，葡萄疮。

| 用法用量 | 紫茉莉：外用适量，鲜品捣敷；或煎汤洗。

紫茉莉根：内服煎汤，9 ~ 15g。外用适量，鲜品捣敷；或煎汤洗。

紫茉莉子：外用适量，去外壳研末搽；或煎汤洗。

番杏科 Aizoaceae 日中花属 *Mesembryanthemum*

心叶日中花 *Mesembryanthemum cordifolium* L. f.

| 植物别名 | 露草、心叶冰花、田七菜。

| 药 材 名 | 心叶日中花（药用部位：嫩茎叶。别名：穿心莲）。

| 形态特征 | 多年生常绿草本。茎斜卧，铺散，长 30 ~ 60cm，有分枝，稍带肉质，无毛，具小颗粒状突起。叶对生，叶片心状卵形，扁平，长 1 ~ 2cm，宽约 1cm，先端急尖或圆钝具凸尖头，基部圆形，全缘；叶柄长 3 ~ 6mm。花单个顶生或腋生，直径约 1cm；花梗长 1.2cm；花萼长 8mm，裂片 4，2 个大，倒圆锥形，2 个小，线形，宿存；花瓣多数，红紫色，匙形，长约 1cm；雄蕊多数；子房下位，4 室，花柱无，柱头 4 裂。蒴果肉质，星状 4 瓣裂；种子多数。花期 7 ~ 8 月。

心叶日中花

| 生境分布 |

生于菜园、庭院、房前屋后等。吉林无野生分布，部分城市庭院、公园有栽培。

| 资源情况 |

吉林偶见栽培。药材主要来源于栽培。

| 采收加工 |

夏、秋季采收，晒干。

| 功能主治 |

清热解毒，平肝。用于咽喉肿痛，头痛眩晕。

马齿苋科 Portulacaceae 马齿苋属 *Portulaca*

大花马齿苋 *Portulaca grandiflora* Hook.

| 植物别名 | 太阳花、午时花、洋马齿苋。

| 药 材 名 | 午时花（药用部位：全草。别名：半支莲、松叶牡丹、金丝杜鹃）。

| 形态特征 | 一年生草本，高 10 ~ 30cm。茎平卧或斜升，紫红色，多分枝，节上丛生毛。叶密集枝端，较下的叶分开，不规则互生，叶片细圆柱形，有时微弯，长 1 ~ 2.5cm，直径 2 ~ 3mm，先端圆钝，无毛；叶柄极短或近无柄，叶腋常生 1 撮白色长柔毛。花单生或数朵簇生于枝端，直径 2.5 ~ 4cm，日开夜闭；总苞 8 ~ 9 片，叶状，轮生，具白色长柔毛；萼片 2，淡黄绿色，卵状三角形，长 5 ~ 7mm，先端急尖，多少具龙骨状突起，两面均无毛；花瓣 5 或重瓣，倒卵形，先端微凹，长 12 ~ 30mm，红色、紫色或黄白色；雄蕊多数，长 5 ~ 8mm，花丝紫色，基部合生；花柱与雄蕊近等长，柱头 5 ~ 9 裂，线形。蒴

大花马齿苋

果近椭圆形，盖裂；种子细小，多数，圆肾形，直径不及 1mm，铅灰色、灰褐色或灰黑色，有珍珠光泽，表面具小瘤状突起。花期 6 ~ 9 月，果期 8 ~ 11 月。

| 生境分布 | 生于山坡、田野间、菜园、农田、路旁，为田间常见杂草。分布于吉林白城（洮南、镇赉）、长春（双阳、九台、农安）、吉林（桦甸、磐石）、四平（双辽）、通化（通化）、白山、延边、松原（扶余）等。

| 资源情况 | 野生资源较丰富。药材主要来源于野生。

| 采收加工 | 夏、秋季采收，除去杂质，洗净，略蒸或烫后晒干。

| 药材性状 | 本品茎呈圆柱形，长 10 ~ 15cm，直径 0.1 ~ 0.3cm，有分枝，表面淡棕绿色或浅棕红色，有细密微隆起的纵皱纹，叶腋处常有白色长柔毛。叶多皱缩，线状，暗绿色，长 1 ~ 2.5cm，直径约 1mm；鲜叶扁圆柱形，肉质。枝端常有花着生，萼片 2，宽卵形，长约 6mm，浅红色，卷成帽状，花瓣多干瘪皱缩成帽尖状，深紫红色。蒴果帽状圆锥形，浅棕黄色，外被白色长柔毛，盖裂，内含多数深灰黑色细小种子。种子扁圆形或类三角形，直径不及 1mm，具金属样光泽。气微香，味酸。

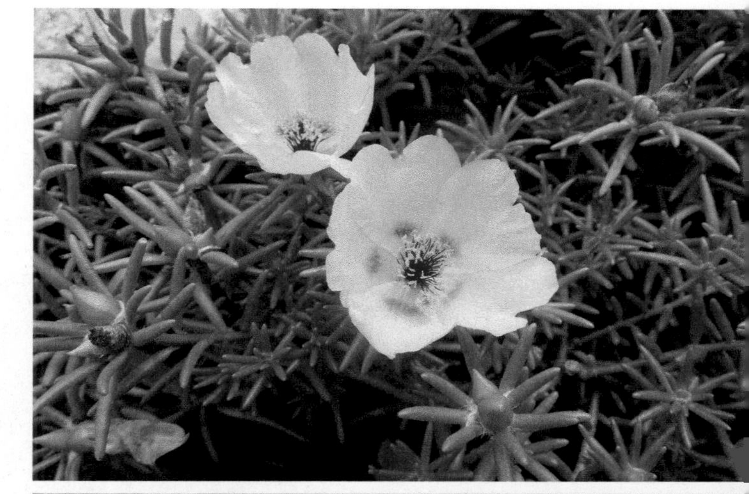

| 功能主治 | 淡、微辛，平。清热解毒，凉血，散瘀，消肿止痛。用于咽喉肿痛，烫火伤，跌打损伤，湿疮，婴儿湿疹，湿热烂皮疮，疮疥肿毒，吐血，血崩，出血。

| 用法用量 | 内服煎汤，9 ~ 15g，鲜品可用至 30g。外用适量，捣汁含漱；或捣敷。

马齿苋科 Portulacaceae 马齿苋属 *Portulaca*

马齿苋 *Portulaca oleracea* L.

| **植物别名** | 蚂蚱菜、马齿菜、马蛇子菜。

| **药 材 名** | 马齿苋（药用部位：地上部分。别名：马齿菜、五方草、长命菜）。

| **形态特征** | 一年生草本，全株无毛。茎平卧或斜倚，伏地铺散，多分枝，圆柱形，淡绿色或带暗红色。叶互生，有时近对生，叶片扁平，肥厚，倒卵形，似马齿状，长 1 ~ 3cm，宽 0.6 ~ 1.5cm，先端圆钝或平截，有时微凹，基部楔形，全缘，上面暗绿色，下面淡绿色或带暗红色，中脉微隆起；叶柄粗短。花无梗，直径 4 ~ 5mm，常 3 ~ 5 簇生枝端，午时盛开；苞片 2 ~ 6，叶状，膜质，近轮生；萼片 2，对生，绿色，盔形，左右压扁，长约 4mm，先端急尖，背部具龙骨状突起，基部合生；花瓣 5，稀 4，黄色，倒卵形，长 3 ~ 5mm，先端微凹，基部合生；雄蕊通常 8，或更多，长约 12mm，花药黄色；子房无毛，花柱比雄

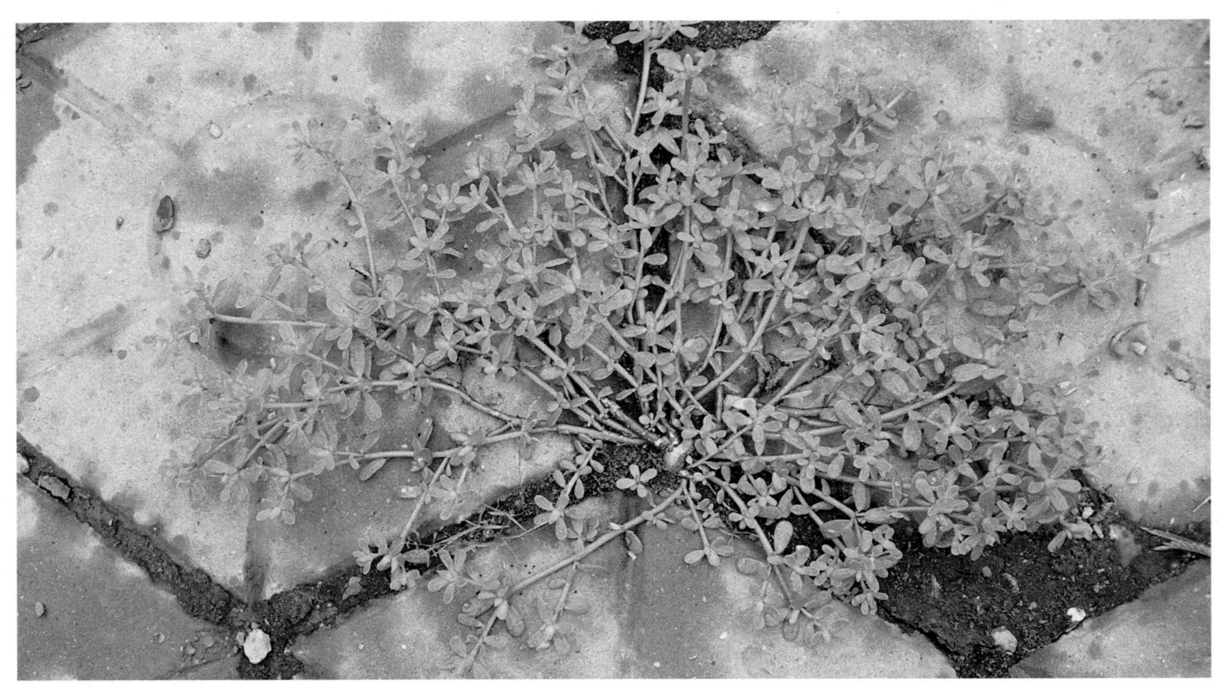

马齿苋

蕊稍长，柱头 4 ~ 6 裂，线形。蒴果卵球形，长约 5mm，盖裂；种子细小，多数，偏斜球形，黑褐色，有光泽，直径不及 1mm，具小疣状突起。花期 5 ~ 8 月，果期 6 ~ 9 月。

| 生境分布 | 生于田野、菜园、路边及庭园废墟等向阳处。吉林各地均有分布。

| 资源情况 | 野生资源丰富。药材主要来源于野生。

| 采收加工 | 夏、秋季采收，除去残根及杂质，洗净，略蒸或烫后晒干。

| 药材性状 | 本品多皱缩卷曲，常结成团。茎圆柱形，长可达 30cm，直径 0.1 ~ 0.2cm，表面黄褐色，有明显纵沟纹。叶对生或互生，易破碎，完整叶片倒卵形，长 1 ~ 2.5cm，宽 0.5 ~ 1.5cm，绿褐色，先端钝平或微缺，全缘。花小，3 ~ 5 生于枝端，花瓣 5，黄色。蒴果圆锥形，长约 5mm，内含多数细小种子。气微，味微酸。以株小、质嫩、整齐少碎、叶多、青绿色、无杂质者为佳。

| 功能主治 | 酸，寒。归大肠、肝、脾经。清热解毒，凉血止血，止痢。用于热毒血痢，痈肿疔疮，湿疹，丹毒，蛇虫咬伤，便血，痔血，崩漏下血；外用于疔疮肿毒，湿疹，带状疱疹。

| 用法用量 | 内服煎汤，9 ~ 15g，鲜品 30 ~ 60g；或捣汁饮。外用适量，捣敷；或烧灰研末调敷；或煎汤洗。

| 附　　注 | （1）马齿苋在吉林产量大，药用历史较久。在《吉林外记》（1827 年）、《大中华吉林省地理志·物产》（1921 年）、《吉林新志》（1934 年）等十余部地方志中均有关于“马齿苋”的记载。

（2）本种在吉林民间用于疮疖，鲜马齿苋 10 ~ 30g，与白糖 3g 相配伍。

（3）马齿苋虽为常用中药材，但销量不大。市场供求平衡，行情看稳。吉林资源分布广泛，但药材商品产量小，多自产自销。

（4）本种可做野菜食用。

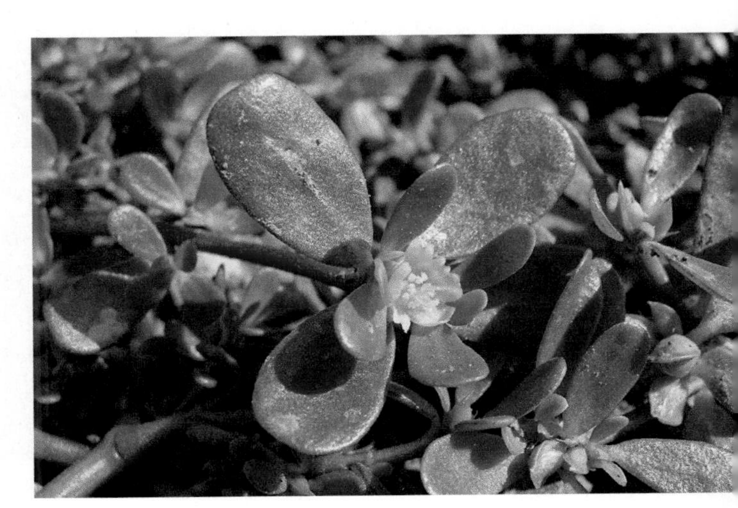

落葵科 Basellaceae 落葵薯属 *Anredera*

落葵薯 *Anredera cordifolia* (Tenore) Steenis

|植物别名| 心叶落葵薯、洋落葵。

|药 材 名| 落葵薯（药用部位：珠芽、叶、根。别名：藤子三七、小年药、土三七）。

|形态特征| 缠绕藤本植物，长可达数米。根茎粗壮。叶具短柄，叶片卵形至近圆形，长 2 ~ 6cm，宽 1.5 ~ 5.5cm，先端急尖，基部圆形或心形，稍肉质，腋生小块茎（珠芽）。总状花序具多花，花序轴纤细，下垂，长 7 ~ 25cm；苞片狭，不超过花梗长度，宿存；花梗长 2 ~ 3mm，花托先端杯状，花常由此脱落；下面 1 对小苞片宿存，宽三角形，急尖，透明，上面 1 对小苞片淡绿色，比花被短，宽椭圆形至近圆形；花直径约 5mm；花被片白色，渐变黑，开花时张开，卵形、长圆形至椭圆形，先端钝圆，长约 3mm，宽约 2mm；雄蕊白色，花丝先端

落葵薯

在芽中反折，开花时伸出花外；花柱白色，分裂成 3 柱头臂，每臂具 1 棍棒状或宽椭圆形柱头。果实、种子未见。花期 6 ~ 10 月。

| 生境分布 | 生于沟谷边、河岸岩石上、村旁墙垣、荒地或灌丛中。吉林无野生分布，部分城市庭院、公园有栽培。

| 资源情况 | 吉林偶见栽培。药材主要来源于栽培。

| 采收加工 | 全年均可采收珠芽，晒干。夏季采收叶，晒干。秋季地上部分枯萎时采挖根，洗净，晒干。

| 功能主治 | 微苦，温。滋补，壮腰膝，消肿散瘀。用于腰膝痹痛，病后体弱；外用于跌打损伤，骨折。

| 用法用量 | 内服煮熟食，30 ~ 60g。外用适量，鲜品捣敷。

落葵科 Basellaceae 落葵属 *Basella*

落葵 *Basella alba* L.

| 植物别名 | 红藤菜、软藤菜、红鸡屎藤。

| 药 材 名 | 落葵（药用部位：全草。别名：天葵、藤葵、木耳菜）。

| 形态特征 | 一年生缠绕草本，全株肉质，光滑无毛。茎长达 3 ~ 4m，分枝明显，绿色或淡紫色。单叶互生；叶柄长 1 ~ 3cm；叶片宽卵形、心形至长椭圆形，长 2 ~ 19cm，宽 2 ~ 16cm，先端急尖，基部心形或圆形，间或下延，全缘，叶脉在下面微凹，上面稍凸。穗状花序腋生或顶生，长 2 ~ 23cm，单一或有分枝；小苞片 2，呈萼状，长圆形，长约 5mm，宿存；花无梗，萼片 5，淡紫色或淡红色，下部白色，联合成管；无花瓣；雄蕊 5，生于萼管口，和萼片对生，花丝在花蕾中直立；花柱 3，基部合生，柱头具多数小颗粒突起。果实卵形或球形，长 5 ~ 6mm，暗紫色，多汁液，为宿存肉质小苞片和萼片所

落葵

包裹；种子近球形。花期 6 ~ 9 月，果期 7 ~ 10 月。

| 生境分布 | 生于海拔 2000m 以下的地区。吉林无野生分布，部分城市庭院、田间等有栽培。

| 资源情况 | 吉林部分地区偶见栽培。药材主要来源于栽培。

| 采收加工 | 夏、秋季采收，洗净，除去杂质，鲜用或晒干。

| 药材性状 | 本品茎肉质，圆柱形，直径 3 ~ 8mm，稍弯曲，有分枝，绿色或淡紫色；质脆，易断，折断面鲜绿色。叶微皱缩，展平后宽卵形、心形或长椭圆形，长 2 ~ 14cm，宽 2 ~ 12cm，全缘，先端急尖，基部近心形或圆形；叶柄长 1 ~ 3cm。气微，味甜，有黏性。

| 功能主治 | 甘、酸，寒。归心、肝、脾、大肠、小肠经。滑肠通便，清热利湿，凉血解毒，活血。用于大便秘结，小便短涩，痢疾，热毒疮疡，跌打损伤。

| 用法用量 | 内服煎汤，10 ~ 15g，鲜品 30 ~ 60g。外用适量，鲜品捣敷；或捣汁涂。

石竹科 Caryophyllaceae 麦仙翁属 *Agrostemma*

麦仙翁 *Agrostemma githago* L.

麦仙翁

植物别名

麦毒草。

药材名

麦仙翁（药用部位：全草）。

形态特征

一年生草本，高 60 ~ 90cm，全株密被白色长硬毛。茎单生，直立，不分枝或上部分枝。叶片线形或线状披针形，长 4 ~ 13cm，宽（2 ~ ）5 ~ 10mm，基部微合生，抱茎，先端渐尖，中脉明显。花单生，直径约 30mm，花梗极长；花萼长椭圆状卵形，长 12 ~ 15mm，后期微膨大，花萼裂片线形，叶状，长 20 ~ 30mm；花瓣紫红色，比花萼短，爪狭楔形，白色，无毛，瓣片倒卵形，微凹缺；雄蕊微外露，花丝无毛；花柱外露，被长毛。蒴果卵形，长 12 ~ 18mm，微长于宿存萼，裂齿 5，外卷；种子呈不规则卵形或圆肾形，长 2.5 ~ 3mm，黑色，具棘凸。花期 6 ~ 8 月，果期 7 ~ 9 月。

生境分布

生于麦田中或路旁草地，为田间杂草。分布于吉林白山、通化、延边（延吉、和龙）等。

| 资源情况 | 野生资源较少。药材主要来源于野生。

| 采收加工 | 夏、秋季采收，除去杂质，晒干。

| 功能主治 | 止血，镇咳。用于百日咳，妇女子宫出血。

石竹科 Caryophyllaceae 无心菜属 *Arenaria*

老牛筋 *Arenaria juncea* M. Bieb.

| 植物别名 | 毛轴鹅不食、毛轴蚤缀。

| 药 材 名 | 老牛筋（药用部位：根。别名：毛轴鹅不食草、山银柴胡）。

| 形态特征 | 多年生草本。根圆锥状，肉质，直径 0.5 ~ 3cm，灰褐色或灰白色，上部具环纹，下部分枝。茎高 30 ~ 60cm，基部宿存较硬的淡褐色枯萎叶茎，硬而直立，下部无毛，接近花序部分被腺柔毛。叶片细线形，长 10 ~ 25cm，宽约 1mm，基部较宽，呈鞘状抱茎，边缘具疏齿状短缘毛，常内卷或扁平，先端渐尖，具 1 脉。聚伞花序，具数花至多花；苞片卵形，长 3 ~ 4mm，宽约 2mm，先端尖，边缘宽膜质，外面被腺柔毛；花梗长 1 ~ 2cm，密被腺柔毛；萼片 5，卵形，长约 5mm，宽约 2mm，先端渐尖或急尖，边缘宽膜质，具 1 ~ 3 脉，外面无毛或被腺柔毛；花瓣 5，白色，长圆状倒卵形，稀椭圆状矩

老牛筋

圆形或倒卵形，长 8 ~ 10mm，先端钝圆，基部具短爪；雄蕊 10，花丝线形，长约 4mm，与萼片对生者基部具腺体，花药黄色，椭圆形；子房卵圆形，长约 2mm，花柱 3，长约 3mm，柱头头状。蒴果卵圆形，黄色，稍长于宿存萼或与宿存萼等长，先端 3 瓣裂，裂片 2 裂；种子三角状肾形，褐色或黑色，背部具疣状突起。花果期 7 ~ 9 月。

| 生境分布 | 生于草地、荒漠化草原、山地疏林边缘、石隙间、田埂、平原路边、河岸、湿地、山林下、林旁、潮湿山坡、田野、杂草丛及村庄住宅附近。分布于吉林延边（龙井、安图、图们、珲春）、白山、白城（通榆、镇赉、洮南）、松原（长岭）等。

| 资源情况 | 野生资源较丰富。药材主要来源于野生。

| 采收加工 | 秋季采挖，洗去泥沙，晒干。

| 功能主治 | 甘、苦，凉。清热凉血，活血散瘀，消肿止痛，化腐生肌，长骨。用于虚劳骨蒸，阴虚久疟，小儿疳积，肝炎。

石竹科 Caryophyllaceae 无心菜属 *Arenaria*

无心菜 *Arenaria serpyllifolia* L.

| 植物别名 | 鹅不食草、蚤缀、小无心菜。

| 药 材 名 | 铃铃草（药用部位：全草。别名：鹅不食、雀儿蛋、鸡肠子草）。

| 形态特征 | 一年生或二年生草本，高 10 ~ 30cm。主根细长，支根较多而纤细。茎丛生，直立或铺散，密生白色短柔毛，节间长 0.5 ~ 2.5cm。叶片卵形，长 4 ~ 12mm，宽 3 ~ 7mm，基部狭，无柄，边缘具缘毛，先端急尖，两面近无毛或疏生柔毛，下面具 3 脉，茎下部的叶较大，茎上部的叶较小。聚伞花序，具多花；苞片草质，卵形，长 3 ~ 7mm，通常密生柔毛；花梗长约 1cm，纤细，密生柔毛或腺毛；萼片 5，披针形，长 3 ~ 4mm，边缘膜质，先端尖，外面被柔毛，具显著的 3 脉；花瓣 5，白色，倒卵形，长为萼片的 1/3 ~ 1/2，先端钝圆；雄蕊 10，短于萼片；子房卵圆形，无毛，花柱 3，线形。蒴果卵圆形，

无心菜

与宿存萼等长，先端6裂；种子小，肾形，表面粗糙，淡褐色。花期6～8月，果期8～9月。

| 生境分布 | 生于海拔550～3980m的砂质或石质荒地、田野、园圃、山坡草地。分布于吉林延边、白山、通化等。

| 资源情况 | 野生资源较丰富。药材主要来源于野生。

| 采收加工 | 夏、秋季采收，晒干。

| 功能主治 | 辛，平。止咳，清热明目。用于肺结核，急性结膜炎，睑腺炎，咽喉痛。

| 用法用量 | 内服煎汤，6～30g。

石竹科 Caryophyllaceae 卷耳属 *Cerastium*

长白卷耳 *Cerastium baischanense* Y. C. Chu

长白卷耳

| 药 材 名 |

长白卷耳（药用部位：全草）。

| 形态特征 |

多年生草本，高 6 ~ 20cm，全株密被开展柔毛。茎丛生，细弱，稍上升。茎下部叶叶片倒披针形，较小，先端急尖，基部渐狭成短柄，两面及边缘均被疏柔毛；中上部茎生叶较大，叶片披针形或线状披针形，长 1.3 ~ 2cm，宽 2 ~ 4mm，先端急尖，基部楔形，中脉明显，叶腋具不育短枝。聚伞花序顶生，具 3 ~ 5 花；苞片草质，宽披针形，先端急尖，被疏柔毛；花梗长 4 ~ 15mm，密被开展的毛；萼片长圆状披针形或近长圆形，长 4 ~ 5mm，先端钝，外面被疏柔毛，边缘膜质；花瓣白色，比萼片稍长，长圆状倒卵形，长 5 ~ 5.5mm，宽 2 ~ 2.5mm，先端 2 裂，达花瓣 1/5 ~ 1/4 处，基部楔形，无毛；雄蕊 10，比花瓣短，花丝无毛；花柱 5。蒴果圆柱形，长 8 ~ 10mm，10 齿裂，裂齿直立；种子宽卵形，稍扁，长 0.7 ~ 0.8mm，被疣状突起。花期 6 ~ 8 月，果期 7 ~ 8 月。

| 生境分布 |

生于海拔 1700 ~ 2400m 的地区，多生于高山冻原和温泉附近的多石质火山口湖一带。以长白山区为主要分布区域，分布于吉林延边、白山、通化、吉林、辽源（东丰）等。

| 资源情况 | 野生资源稀少。药材主要来源于野生。

| 采收加工 | 夏、秋季采收，除去杂质，晒干。

| 功能主治 | 止血，敛疮，消肿。用于头风，头晕，湿痹拘挛，目赤，目翳，风癞，疔肿，热毒疮疡，皮肤瘙痒。

| 附　　注 | 本种为吉林省Ⅱ级重点保护野生植物。

石竹科 Caryophyllaceae 卷耳属 *Cerastium*

簇生卷耳 *Cerastium fontanum* Baumg. subsp. *triviale* (Link) Jalas

簇生卷耳

| 植物别名 |

卷耳。

| 药 材 名 |

簇生卷耳（药用部位：全草）。

| 形态特征 |

多年生或一、二年生草本，高 15 ~ 30cm。茎单生或丛生，近直立，被白色短柔毛和腺毛。基生叶叶片近匙形或倒卵状披针形，基部渐狭成柄状，两面被短柔毛；茎生叶近无柄，叶片卵形、狭卵状长圆形或披针形，长 1 ~ 3（~ 4）cm，宽 3 ~ 10（~ 12）mm，先端急尖或钝尖，两面均被短柔毛，边缘具缘毛。聚伞花序顶生；苞片草质；花梗细，长 5 ~ 25mm，密被长腺毛，花后弯垂；萼片 5，长圆状披针形，长 5.5 ~ 6.5mm，外面密被长腺毛，边缘中部以上膜质；花瓣 5，白色，倒卵状长圆形，等长或微短于萼片，先端 2 浅裂，基部渐狭，无毛；雄蕊短于花瓣，花丝扁线形，无毛；花柱 5，短线形。蒴果圆柱形，长 8 ~ 10mm，为宿存萼的 2 倍，先端 10 齿裂；种子褐色，具瘤状突起。花期 5 ~ 6 月，果期 6 ~ 7 月。

| 生境分布 |

生于山地林缘杂草间、疏松砂质土壤、林下、山区路旁及草甸中。以长白山区为主要分布区域，分布于吉林延边、白山、通化、吉林、辽源（东丰）等。

| 资源情况 |

野生资源较少。药材主要来源于野生。

| 采收加工 |

夏、秋季采收，除去杂质，晒干。

| 功能主治 |

清热解毒，消肿止痛。用于感冒，头痛，咳嗽痰黄，微汗，小儿痢疾，乳痈初起，疔疽肿痛，疮疥。

石竹科 Caryophyllaceae 卷耳属 *Cerastium*

缘毛卷耳 *Cerastium furcatum* Cham. et Schlecht.

缘毛卷耳

| 植物别名 |

高山卷耳、纤毛卷耳。

| 药 材 名 |

缘毛卷耳（药用部位：全草）。

| 形态特征 |

多年生草本，高 10 ~ 55cm。茎单生或丛生，近直立，被稀疏或较密长柔毛，上部混生腺毛。基生叶叶片匙形；茎生叶叶片卵状披针形至椭圆形，长 1 ~ 3cm，宽 4 ~ 11mm，先端钝或急尖，基部近圆形或楔形，多少被柔毛。聚伞花序具 5 ~ 11 花；苞片草质；花梗细，长 1 ~ 3.5cm，密被柔毛和腺毛，果期弯垂；萼片 5，长圆状披针形，长约 5mm，先端尖或钝，被柔毛；花瓣 5，白色，倒心形，长于花萼 0.5 ~ 1 倍，先端 2 浅裂，基部被缘毛；雄蕊 10，花丝扁线形，中下部被疏长柔毛；花柱 5，线形，有时被毛。蒴果长圆形，比宿存萼长 1 倍；种子扁圆形，褐色，具细条形疣状突起。花期 5 ~ 8 月，果期 8 ~ 9 月。

| 生境分布 |

生于海拔 2300 ~ 3350m 的高山林缘及草甸。

以长白山区为主要分布区域，分布于吉林延边、白山、通化、吉林、辽源（东丰）等。

|资源情况|

野生资源较少。药材主要来源于野生。

|采收加工|

夏、秋季采挖，除去杂质，晒干。

|功能主治|

解毒消肿，祛风除湿。用于风湿痹痛，高血压。

石竹科 Caryophyllaceae 卷耳属 *Cerastium*

毛蕊卷耳 *Cerastium pauciflorum* Stev. ex Ser. var. *oxalidiflorum* (Makino) Ohwi

毛蕊卷耳

|植物别名|

寄奴花。

|药 材 名|

毛蕊卷耳（药用部位：全草。别名：寄双花）。

|形态特征|

多年生草本，高 20 ～ 60cm。根细长，有分枝。茎丛生，直立或基部上升，被短柔毛，上部被腺柔毛。基生叶叶片小而狭，匙形；中部茎生叶叶片披针形或卵状长圆形，长 3 ～ 6cm，宽 1 ～ 2cm，先端急尖或渐尖，基部渐狭，边缘疏生缘毛，两面有毛。聚伞花序顶生，具 5 ～ 15 花；苞片草质，卵状披针形；花梗细，长 5 ～ 30mm，密被腺柔毛；花直径 15 ～ 18mm；萼片 5，卵状长圆形，长约 6mm，宽约 2mm，外面被腺柔毛，边缘膜质；花瓣白色，无毛，倒卵形或倒卵状长圆形，长 10 ～ 13mm，全缘，基部无毛；雄蕊无毛，与花萼等长或稍长；花柱 5，线形。蒴果圆柱形，比宿存萼长 1 ～ 1.5 倍，先端 10 齿裂；种子三角状扁肾形，淡黄褐色，具疣状突起。花期 5 ～ 6 月，果期 7 ～ 8 月。

| 生境分布 | 生于河岸两旁湿地或山坡灌丛疏林下，在海拔 250 ~ 800m 的林下、山区路旁湿润处及草甸中也生长。以长白山区为主要分布区域，分布于吉林延边、白山、通化、吉林、辽源（东丰）等。

| 资源情况 | 野生资源较少。药材主要来源于野生。

| 采收加工 | 夏、秋季采收，除去杂质，晒干。

| 功能主治 | 清热利湿，解毒。用于赤白痢疾，淋病涩痛，痈肿。

石竹科 Caryophyllaceae 狗筋蔓属 *Cucubalus*

狗筋蔓 *Cucubalus baccifer* L.

| 植物别名 | 抽筋草、大种鹅儿肠。

| 药 材 名 | 狗筋蔓（药用部位：全草或根。别名：太极草、狗夺子、水筋骨）。

| 形态特征 | 多年生草本，全株被逆向短绵毛。根簇生，长纺锤形，白色，断面黄色，稍肉质；根颈粗壮，多头。茎铺散，俯仰，长 50 ~ 150cm，多分枝。叶片卵形、卵状披针形或长椭圆形，长 1.5 ~ 5（ ~ 13）cm，宽 0.8 ~ 2（ ~ 4）cm，基部渐狭成柄状，先端急尖，边缘具短缘毛，两面沿脉被毛。圆锥花序疏松；花梗细，具 1 对叶状苞片；花萼宽钟形，长 9 ~ 11mm，草质，后期膨大成半圆球形，沿纵脉多少被短毛，萼齿卵状三角形，与萼筒近等长，边缘膜质，果期反折；雌雄蕊柄长约 1.5mm，无毛；花瓣白色，倒披针形，长约 15mm，宽约 2.5mm，爪狭长，瓣片叉状，浅 2 裂；副花冠片不明显，微呈乳头状；雄蕊

狗筋蔓

不外露，花丝无毛；花柱细长，不外露。蒴果圆球形，呈浆果状，直径 6 ~ 8mm，成熟时薄壳质，黑色，具光泽，不规则开裂；种子圆肾形，肥厚，长约 1.5mm，黑色，平滑，有光泽。花期 6 ~ 8 月，果期 7 ~ 9（~ 10）月。

| 生境分布 | 生于林缘、森林灌丛间、湿地及河边。以长白山区为主要分布区域，分布于吉林延边、白山、通化、吉林、辽源（东丰）、长春（九台）等。

| 资源情况 | 野生资源丰富。药材主要来源于野生。

| 采收加工 | 夏、秋季采收，除去杂质，晒干。

| 药材性状 | 本品根呈细长圆柱形，稍扭曲，常数条着生于较短的根茎上，长 10 ~ 30cm，直径 3 ~ 6mm，表面黄白色，有纵皱纹，质硬而脆，易折断，断面黄白色。茎多分枝，表面黄绿色至黄棕色，节部膨大，有黄色毛；断面中央有白色的髓。叶对生，完整者卵状披针形或长圆形，长 2 ~ 4cm，宽 7 ~ 15mm，全缘，中脉有毛。茎枝先端有单生或 2 ~ 3 聚生的小花，花瓣 5，白色。气微，味甘、微苦。

| 功能主治 | 甘、苦，温。归肝、膀胱经。健胃利肠，接骨生肌，散瘀止痛，祛风利湿，利尿消肿。用于骨折，跌打损伤，风湿关节痛，脘腹胀满疼痛，食欲不振，恶心呕逆，小儿疳积，肾炎水肿，脚气足肿，小便淋痛，肺痨。

| 用法用量 | 内服煎汤，9 ~ 15g；或泡酒服。外用适量，鲜品捣敷。

| 附　　注 | 在 FOC 中，本种的拉丁学名被修订为 *Silene baccifera* (Linnaeus) Roth。

石竹科 Caryophyllaceae 石竹属 *Dianthus*

头石竹 *Dianthus barbatus* L. var. *asiaticus* Nakai

| 药 材 名 | 头石竹（药用部位：全草）。

| 形态特征 | 多年生草本，植株细长，高 30 ~ 60cm，全株无毛。茎直立，有棱。叶片披针形，狭，质薄，长 4 ~ 8cm，宽约 1cm，先端急尖，基部渐狭，合生成鞘，全缘，中脉明显。花多数，集成头状，有数枚叶状总苞片；花梗极短；苞片 4，卵形，先端尾状尖，边缘膜质，具细齿，与花萼等长或稍长；花萼筒状，长约 1.5cm，裂齿锐尖；花瓣具长爪，瓣片卵形，通常红紫色，有白点斑纹，先端齿裂，喉部具髯毛；雄蕊稍露于外；子房长圆形，花柱线形。蒴果卵状长圆形，长约 1.8cm，先端 4 裂至中部；种子褐色，扁卵形，平滑。花较少而细小。花果期 5 ~ 10 月。

| 生境分布 | 生于林缘、阔叶林下。以长白山区为主要分布区域，分布于吉林延边、

头石竹

白山、通化等。

| **资源情况** | 野生资源一般。药材主要来源于野生。

| **采收加工** | 夏、秋季采收，除去杂质，晒干。

| **功能主治** | 清热利尿，活血，破血通经。用于泌尿系感染，结石，小便不利，尿血，水肿，淋病，月经不调，闭经，妇女外阴瘙痒或糜烂，皮肤湿疹，浸淫疮毒，目赤翳障，痈肿。

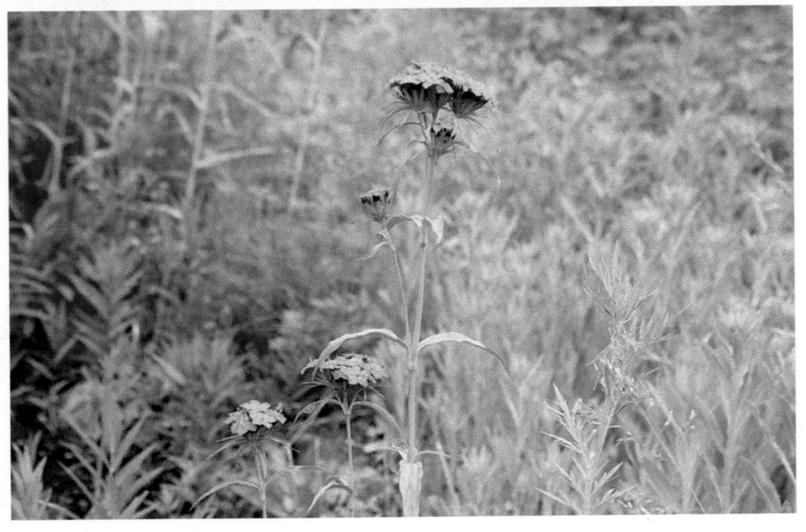

石竹科 Caryophyllaceae 石竹属 *Dianthus*

香石竹 *Dianthus caryophyllus* L.

| 植物别名 | 大花石竹、麝香石竹。

| 药 材 名 | 香石竹（药用部位：地上部分）。

| 形态特征 | 多年生草本，高 40 ~ 70cm，全株无毛，粉绿色。茎丛生，直立，基部木质化，上部稀疏分枝。叶片线状披针形，长 4 ~ 14cm，宽 2 ~ 4mm，先端长渐尖，基部稍呈短鞘，中脉明显，上面下凹，下面稍凸起。花常单生枝端，有时 2 或 3，有香气，粉红色、紫红色或白色；花梗短于花萼；苞片 4（~ 6），宽卵形，先端短凸尖，长达花萼 1/4；花萼圆筒形，长 2.5 ~ 3cm，萼齿披针形，边缘膜质；瓣片倒卵形，先端具不整齐牙齿；雄蕊长达喉部；花柱伸出花外。蒴果卵球形，稍短于宿存萼。花期 5 ~ 8 月，果期 8 ~ 9 月。

香石竹

| **生境分布** | 生于草原、山坡草地、林缘及草甸。分布于吉林延边、白山、通化等，吉林部分地区作为园艺品种有栽培。

| **资源情况** | 野生资源较少。吉林偶见栽培。药材主要来源于栽培。

| **采收加工** | 夏、秋季采割，除去杂质，立即晒干或阴干。

| **功能主治** | 清热利尿，破血，通便。用于热淋涩痛，大便不通。

石竹科 Caryophyllaceae 石竹属 *Dianthus*

石竹 *Dianthus chinensis* L.

石竹

植物别名

东北石竹、洛阳花。

药 材 名

瞿麦（药用部位：地上部分。别名：东北石竹、洛阳花、十样景花）。

形态特征

多年生草本，高 30 ~ 50cm，全株无毛，带粉绿色。茎由根颈生出，疏丛生，直立，上部分枝。叶片线状披针形，长 3 ~ 5cm，宽 2 ~ 4mm，先端渐尖，基部稍狭，全缘或有细小齿，中脉较明显。花单生枝端或数花集成聚伞花序；花梗长 1 ~ 3cm；苞片 4，卵形，先端长渐尖，长达花萼 1/2 以上，边缘膜质，有缘毛；花萼圆筒形，长 15 ~ 25mm，直径 4 ~ 5mm，有纵条纹，萼齿披针形，长约 5mm，直伸，先端尖，有缘毛；花瓣长 16 ~ 18mm，瓣片倒卵状三角形，长 13 ~ 15mm，紫红色、粉红色、鲜红色或白色，先端不整齐齿裂，喉部有斑纹，疏生髯毛；雄蕊露出喉部外，花药蓝色；子房长圆形，花柱线形。蒴果圆筒形，包于宿存萼内，先端 4 裂；种子黑色，扁圆形。花期 5 ~ 6 月，果期 7 ~ 9 月。

生境分布 生于草原、山坡草地、林缘、林间及草甸。吉林各地均有分布，各地均有栽培。

资源情况 野生资源一般。吉林广泛栽培。药材主要来源于栽培。

采收加工 夏、秋季采割，除去杂质，立即晒干或阴干。栽培品在栽种后可连续收割5～6年，每年可收割2～3次，第1次在开花前或盛花期，在离地面高3cm处割下，第2次在冬季前，沿地面割取全草。收割后，除去杂质，立即晒干或阴干，打捆包装，置于干燥处。

药材性状 本品茎呈圆柱形，上部有分枝，长30～50cm；表面淡绿色或黄绿色，光滑无毛，节明显，略膨大，断面中空。叶对生，多皱缩，展平叶片呈条形至条状披针形。枝端具花及果实，花萼筒状，长1.4～1.8cm；苞片长约为萼筒的1/2；花瓣先端浅齿裂。蒴果长筒形，与宿萼等长。种子细小，多数。气微，味淡。以青绿色、干燥、无杂草、无根及花未开放者为佳。

功能主治 苦，寒。归心、肾、小肠、膀胱经。利尿通淋，活血通经。用于热淋，血淋，石淋，小便不通，淋沥涩痛，经闭瘀阻，月经不调，目赤翳障，跌打损伤，痈疮肿毒，皮肤湿疹。

用法用量 内服煎汤，9～15g；或入丸、散。外用研末调敷。

附　　注 （1）石竹在吉林作瞿麦药用，产量大，药用历史较久。《东丰县志》（1917年）、《辉南县志》（1927年）、《珲春县志》（1931年）等多部地方志中均有关于“石竹”的记载。

（2）吉林虽有本种的野生资源，但蕴藏量较小，产量亦少，多自产自销，尚无药材商品入市。

石竹科 Caryophyllaceae 石竹属 *Dianthus*

高山石竹 *Dianthus chinensis* L. var. *morii* (Nakai) Y. C. Chu

|药 材 名| 高山石竹（药用部位：全草或地上部分）。

|形态特征| 多年生草本，植株高超过 10cm，密丛生。叶片线状倒披针形或线状披针形，长 1.5 ～ 3cm，宽 1.5 ～ 2.5mm，有时带紫色。花单一；苞片先端渐尖、长渐尖或为叶状，常带紫色；花萼长约 1.5cm，直径 5 ～ 6mm，带紫色。

|生境分布| 生于高山带瀑布旁及山溪旁湿润地。以长白山区为主要分布区域，分布于吉林延边、白山、通化等。

|资源情况| 野生资源较少。药材主要来源于野生。

|采收加工| 夏、秋季采挖，除去杂质，晒干。

高山石竹

| **功能主治** | 全草，清热利尿，活血。用于急性肝炎，肠炎，胃痛。地上部分，同“石竹”。

| **附　　注** | 本种为吉林省Ⅱ级重点保护野生植物。

石竹科 Caryophyllaceae 石竹属 *Dianthus*

瞿麦 *Dianthus superbus* L.

| 植物别名 | 洛阳花。

| 药 材 名 | 瞿麦（药用部位：地上部分。别名：石柱子）。

| 形态特征 | 多年生草本，高 50 ~ 60cm，有时更高。茎丛生，直立，绿色，无毛，上部分枝。叶片线状披针形，长 5 ~ 10cm，宽 3 ~ 5mm，先端锐尖，中脉明显，基部合生成鞘状，绿色，有时带粉绿色。花 1 或 2 生于枝端，有时顶下腋生；苞片 2 ~ 3 对，倒卵形，长 6 ~ 10mm，约为花萼的 1/4，宽 4 ~ 5mm，先端长尖；花萼圆筒形，长 2.5 ~ 3cm，直径 3 ~ 6mm，常染紫红色晕，萼齿披针形，长 4 ~ 5mm；花瓣长 4 ~ 5cm，爪长 1.5 ~ 3cm，包于萼筒内，瓣片宽倒卵形，边缘繸裂至中部或中部以上，通常淡红色或带紫色，稀白色，喉部具丝毛状鳞片；雄蕊和花柱微外露。蒴果圆筒形，与宿存萼等长或微长，先

瞿麦

端4裂；种子扁卵圆形，长约2mm，黑色，有光泽。花期6 ~ 9月，果期8 ~ 10月。

| **生境分布** | 生于山坡、草地、路旁、林下、丘陵山地疏林下、林缘、沟谷溪边。以长白山区为主要分布区域，分布于吉林延边、白山、通化、吉林、辽源（东丰）等。

| **资源情况** | 野生资源较少。药材主要来源于野生。

| **采收加工** | 同“石竹”。

| **药材性状** | 本品茎呈圆柱形，上部有分枝，长 30 ~ 60cm；表面淡绿色或黄绿色，光滑无毛，节明显，略膨大，断面中空。叶对生，多皱缩，展平叶片呈条形至条状披针形。枝端具花及果实，花萼筒状，长 2.5 ~ 3cm；苞片 4 ~ 6，宽卵形，长约为萼筒的 1/4；花瓣棕紫色或棕黄色，卷曲，先端深裂成丝状。蒴果长筒形，与宿萼等长。种子细小，多数。气微，味淡。

| **功能主治** | 同“石竹”。

| **用法用量** | 同“石竹”。

| **附　　注** | 瞿麦在吉林药用历史较久。在《（宣统）安图县志》（1911 年）、《（民国）安图县志》（1929 年）、《珲春乡土志》（1935 年）等地方志中均有关于“瞿麦”的记载。

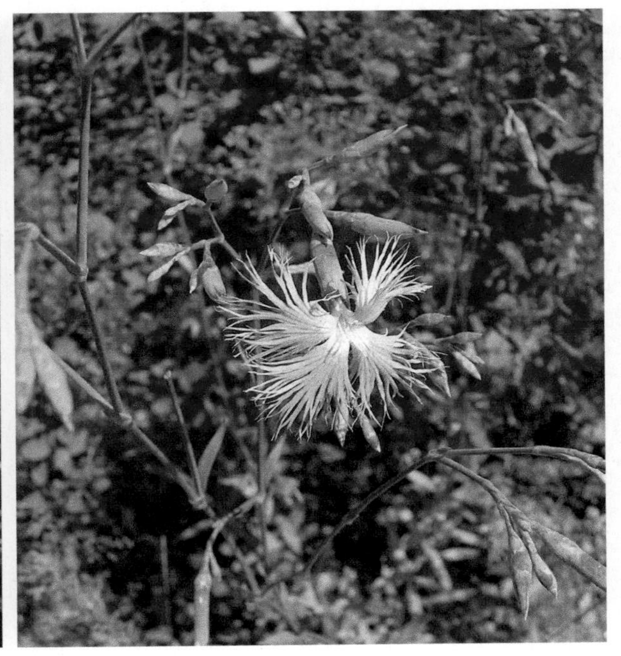

石竹科 Caryophyllaceae 石竹属 *Dianthus*

高山瞿麦 *Dianthus superbus* L. var. *speciosus* Reichb.

高山瞿麦

| 植物别名 |

洛阳花。

| 药 材 名 |

高山瞿麦（药用部位：地上部分）。

| 形态特征 |

多年生草本，植株较矮，稀疏分枝。花较大，直径 4.5 ~ 5cm；苞片椭圆形至宽卵形，先端具钻形尖，长 2 ~ 5mm；花萼较短而粗，带紫色，长 2.5 ~ 3cm，直径 4 ~ 7mm；花瓣较原变种宽。

| 生境分布 |

生于高山林缘路旁、林间空地、山坡草丛及河岸。以长白山区为主要分布区域，分布于吉林延边、白山、通化、吉林、辽源（东丰）等。

| 资源情况 |

野生资源较少。药材主要来源于野生。

| 采收加工 |

夏、秋季采挖，除去杂质，晒干。

|功能主治| 苦，寒。清热利水，破血通经。用于尿路感染，热淋，血淋，血瘀经闭，月经不调，尿路结石，湿疹，疮毒，目赤肿痛，经闭，痈疮肿毒。

|附　注| 在 FOC 中，本种的拉丁学名被修订为 *Dianthus superbus* subsp. *alpestris* Kablikova ex Celakovsky。

石竹科 Caryophyllaceae 石头花属 *Gypsophila*

草原石头花 *Gypsophila davurica* Turcz. ex Fenzl

| 植物别名 | 草原霞草、北丝石竹。

| 药 材 名 | 草原石头花（药用部位：地上部分。别名：北丝石竹）。

| 形态特征 | 多年生草本，高 50 ~ 80cm，全株无毛。根粗壮，直径约 1cm，淡褐色至灰褐色，木质。茎数个丛生，上部分枝。叶片线状披针形，长 3 ~ 6cm，宽 3 ~ 7mm，先端长渐尖，基部稍狭，无柄，下面中脉较明显。聚伞花序稍疏散；花梗长 4 ~ 10mm；苞片披针形，先端尾状至渐尖，具缘毛，稍膜质；花萼钟形，长 3 ~ 4mm，先端 5 裂至 1/3 ~ 1/2 处，萼齿卵状三角形，急尖，边缘白色，宽膜质，脉 5，绿色，达齿端；花瓣淡粉红色或近白色，倒卵状长圆形，先端微凹或截形，基部稍狭，长为花萼的 2 倍；雄蕊比花瓣短；子房卵球形，花柱长，伸出。蒴果卵球形，比宿存萼长；种子圆肾形，

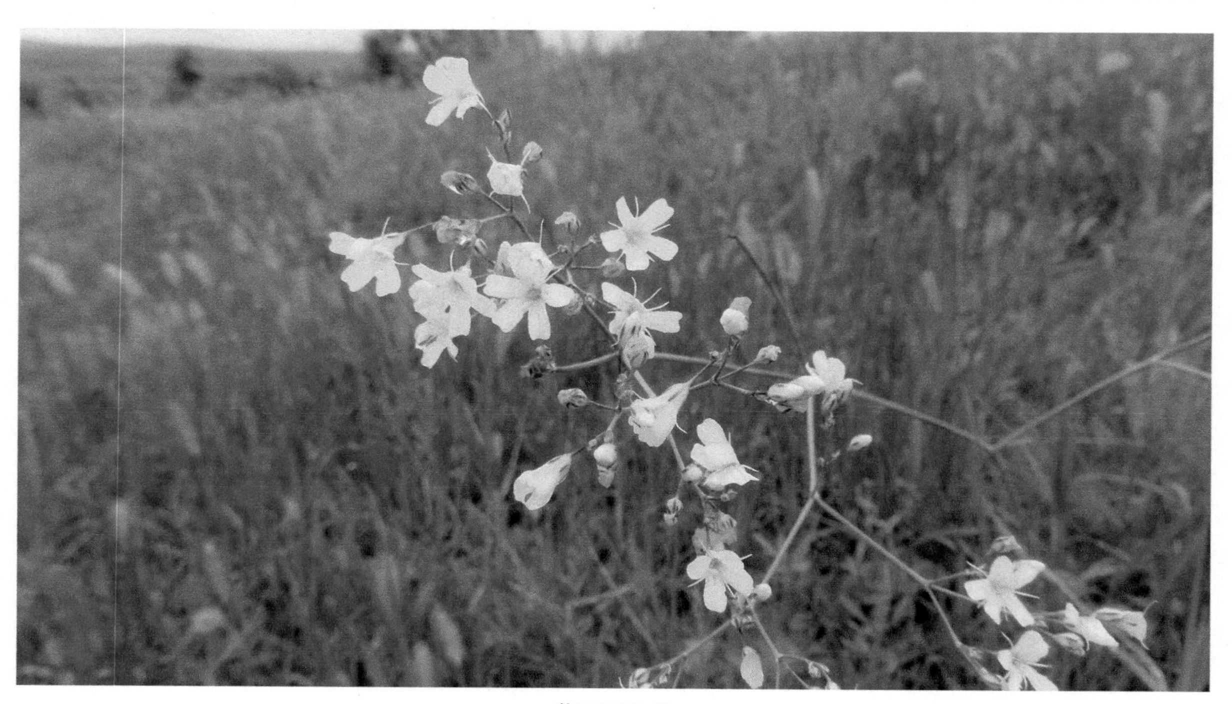

草原石头花

长 1.2 ~ 1.5mm，黑褐色，两侧压扁，具密条状微突起，背部具短尖的小疣状突起。花期 6 ~ 9 月，果期 7 ~ 10 月。

| 生境分布 |

生于草原、丘陵、固定沙丘及石砾质干山坡。分布于吉林白城等。

| 资源情况 |

野生资源较少。药材主要来源于野生。

| 采收加工 |

秋季采挖，除去杂质，洗净，晒干。

| 功能主治 |

苦，微寒。归膀胱经。清热凉血，逐水利尿。用于水肿胀满，胸胁满闷，小便不利。

| 用法用量 |

内服煎汤，3 ~ 6g。

石竹科 Caryophyllaceae 石头花属 *Gypsophila*

长蕊石头花 *Gypsophila oldhamiana* Miq.

| 植物别名 | 长蕊丝石竹、霞草、山蚂蚱菜。

| 药 材 名 | 山银柴胡（药用部位：根。别名：长蕊丝石竹）。

| 形态特征 | 多年生草本，高 60 ~ 100cm。根粗壮，木质化，淡褐色至灰褐色。茎数个由根颈处生出，二歧或三歧分枝，开展，老茎常红紫色。叶片近革质，稍厚，长圆形，长 4 ~ 8cm，宽 5 ~ 15mm，先端短凸尖，基部稍狭，两叶基相连成短鞘状，微抱茎，脉 3 ~ 5，中脉明显，上部叶较狭，近线形。伞房状聚伞花序较密集，顶生或腋生，无毛；花梗长 2 ~ 5mm，直伸，无毛或疏生短柔毛；苞片卵状披针形，长渐尖尾状，膜质，大多具缘毛；花萼钟形或漏斗状，长 2 ~ 3mm，萼齿卵状三角形，略急尖，脉绿色，伸达齿端，边缘白色，膜质，具缘毛；花瓣粉红色，倒卵状长圆形，先端截形或微凹，长于花萼 1

长蕊石头花

倍；雄蕊长于花瓣；子房倒卵球形，花柱长线形，伸出。蒴果卵球形，稍长于宿存萼，先端4裂；种子近肾形，长1.2 ~ 1.5mm，灰褐色，两侧压扁，具条状突起，脊部具短尖的小疣状突起。花期6 ~ 9月，果期8 ~ 10月。

| 生境分布 | 生于海拔2000m以下的山坡草地、灌丛、沙滩乱石间或海滨沙地。分布于吉林延边、白山、通化等。

| 资源情况 | 野生资源较少。药材主要来源于野生。

| 采收加工 | 秋季采挖，除去泥土及须根，晒干。

| 药材性状 | 本品呈圆柱形或圆锥形，略扁，长10 ~ 22cm，直径0.5 ~ 4.5cm；根头部常分叉，有小型凸起的地上茎痕，表面棕黄色或灰棕黄色，有扭曲的纵沟纹，有的栓皮已除去，呈黄白色，形成棕黄相间的花纹；近根头处有多数凸起的圆形支根痕及细环纹。质坚实，不易折断，断面不平坦，有3 ~ 4层黄白相间的环状花纹（异型维管束）。气微，味苦、辛辣，有刺激感。

| 功能主治 | 甘，微寒。归肺、肝、胆、肾、胃经。清虚热，凉血，活血散瘀，消肿止痛，化腐生肌。用于阴虚潮热，久疟，跌打损伤，骨折，外伤，小儿疳积。

| 用法用量 | 内服煎汤，3 ~ 9g。

石竹科 Caryophyllaceae 石头花属 *Gypsophila*

大叶石头花 *Gypsophila pacifica* Kom.

大叶石头花

| 植物别名 |

细梗石头花、细梗丝石竹、豆瓣菜。

| 药 材 名 |

山银柴胡（药用部位：根）。

| 形态特征 |

多年生草本，高 60 ~ 90cm。根粗壮，灰褐色，木质化。茎直立，无毛，带浅红色或被白粉。叶片卵形，长 2.5 ~ 6cm，宽 1 ~ 3.5cm，先端急尖或稍钝，基部稍抱茎，无柄，两面无毛，脉 3 或 5。聚伞花序顶生，疏展；花梗长 5 ~ 10mm；苞片三角形，先端渐尖，膜质，具缘毛；花萼钟形，长 2 ~ 3mm，萼齿裂达 1/3，卵状三角形，先端稍钝，边缘膜质，白色，具缘毛；花瓣淡紫色或粉红色，长圆形，长 6mm，先端圆，基部狭；雄蕊短于花瓣；子房卵球形，花柱短于花瓣。蒴果卵球形，长于宿存萼，先端 4 裂；种子圆肾形，黑褐色，稍扁，长 1.2 ~ 1.5mm，表面具钝疣状突起。花期 7 ~ 10 月，果期 8 ~ 10 月。

| 生境分布 |

生于海拔 150 ~ 320m 的开阔向阳山坡、石砾质干山坡、林缘草地，有时生于丘陵地柞树林内。以长白山区为主要分布区域，分布于吉林延边、白山、通化、吉林、辽源（东丰）等。

| 资源情况 | 野生资源较少。药材主要来源于野生。

| 采收加工 | 同“长蕊石头花”。

| 药材性状 | 本品呈圆锥形，粗壮，灰褐色，有时有分枝。根头部有众多地上茎残基，紧接头部有细环纹，下部有纵皱纹及支根痕。表面灰棕色或浅棕色，有的地方栓皮剥落成黄色斑痕。质较松，易折断，断面黄白色，有放射状纹理。气微，味略苦。

| 功能主治 | 同“长蕊石头花”。

| 用法用量 | 同“长蕊石头花”。

| 附　　注 | 本种幼苗为山野菜，可食用。

石竹科 Caryophyllaceae 剪秋罗属 *Lychnis*

浅裂剪秋罗 *Lychnis cognata* Maxim.

浅裂剪秋罗

| 植物别名 |

剪秋罗、毛缘剪秋罗、山红花。

| 药 材 名 |

浅裂剪秋罗（药用部位：全草或茎）。

| 形态特征 |

多年生草本，高 35 ~ 90cm，全株被稀疏长柔毛。根簇生，纺锤形，稍肉质。茎直立，不分枝或上部分枝。叶片长圆状披针形或长圆形，长 5 ~ 11cm，宽 1 ~ 4cm，基部宽楔形，不呈柄状，先端渐尖，两面被疏长毛，沿脉较密，边缘具缘毛。二歧聚伞花序具数花，有时紧缩成头状；花直径 3.5 ~ 5cm，花梗长 3 ~ 12mm，被短柔毛；苞片叶状；花萼筒状棒形，长 20 ~ 25mm，直径 3.5 ~ 5mm，后期微膨大，沿脉疏生长柔毛，萼齿三角形，长约 3mm，先端渐尖；雌雄蕊柄长 8 ~ 10mm；花瓣橙红色或淡红色，爪微露出花萼，狭楔形，长约 20mm，无毛，瓣片宽倒卵形，长 15 ~ 20mm，叉状浅 2 裂或深凹缺，裂片倒卵形，全缘或具不明显的细齿，瓣片两侧中下部具 1 线形小裂片；副花冠片长圆状披针形，暗红色，先端具齿；雄蕊微外露，花丝无毛；花柱微外露。蒴果长椭圆状卵形，长约 15mm；种子圆肾形，肥厚，长约 1.5mm，黑褐色，两侧微凹，具短条纹，脊圆，具乳突。花期 6 ~ 7 月，果期 7 ~ 8 月。

| **生境分布** |

生于林下、灌丛、草地、湿地。以长白山区为主要分布区域，分布于吉林延边、白山、通化、吉林、辽源（东丰）等。

| **资源情况** |

野生资源较丰富。药材主要来源于野生。

| **采收加工** |

夏、秋季采收，除去杂质，晒干。

| **功能主治** |

甘，寒。解热镇痛，止泻。用于感冒，关节炎，腹泻；外用于带状疱疹。

石竹科 Caryophyllaceae 剪秋罗属 *Lychnis*

剪秋罗 *Lychnis fulgens* Fisch.

| 植物别名 | 大花剪秋罗。

| 药 材 名 | 剪秋罗（药用部位：全草）。

| 形态特征 | 多年生草本，高 50 ~ 80cm，全株被柔毛。根簇生，纺锤形，稍肉质。茎直立，不分枝或上部分枝。叶片卵状长圆形或卵状披针形，长 4 ~ 10cm，宽 2 ~ 4cm，基部圆形，稀宽楔形，不呈柄状，先端渐尖，两面和边缘均被粗毛。二歧聚伞花序具数花，稀具多数花，紧缩成伞房状；花直径 3.5 ~ 5cm，花梗长 3 ~ 12mm；苞片卵状披针形，草质，密被长柔毛和缘毛；花萼筒状棒形，长 15 ~ 20mm，直径 3 ~ 3.5cm，后期上部微膨大，被稀疏白色长柔毛，沿脉较密，萼齿三角状，先端急尖；雌雄蕊柄长约 5mm；花瓣深红色，爪不露出花萼，狭披针形，具缘毛，瓣片倒卵形，深 2 裂达瓣片的 1/2，

剪秋罗

裂片椭圆状条形，有时先端具不明显的细齿，瓣片 2 侧中下部各具 1 线形小裂片；副花冠片长椭圆形，暗红色，呈流苏状；雄蕊微外露，花丝无毛。蒴果长椭圆状卵形，长 12 ~ 14mm；种子肾形，长约 1.2mm，肥厚，黑褐色，具乳突。花期 6 ~ 7 月，果期 8 ~ 9 月。

| 生境分布 | 生于低山疏林下、灌丛草甸阴湿地、林缘、草地、湿地。以长白山区为主要分布区域，分布于吉林延边、白山、通化、吉林、辽源（东丰）等。

| 资源情况 | 野生资源较少。药材主要来源于野生。

| 采收加工 | 秋季采挖，除去泥土及须根，晒干。

| 药材性状 | 本品全草长 25 ~ 80cm。茎单一，上部疏生柔毛。单叶对生，完整叶片长圆形或卵状长圆形，先端渐尖，基部钝圆，长 3.5 ~ 10cm，宽达 3.5cm，两面均被柔毛。聚伞花序或单花生于枝端或叶腋；萼筒棍棒状，先端 5 裂，密生柔毛；花瓣 5，暗红色，基部有爪，瓣片 4 裂，中 2 裂片较大；雄蕊 10；花柱丝状，子房长圆状圆柱形。蒴果 5 瓣裂；种子小，暗黑色，表面有尖突起。气微，味淡。

| 功能主治 | 甘、淡，平。消积止痛，发汗，生津。用于小儿疳积，失眠。

| 用法用量 | 内服煎汤，10 ~ 30g。

| 附　　注 | 本品茎可制成酊剂，用于头痛及因分娩时颅骨外伤引起的婴儿抽搐。

石竹科 Caryophyllaceae 剪秋罗属 *Lychnis*

丝瓣剪秋罗 *Lychnis wilfordii* (Regel) Maxim.

| 植物别名 | 燕尾仙翁。

| 药 材 名 | 丝瓣剪秋罗（药用部位：全草或根）。

| 形态特征 | 多年生草本，高 45 ~ 100cm，全株无毛或被疏毛。主根细长。茎直立，不分枝或上部多少分枝。叶无柄，叶片长圆状披针形或长披针形，长 3 ~ 12cm，宽 1 ~ 2.5cm，基部楔形，微抱茎，先端渐尖，两面无毛，边缘具粗缘毛。二歧聚伞花序稍紧密，具多数花；花直径 25 ~ 30mm，花梗长 3 ~ 20mm，被卷柔毛；苞片线状披针形；花萼筒状棒形，长 15 ~ 20mm，宽 4 ~ 5mm，无毛，纵脉明显，萼齿三角形，长约 3mm，先端急尖或渐尖，边缘膜质，具短缘毛；雌雄蕊柄长约 5mm；花瓣鲜红色，长达 30mm，爪不露或微露出花萼，狭楔形，无缘毛，瓣片近卵形，深 4 裂，几呈流苏状，裂片狭条形，

丝瓣剪秋罗

近等大，先端尖；副花冠片长圆形，暗红色；雄蕊微外露，花丝无毛；花柱明显外露。蒴果长圆状卵形，长约10mm，比宿存萼短或近等长；种子肾形，长约1mm，黑褐色，具棘凸。花期6～7月，果期8～9月。

｜生境分布｜

生于湿草甸、沼泽地、河岸低湿地、林缘或疏林下。以长白山区为主要分布区域，分布于吉林延边、白山、通化、吉林、辽源（东丰）等。

｜资源情况｜

野生资源较少。药材主要来源于野生。

｜采收加工｜

夏、秋季采收，除去杂质，晒干。

｜功能主治｜

辛，温。发汗，生津。用于头痛。

石竹科 Caryophyllaceae 米努草属 *Minuartia*

石米努草 *Minuartia laricina* (L.) Mattf.

石米努草

|药材名|

石米努草（药用部位：全草）。

|形态特征|

多年生丛生草本，高 10 ~ 30cm。茎仰卧，多分枝，分枝上升，无毛或被短柔毛。叶片线状钻形，长 8 ~ 15mm，宽 0.5 ~ 1.5mm，基部无柄，先端渐尖，边缘和基部被稀疏的多细胞长缘毛，具 1 脉，叶腋具不育短枝。花 1 ~ 5(~ 9)成聚伞花序，花梗长 1 ~ 2cm，被短毛；苞片披针形；萼片长圆状披针形，长 4 ~ 5（ ~ 6）mm，先端钝，边缘膜质，具 3 脉，无毛；花瓣白色，倒卵状长圆形，长为萼的 1.5 倍，全缘或有时微缺；雄蕊花丝下部渐宽。果实长圆状锥形，长 7 ~ 10mm，3 瓣裂；种子扁圆形，淡褐色，表面具低条纹状突起，种脊具流苏状齿。花期 7 ~ 8 月，果期 8 ~ 9 月。

|生境分布|

生于桦林和针叶林林缘。以长白山区为主要分布区域，分布于吉林延边、白山、通化、吉林、辽源（东丰）等。

| **资源情况** | 野生资源较少。药材主要来源于野生。

| **采收加工** | 夏、秋季花开放时采收，除去杂质，阴干或晒干。

| **功能主治** | 清热解毒，芳香化湿，截疟杀虫。用于湿浊中阻，疟疾，虫积腹痛。

石竹科 Caryophyllaceae 米努草属 *Minuartia*

长白米努草 *Minuartia macrocarpa* (Pursh) Ostenf. var. *koreana* (Nakai) Hara

| 药 材 名 | 长白米努草（药用部位：全草）。

| 形态特征 | 多年生草本，高 4 ~ 13cm，被腺毛。茎密丛生，分枝，密被枯死的老叶及新叶，分枝上升。叶簇生，叶片线形或锥状线形，长 5 ~ 15mm，宽约 1mm，近扁平，基部联合成短鞘状，先端稍尖，有时呈镰状弯曲，下面被毛，具 3 脉，边缘疏生刺状缘毛，边缘下部具稍长的多细胞毛。花单生，稀 2，向上直立；花梗长 1.5 ~ 4.5cm，中部具 2 草质苞片，密被腺毛；苞片的边缘白色、膜质，外部及下部边缘疏生毛；萼片线状长圆形或卵状披针形，长 4 ~ 5mm，宽约 2mm，先端钝，外面被腺毛，具 3 脉，先端及边缘膜质；花瓣长圆形或倒卵状长圆形，长 7 ~ 9mm，比萼长近 1 倍，先端钝；雄蕊 10，比萼片稍长；子房卵形，花柱 3。蒴果长圆形，长 8 ~ 10mm，比宿存萼长约 1 倍；种

长白米努草

子近圆肾形，直径 1.5 ～ 1.7mm，成熟时暗褐色，两面稍具皱纹，种脊具流苏状齿。花期 6 ～ 8 月，果期 8 ～ 9 月。

| 生境分布 |

生于高海拔的石砾质坡地及岩石苔藓地。以长白山区为主要分布区域，分布于吉林延边、白山、通化、吉林、辽源（东丰）等。

| 资源情况 |

野生资源稀少。药材主要来源于野生。

| 采收加工 |

夏、秋季花开放时采收，除去杂质，阴干或晒干。

| 功能主治 |

清热解毒，芳香化湿，截疟杀虫。用于湿浊中阻，疟疾，虫积腹痛。

| 附　　注 |

本种为吉林省Ⅲ级重点保护野生植物。

石竹科 Caryophyllaceae 种阜草属 *Moehringia*

种阜草 *Moehringia lateriflora* (L.) Fenzl

| 植物别名 | 莫石竹。

| 药 材 名 | 种阜草（药用部位：全草）。

| 形态特征 | 多年生草本，高 10 ~ 20cm，具匍匐根茎。茎直立，纤细，不分枝或分枝，被短毛。叶近无柄，叶片椭圆形或长圆形，长 1 ~ 2.5cm，宽 4 ~ 10mm，先端急尖或钝，边缘具缘毛，两面均粗糙，具小突起，下面沿中脉被短毛。聚伞花序顶生或腋生，具 1 ~ 3 花；花序梗细长，花梗细，长 0.5 ~ 2cm，密被短毛；苞片针状；花直径约 7mm；萼片卵形或椭圆形，长约 2mm，无毛，先端钝，边缘宽膜质，中脉凸起；花瓣白色，椭圆状倒卵形，先端钝圆，比萼片长 1 ~ 1.5 倍；雄蕊短于花瓣，花丝基部被柔毛；花柱 3。蒴果长卵圆形，长 3.5 ~ 5.5mm，先端 6 裂；种子近肾形，长约 1mm，平滑，种脐旁具白色种阜。花

种阜草

期 6 月，果期 7 ~ 8 月。

| 生境分布 |

生于林缘、路旁、荒地、草甸等处。以长白山区为主要分布区域，分布于吉林延边、白山、通化、吉林、辽源（东丰）等。

| 资源情况 |

野生资源丰富。药材主要来源于野生。

| 采收加工 |

夏、秋季于花果期采收，除去杂质，晒干。

| 药材性状 |

本品茎纤细，被短毛。叶近无柄，叶片椭圆形或长圆形，绿色或浅绿色，长 1 ~ 2.5cm，宽 4 ~ 10mm，两面均粗糙，下面沿中脉被短毛。有时可见聚伞花序，顶生或腋生。质脆，易碎。气微，味淡。

| 功能主治 |

清热解毒，活血止痛。用于瘀血肿痛。

石竹科 Caryophyllaceae 鹅肠菜属 *Myosoton*

鹅肠菜 *Myosoton aquaticum* (L.) Moench.

| 植物别名 | 水鹅肠菜、牛繁缕。

| 药 材 名 | 鹅肠菜（药用部位：全草。别名：鹅儿肠、抽筋草）。

| 形态特征 | 二年生或多年生草本，具须根。茎上升，多分枝，长 50 ~ 80cm，上部被腺毛。叶片卵形或宽卵形，长 2.5 ~ 5.5cm，宽 1 ~ 3cm，先端急尖，基部稍心形，有时边缘具毛；叶柄长 5 ~ 15mm，上部叶常无柄或具短柄，疏生柔毛。顶生二歧聚伞花序；苞片叶状，边缘具腺毛；花梗细，长 1 ~ 2cm，花后伸长并向下弯，密被腺毛；萼片卵状披针形或长卵形，长 4 ~ 5mm，果期长达 7mm，先端较钝，边缘狭膜质，外面被腺柔毛，脉纹不明显；花瓣白色，2 深裂至基部，裂片线形或披针状线形，长 3 ~ 3.5mm，宽约 1mm；雄蕊 10，稍短于花瓣；子房长圆形，花柱短，线形。蒴果卵圆形，稍长于宿存萼；

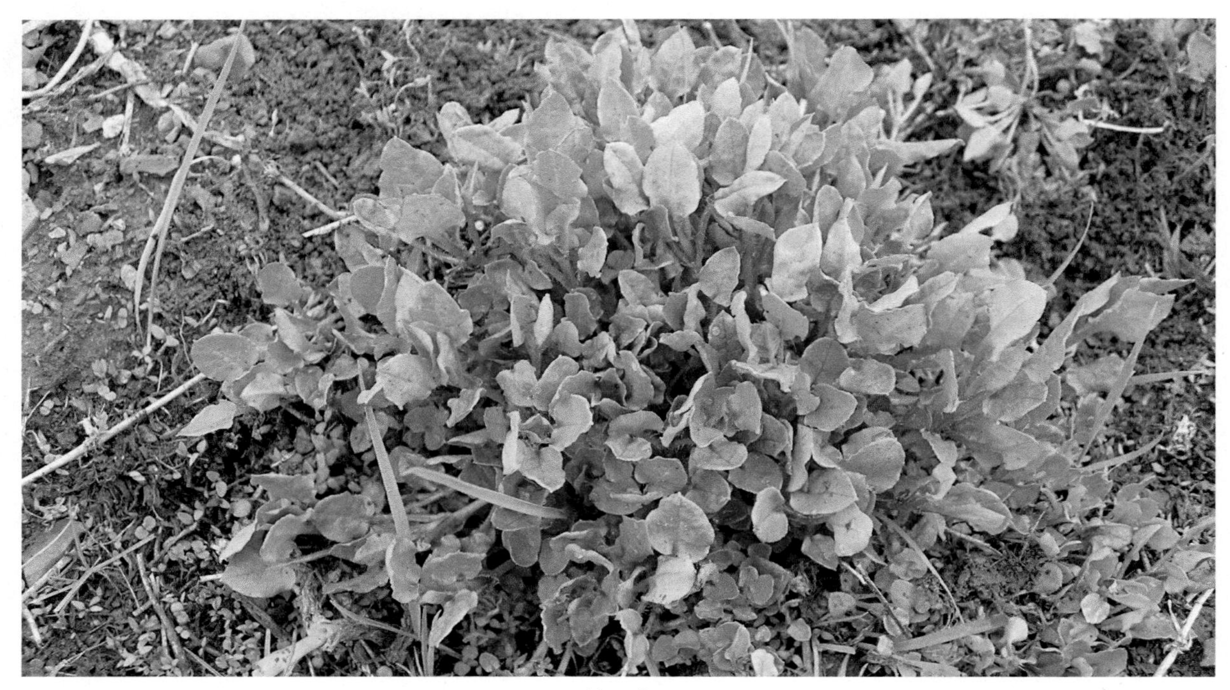

鹅肠菜

种子近肾形，直径约1mm，稍扁，褐色，具小疣。花期5～8月，果期6～9月。

| 生境分布 | 生于海拔350～2700m的河流两旁冲积沙地，以及低湿处、灌丛林缘、沟边路旁、荒地、田间、田边及住宅附近。以长白山区为主要分布区域，分布于吉林延边、白山、通化、吉林、辽源（东丰）等。

| 资源情况 | 野生资源较丰富。药材主要来源于野生。

| 采收加工 | 春季生长旺盛时采收，鲜用或晒干。

| 药材性状 | 本品茎长20～60cm，光滑，多分枝；表面略带紫红色，节部和嫩枝梢处更明显。叶对生，膜质；完整叶片宽卵形或卵状椭圆形，长1.5～5.5cm，宽1～3cm，先端锐尖，基部心形或圆形，全缘或呈浅波状；上部叶无柄或具极短柄，下部叶叶柄长5～18mm，疏生柔毛。花白色，生于枝端或叶腋。蒴果卵圆形。种子近圆形，褐色，密布明显刺状突起。气微，味淡。

| 功能主治 | 甘、酸，平。归肝、胃经。软坚散结，清热祛痰。用于瘰疬，淋巴结肿，甲状腺肿，干咳肺痨。

| 用法用量 | 内服煎汤，15～30g；或鲜品捣汁，60g。外用适量，鲜品捣敷；或煎汤熏洗。

石竹科 Caryophyllaceae 孩儿参属 *Pseudostellaria*

蔓孩儿参 *Pseudostellaria davidii* (Franch.) Pax

| 植物别名 | 蔓假繁缕。

| 药 材 名 | 蔓孩儿参（药用部位：全草）。

| 形态特征 | 多年生草本。块根纺锤形。茎匍匐，细弱，长 60 ~ 80cm，稀疏分枝，被 2 列毛。叶片卵形或卵状披针形，长 2 ~ 3cm，宽 1.2 ~ 2cm，先端急尖，基部圆形或宽楔形，具极短柄，边缘具缘毛。开花时受精花单生于茎中部以上叶腋；花梗细，长 3.8cm，被 1 列毛；萼片 5，披针形，长约 3mm，外面沿中脉被柔毛；花瓣 5，白色，长倒卵形，全缘，比萼片长 1 倍；雄蕊 10，花药紫色，比花瓣短；花柱 3，稀 2。闭花受精花通常 1 ~ 2，匍匐枝多时则花数超过 2，腋生；花梗长约 1cm，被毛；萼片 4，狭披针形，长约 3mm，宽 0.8 ~ 1mm，被柔毛；雄蕊退化；花柱 2。蒴果宽卵圆形，稍长于宿存萼；种子圆肾形或

蔓孩儿参

近球形，直径约 1.5mm，表面具棘凸。花期 5 ～ 7 月，果期 7 ～ 8 月。

| 生境分布 | 生于混交林、杂木林、溪旁或林缘。以长白山区为主要分布区域，分布于吉林延边、白山、通化、吉林、辽源（东丰）等。

| 资源情况 | 野生资源一般。药材主要来源于野生。

| 采收加工 | 夏、秋季采收，除去杂质，晒干。

| 功能主治 | 苦，凉。清热解毒。用于腮腺炎，乳腺炎，尿路感染。

石竹科 Caryophyllaceae 孩儿参属 *Pseudostellaria*

孩儿参 *Pseudostellaria heterophylla* (Miq.) Pax

| 植物别名 | 异叶假繁缕、太子参。

| 药 材 名 | 太子参（药用部位：块根。别名：双批七、异叶假繁缕）。

| 形态特征 | 多年生草本，高 15 ～ 20cm。块根长纺锤形，白色，稍带灰黄色。茎直立，单生，被 2 列短毛。茎下部叶常 1 ～ 2 对，叶片倒披针形，先端钝尖，基部渐狭成长柄状；上部叶 2 ～ 3 对，叶片宽卵形或菱状卵形，长 3 ～ 6cm，宽 2 ～ 17（～ 20）mm，先端渐尖，基部渐狭，上面无毛，下面沿脉疏生柔毛。开花受精花 1 ～ 3，腋生或成聚伞花序；花梗长 1 ～ 2cm，有时长达 4cm，被短柔毛；萼片 5，狭披针形，长约 5mm，先端渐尖，外面及边缘疏生柔毛；花瓣 5，白色，长圆形或倒卵形，长 7 ～ 8mm，先端 2 浅裂；雄蕊 10，短于花瓣；子房卵形，花柱 3，微长于雄蕊；柱头头状。闭花受精花具短梗；萼片

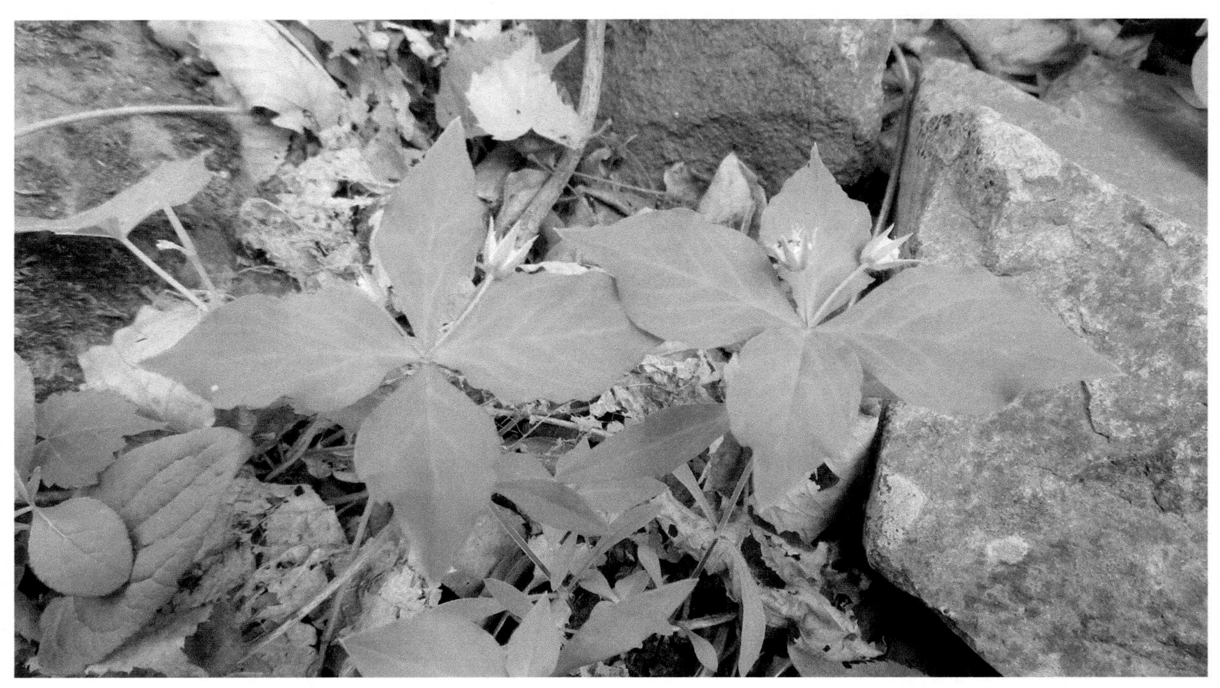

孩儿参

疏生多细胞毛。蒴果宽卵形，含少数种子，先端不裂或 3 瓣裂；种子褐色，扁圆形，长约 1.5mm，具疣状突起。花期 4 ~ 7 月，果期 7 ~ 8 月。

| 生境分布 | 生于林缘、林下、山谷林下阴湿处。以长白山区为主要分布区域，分布于吉林延边、白山、通化、吉林、辽源（东丰）等。

| 资源情况 | 野生资源稀少。药材主要来源于野生。

| 采收加工 | 夏季茎叶大部分枯萎时采挖，洗净，除去须根，置沸水中略烫后晒干或直接晒干。

| 药材性状 | 本品呈细长纺锤形或细长条形，稍弯曲，长 3 ~ 10cm，直径 0.2 ~ 0.6cm；表面黄白色，较光滑，微有纵皱纹，凹陷处有须根痕，先端有茎痕。质硬而脆，断面平坦，淡黄白色或类白色，角质样，有粉性。气微，味微甘。以肥润、黄白色、无须根者为佳。

| 功能主治 | 甘、微苦，平。归脾、肺经。益气健脾，生津润肺。用于脾虚体倦，食欲不振，病后虚弱，气阴不足，自汗口渴，肺燥干咳。

| 用法用量 | 内服煎汤，9 ~ 30g。

石竹科 Caryophyllaceae 孩儿参属 *Pseudostellaria*

毛脉孩儿参 *Pseudostellaria japonica* (Korsh.) Pax

| **植物别名** | 毛假繁缕。

| **药 材 名** | 毛脉孩儿参（药用部位：根）。

| **形态特征** | 多年生草本，高 15 ~ 20cm。块根纺锤形。茎直立，不分枝，被 2 列柔毛。基生叶 2 ~ 3 对，叶片披针形，长 1.5 ~ 2.5cm，宽 2 ~ 3mm；上部茎生叶约 4 对，叶片卵形或宽卵形，长 1.5 ~ 3cm，宽 1 ~ 2cm，先端急尖，基部圆形，几无柄，边缘具缘毛，两面疏生短柔毛，下面沿脉较密。开花受精花单生或 2 ~ 3 成聚伞花序；花梗纤细，长 1.5 ~ 2.5cm，被毛；萼片 5，披针形，长 3 ~ 3.5mm，宽 1.5 ~ 2mm，外面中脉及边缘疏生长毛，边缘膜质，无毛；花瓣倒卵形或宽椭圆状倒卵形，白色，长约 5mm，先端微缺，基部渐狭，比萼片长近 1 倍；雄蕊 10，短于花瓣，花药褐紫色，卵形。闭花受精花腋生，具细长

毛脉孩儿参

花梗。种子卵圆形，稍扁，褐色，长约 1mm，具棘凸。花期 5 ~ 6 月，果期 7 ~ 8 月。

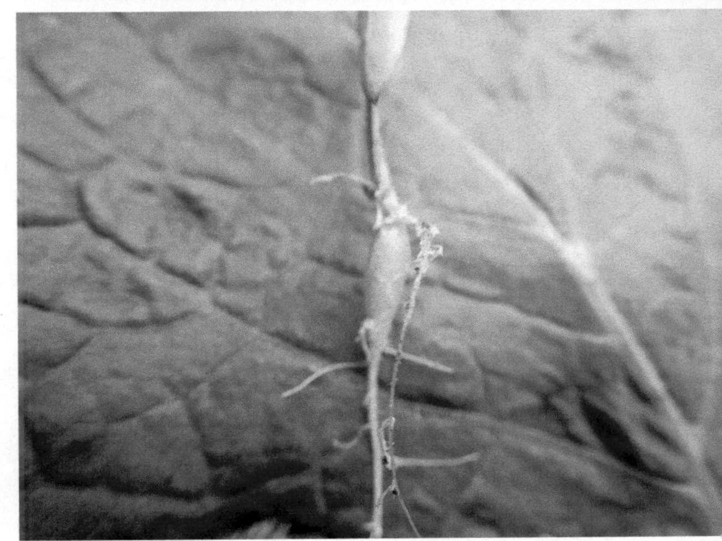

| 生境分布 |

生于针阔叶混交疏林下阴湿地。以长白山区为主要分布区域，分布于吉林延边、白山、通化、吉林、辽源（东丰）等。

| 资源情况 |

野生资源较丰富。药材主要来源于野生。

| 采收加工 |

夏、秋季采收，除去杂质，晒干。

| 功能主治 |

益气，生津。用于气虚体倦，津伤口干。

石竹科 Caryophyllaceae 孩儿参属 *Pseudostellaria*

细叶孩儿参 *Pseudostellaria sylvatica* (Maxim.) Pax

| 植物别名 | 森林假繁缕、狭叶假繁缕、疙瘩七。

| 药 材 名 | 细叶孩儿参（药用部位：全草或块根。别名：森林假繁缕）。

| 形态特征 | 多年生草本，高 15 ~ 25cm。块根长卵形或短纺锤形，通常数个串生。茎直立，近四棱，被 2 列柔毛。叶无柄，叶片线状或披针状线形，长 3 ~ 5（~ 7）cm，宽 2 ~ 3（~ 5）mm，先端渐尖，基部渐狭，质薄，边缘近基部有缘毛，下面粉绿色，中脉明显。开花受精花单生茎顶或成二歧聚伞花序；花梗纤细，长 0.5 ~ 1.5cm；萼片披针形，绿色，先端渐尖，边缘白色，膜质，外面被柔毛；花瓣白色，倒卵形，稍长于萼片，先端浅 2 裂；雄蕊短于花瓣，花药近圆形，极小，褐色；花柱 2 ~ 3，长线形，常露出花瓣。闭花受精花着生于下部叶腋或短枝先端；萼片狭披针形，先端渐尖，外面被柔毛。蒴果卵圆形，

细叶孩儿参

稍长于宿存萼，3 瓣裂；种子肾形，长 1.5mm，具棘凸。花期 4 ~ 5 月，果期 6 ~ 8 月。

| 生境分布 |

生于松林或混交林下。以长白山区为主要分布区域，分布于吉林延边、白山、通化、吉林、辽源（东丰）等。

| 资源情况 |

野生资源较少。药材主要来源于野生。

| 采收加工 |

夏、秋季采收，除去杂质，晒干。

| 功能主治 |

补气，益血，生津，健脾。用于肺虚咳嗽，脾虚泄泻，病后体虚，食欲不振，小儿虚汗，心悸，口干。

石竹科 Caryophyllaceae 漆姑草属 *Sagina*

漆姑草 *Sagina japonica* (Sw.) Ohwi

| 植物别名 | 瓜槌草、日本漆姑草、腺漆姑草。

| 药 材 名 | 漆姑草（药用部位：全草。别名：珍珠草、大龙叶、羊儿草）。

| 形态特征 | 一年生小草本，高 5 ~ 20cm，上部被稀疏腺柔毛。茎丛生，稍铺散。叶片线形，长 5 ~ 20mm，宽 0.8 ~ 1.5mm，先端急尖，无毛。花小形，单生枝端；花梗细，长 1 ~ 2cm，被稀疏短柔毛；萼片 5，卵状椭圆形，长约 2mm，先端尖或钝，外面疏生短腺柔毛，边缘膜质；花瓣 5，狭卵形，稍短于萼片，白色，先端圆钝，全缘；雄蕊 5，短于花瓣；子房卵圆形，花柱 5，线形。蒴果卵圆形，微长于宿存萼，5 瓣裂；种子细，圆肾形，微扁，褐色，表面具尖瘤状突起。花期 3 ~ 5 月，果期 5 ~ 6 月。

漆姑草

| 生境分布 | 生于海拔 600 ~ 1900m 的河岸沙地、撂荒地或路旁草地。分布于吉林延边等。

| 资源情况 | 野生资源较少。药材主要来源于野生。

| 采收加工 | 夏、秋季采收，除去杂质，晒干。

| 药材性状 | 本品茎基部分枝，上部疏生短细毛。叶对生，完整叶片呈圆柱状线形，长 5 ~ 15mm，宽约 1mm，先端尖，基部为薄膜连成的短鞘。花小，白色，生于叶腋或茎顶。蒴果卵形，5 瓣裂，比萼片长约 1/3。种子多数，细小，褐色，圆肾形，密生瘤状突起。气微，味淡。

| 功能主治 | 苦、辛，凉。归肝、胃经。提毒拔脓，利小便。用于面寒痛，秃疮，痈肿，瘰疬，龋齿，小儿乳积，跌打内伤，蛇咬伤，虚汗，盗汗，咳嗽，小便不利。

| 用法用量 | 内服煎汤，10 ~ 30g；或研末；或绞汁。外用适量，捣敷；或绞汁涂。

石竹科 Caryophyllaceae 肥皂草属 *Saponaria*

肥皂草 *Saponaria officinalis* L.

肥皂草

| 植物别名 |

石碱花。

| 药 材 名 |

肥皂草（药用部位：根）。

| 形态特征 |

多年生草本，高 30 ~ 70cm。主根肥厚，肉质；根茎细、多分枝。茎直立，不分枝或上部分枝，常无毛。叶片椭圆形或椭圆状披针形，长 5 ~ 10cm，宽 2 ~ 4cm，基部渐狭成短柄状，微合生，半抱茎，先端急尖，边缘粗糙，两面均无毛，具 3 或 5 基出脉。聚伞圆锥花序，小聚伞花序有 3 ~ 7 花；苞片披针形，长渐尖，边缘和中脉被稀疏短粗毛；花梗长 3 ~ 8mm，被稀疏短毛；花萼筒状，长 18 ~ 20mm，直径 2.5 ~ 3.5mm，绿色，有时暗紫色，初期被毛，纵脉 20，不明显，萼齿宽卵形，具凸尖；雌雄蕊柄长约 1mm；花瓣白色或淡红色，爪狭长，无毛，瓣片楔状倒卵形，长 10 ~ 15mm，先端微凹缺；副花冠片线形；雄蕊和花柱外露。蒴果长圆状卵形，长约 15mm；种子圆肾形，长 1.8 ~ 2mm，黑褐色，具小瘤。

|生境分布|

生于路边、沟旁、林缘、铁路两侧、荒山、荒坡及农田附近等。分布于吉林延边、通化、长春、吉林等，吉林部分地区有栽培。

|资源情况|

野生资源较少。吉林偶见栽培。药材主要来源于栽培。

|采收加工|

夏、秋季采挖，除去杂质，晒干。

|功能主治|

有毒。祛痰，利尿。用于梅毒，慢性皮肤病，挫伤，痔疮，气管炎。

石竹科 Caryophyllaceae 蝇子草属 *Silene*

女娄菜 *Silene aprica* Turcz. ex Fisch. et Mey.

女娄菜

|植物别名|

罐罐花、对叶菜。

|药 材 名|

女娄菜（药用部位：全草。别名：野罂粟、罐罐花、对叶草）。

|形态特征|

一年生或二年生草本，高 30 ~ 70cm，全株密被灰色短柔毛。主根较粗壮，稍木质。茎单生或数个，直立，分枝或不分枝。基生叶叶片倒披针形或狭匙形，长 4 ~ 7cm，宽 4 ~ 8mm，基部渐狭成长柄状，先端急尖，中脉明显；茎生叶叶片倒披针形、披针形或线状披针形，比基生叶稍小。圆锥花序较大型；花梗长 5 ~ 20（~ 40）mm，直立；苞片披针形，草质，渐尖，具缘毛；花萼卵状钟形，长 6 ~ 8mm，近草质，密被短柔毛，果期长达 12mm，纵脉绿色，脉端多少联结，萼齿三角状披针形，边缘膜质，具缘毛；雌雄蕊柄极短或近无，被短柔毛；花瓣白色或淡红色，倒披针形，长 7 ~ 9mm，微露出花萼或与花萼近等长，爪具缘毛，瓣片倒卵形，2 裂；副花冠片舌状；雄蕊不外露，花丝基部具缘毛；花柱不外露，基部具短毛。

蒴果卵形，长 8 ~ 9mm，与宿存萼近等长或微长；种子圆肾形，灰褐色，长 0.6 ~ 0.7mm，肥厚，具小瘤。花期 5 ~ 7 月，果期 6 ~ 8 月。

| 生境分布 | 生于平原、丘陵或山地。分布于吉林白城（大安）、松原（乾安、长岭）、四平（双辽）、通化（辉南、柳河、通化）、吉林（桦甸、磐石）、延边、白山、辽源（东辽）、长春（榆树）等。

| 资源情况 | 野生资源较丰富。药材主要来源于野生。

| 采收加工 | 夏、秋季采收，除去杂质，晒干。

| 药材性状 | 本品密被短柔毛。根细长纺锤形，木化。茎直立，多分枝。叶对生；完整叶片线状披针形或披针形，长 4 ~ 6cm，宽约 5mm；先端尖锐，基部渐狭，全缘，表面灰绿色或黄绿色，密被短柔毛。聚伞花序，花粉红色或淡棕色，常 2 ~ 3 生于分枝上。蒴果椭圆形，与宿萼筒近等长。种子肾形，细小，黑褐色，具瘤状小突起。气微，味淡。

| 功能主治 | 辛、苦，平。归肝、脾经。活血调经，健脾利水，下乳，解毒。用于乳汁少，体虚浮肿，月经不调，小儿疳积，骨髓炎，疔疮疖痈，蛇咬伤。

| 用法用量 | 内服煎汤，9 ~ 15g，大剂量可用至 30g；或研末。外用适量，鲜品捣敷。

石竹科 Caryophyllaceae 蝇子草属 *Silene*

坚硬女娄菜 *Silene firma* Sieb. et Zucc.

| 植物别名 | 光萼女娄菜。

| 药 材 名 | 肾炎草（药用部位：地上部分。别名：大叶金石榴、女娄菜）。

| 形态特征 | 一年生或二年生草本，高 50 ~ 100cm，全株无毛，有时仅基部被短毛。茎单生或疏丛生，粗壮，直立，不分枝，稀分枝，有时下部暗紫色。叶片椭圆状披针形或卵状倒披针形，长 4 ~ 10（~ 16）cm，宽 8 ~ 25（~ 50）mm，基部渐狭成短柄状，先端急尖，仅边缘具缘毛。假轮伞状间断式总状花序；花梗长 5 ~ 18（~ 30）mm，直立，常无毛；苞片狭披针形；花萼卵状钟形，长 7 ~ 9mm，无毛，果期微膨大，长 10 ~ 12mm，脉绿色，萼齿狭三角形，先端长渐尖，边缘膜质，具缘毛；雌雄蕊柄极短或近无；花瓣白色，不露出花萼，爪倒披针形，无毛和耳，瓣片倒卵形，2 裂；副花冠片小，具不明显牙

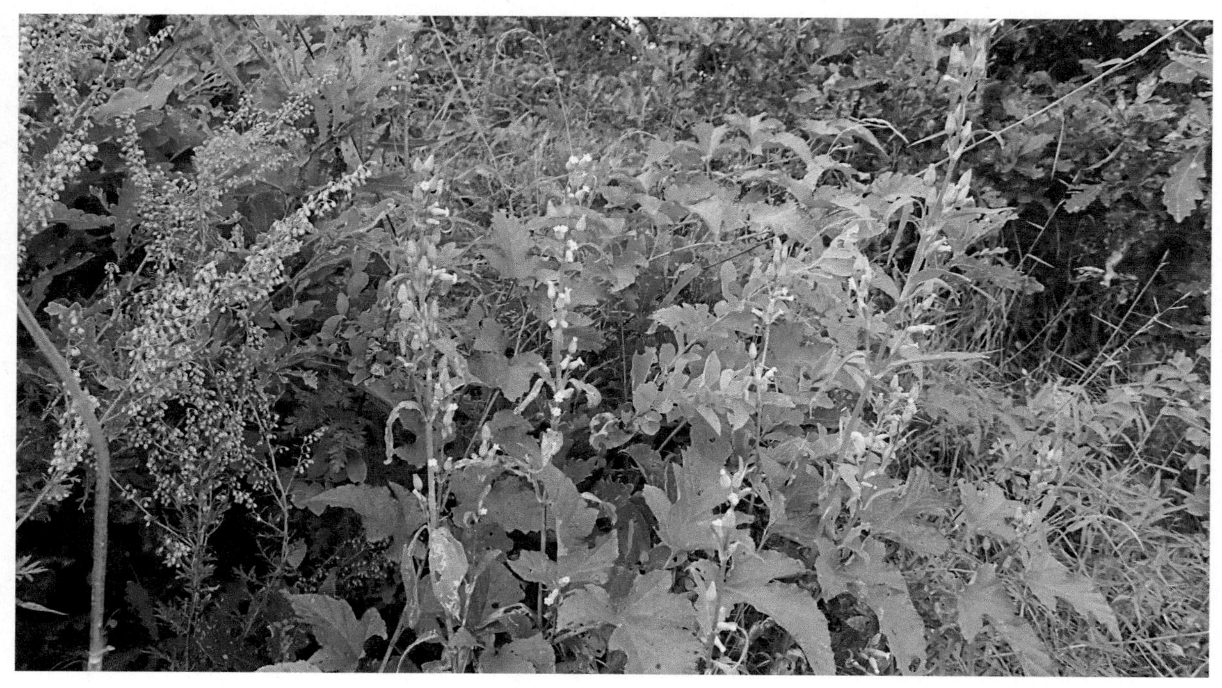

坚硬女娄菜

齿；雄蕊内藏，花丝无毛；花柱不外露。蒴果长卵形，长 8 ~ 11mm，比宿存萼短；种子圆肾形，长约 1mm，灰褐色，具棘凸。花期 6 ~ 7 月，果期 7 ~ 8 月。

| 生境分布 | 生于草坡、灌丛或林缘草地。以长白山区为主要分布区域，分布于吉林延边、白山、通化、吉林、辽源（东丰）等。

| 资源情况 | 野生资源较丰富。药材主要来源于野生。

| 采收加工 | 秋季种子成熟后采割，除去杂质，晒干。

| 药材性状 | 本品茎略呈四棱状，上部茎渐细，多为圆柱形，长 50 ~ 100cm，呈灰黄色、棕黄色或紫棕色；无毛或具稀疏短毛；节明显膨大，稍扁而宽；质硬脆，易折断。叶对生，无柄，多已脱落或皱缩破碎，完整叶片展平后呈椭圆状披针形或倒卵状披针形，主脉明显，边缘具细睫毛，黄色或灰色，蒴果多，卵形或长卵形，长 0.8 ~ 1.1cm，略长于萼，柄短，6 齿裂。外表面光滑，有光泽，浅黄色。种子多数，圆肾形，灰褐色，长约 0.1cm，表面密布较尖的疣状突起，从种脐处整齐地向两侧排列数行。气微，味淡。

| 功能主治 | 甘、苦，平。归肺、肾、膀胱经。清热利尿，活血调经，祛风止痛，催乳。用于小便不利，水肿，月经不调，少乳。

| 用法用量 | 内服煎汤，10 ~ 30g。

| 附　　注 | 本种药材已被列入 2019 年版《吉林省中药材标准》第二册。吉林民间用本种药材，煎汤内服，每日 10g，用于急慢性肾炎，肾结石。

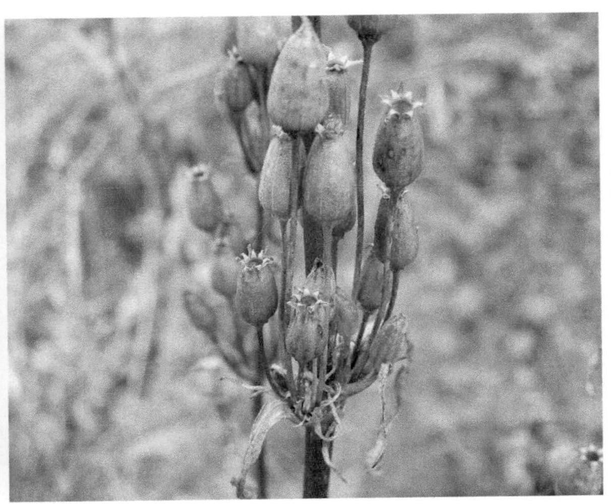

石竹科 Caryophyllaceae 蝇子草属 *Silene*

山蚂蚱草 *Silene jenisseensis* Willd.

| 植物别名 | 旱麦瓶草。

| 药材名 | 山蚂蚱草（药用部位：根。别名：长白旱麦瓶草）。

| 形态特征 | 多年生草本，高 20 ~ 50cm。根粗壮，木质。茎丛生，直立或近直立，不分枝，无毛，基部常具不育茎。基生叶叶片狭倒披针形或披针状线形，长 5 ~ 13cm，宽 2 ~ 7mm，基部渐狭成长柄状，先端急尖或渐尖，边缘近基部具缘毛，余均无毛，中脉明显；茎生叶少数，较小，基部微抱茎。假轮伞状圆锥花序或总状花序，花梗长 4 ~ 18mm，无毛；苞片卵形或披针形，基部微合生，先端渐尖，边缘膜质，具缘毛；花萼狭钟形，后期微膨大，长 8 ~ 10（~ 12）mm，无毛，纵脉绿色，脉端联结，萼齿卵形或卵状三角形，无毛，先端急尖或渐尖，边缘膜质，具缘毛；雌雄蕊柄被短毛，长约 2mm；花瓣白色

山蚂蚱草

或淡绿色，长 12 ~ 18mm，爪狭倒披针形，无毛，无明显耳，瓣片叉状 2 裂达瓣片的中部，裂片狭长圆形；副花冠长椭圆状，细小；雄蕊外露，花丝无毛；花柱外露。蒴果卵形，长 6 ~ 7mm，比宿存萼短；种子肾形，长约 1mm，灰褐色。花期 7 ~ 8 月，果期 8 ~ 9 月。

| 生境分布 |

生于海拔 250 ~ 1000m 的草原、草坡、林缘或固定沙丘。吉林各地均有分布。

| 资源情况 |

野生资源一般。药材主要来源于野生。

| 采收加工 |

夏、秋季采收，除去杂质，晒干。

| 功能主治 |

清热凉血。用于虚劳骨蒸，阴虚久疟，小儿疳热羸弱。

石竹科 Caryophyllaceae 蝇子草属 *Silene*

长白山蚂蚱草 *Silene jenisseensis* Willd. var. *oliganthella* (Nakai ex Kitagawa) Y. C. Chu

| 植物别名 | 长白旱麦瓶草。

| 药 材 名 | 长白山蚂蚱草（药用部位：根。别名：雉子筵）。

| 形态特征 | 多年生草本，植株较矮，高 14 ~ 20（~ 30）cm。根粗壮，木质。茎丛生，直立或近直立，不分枝，无毛，基部常具不育茎。基生叶叶片狭倒披针形或披针状线形，长 5 ~ 13cm，宽 2 ~ 7mm，基部渐狭成长柄状，先端急尖或渐尖，边缘近基部具缘毛，余均无毛，中脉明显；茎生叶少数，较小，基部微抱茎，长 6 ~ 7cm，宽 2 ~ 3mm。总状花序常具数花；花梗长 4 ~ 18mm，无毛；苞片卵形或披针形，基部微合生，先端渐尖，边缘膜质，具缘毛；花萼狭钟形，后期微膨大，长 8 ~ 10（~ 12）mm，无毛，紫色纵脉，脉端联结，萼齿卵形或卵状三角形，无毛，先端急尖或渐尖，边缘膜质，具缘毛；

长白山蚂蚱草

雌雄蕊柄被短毛，长约 2mm；花瓣白色或淡绿色，长 12 ~ 18mm，花瓣较宽，爪狭倒披针形，无毛，无明显耳，瓣片叉状 2 裂达瓣片的中部，裂片狭长圆形；副花冠长椭圆状，细小；雄蕊外露，花丝无毛；花柱外露。蒴果卵形，长 6 ~ 7mm，比宿存萼短；种子肾形，长约 1mm，灰褐色。花期 7 ~ 8 月，果期 8 ~ 9 月。

| 生境分布 | 生于高山砾石滩或林下草地。分布于吉林延边、白山等。

| 资源情况 | 野生资源较少。药材主要来源于野生。

| 采收加工 | 秋季采挖，除去杂质，晒干。

| 功能主治 | 甘，微寒。清热解毒。用于肝炎，盗汗，虚劳骨蒸，阴虚久疟，小儿疳热羸弱。

石竹科 Caryophyllaceae 蝇子草属 *Silene*

长柱蝇子草 *Silene macrostyla* Maxim.

长柱蝇子草

| 植物别名 |

长柱麦瓶草。

| 药 材 名 |

长柱蝇子草（药用部位：根）。

| 形态特征 |

多年生草本，高 50 ~ 90cm。根粗壮，木质，具多头根颈。茎单生或丛生，直立，不分枝或上部分枝，基部被倒向短毛，上部渐无毛。基生叶花期枯萎；茎生叶叶片狭披针形，长 4 ~ 9cm，宽 5 ~ 13mm，基部楔形，先端渐尖，两面无毛，边缘具缘毛，中脉明显。假轮伞状圆锥花序，具多数花，花梗细，长 4 ~ 8mm，无毛；苞片披针状线形，边缘膜质，具缘毛；花萼宽钟形，长 6 ~ 7mm，无毛，有时淡紫色，萼齿短，宽三角形，先端尖，边缘膜质，具缘毛或无毛；雌雄蕊柄长 1 ~ 1.5mm，被短毛；花瓣白色，近楔形，长约 12mm，爪无毛，耳不显，瓣片叉状浅 2 裂达瓣片的 1/3，裂片长圆形；副花冠缺；雄蕊明显外露，花丝无毛；花柱明显外露。蒴果卵形，长 5.5 ~ 6.5mm，比宿存萼短；种子肾形，黑褐色，长约 1mm。花期 7 ~ 8 月，果期 8 ~ 9 月。

| **生境分布** | 生于多砾石的草坡、干草原或林下。分布于吉林延边、白山、通化等。

| **资源情况** | 野生资源较少。药材主要来源于野生。

| **采收加工** | 秋季采挖，除去杂质，晒干。

| **功能主治** | 退虚热，清疳热。用于阴虚发热，劳热骨蒸，盗汗，小儿虫积发热，腹大，消瘦，口渴，眼红。

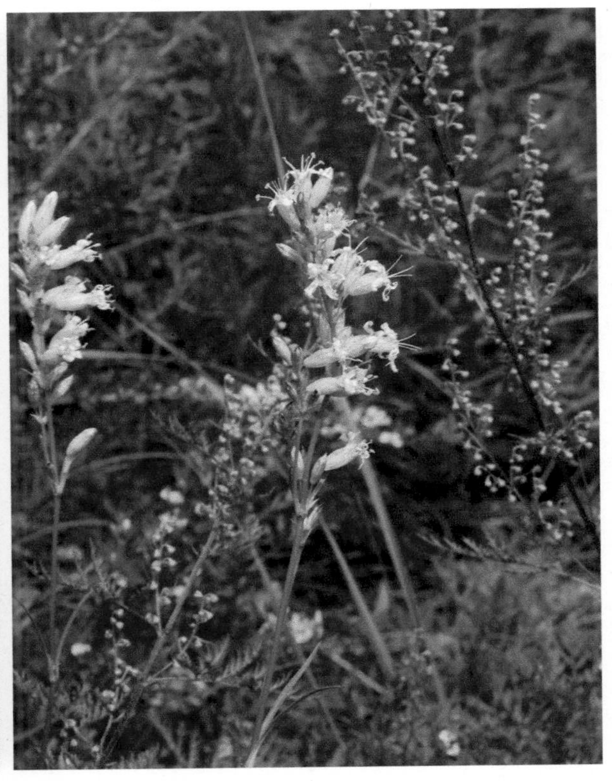

石竹科 Caryophyllaceae 蝇子草属 *Silene*

蔓茎蝇子草 *Silene repens* Patr.

| **植物别名** | 毛萼麦瓶草、锡林麦瓶草、匍生鹤草。

| **药 材 名** | 山银柴胡（药用部位：根）。

| **形态特征** | 多年生草本，高 15 ~ 50cm，全株被短柔毛。根茎细长，分叉。茎疏丛生或单生，不分枝或有时分枝。叶片线状披针形、披针形、倒披针形或长圆状披针形，长 2 ~ 7cm，宽 3 ~ 10（~ 12）mm，基部楔形，先端渐尖，两面被柔毛，边缘基部具缘毛，中脉明显。总状圆锥花序，小聚伞花序常具 1 ~ 3 花；花梗长 3 ~ 8mm；苞片披针形，草质；花萼筒状棒形，11 ~ 15mm，直径 3 ~ 4.5mm，常带紫色，被柔毛，萼齿宽卵形，先端钝，边缘膜质，具缘毛；雌雄蕊柄被短柔毛，长 4 ~ 8mm；花瓣白色，稀黄白色，爪倒披针形，不露出花萼，无耳，瓣片平展，倒卵形，浅 2 裂或深达其中部；副花

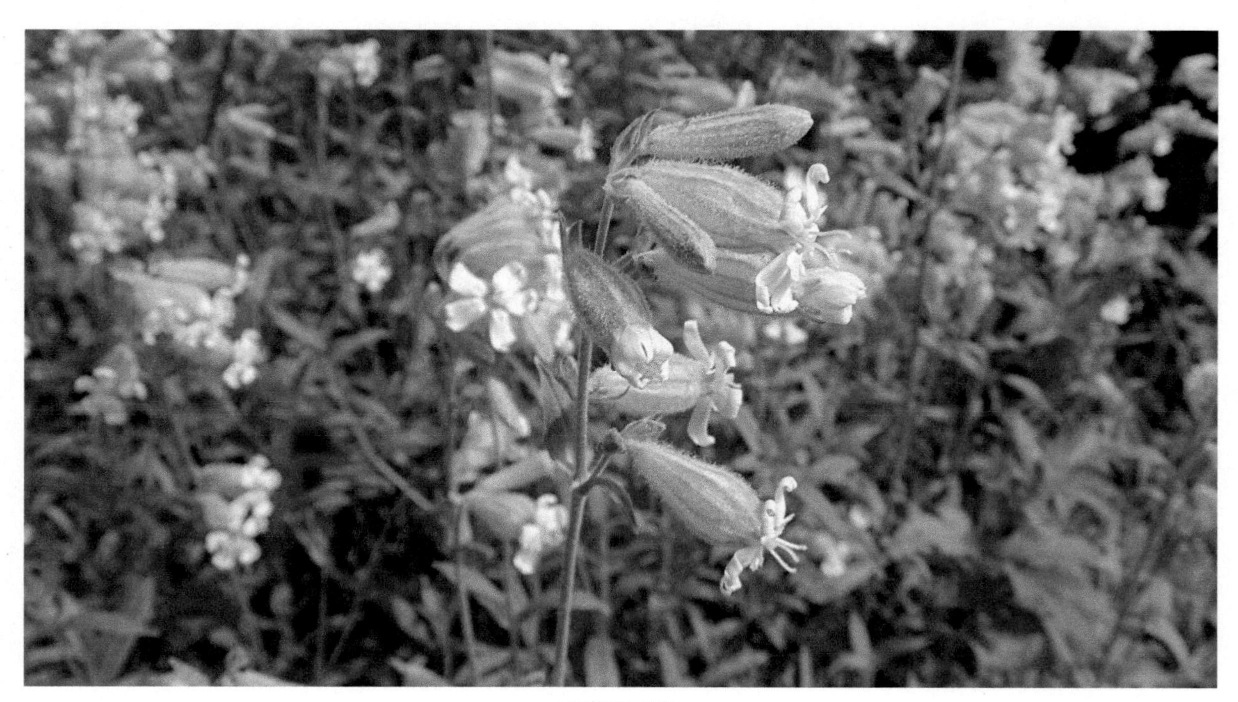

蔓茎蝇子草

冠片长圆状，先端钝，有时具裂片；雄蕊微外露，花丝无毛；花柱微外露。蒴果卵形，长 6 ～ 8mm，比宿存萼短；种子肾形，长约 1mm，黑褐色。花期 6 ～ 8 月，果期 7 ～ 9 月。

| 生境分布 | 生于海拔 1500 ～ 3500m 的林下、湿润草地、溪岸或石质草坡。分布于吉林延边、白山、通化等。

| 资源情况 | 野生资源较少。药材主要来源于野生。

| 采收加工 | 同“长蕊石头花”。

| 功能主治 | 同“长蕊石头花”。

| 用法用量 | 同“长蕊石头花”。

石竹科 Caryophyllaceae 蝇子草属 *Silene*

白玉草 *Silene venosa* (Gilib.) Aschers.

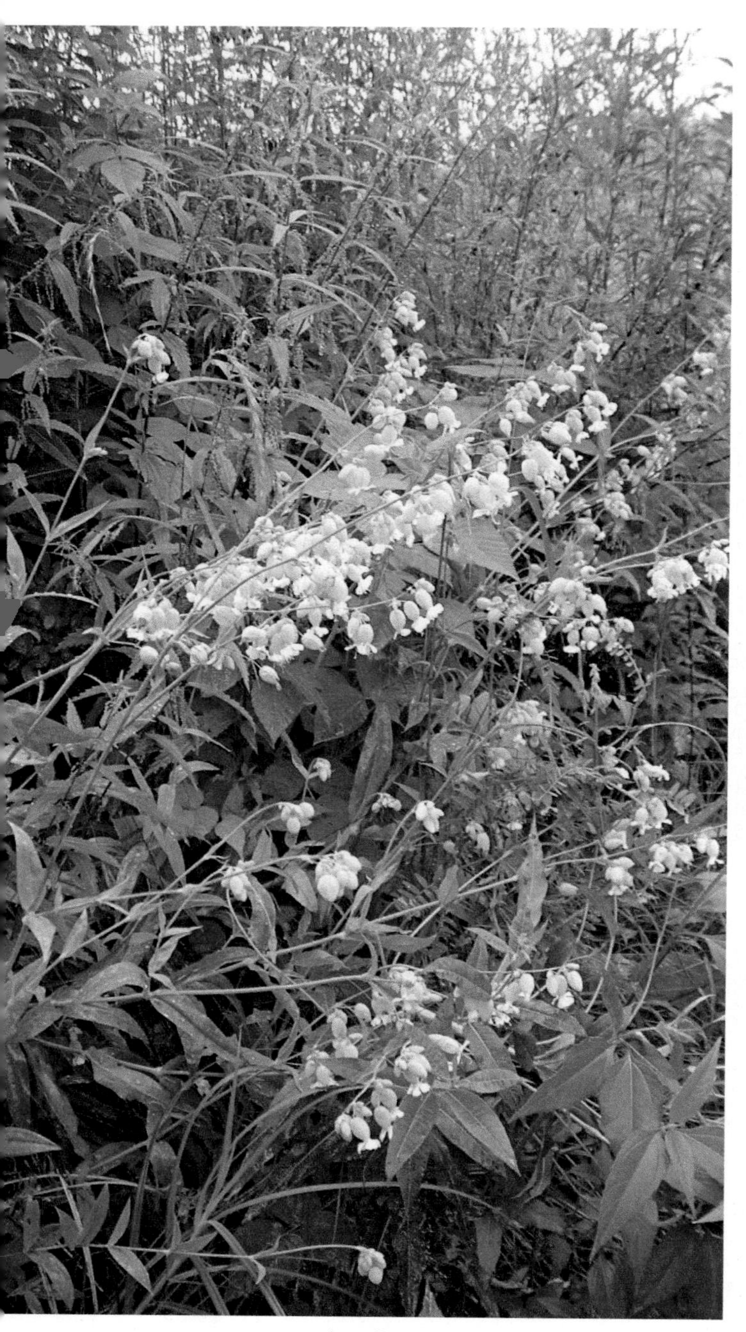
白玉草

植物别名

狗筋麦瓶草。

药材名

白玉草（药用部位：全草。别名：狗筋麦瓶草）。

形态特征

多年生草本，高 40 ~ 100cm，全株无毛，呈灰绿色。根微粗壮，木质。茎疏丛生，直立，上部分枝，常灰白色。叶片卵状披针形、披针形或卵形，长 4 ~ 10cm，宽 1 ~ 3（~ 4.5）cm；下部茎生叶叶片基部渐狭成柄状，先端渐尖或急尖，边缘有时具不明显的细齿，中脉明显；上部茎生叶叶片基部楔形、截形或圆形，微抱茎。二歧聚伞花序大型；花微俯垂；花梗比花萼短或近等长；苞片卵状披针形，草质；花萼宽卵形，呈囊状，长 13 ~ 16mm，直径 5 ~ 7mm，近膜质，常显紫堇色，萼齿短，宽三角形，先端急尖，边缘具缘毛；雌雄蕊柄无毛，长约 2mm；花瓣白色，长 15 ~ 18mm，爪楔状倒披针形，无毛，耳卵形，瓣片露出花萼，倒卵形，深 2 裂几达瓣片基部，裂片狭倒卵形；副花冠缺；雄蕊明显外露，花丝无毛，花药蓝紫色；

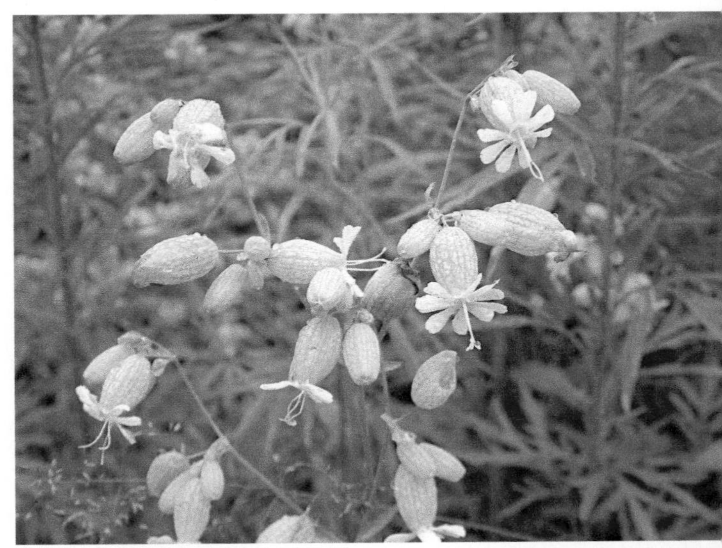

花柱明显外露。蒴果近圆球形，直径约 8mm，比宿存萼短；种子圆肾形，长约 1.5mm，褐色，脊平。花期 6 ~ 8 月，果期 8 ~ 9 月。

| 生境分布 |

生于海拔 150 ~ 2700m 的草甸、灌丛、林下多砾石的草地或撂荒地，有时生于农田中。以长白山区为主要分布区域，分布于吉林延边、白山、通化、吉林、辽源（东丰）等。

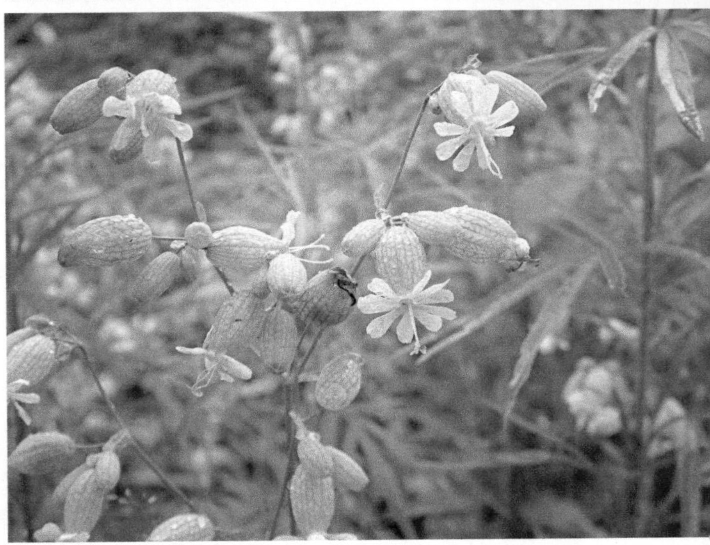

| 资源情况 |

野生资源较丰富。药材主要来源于野生。

| 采收加工 |

夏、秋季采收，除去杂质，晒干。

| 功能主治 |

活血化瘀，调经止痛。用于丹毒，瘀伤疼痛，月经不调。

石竹科 Caryophyllaceae 拟漆姑属 *Spergularia*

拟漆姑 *Spergularia salina* J. et C. Presl

| 植物别名 | 牛漆姑草、牛膝姑草。

| 药 材 名 | 拟漆姑（药用部位：全草）。

| 形态特征 | 一年生草本，高 10 ~ 30cm。茎丛生，铺散，多分枝，上部密被柔毛。叶片线形，长 5 ~ 30mm，宽 1 ~ 1.5mm，先端钝，具凸尖，近平滑或疏生柔毛；托叶宽三角形，长 1.5 ~ 2mm，膜质。花集生于茎顶或叶腋，呈总状聚伞花序，果时下垂；花梗稍短于萼，果时稍伸长，密被腺柔毛；萼片卵状长圆形，长 3.5mm，宽 1.5 ~ 1.8mm，外面被腺柔毛，具白色宽膜质边缘；花瓣淡粉紫色或白色，卵状长圆形或椭圆状卵形，长约 2mm，先端钝；雄蕊 5；子房卵形。蒴果卵形，长 5 ~ 6mm，3 瓣裂；种子近三角形，略扁，长 0.5 ~ 0.7mm，表面有乳头状突起，多数种子无翅，部分种子具翅。花期 5 ~ 7 月，

拟漆姑

果期 6 ~ 9 月。

| 生境分布 | 生于砂质轻度盐地、盐化草甸以及河边、湖畔、水边等湿润处。吉林各地均有分布。

| 资源情况 | 野生资源一般。药材主要来源于野生。

| 采收加工 | 夏、秋季采收，除去杂质，晒干。

| 功能主治 | 清热解毒，祛风除湿。用于风湿痹证。

| 附　　注 | 在 FOC 中，本种的拉丁学名被修订为 *Spergularia marina* (Linnaeus) Grisebach。

石竹科 Caryophyllaceae 繁缕属 *Stellaria*

林繁缕 *Stellaria bungeana* Fenzl var. *stubendorfii* (Regel) Y. C. Chu

林繁缕

|药材名|

林繁缕（药用部位：全草）。

|形态特征|

多年生草本，高 50 ～ 80cm。茎上升或直立，单一或分枝，被 1 列多细胞柔毛。叶片卵形、卵状长圆形或卵状披针形，长 4 ～ 8cm，宽 2 ～ 3（～ 4）cm，先端渐尖，基部近心形、圆形或楔形，两面近无毛，边缘具多细胞缘毛；茎下部叶有短柄，中上部叶无柄。聚伞花序顶生；苞片草质，卵形，具缘毛；花梗长 10 ～ 30mm，密被腺柔毛；萼片 5，狭卵状长圆形至卵状披针形，长 4 ～ 5mm，先端稍钝尖，被软毛，中脉不明显；花瓣 5，比萼片稍长，2 深裂几达基部；雄蕊 10，与萼片近等长；花柱 3。蒴果卵圆形，微长于宿存萼，6 瓣裂；种子扁肾形，直径约 1.2mm，暗褐色，密生疣状小突起。花期 4 ～ 6 月，果期 7 ～ 8 月。

|生境分布|

生于海拔 1450m 的杂木林下或山坡草丛中。以长白山区为主要分布区域，分布于吉林延边、白山、通化、吉林、辽源（东丰）等。

| 资源情况 | 野生资源较少。药材主要来源于野生。

| 采收加工 | 夏、秋季采收，除去杂质，晒干。

| 功能主治 | 祛风湿，止痹痛。用于风湿痹痛。

| 附　　注 | 本种与原变种的主要区别在于原变种的茎及花全部被毛，萼片卵形，花瓣比萼片长 0.5 ~ 1 倍，种子凸起的基部不呈放射状。

石竹科 Caryophyllaceae 繁缕属 *Stellaria*

叉歧繁缕 *Stellaria dichotoma* L.

| 植物别名 | 叉繁缕、双歧繁缕、歧枝繁缕。

| 药 材 名 | 叉歧繁缕（药用部位：全草或根）。

| 形态特征 | 多年生草本，高 15 ~ 30（~ 60）cm，全株呈扁球形，被腺毛。主根粗壮，圆柱形。茎丛生，圆柱形，多回二歧分枝，被腺毛或短柔毛。叶片卵形或卵状披针形，长 0.5 ~ 2cm，宽 3 ~ 10mm，先端急尖或渐尖，基部圆形或近心形，微抱茎，全缘，两面被腺毛或柔毛，稀无毛。聚伞花序顶生，具多数花；花梗细，长 1 ~ 2cm，被柔毛；萼片 5，披针形，长 4 ~ 5mm，先端渐尖，边缘膜质，外面多少被腺毛或短柔毛，稀近无毛，中脉明显；花瓣 5，白色，倒披针形，长 4mm，2 深裂至 1/3 处或中部，裂片近线形；雄蕊 10，长仅为花瓣的 1/3 ~ 1/2；子房卵形或宽椭圆状倒卵形；花柱 3，线形。蒴果

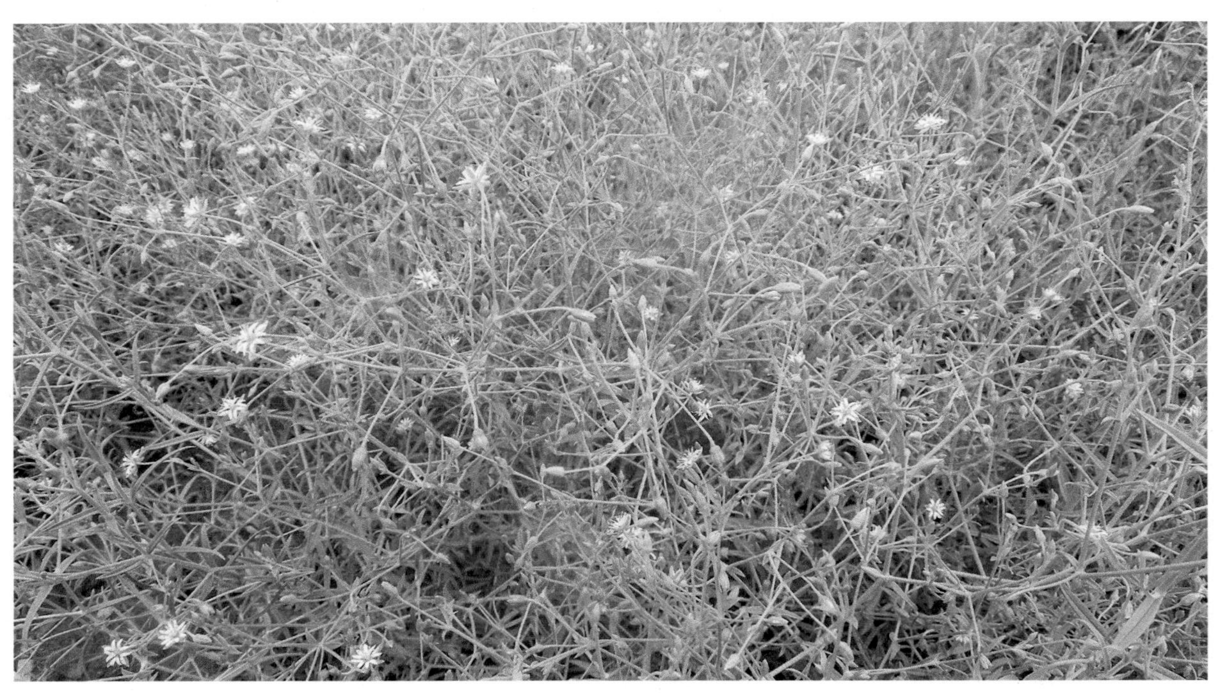

叉歧繁缕

宽卵形，长约3mm，比宿存萼短，6齿裂，含1 ~ 5种子；种子卵圆形，褐黑色，微扁，脊具少数疣状突起。花期5 ~ 6月，果期7 ~ 8月。

| 生境分布 | 生于海拔250 ~ 800m或以上的向阳石质山坡、石缝间或固定沙丘。以长白山区为主要分布区域，分布于吉林延边、白山、通化、吉林、辽源（东丰）等。

| 资源情况 | 野生资源较少。药材主要来源于野生。

| 采收加工 | 夏、秋季采收，除去杂质，晒干。

| 药材性状 | 本品主根粗壮，呈圆柱形，多分枝。茎数回二歧分枝，密被腺毛。叶对生，完整叶片卵形、卵状长圆形或卵状披针形，长0.5 ~ 1.5cm，先端急尖，基部圆钝，两面有腺毛或短柔毛，暗绿色。花多数成聚伞花序；萼片5，披针形；花瓣5，白色，长圆形，先端2裂；雄蕊10；花柱3，丝形，子房卵形。蒴果长于宿存萼。种子多数。气微，味淡。

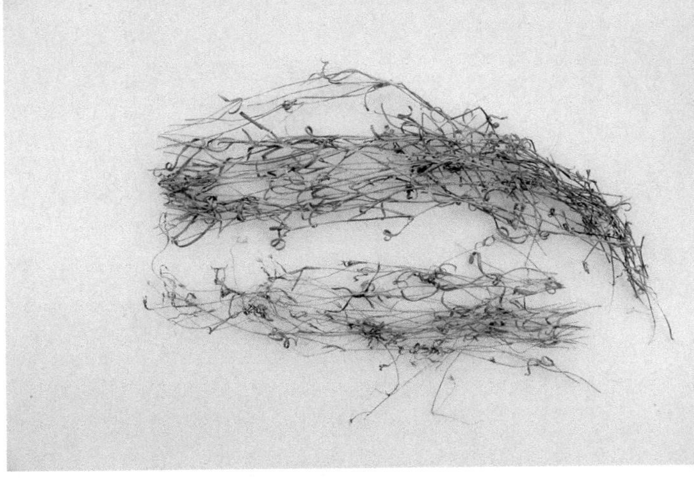

| 功能主治 | 全草，甘，微寒。归肝、肾、心包经。清热凉血。用于结核发热，久疟发热，盗汗骨蒸，心烦口渴。根，甘，微寒。归肝、肾经。清热凉血。用于虚劳发热，阴虚久疟，消瘦发热，肝炎，小儿疳积。

| 用法用量 | 内服煎汤，6 ~ 12g。

石竹科 Caryophyllaceae 繁缕属 *Stellaria*

翻白繁缕 *Stellaria discolor* Turcz.

翻白繁缕

| 植物别名 |

异色繁缕。

| 药 材 名 |

翻白繁缕（药用部位：全草）。

| 形态特征 |

多年生草本，高 10 ~ 40cm，全株无毛。根茎细弱，分枝，节上具鳞叶。茎上升，分枝，无毛，四棱形。叶无柄，叶片披针形，长 3 ~ 4（~ 5）cm，宽 3 ~ 6（~ 8）mm，先端渐尖，基部圆形或楔形，下面中脉凸起，两面无毛，下面微粉绿色，叶腋常生不育枝。聚伞花序顶生或腋生，具长花序梗，高出叶上；苞片卵状披针形，白色，膜质，长 2 ~ 3（~ 6）mm，先端长渐尖；花梗长 10 ~ 15mm；萼片 5，披针形，长约 5mm，先端长渐尖，边缘膜质，具 3 脉；花瓣 5，短于或微长于萼片，白色，2 深裂几达基部；雄蕊 10，短于花瓣，花药紫红色或黄褐色；子房卵状球形，花柱 3，线形。蒴果稍短于或近等长于宿存萼，6 齿裂；种子卵形，稍扁，褐色，具成行的瘤状突起。花期 4 ~ 7 月，果期 6 ~ 8 月。

| 生境分布 |

生于山间草地、林缘或林下湿润处。分布于吉林通化、吉林、延边、白山等。

| 资源情况 |

野生资源较少。药材主要来源于野生。

| 采收加工 |

夏、秋季采收，除去杂质，晒干。

| 功能主治 |

提脓拔毒。用于痈疽疮疡溃后脓出不畅。

石竹科 Caryophyllaceae 繁缕属 *Stellaria*

繁缕 *Stellaria media* (L.) Cyr.

| 植物别名 | 鸡儿肠、鹅耳伸筋、鹅肠菜。

| 药 材 名 | 繁缕（药用部位：全草或茎叶。别名：蘩蒌、鹅儿肠菜）。

| 形态特征 | 一年生或二年生草本，高 10 ~ 30cm。茎俯仰或上升，基部多少分枝，常带淡紫红色，被 1（~ 2）列毛。叶片宽卵形或卵形，长 1.5 ~ 2.5cm，宽 1 ~ 1.5cm，先端渐尖或急尖，基部渐狭或近心形，全缘；基生叶具长柄，上部叶常无柄或具短柄。疏聚伞花序顶生；花梗细弱，具 1 列短毛，花后伸长，下垂，长 7 ~ 14mm；萼片 5，卵状披针形，长约 4mm，先端稍钝或近圆形，边缘宽膜质，外面被短腺毛；花瓣白色，长椭圆形，比萼片短，深 2 裂达基部，裂片近线形；雄蕊 3 ~ 5，短于花瓣；花柱 3，线形。蒴果卵形，稍长于宿存萼，先端 6 裂，具多数种子；种子卵圆形至近圆形，稍扁，红褐色，直径 1 ~ 1.2mm，

繁缕

表面具半球形瘤状突起，脊较显著。花期 6 ~ 7 月，果期 7 ~ 8 月。

| 生境分布 | 生于路边、村屯、菜田等地，为常见田间杂草。以长白山区为主要分布区域，分布于吉林延边、白山、通化、吉林、辽源（东丰）等。

| 资源情况 | 野生资源较丰富。药材主要来源于野生。

| 采收加工 | 夏、秋季采收，除去杂质，晒干。

| 药材性状 | 本品多扭缠成团。茎呈细圆柱形，直径约 2mm，多分枝，有纵棱，表面黄绿色，1 侧有 1 行灰白色短柔毛，节处有灰黄色细须根；质较韧。叶小，对生；无柄，展平后完整叶片呈卵形或卵圆形，先端锐尖，灰绿色；质脆易碎。枝先端或叶腋有 1 或数朵小花，淡棕色，花梗纤细，萼片 5，花瓣 5。有时可见卵圆形小蒴果，内含数粒圆形小种子，黑褐色，表面有疣状小突点。气微，味淡。

| 功能主治 | 甘、酸，凉。归肝、大肠经。清热解毒，化痰止痛，活血祛瘀，下乳催生。用于肠炎，痢疾，泄泻，肠痈，肝炎，阑尾炎，产后瘀滞腹痛，子宫收缩痛，牙痛，乳汁不多，乳痈，暑热呕吐，头发早白，淋证，恶疮肿毒，跌打损伤。

| 用法用量 | 内服煎汤，15 ~ 30g，鲜品 30 ~ 60g；或捣汁。外用适量，捣敷；或烧存性研末调敷。

石竹科 Caryophyllaceae 繁缕属 *Stellaria*

繸瓣繁缕 *Stellaria radians* L.

| 植物别名 | 鸭子嘴、豆嘴儿。

| 药 材 名 | 繸瓣繁缕（药用部位：全草。别名：垂梗繁缕）。

| 形态特征 | 多年生草本，高 40 ~ 60cm，伏生绢毛，上部毛较密。根茎细，匍匐，分枝。茎直立或上升，四棱形，上部分枝，密被绢柔毛。叶片长圆状披针形至卵状披针形，长 3 ~ 12cm，宽 1.5 ~ 2.5cm，先端渐尖，基部急狭成极短柄，两面均伏生绢毛，下面中脉凸起。二歧聚伞花序顶生，大型；苞片草质，披针形，密被柔毛；花梗长 1 ~ 3cm，密被柔毛，花后下垂；萼片长圆状卵形或长卵形，长 6 ~ 8mm，宽 2 ~ 2.5mm，外面密被绢柔毛；花瓣 5，白色，宽倒卵状楔形，长 8 ~ 10mm，5 ~ 7 裂深达花瓣中部或更深，裂片近线形；雄蕊 10，短于花瓣；子房宽椭圆状卵形；花柱 3，线形。蒴果卵形，微长于

繸瓣繁缕

宿存萼，6齿裂，含2～5种子；种子肾形，长约2mm，稍扁，黑褐色，表面蜂窝状。花期6～8月，果期7～9月。

| 生境分布 |

生于海拔340～500m的地带，常见河边、丘陵灌丛及林缘草地。以长白山区为主要分布区域，分布于吉林延边、白山、通化、吉林、辽源（东丰）、白城、松原、四平等。

| 资源情况 |

野生资源稀少。药材主要来源于野生。

| 采收加工 |

夏、秋季采收，除去杂质，晒干。

| 功能主治 |

苦、辛，凉。清热解毒，祛瘀止痛，催乳。用于泄泻，痢疾，肝炎，肠痈，产后瘀血腹痛，牙痛，乳痈，跌打损伤。

石竹科 Caryophyllaceae 繁缕属 *Stellaria*

雀舌草 *Stellaria uliginosa* Murr.

| 植物别名 | 雀舌繁缕。

| 药 材 名 | 雀舌草（药用部位：全草）。

| 形态特征 | 二年生草本，高 15 ~ 25（~ 35）cm，全株无毛。须根细。茎丛生，稍铺散，上升，多分枝。叶无柄，叶片披针形至长圆状披针形，长 5 ~ 20mm，宽 2 ~ 4mm，先端渐尖，基部楔形，半抱茎，边缘软骨质，呈微波状，基部具疏缘毛，两面微显粉绿色。聚伞花序通常具 3 ~ 5 花，顶生或花单生于叶腋；花梗细，长 5 ~ 20mm，无毛，果时稍下弯，基部有时具 2 披针形苞片；萼片 5，披针形，长 2 ~ 4mm，宽 1mm，先端渐尖，边缘膜质，中脉明显，无毛；花瓣 5，白色，短于萼片或近等长，2 深裂几达基部，裂片条形，钝头；雄蕊 5（~ 10），有时 6 ~ 7，微短于花瓣；子房卵形，花柱 3（有时为 2），短线形。

雀舌草

蒴果卵圆形，与宿存萼等长或稍长，6齿裂，含多数种子；种子肾形，微扁，褐色，具皱纹状突起。花期5～6月，果期7～8月。

| 生境分布 |

生于田间、溪岸或潮湿地。分布于吉林吉林（桦甸、蛟河、舒兰、磐石）、长春（九台）、白山（靖宇、长白）、通化（通化、集安、辉南）等。

| 资源情况 |

野生资源较丰富。药材主要来源于野生。

| 采收加工 |

夏、秋季采收，除去杂质，晒干。

| 功能主治 |

辛，平。祛风散寒，发汗解表，活血止痛，续筋接骨，解毒消肿。用于伤风感冒，痢疾，风湿骨痛，痔漏，跌打损伤，骨折，疔疮肿毒，毒蛇咬伤。

| 用法用量 |

内服煎汤，9～15g。外用适量，鲜品捣敷。

| 附　　注 |

在FOC中，本种的拉丁学名被修订为 *Stellaria alsine* Grimm。

石竹科 Caryophyllaceae 麦蓝菜属 *Vaccaria*

麦蓝菜 *Vaccaria segetalis* (Neck.) Garcke

| **植物别名** | 王不留行、剪金草、兔耳草。

| **药 材 名** | 王不留行（药用部位：种子。别名：留行子、奶米、王牡牛）。

| **形态特征** | 一年生或二年生草本，高 30 ~ 70cm，全株无毛，微被白粉，呈灰绿色。根为主根系。茎单生，直立，上部分枝。叶片卵状披针形或披针形，长 3 ~ 9cm，宽 1.5 ~ 4cm，基部圆形或近心形，微抱茎，先端急尖，具 3 基出脉。伞房花序稀疏；花梗细，长 1 ~ 4cm；苞片披针形，着生于花梗中上部；花萼卵状圆锥形，长 10 ~ 15mm，宽 5 ~ 9mm，后期微膨大成球形，棱绿色，棱间绿白色，近膜质，萼齿小，三角形，先端急尖，边缘膜质；雌雄蕊柄极短；花瓣淡红色，长 14 ~ 17mm，宽 2 ~ 3mm，爪狭楔形，淡绿色，瓣片狭倒卵形，斜展或平展，微凹缺，有时具不明显的缺刻；雄蕊内藏；花柱

麦蓝菜

线形，微外露。蒴果宽卵形或近圆球形，长 8 ~ 10mm；种子近圆球形，直径约 2mm，红褐色至黑色。花期 5 ~ 7 月，果期 6 ~ 8 月。

| 生境分布 | 生于草坡、撂荒地或麦田中。分布于吉林白山（靖宇）、通化（通化、辉南、梅河口）、辽源（东丰）、长春（九台）等。吉林部分地区有栽培。

| 资源情况 | 野生资源丰富。药材主要来源于野生。

| 采收加工 | 夏季果实成熟、果皮尚未开裂时采割植株，晒干，打下种子，除去杂质，再晒干。

| 药材性状 | 本品呈圆球形或近球形，直径 1.5 ~ 2mm，表面黑色，少数呈红棕色，略有光泽，密布细小颗粒状突起。种脐圆点状，下陷，色较浅，种脐的一侧有 1 带形凹沟，沟内颗粒状突起呈纵行排列。质硬，难破碎。除去种皮后可见白色的胚乳，胚弯曲成环状。子叶 2。无臭，味淡。以干燥、子粒均匀、充实饱满、色乌黑、无杂质者为佳。

| 功能主治 | 苦，平。归肝、胃经。活血通经，下乳消肿，利尿通淋。用于经闭，痛经，乳汁不下，乳痈肿痛，淋证涩痛，金疮出血，跌打损伤。

| 附　　注 | 在 FOC 中，本种的拉丁学名被修订为 *Vaccaria hispanica* (Miller) Rauschert。

藜科 Chenopodiaceae 沙蓬属 *Agriophyllum*

沙蓬 *Agriophyllum squarrosum* (L.) Moq.

| 植物别名 | 沙米、蒺藜梗。

| 药 材 名 | 沙蓬（药用部位：种子。别名：沙米）。

| 形态特征 | 植株高 14 ～ 60cm。茎直立，坚硬，浅绿色，具不明显的条棱，幼时密被分枝毛，后脱落；由基部分枝，最下部的 1 层分枝通常对生或轮生，平卧，上部枝条互生，斜展。叶无柄，披针形、披针状条形或条形，长 1.3 ～ 7cm，宽 0.1 ～ 1cm，先端（渐尖，具小尖头）向基部渐狭，叶脉 3 ～ 9，浮凸，纵行。穗状花序紧密，卵圆状或椭圆状，无梗，1（～ 3）腋生；苞片宽卵形，先端急缩，具小尖头，后期反折，背部密被分枝毛。花被片 1 ～ 3，膜质；雄蕊 2 ～ 3，花丝锥形，膜质，花药卵圆形。果实卵圆形或椭圆形，两面扁平或背部稍凸，幼时在背部被毛，后期秃净，上部边缘略具翅缘；果喙深

沙蓬

裂成 2 扁平的条状小喙，微向外弯，小喙先端外侧各具 1 小齿突。种子近圆形，光滑，有时具浅褐色的斑点。花果期 8 ～ 10 月。

｜生境分布｜ 生于沙丘、流动沙丘之背风坡上，为中国北部沙漠地区常见的沙生植物。分布于吉林白城（通榆、镇赉、洮南）、松原（前郭尔罗斯、长岭、宁江）等。

｜资源情况｜ 野生资源较丰富。药材主要来源于野生。

｜采收加工｜ 秋季果实成熟时采割植株或摘取果穗，晒干，收集种子，除去杂质。

｜功能主治｜ 甘，平。归肺、脾、胃经。发表解热，消食化积，清热消风，益气利肠。用于饮食积滞，噎膈反胃，感冒发热，肾炎。

｜用法用量｜ 内服煎汤，9 ～ 15g；或煮食。

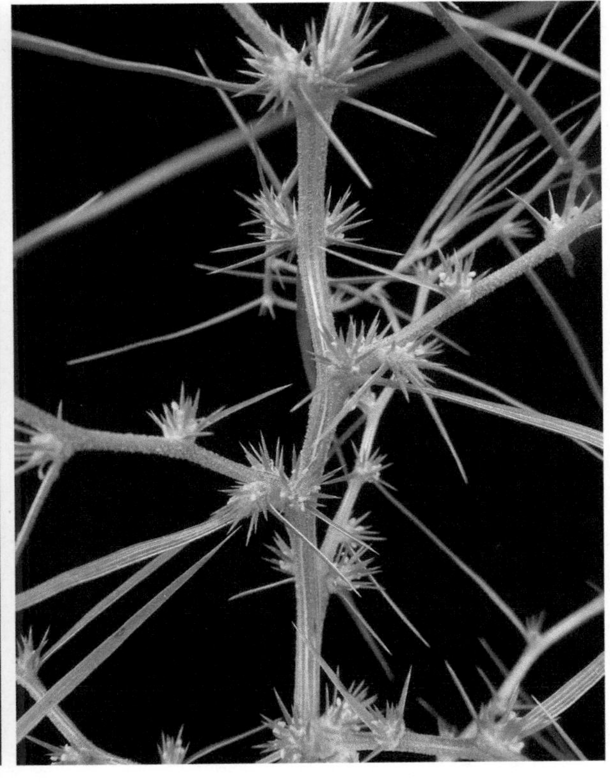

藜科 Chenopodiaceae 滨藜属 *Atriplex*

中亚滨藜 *Atriplex centralasiatica* Iljin

| 植物别名 | 软蒺藜、碱灰菜。

| 药 材 名 | 软蒺藜（药用部位：果实）。

| 形态特征 | 一年生草本，高 15 ~ 30cm。茎通常自基部分枝；枝钝四棱形，黄绿色，无色条，被粉或下部近无粉。叶有短柄，枝上部的叶近无柄；叶片卵状三角形至菱状卵形，长 2 ~ 3cm，宽 1 ~ 2.5cm，边缘具疏锯齿，近基部的 1 对锯齿较大而呈裂片状，或仅有 1 对浅裂片而其余部分全缘，先端微钝，基部圆形至宽楔形，上面灰绿色，无粉或稍被粉，下面灰白色，被密粉；叶柄长 2 ~ 6mm。花集成腋生团伞花序；雄花花被 5 深裂，裂片宽卵形，雄蕊 5，花丝扁平，基部联合，花药宽卵形至短矩圆形，长约 0.4mm；雌花的苞片近半圆形至平面钟形，边缘近基部以下合生，果时长 6 ~ 8mm，宽 7 ~ 10mm，近基部的

中亚滨藜

中心部膨胀并木质化，表面具多数疣状或肉棘状附属物，缘部草质或硬化，边缘具不等大的三角形牙齿；苞柄长 1 ~ 3mm。胞果扁平，宽卵形或圆形，果皮膜质，白色，与种子贴伏；种子直立，红褐色或黄褐色，直径 2 ~ 3mm。花期 7 ~ 8 月，果期 8 ~ 9 月。

| 生境分布 | 生于荒地、盐碱地、盐土荒漠，有时也侵入田间。分布于吉林白城（镇赉、通榆、洮南）、松原（前郭尔罗斯、长岭）等。

| 资源情况 | 野生资源较丰富。药材主要来源于野生。

| 采收加工 | 秋季果实成熟后割取地上部分，晒干，打下果实，去杂质，再晒干。

| 药材性状 | 本品胞果外被 2 宿存苞片，直径 0.4 ~ 1.4cm，土黄色或浅绿色。苞片为扁平扇形，有 3 放射状隆起的主脉及网状细脉，无棘状突起，上部扇形，边缘波状或稍呈 5 浅裂，基部渐细成短果柄。剥开两苞片露出扁圆形胞果 1，呈棕色，直径约 3mm。表面光滑，1 侧有喙状突起。果皮与种皮均薄，剥开后呈淡黄色，富油质。气微弱，味微酸、咸。

| 功能主治 | 甘，平。归肺、肝经。清肝明目，祛风活血，消肿止痒。用于头痛，头晕，目赤多泪，咳喘，高血压，皮肤瘙痒，风疹，气管炎。

| 用法用量 | 内服煎汤，3 ~ 9g。外用适量，煎汤洗。

藜科 Chenopodiaceae 滨藜属 *Atriplex*

滨藜 *Atriplex patens* (Litv.) Iljin

| 药 材 名 | 滨藜（药用部位：果实）。

| 形态特征 | 一年生草本，高 20 ~ 60cm。茎直立或外倾，无粉或稍被粉，具绿色色条及条棱，通常上部分枝；枝细瘦，斜上。叶互生，或在茎基部近对生；叶片披针形至条形，长 3 ~ 9cm，宽 4 ~ 10mm，先端渐尖或微钝，基部渐狭，两面均为绿色，无粉或稍被粉，边缘具不规则的弯锯齿或微锯齿，有时几全缘。花序穗状，或有短分枝，通常紧密，于茎上部再集成穗状圆锥形；花序轴被密粉；雄花花被 4 ~ 5 裂，雄蕊与花被裂片同数；雌花的苞片果时菱形至卵状菱形，长约 3mm，宽约 2.5mm，先端急尖或短渐尖，下半部边缘合生，上半部边缘通常具细锯齿，表面被粉，有时靠上部具疣状小突起。种子二型，扁平，圆形或双凸镜形，黑色或红褐色，有细点纹，直径 1 ~ 2mm。

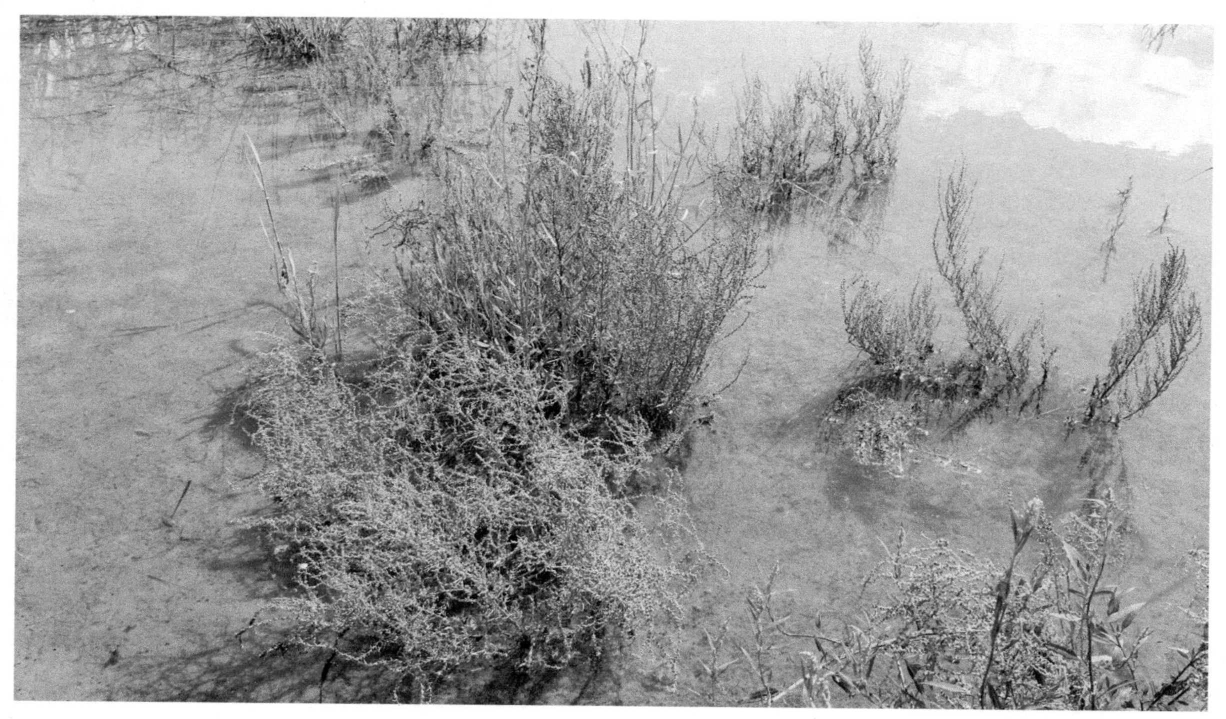

滨藜

花果期 8 ~ 10 月。

| **生境分布** | 生于海滨、轻度盐碱湿草地和沙土地，是沙漠地区常见植物。分布于吉林白城、松原、四平等。

| **资源情况** | 野生资源较少。药材主要来源于野生。

| **采收加工** | 秋季果实成熟后割取地上部分，晒干，打下果实，除去杂质，晒干。

| **功能主治** | 清肝明目。用于目赤多泪，肝火上炎。

藜科 Chenopodiaceae 滨藜属 *Atriplex*

西伯利亚滨藜 *Atriplex sibirica* L.

| 药 材 名 | 软蒺藜（药用部位：果实。别名：白蒺藜、碱灰菜、麻落粒）。

| 形态特征 | 一年生草本，高 20 ~ 50cm。茎通常自基部分枝；枝外倾或斜伸，钝四棱形，无色条，被粉。叶片卵状三角形至菱状卵形，长 3 ~ 5cm，宽 1.5 ~ 3cm，先端微钝，基部圆形或宽楔形，边缘具疏锯齿，近基部的 1 对齿较大而呈裂片状，或仅有 1 对浅裂片而其余部分全缘，上面灰绿色，无粉或稍被粉，下面灰白色，被密粉；叶柄长 3 ~ 6mm。团伞花序腋生；雄花花被 5 深裂，裂片宽卵形至卵形；雄蕊 5，花丝扁平，基部联合，花药宽卵形至短矩圆形，长约 0.4mm；雌花的苞片联合成筒状，仅顶缘分离，果时臌胀，略呈倒卵形，长 5 ~ 6mm（包括柄），宽约 4mm，木质化，表面具多数不规则的棘状突起，顶缘薄，牙齿状，基部楔形。胞果扁平，卵形或近圆形；果皮膜质，

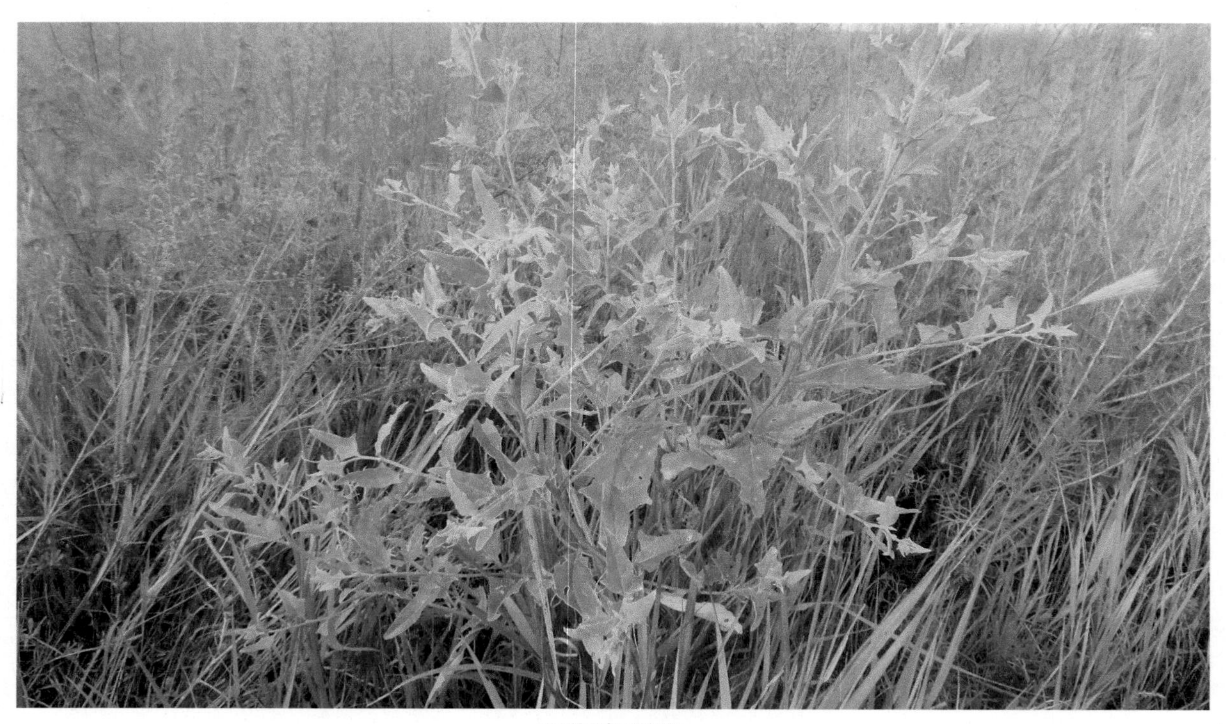

西伯利亚滨藜

白色，与种子贴伏。种子直立，红褐色或黄褐色，直径 2 ~ 2.5mm。花期 6 ~ 7 月，果期 8 ~ 9 月。

| 生境分布 | 生于盐碱荒漠，喜生于湖边、渠沿、河岸及固定沙丘等处。分布于吉林白城（镇赉、通榆、洮南）、松原（前郭尔罗斯、长岭）等。

| 资源情况 | 野生资源较丰富。药材主要来源于野生。

| 采收加工 | 同“中亚滨藜”。

| 药材性状 | 本品胞果外被 2 宿存苞片，直径 0.4 ~ 1.4cm，土黄色或浅绿色。苞片基部具棘状、软棘状或疣状突起，但不刺手。剥开两苞片露出扁圆形胞果 1，呈棕色，直径约 3mm，表面光滑，一侧有喙状突起。果皮与种皮均薄，剥开后呈淡黄色，富油质。气微弱，味微酸、咸。

| 功能主治 | 同“中亚滨藜”。

| 用法用量 | 同“中亚滨藜”。

藜科 Chenopodiaceae 轴藜属 *Axyris*

轴藜 *Axyris amaranthoides* L.

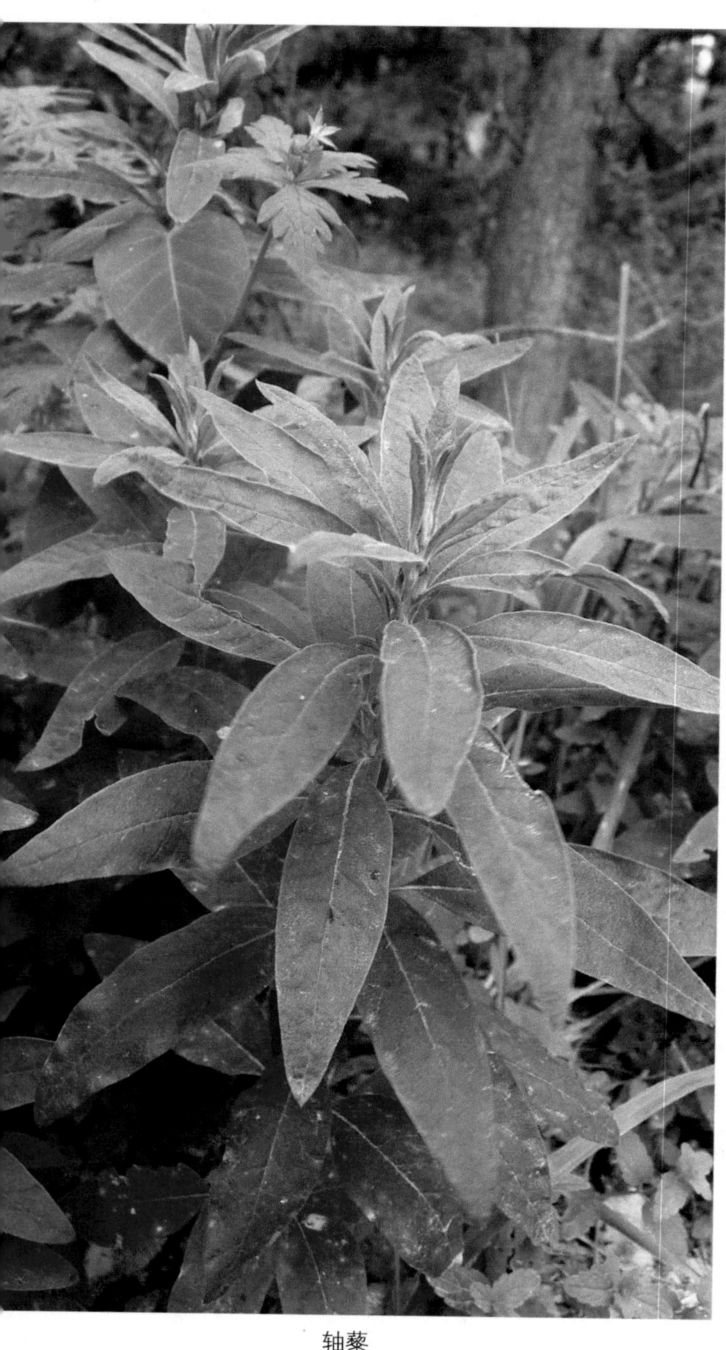

轴藜

|药材名|

轴藜（药用部位：果实）。

|形态特征|

植株高 20 ~ 80cm。茎直立，粗壮，微具纵纹，毛后期大部脱落；分枝多集中于茎中部以上，纤细，劲直，长 3 ~ 13cm。叶具短柄，先端渐尖，具小尖头，基部渐狭，全缘，背部密被星状毛，后期秃净；基生叶大，披针形，长 3 ~ 7cm，宽 0.5 ~ 1.3cm，叶脉明显；枝生叶和苞叶较小，狭披针形或狭倒卵形，长约 1cm，宽 2 ~ 3mm，边缘通常内卷。雄花序穗状；花被裂片 3，狭矩圆形，先端急尖，向内卷曲，背部密被毛，后期脱落；雄蕊 3，与裂片对生，伸出花被外。雌花花被片 3，白膜质，背部密被毛，后脱落，侧生的 2 花被片大，宽卵形或近圆形，先端全缘或微具缺刻，近苞片处的花被片较小，矩圆形。果实长椭圆状倒卵形，侧扁，长 2 ~ 3mm，灰黑色，有时具浅色斑纹，光滑，先端具 1 附属物；附属物冠状，其中央微凹，有时亦有发育极好的果实，其附属物不显。花果期 8 ~ 9 月。

| 生境分布 |

生于砂质地，常见于山坡、草地、荒地、河边、田间或路旁。以长白山区为主要分布区域，分布于吉林延边、白山、通化、吉林、辽源（东丰）、白城、松原、四平等。

| 资源情况 |

野生资源较丰富。药材主要来源于野生。

| 采收加工 |

秋季果实成熟后割取地上部分，晒干，打下果实，除去杂质，晒干。

| 功能主治 |

清肝明目，祛风消肿。用于目赤多泪，风湿，水肿。

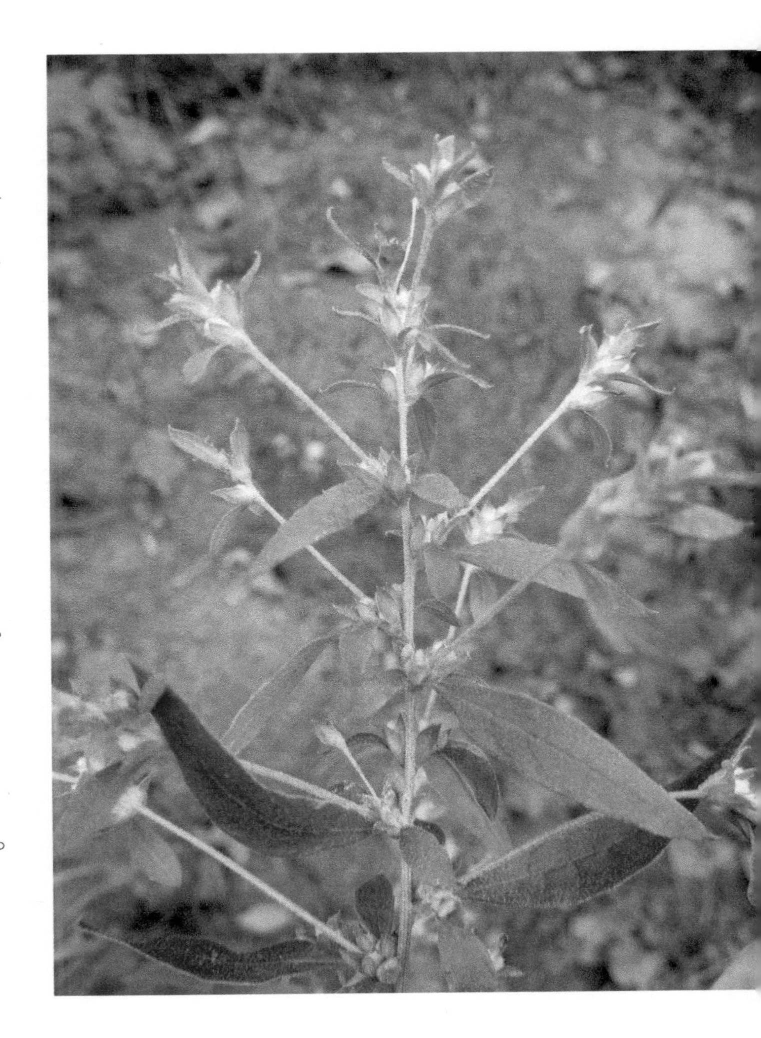

藜科 Chenopodiaceae 雾冰藜属 *Bassia*

雾冰藜 *Bassia dasyphylla* (Fisch. et C. A. Mey.) Kuntze

| 植物别名 | 雾滨藜、肯诺藜、雾冰草。

| 药 材 名 | 五星蒿（药用部位：全草。别名：肯诺藜、巴锡藜）。

| 形态特征 | 植株高 3 ~ 50cm。茎直立，密被水平伸展的长柔毛；分枝多，开展，与茎夹角通常大于 45° ，有的几成直角。叶互生，肉质，圆柱状或半圆柱状条形，密被长柔毛，长 3 ~ 15mm，宽 1 ~ 1.5mm，先端钝，基部渐狭。花两性，单生或 2 朵簇生，通常仅 1 花发育。花被筒密被长柔毛，裂齿不内弯，果时花被背部具 5 钻状附属物，三棱状，平直，坚硬，形成 1 平展的五角星状；雄蕊 5，花丝条形，伸出花被外；子房卵状，具短花柱和 2（ ~ 3）长柱头。果实卵圆状；种子近圆形，光滑。花果期 7 ~ 9 月。

雾冰藜

| **生境分布** |

生于荒漠、盐碱地、沙丘、草地、河滩、阶地及洪积扇上。分布于吉林白城（通榆、镇赉、洮南）、松原（乾安、长岭）等。

| **资源情况** |

野生资源较丰富。药材主要来源于野生。

| **采收加工** |

夏、秋季采收，除去杂质，晒干。

| **功能主治** |

甘、淡，微寒。清热燥湿。用于脂溢性皮炎。

| **用法用量** |

外用适量，煎汤洗。

藜科 Chenopodiaceae 甜菜属 *Beta*

甜菜 *Beta vulgaris* L.

| 植物别名 | 红菜头、紫萝卜、莙菜。

| 药 材 名 | 莙菜根（药用部位：根。别名：出莙莛儿、莙莛根）。

| 形态特征 | 二年生草本。根圆锥状至纺锤状，多汁。茎直立，多少有分枝，具条棱及色条。基生叶矩圆形，长 20 ~ 30cm，宽 10 ~ 15cm，具长叶柄，上面皱缩不平，略有光泽，下面有粗壮凸出的叶脉，全缘或略呈波状，先端钝，基部楔形、截形或略呈心形，叶柄粗壮，下面凸，上面平或具槽；茎生叶互生，较小，卵形或披针状矩圆形，先端渐尖，基部渐狭入短柄。花 2 ~ 3 团集，果时花被基底部彼此合生；花被裂片条形或狭矩圆形，果时变为革质并向内拱曲。胞果下部陷在硬化的花被内，上部稍肉质。种子双凸镜形，直径 2 ~ 3mm，红褐色，有光泽；胚环形，苍白色；胚乳粉状，白色。花期 5 ~ 6 月，果期 7 月。

甜菜

| 生境分布 | 生于农田、菜园等处。吉林无野生分布，西部地区有栽培。

| 资源情况 | 吉林有栽培。药材主要来源于栽培。

| 采收加工 | 秋季采挖，除去杂质，切片，晒干。

| 功能主治 | 甘，平。通经脉，下气，利胸膈。用于经脉不通，气滞胸闷。

藜科 Chenopodiaceae 驼绒藜属 *Ceratoides*

华北驼绒藜 *Ceratoides arborescens* (Losinsk.) Tsien et C. G. Ma

| 植物别名 | 驼绒蒿。

| 药 材 名 | 华北驼绒藜（药用部位：全草）。

| 形态特征 | 株高 1 ~ 2m，分枝多集中于上部，较长，通常长 35 ~ 80cm。叶较大，柄短；叶片披针形或矩圆状披针形，长 2 ~ 5（~ 7）cm，宽 7 ~ 10（~ 15）mm，向上渐狭，先端急尖或钝，基部圆楔形或圆形，通常具明显的羽状叶脉。雄花序细长而柔软，长可达 8cm。雌花管倒卵形，长约 3mm，花管裂片粗短，为管长的 1/5 ~ 1/4，先端钝，略向后弯；果时管外中上部具 4 束长毛，下部具短毛。果实狭倒卵形，被毛。花果期 7 ~ 9 月。

| 生境分布 | 生于固定沙丘、沙地、荒地或山坡上。分布于吉林白城（通榆、镇赉、

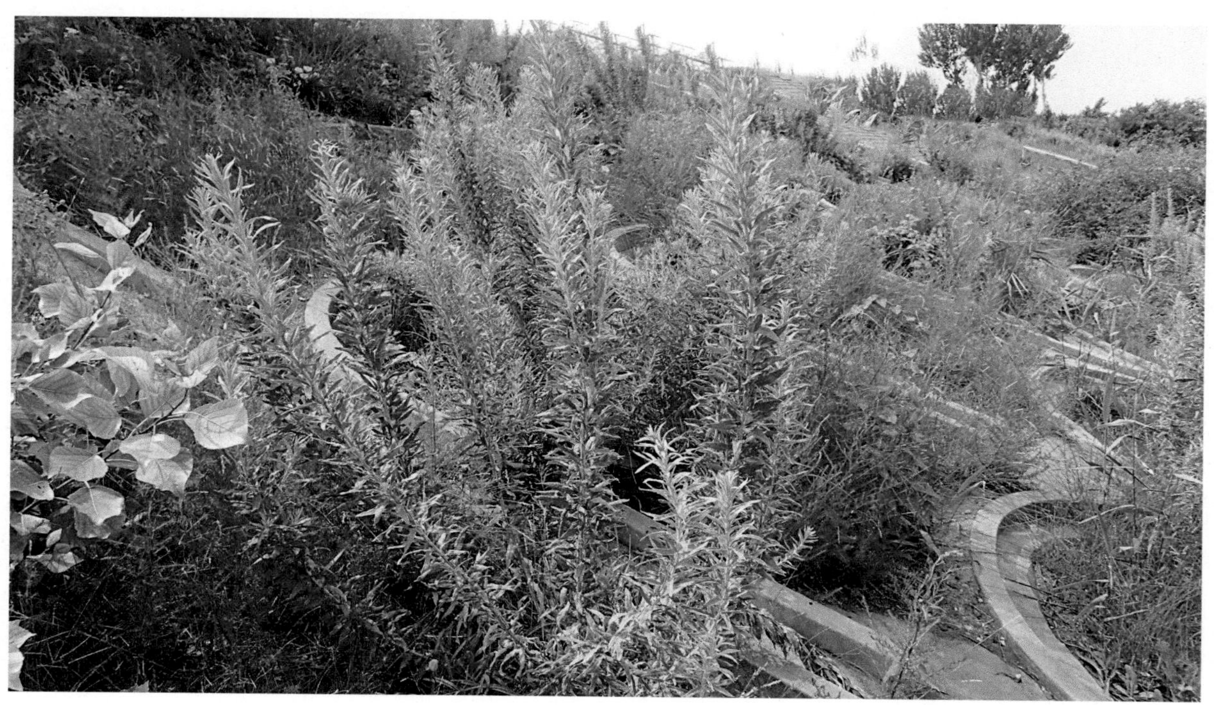

华北驼绒藜

洮南）、松原（乾安、长岭）等。

| 资源情况 | 野生资源较少。药材主要来源于野生。

| 采收加工 | 夏、秋季采收，除去杂质，晒干。

| 功能主治 | 祛风除湿。用于风湿痹痛。

| 附　　注 | 在 FOC 中，本种的拉丁学名被修订为 *Krascheninnikovia arborescens* (Losina-Losinskaja) Czerepanov。

藜科 Chenopodiaceae 驼绒藜属 *Ceratoides*

驼绒藜 *Ceratoides latens* (J. F. Gmel.) Reveal et Holmgren

| 药 材 名 | 优若藜（药用部位：花序）。

| 形态特征 | 植株高 0.1 ~ 1m，分枝多集中于下部，斜展或平展。叶较小，条形、条状披针形、披针形或矩圆形，长 1 ~ 2（~ 5）cm，宽 0.2 ~ 0.5（~ 1）cm，先端急尖或钝，基部渐狭、楔形或圆形，1 脉，有时近基处有 2 侧脉，极稀为羽状。雄花序较短，长达 4cm，紧密。雌花管椭圆形，长 3 ~ 4mm，宽约 2mm；花管裂片角状，较长，其长为管长的 1/3 至等长。果实直立，椭圆形，被毛。花果期 6 ~ 9 月。

| 生境分布 | 生于戈壁、荒漠、半荒漠、干旱山坡或草原中。分布于吉林白城（通榆、镇赉、洮南）、松原（乾安、长岭）等。

| 资源情况 | 野生资源较丰富。药材主要来源于野生。

驼绒藜

| 采收加工 | 夏初花盛开时采摘，晾干。

| 药材性状 | 本品黄白色，上部为排列紧密的雄花序，数花成簇，在枝端集成穗状花序。雌花位于下部，1 ~ 2 腋生于叶腋，由 2 小苞片合生成雌花管，上部有 2 角状裂片，叉开。气微，味淡。

| 功能主治 | 淡，微寒。止咳化痰，解热。用于肺结核，气管炎。

| 用法用量 | 内服煎汤，3 ~ 6g。

| 附　　注 | 在 FOC 中，本种的拉丁学名被修订为 *Krascheninnikovia ceratoides* (Linnaeus) Gueldenstaedt。

藜科 Chenopodiaceae 藜属 *Chenopodium*

尖头叶藜 *Chenopodium acuminatum* Willd.

尖头叶藜

| 植物别名 |

绿珠藜。

| 药 材 名 |

尖头叶藜（药用部位：全草）。

| 形态特征 |

一年生草本，高 20 ~ 80cm。茎直立，具条棱及绿色色条，有时色条带紫红色，多分枝；枝斜升，较细瘦。叶片宽卵形至卵形，茎上部的叶片有时呈卵状披针形，长 2 ~ 4cm，宽 1 ~ 3cm，先端急尖或短渐尖，有 1 短尖头，基部宽楔形、圆形或近截形，上面无粉，浅绿色，下面多少被粉，灰白色，全缘并具半透明的环边；叶柄长 1.5 ~ 2.5cm。花两性，团伞花序于枝上部排列成紧密的或有间断的穗状或穗状圆锥状花序，花序轴（或仅在花间）具圆柱状毛束；花被扁球形，5 深裂，裂片宽卵形，边缘膜质，并有红色或黄色粉粒，果时背面大多增厚并彼此合成五角星形；雄蕊 5，花药长约 0.5mm。胞果顶基扁，圆形或卵形；种子横生，直径约 1mm，黑色，有光泽，表面略具点纹。花期 6 ~ 7 月，果期 8 ~ 9 月。

| 生境分布 | 生于海拔 50 ~ 2900m 的地带，一般多生于河岸、荒地以及田边。分布于吉林白城（通榆、镇赉、洮南）、松原（乾安、长岭）、延边（安图）等。

| 资源情况 | 野生资源较丰富。药材主要来源于野生。

| 采收加工 | 夏、秋季采收，除去杂质，晒干。

| 药材性状 | 本品根细长，黄褐色。茎具条棱及绿色色条，有时色条带紫红色，多分枝；枝较细瘦。叶片宽卵形至卵形，上面无粉，浅绿色，下面有粉，灰白色，全缘并具半透明的环边。团伞花序于枝上部排列成穗状或穗状圆锥状花序。种子黑色，有光泽。气微，味微苦。

| 功能主治 | 祛风散寒，止痛。用于风寒头痛，四肢胀痛。

藜科 Chenopodiaceae 藜属 *Chenopodium*

藜 *Chenopodium album* L.

|植物别名| 白藜、灰菜、灰灰菜。

|药 材 名| 藜（药用部位：幼嫩全草。别名：红落藜、胭脂菜、灰苋菜）。

|形态特征| 一年生草本，高 30 ~ 150cm。茎直立，粗壮，具条棱及绿色或紫红色色条，多分枝；枝斜升或开展。叶片菱状卵形至宽披针形，长 3 ~ 6cm，宽 2.5 ~ 5cm，先端急尖或微钝，基部楔形至宽楔形，上面通常无粉，有时嫩叶的上面被紫红色粉，下面多少被粉，边缘具不整齐锯齿；叶柄与叶片近等长，或为叶片长度的 1/2。花两性，花簇生于枝上部排列成或大或小的穗状圆锥形或圆锥状花序；花被裂片 5，宽卵形至椭圆形，背面具纵隆脊，被粉，先端或微凹，边缘膜质；雄蕊 5，花药伸出花被，柱头 2。果皮与种子贴生。种子横生，双凸透镜状，直径 1.2 ~ 1.5mm，边缘钝，黑色，有光泽，表

藜

面具浅沟纹；胚环形。花果期 5 ~ 10 月。

| 生境分布 | 生于路旁、荒地、田间、菜园、村舍附近或有轻度盐碱的土地上，是农田主要杂草。吉林各地均有分布。

| 资源情况 | 野生资源丰富。药材主要来源于野生。

| 采收加工 | 6 ~ 7 月采收，除去杂质，晒干。

| 药材性状 | 本品茎具纵向黄绿色相间条棱。叶片皱缩破碎，完整者展平，呈菱状卵形至宽披针形，叶上表面黄绿色，下表面灰黄绿色，边缘具不整齐锯齿。圆锥花序腋生或顶生。气微，味微苦。

| 功能主治 | 甘，平；有小毒。清热解毒，透疹止痒，收敛止痢，利湿，杀虫，退热。用于感冒痢疾，泄泻，疥癣，湿疮痒疹，息肉，白癜风，子宫癌，毒虫、蜘蛛、蚕咬伤。

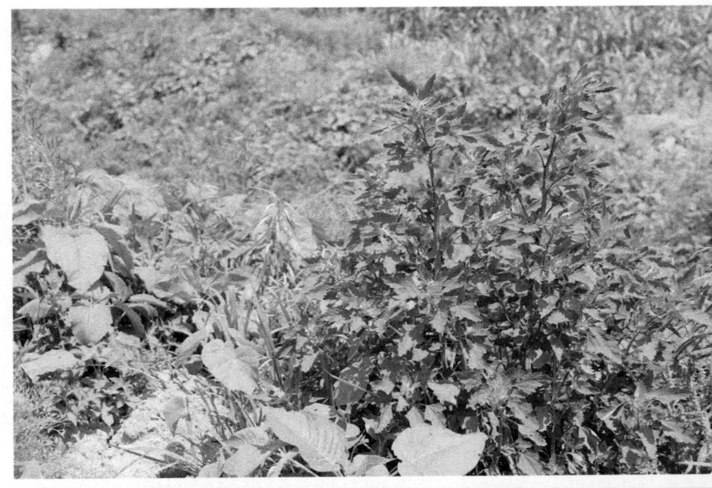

| 用法用量 | 内服煎汤，15 ~ 30g。外用适量，煎汤漱口；或熏洗；或捣涂。

| 附　　注 | 本种嫩苗可作野菜食用，水焯后蘸酱，多食易浮肿，水焯晒干后食用较安全。

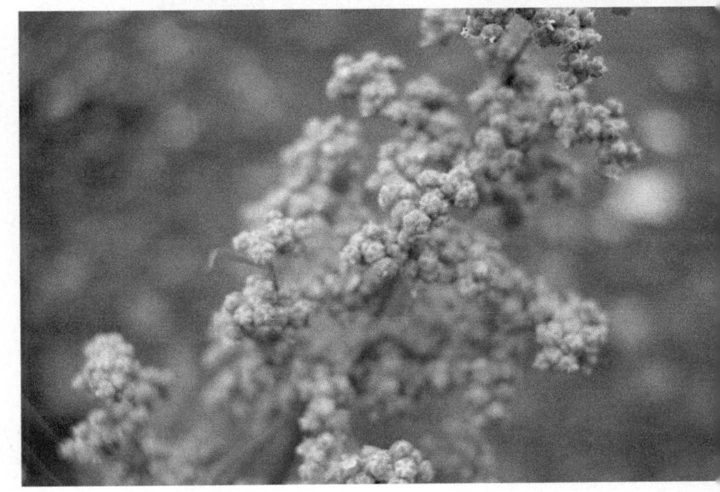

藜科 Chenopodiaceae 藜属 *Chenopodium*

刺藜 *Chenopodium aristatum* L.

刺藜

| 植物别名 |

刺穗藜、红小扫帚苗、铁扫帚苗。

| 药 材 名 |

刺藜（药用部位：全草。别名：红小扫帚苗、铁扫帚苗、野鸡冠子草）。

| 形态特征 |

一年生草本，植物体通常呈圆锥形，高 10 ~ 40cm，无粉，秋后常带紫红色。茎直立，圆柱形或有棱，具色条，无毛或稍被毛，有多数分枝。叶条形至狭披针形，长达 7cm，宽约 1cm，全缘，先端渐尖，基部收缩成短柄，中脉黄白色。复二歧式聚伞花序生于枝端及叶腋，最末端的分枝针刺状；花两性，几无柄；花被裂片 5，狭椭圆形，先端钝或骤尖，背面稍肥厚，边缘膜质，果时开展。胞果顶基扁（底面稍凸），圆形；果皮透明，与种子贴生。种子横生，顶基扁，周边截平或具棱。花期 8 ~ 9 月，果期 10 月。

| 生境分布 |

生于高粱、玉米、谷子田间，有时也生于山坡、荒地、砂质土壤，为农田杂草，极耐旱。吉林各地均有分布。

| 资源情况 |

野生资源丰富。药材主要来源于野生。

| 采收加工 |

夏、秋季采收，除去杂质，晒干。

| 药材性状 |

本品茎呈圆柱形或有棱，具色条，无毛或稍被毛，有多数分枝。叶皱缩破碎，完整叶片条形至狭披针形，长达 7cm，宽约 1cm，全缘，花序生于枝端及叶腋，最末端的分枝针刺状。胞果圆形，果皮透明，膜质，与种子贴生。种子圆形，黑褐色，长不及 1mm，有光泽。气微，味微苦。

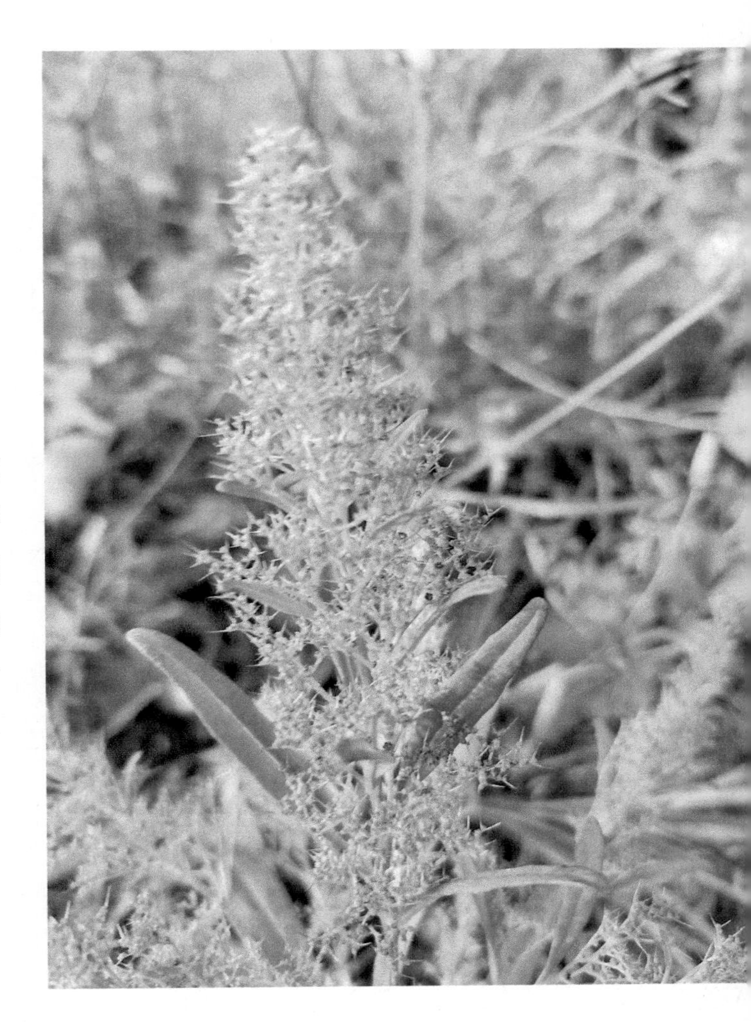

| 功能主治 |

淡，平。祛风止痒。外用于过敏性皮炎，瘾疹，风疹疙瘩，荨麻疹。

| 用法用量 |

内服煎汤，6 ~ 9g。外用适量，煎汤洗。

| 附　　注 |

在 FOC 中，本种的拉丁学名被修订为 *Dysphania aristata* (Linnaeus) Mosyakin & Clemants。

藜科 Chenopodiaceae 藜属 *Chenopodium*

菊叶香藜 *Chenopodium foetidum* Schrad.

菊叶香藜

|药材名|

菊叶香藜（药用部位：全草）。

|形态特征|

一年生草本，高 20 ~ 60cm，有强烈气味，全体有具节的疏生短柔毛。茎直立，具绿色色条，通常有分枝。叶片矩圆形，长 2 ~ 6cm，宽 1.5 ~ 3.5cm，边缘羽状浅裂至羽状深裂，先端钝或渐尖，有时具短尖头，基部渐狭，上面无毛或幼嫩时稍有毛，下面有具节的短柔毛并兼有黄色无柄的颗粒状腺体，很少近无毛；叶柄长 2 ~ 10mm。复二歧聚伞花序腋生；花两性；花被直径 1 ~ 1.5mm，5 深裂，裂片卵形至狭卵形，有狭膜质边缘，背面通常有具刺状突起的纵隆脊并有短柔毛和颗粒状腺体，果时开展；雄蕊 5，花丝扁平，花药近球形。胞果扁球形，果皮膜质。种子横生，周边钝，直径 0.5 ~ 0.8mm，红褐色或黑色，有光泽，具细网纹；胚半环形，围绕胚乳。花期 7 ~ 9 月，果期 9 ~ 10 月。

|生境分布|

生于林缘草地、沟岸、河沿、人家附近，有时也为农田杂草。以长白山区为主要分布区域，分布于吉林延边、白山、通化、吉林、辽源（东丰）、白城、松原、四平等。

| 资源情况 | 野生资源丰富。药材主要来源于野生。

| 采收加工 | 夏、秋季采收，除去杂质，晒干。

| 功能主治 | 祛风止痒，清热利湿，杀虫。用于蛔虫病，钩虫病，炎症，喘息，痉挛，偏头痛。

| 附　　注 | （1）在 FOC 中，本种的拉丁学名被修订为 *Dysphania schraderiana* (Roemer & Schultes) Mosyakin & Clemants。

（2）本种与香藜 *Chenopodium botrys* L. 的形态相似，区别在于本种的植物体有具节的短柔毛和黄色无柄的颗粒状腺体；花被裂片果时开展，背面具纵隆脊。而香藜的植物体则只有腺毛；花被裂片果时直立而不展开，背面无纵隆脊。

藜科 Chenopodiaceae 藜属 *Chenopodium*

灰绿藜 *Chenopodium glaucum* L.

| 植物别名 | 碱灰菜、灰菜。

| 药 材 名 | 藜（药用部位：全草。别名：红落藜、胭脂菜、灰苋菜）。

| 形态特征 | 一年生草本，高 20 ~ 40cm。茎平卧或外倾，具条棱及绿色或紫红色色条。叶片矩圆状卵形至披针形，长 2 ~ 4cm，宽 6 ~ 20mm，肥厚，先端急尖或钝，基部渐狭，边缘具缺刻状牙齿，上面无粉，平滑，下面被粉而呈灰白色，有的稍带紫红色；中脉明显，黄绿色；叶柄长 5 ~ 10mm。花两性兼有雌性，通常数花聚成团伞花序，再于分枝上排列成有间断而通常短于叶的穗状或圆锥状花序；花被裂片 3 ~ 4，浅绿色，稍肥厚，通常无粉，狭矩圆形或倒卵状披针形，长不及 1mm，先端通常钝；雄蕊 1 ~ 2，花丝不伸出花被，花药球形；柱头 2，极短。胞果先端露出于花被外，果皮膜质，黄白色；种子

灰绿藜

扁球形，直径 0.75mm，横生、斜生及直立，暗褐色或红褐色，边缘钝，表面有细点纹。花果期 5 ~ 10 月。

| 生境分布 | 生于农田、菜园、村房、水边等有轻度盐碱的土壤上，是适应盐碱生境的先锋植物之一。吉林各地均有分布。

| 资源情况 | 野生资源丰富。药材主要来源于野生。

| 采收加工 | 同“藜”。

| 药材性状 | 本品茎具条棱及绿色或紫红色色条。叶多皱缩或破碎，完整者展平后呈矩圆状卵形至披针形，边缘具波状牙齿。叶上表面平滑，下表面被粉而呈灰绿白色。小花在枝上排列成断续的穗状或圆锥状。气微，味淡。

| 功能主治 | 同“藜”。

| 用法用量 | 同“藜”。

藜科 Chenopodiaceae 藜属 *Chenopodium*

杂配藜 *Chenopodium hybridum* L.

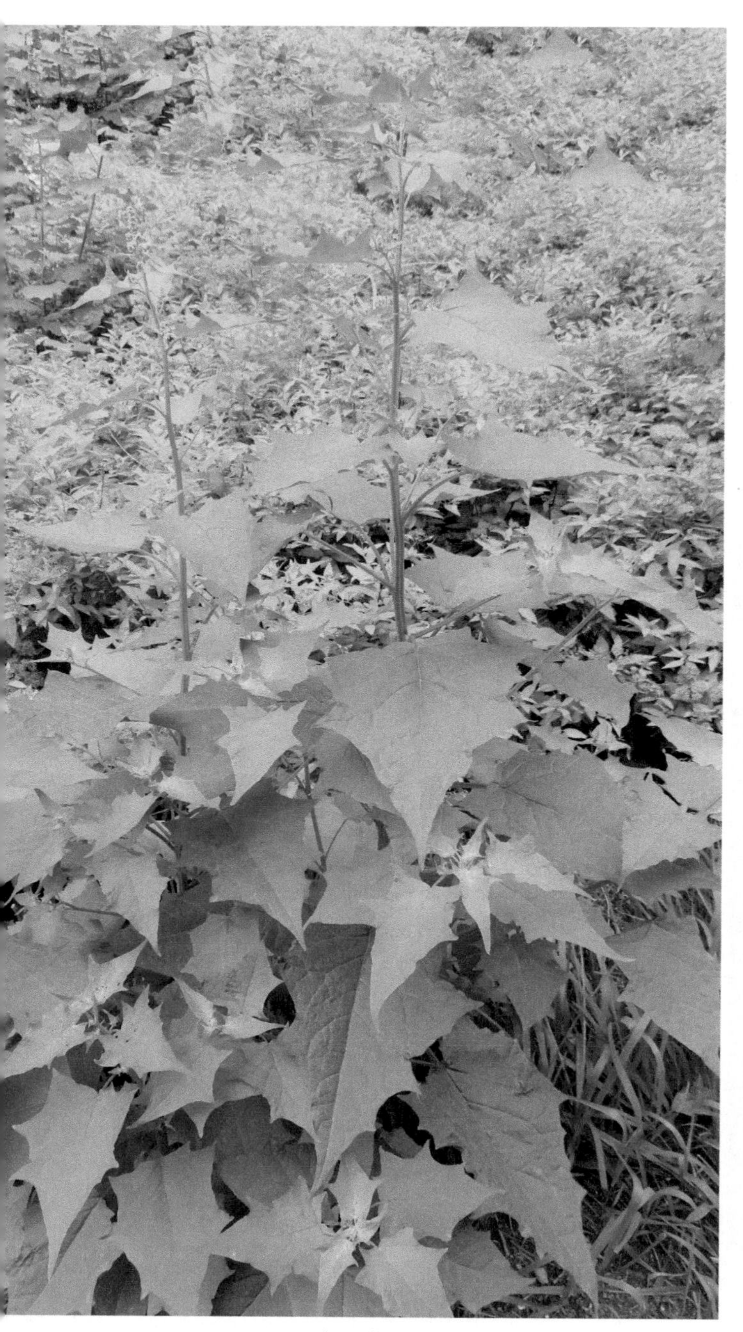

杂配藜

| 药 材 名 |

大叶藜（药用部位：地上部分。别名：血见愁、杂灰菜、八角灰菜）。

| 形态特征 |

一年生草本，高 40 ~ 120cm。茎直立，粗壮，具淡黄色或紫色条棱，上部有疏分枝，无粉或枝上稍被粉。叶片宽卵形至卵状三角形，长 6 ~ 15cm，宽 5 ~ 13cm，两面均呈亮绿色，无粉或稍被粉，先端急尖或渐尖，基部圆形、截形或略呈心形，边缘掌状浅裂；裂片 2 ~ 3 对，不等大，略呈五角形，先端通常锐；上部叶较小，叶片多呈三角状戟形，边缘具较少数的裂片状锯齿，有时几全缘；叶柄长 2 ~ 7cm。花两性兼有雌性，通常数个团集，在分枝上排列成开散的圆锥状花序；花被裂片 5，狭卵形，先端钝，背面具纵脊并稍被粉，边缘膜质；雄蕊 5。胞果双凸透镜状；果皮膜质，有白色斑点，与种子贴生。种子横生，与胞果同形，直径通常 2 ~ 3mm，黑色，无光泽，表面具明显的圆形深洼或凹凸不平；胚环形。花果期 7 ~ 9 月。

| 生境分布 |

生于林缘、山坡灌丛间、沟沿等处，在农田、庭院、荒地、阳光充足和灌溉良好的土壤上生长旺盛。吉林各地均有分布。

| 资源情况 | 野生资源丰富。药材主要来源于野生。

| 采收加工 | 夏、秋季采收，除去杂质，晒干。

| 药材性状 | 本品茎粗壮，具深纵棱。叶多皱缩破碎，完整叶展平后三角状卵形或卵形，长4 ~ 15cm，宽2 ~ 13cm；边缘掌状浅裂或全缘。小花成团。胞果宿存膜质花被，灰绿色，先端5裂；果皮膜质，有白色斑点。种子扁圆形，直径2 ~ 3mm，黑色，无光泽，表面具明显的圆形深洼或凹凸不平。气微，味微苦。

| 功能主治 | 甘，平。解毒活血，通经，止血。用于月经不调，崩漏，肺结核，咯血，衄血，尿血，外伤出血，腹泻痢疾，疮痈肿毒，蛇虫咬伤。

| 用法用量 | 内服煎汤，3 ~ 9g；或熬膏。外用适量，捣敷。

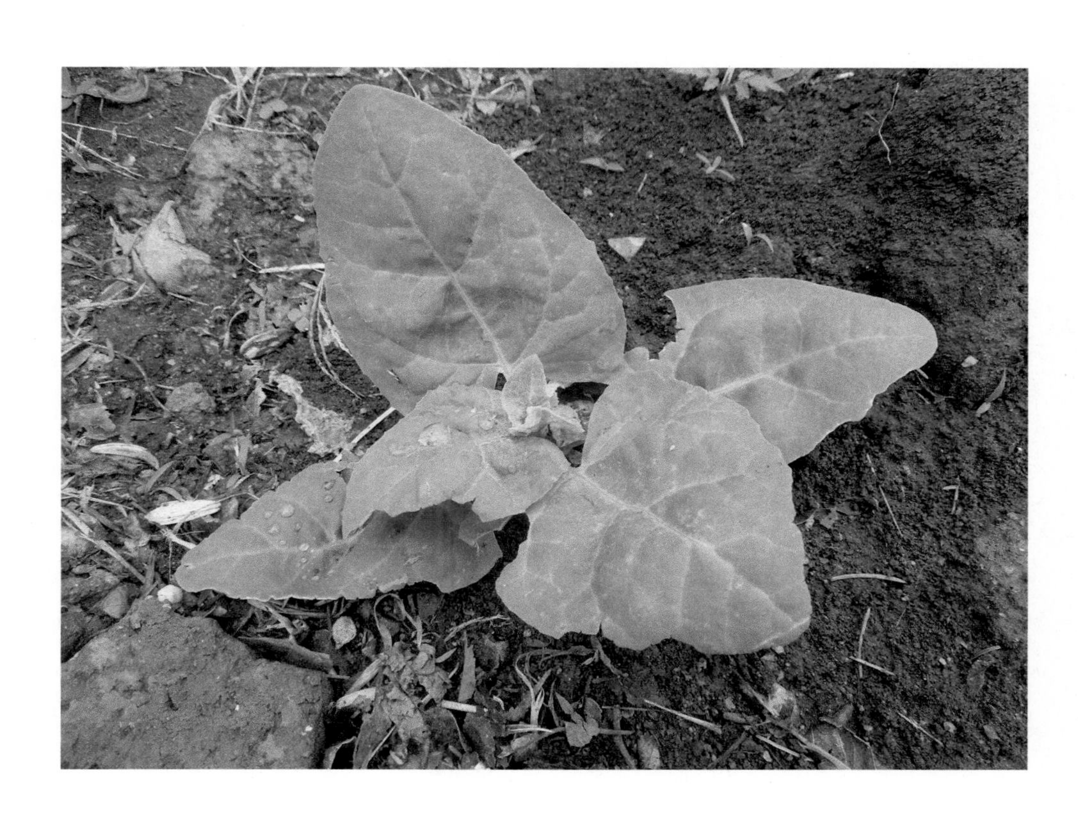

藜科 Chenopodiaceae 藜属 *Chenopodium*

小藜 *Chenopodium serotinum* L.

小藜

| 植物别名 |

灰藜、小灰菜。

| 药 材 名 |

灰藋（药用部位：全草。别名：金锁天、水落藜、灰涤菜）。

| 形态特征 |

一年生草本，高 20 ~ 50cm。茎直立，具条棱及绿色色条。叶片卵状矩圆形，长 2.5 ~ 5cm，宽 1 ~ 3.5cm，通常 3 浅裂；中裂片两边近平行，先端钝或急尖并具短尖头，边缘具深波状锯齿；侧裂片位于中部以下，通常各具 2 浅裂齿。花两性，数个团集，排列于上部的枝上形成较开展的顶生圆锥状花序；花被近球形，5 深裂，裂片宽卵形，不开展，背面具微纵隆脊并被密粉；雄蕊 5，开花时外伸；柱头 2，丝形。胞果包在花被内，果皮与种子贴生。种子双凸透镜状，黑色，有光泽，直径约 1mm，边缘微钝，表面具六角形细洼；胚环形。4 ~ 5 月开始开花。

| 生境分布 |

生于荒地、道旁、垃圾堆等处，为普通田间杂草。吉林各地均有分布。

| 资源情况 | 野生资源丰富。药材主要来源于野生。

| 采收加工 | 夏、秋季采收，除去杂质，晒干。

| 药材性状 | 本品茎具条棱及绿色色条。叶片皱缩破碎，展开后完整叶通常 3 浅裂，裂片具波状锯齿。花序穗状腋生或顶生。胞果包在花被内，果皮膜质，有明显的蜂窝状网纹，果皮与种皮贴生。气微，味微苦。

| 功能主治 | 甘、苦，凉。清热解毒，止痒透疹，祛湿，杀虫。用于感冒，发热，疮疡肿毒，疥癣瘙痒，恶疮，虫蚕、蜘蛛咬伤。

| 用法用量 | 内服煎汤，30 ~ 60g。外用适量，煎汤洗；或捣烂蒸热用布包，滚胸背手脚心以透疹。

| 附　　注 | （1）在 FOC 中，本种的拉丁学名被修订为 *Chenopodium ficifolium* Smith。
（2）本种嫩苗可食，食用方法同“藜”。

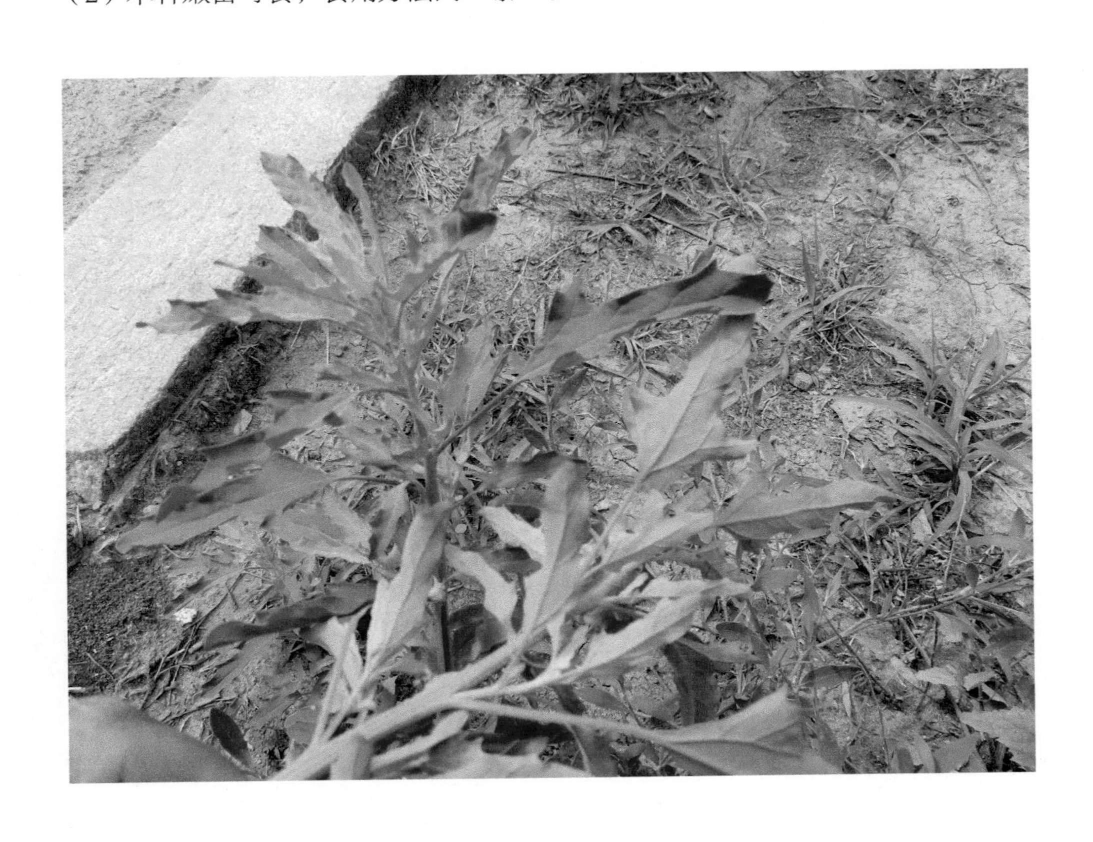

藜科 Chenopodiaceae 虫实属 *Corispermum*

兴安虫实 *Corispermum chinganicum* Iljin

| 药 材 名 | 虫实（药用部位：全草。别名：绵蓬、红蓬草）。

| 形态特征 | 植株高 10 ~ 50cm。茎直立，圆柱形，直径约 2.5mm，绿色或紫红色；由基部分枝，下部分枝较长，上升，上部分枝较短，斜展。叶条形，长 2 ~ 5cm，宽约 2mm，先端渐尖具小尖头，基部渐狭，1 脉。穗状花序顶生和侧生，细圆柱形，稍紧密，长（1.5 ~ ）4 ~ 5cm，直径 3 ~ 8mm，通常约 5mm；苞片披针形（少数花序基部的）至卵形或卵圆形，先端渐尖或骤尖，（1 ~ ）3 脉，具较宽的膜质边缘；花被片 3，近轴花被片 1，宽椭圆形，先端具不规则细齿，远轴花被片 2，小，近三角形，稀不存在；雄蕊 5，稍超出花被片。果实矩圆状倒卵形或宽椭圆形，长 2 ~ 4mm，宽 1.5 ~ 2mm，先端圆形，基部心形，背面凸起，中央稍微压扁，腹面扁平，无毛；果核椭圆形，

兴安虫实

黄绿色或米黄色，光亮，有时具少数深褐色斑点；喙尖为喙长的 1/4 ~ 1/3，粗短；果翅明显，浅黄色，不透明，全缘。花果期 6 ~ 8 月。

| **生境分布** | 生于湖边沙丘、半固定沙丘或草原。分布于吉林白城、松原、四平等。

| **资源情况** | 野生资源较丰富。药材主要来源于野生。

| **采收加工** | 夏、秋季采收，晒干。

| **功能主治** | 淡、微苦，凉。清湿热，利小便。用于小便不利，热涩疼痛，黄疸。

| **用法用量** | 内服煎汤，9 ~ 12g。

藜科 Chenopodiaceae 虫实属 *Corispermum*

长穗虫实 *Corispermum elongatum* Bunge

| 药 材 名 | 长穗虫实（药用部位：全草）。

| 形态特征 | 植株高 18 ~ 50cm。茎直立，圆柱形，直径 2 ~ 4mm，毛稀疏；分枝多，帚状，最下部分枝较长，上升，上部分枝通常斜展。叶条形，长 3 ~ 5cm，宽 2 ~ 4mm，先端渐尖，具小尖头，基部渐狭，1 脉，深绿色。穗状花序顶生和侧生，圆柱形，稀疏，延长，长 3 ~ 11cm，通常长 5 ~ 8cm，直径约 6mm；苞片披针形至卵形，先端骤尖，基部圆形，具白色膜质边缘，1 ~ 3 脉，绿色，果时毛脱落；花被片 3；雄蕊 5，花丝长超过花被片。果实矩圆状椭圆形，长 3.1 ~ 4mm，宽 2.5 ~ 3mm，先端具浅而阔的缺刻，基部圆楔形，背部凸起，中央压扁，腹面凹入，无毛；果核与果实同形，长 2.7 ~ 3.3mm，宽约 2mm，先端圆形，基部楔形；果喙较短，长 0.7mm，喙尖为喙长

长穗虫实

的 1/5 ~ 1/3，直立；翅较窄，宽 0.4 ~ 0.7mm，不透明，全缘。花果期 7 ~ 9 月。

| 生境分布 | 生于沙地、固定沙丘或沙丘边缘。分布于吉林白城、松原、四平等。

| 资源情况 | 野生资源较丰富。药材主要来源于野生。

| 采收加工 | 秋季采收，除去杂质，晒干。

| 功能主治 | 止血，敛疮，消肿。用于出血，疮痈。

藜科 Chenopodiaceae 地肤属 *Kochia*

地肤 *Kochia scoparia* (L.) Schrad.

地肤

| 植物别名 |

地白草、扫帚菜。

| 药 材 名 |

地肤子（药用部位：成熟果实。别名：扫帚苗）。

| 形态特征 |

一年生草本，高 50 ~ 100cm。根略呈纺锤形。茎直立，圆柱状，淡绿色或带紫红色，有多数条棱，稍有短柔毛或下部几无毛；分枝稀疏，斜上。叶为平面叶，披针形或条状披针形，长 2 ~ 5cm，宽 3 ~ 7mm，无毛或稍被毛，先端短渐尖，基部渐狭入短柄，通常有 3 明显的主脉，边缘疏生锈色绢状缘毛；茎上部叶较小，无柄，1 脉。花两性或雌性，通常 1 ~ 3 生于上部叶腋，构成疏穗状圆锥状花序，花下有时有锈色长柔毛；花被近球形，淡绿色，花被裂片近三角形，无毛或先端稍被毛；翅端附属物三角形至倒卵形，有时近扇形，膜质，脉不很明显，边缘微波状或具缺刻；花丝丝状，花药淡黄色；柱头 2，丝状，紫褐色，花柱极短。胞果扁球形，果皮膜质，与种子离生。种子卵形，黑褐色，长 1.5 ~ 2mm，稍有光泽；胚环形，胚乳块状。花期 6 ~ 9 月，果期 7 ~ 10 月。

| 生境分布 | 生于田边、路旁、荒地等处。分布于吉林白城（通榆、镇赉、洮南、大安）、松原（长岭、前郭尔罗斯）等。

| 资源情况 | 野生资源丰富。吉林有栽培。药材主要来源于野生。

| 采收加工 | 秋季果实成熟时采收植株，晒干，打下果实，除去杂质，再次晒干。

| 药材性状 | 本品呈扁球状五角星形，直径 1 ~ 3mm，外被宿存花被，表面灰绿色或浅棕色，周围具膜质小翅 5，背面中心有微凸起的点状果柄痕及放射状脉纹 5 ~ 10。剥离花被，可见膜质果皮，半透明。种子扁卵形，长约 1mm，黑色。气微，味微苦。以色灰绿、饱满、无枝叶杂质者为佳。

| 功能主治 | 甘、苦，寒。归肾、膀胱经。清热利湿，祛风止痒。用于小便涩痛，阴痒带下，风疹，湿疹，皮肤瘙痒。

| 用法用量 | 内服煎汤，9 ~ 15g；或入丸、散。外用适量，煎汤洗。

| 附　　注 | （1）本种在吉林作药用历史较久。在《通化县乡土志》（1910 年）、《辑安县志》（1931 年）、《（伪康德）通化县志》（1935 年）等二十余部地方志中均有关于“地肤”的记载。

（2）地肤子市场购销平稳。吉林资源较广，分布零散，难以形成商品，故无人购销。偶有少量药材商品产出，多为自产自销。

（3）嫩茎叶可食用，水焯蘸酱。

藜科 Chenopodiaceae 地肤属 *Kochia*

碱地肤 *Kochia scoparia* (L.) Schrad. var. *sieversiana* (Pall.) Ulbr. ex Aschers et Graebn.

| 植物别名 | 观音菜、孔雀松。

| 药 材 名 | 碱地肤（药用部位：果实）。

| 形态特征 | 一年生草本，高 50 ~ 100cm。根略呈纺锤形。茎直立，圆柱状，淡绿色或带紫红色，有多数条棱，稍被短柔毛或下部几无毛；分枝稀疏，斜上。叶为平面叶，披针形或条状披针形，长 2 ~ 5cm，宽 3 ~ 7mm，无毛或稍被毛，先端短渐尖，基部渐狭入短柄，通常有 3 明显的主脉，边缘有疏生的锈色绢状缘毛；茎上部叶较小，无柄，1 脉。花两性或雌性，通常 1 ~ 3 生于上部叶腋，构成疏穗状圆锥状花序，花下有较密的束生锈色柔毛；花被近球形，淡绿色，花被裂片近三角形，无毛或先端稍有毛；翅端附属物三角形至倒卵形，有时近扇形，膜质，脉不很明显，边缘微波状或具缺刻；花丝丝状，花药淡黄色；柱头 2，

碱地肤

丝状，紫褐色，花柱极短。胞果扁球形，果皮膜质，与种子离生。种子卵形，黑褐色，长 1.5 ~ 2mm，稍有光泽；胚环形，胚乳块状。花期 6 ~ 9 月，果期 7 ~ 10 月。

| 生境分布 |

生于山沟湿地、河滩、路边、海滨等处及草原带的盐碱草原、荒漠草原地带，长在碱性、砂质、砂砾质、栗钙土、棕钙土、灰钙土、淡灰钙土上，也长在荒漠带的盐渍化低地，常见于河谷冲积平原、阶地和湖滨。分布于吉林白城（洮北）、松原（乾安、长岭）、四平（梨树）等。

| 资源情况 |

野生资源较丰富。药材主要来源于野生。

| 采收加工 |

秋季采摘成熟果实，晒干。

| 功能主治 |

甘、苦，寒。归肾、膀胱经。清热利湿，祛风止痒。用于尿痛，尿急，小便不利，淋病，疝气，湿疹，疮毒，疥癣，阴囊潮湿。

| 用法用量 |

内服煎汤，9 ~ 15g；或入丸、散。外用适量，煎汤洗。

藜科 Chenopodiaceae 猪毛菜属 *Salsola*

猪毛菜 *Salsola collina* Pall.

| 植物别名 | 猪毛蒿、猪毛缨、扎蓬棵。

| 药 材 名 | 猪毛菜（药用部位：地上部分。别名：扎蓬棵、刺蓬、猪毛缨）。

| 形态特征 | 一年生草本，高 20 ~ 100cm。茎自基部分枝，枝互生，伸展，茎、枝绿色，有白色或紫红色条纹，生短硬毛或近无毛。叶片丝状圆柱形，伸展或微弯曲，长 2 ~ 5cm，宽 0.5 ~ 1.5mm，生短硬毛，先端有刺状尖，基部边缘膜质，稍扩展而下延。花序穗状，生于枝条上部；苞片卵形，顶部延伸，有刺状尖，边缘膜质，背部有白色隆脊；小苞片狭披针形，先端有刺状尖，苞片及小苞片与花序轴紧贴；花被片卵状披针形，膜质，先端尖，果时变硬，自背面中上部生鸡冠状突起；花被片在突起以上部分近革质，先端为膜质，向中央折曲成平面，紧贴果实，有时在中央聚集成小圆锥体；花药长 1 ~ 1.5mm；

猪毛菜

柱头丝状，长为花柱的 1.5 ～ 2 倍。种子横生或斜生。花期 7 ～ 9 月，果期 9 ～ 10 月。

| 生境分布 | 生于村边、路边及荒芜场所，耐寒、耐旱、耐盐碱，在碱性砂质土壤上生长最好。分布于吉林长春、吉林、辽源、白城、松原、四平、白山等。

| 资源情况 | 野生资源较丰富。药材主要来源于野生。

| 采收加工 | 夏季开花时，割取地上部分，切段，晒干。

| 药材性状 | 本品呈黄白色。叶多破碎，完整叶片呈丝状圆柱形，长 2 ～ 5cm，宽 0.5 ～ 1mm，先端有硬针刺。花序穗状，着生于枝上部，苞片硬，卵形，先端延伸成刺尖，边缘膜质，背部有白色隆脊；花被片先端向中央折曲，紧贴果实，在中央聚成小圆锥体。种子直径约 1.5mm，先端平。气微，味淡。

| 功能主治 | 甘，凉。归肝经。平肝潜阳，润肠通便。用于高血压，头痛，头晕，失眠，习惯性便秘。

| 用法用量 | 内服煎汤，15 ～ 30g；或开水泡后代茶饮。

| 附　　注 | （1）本种与单翅猪毛菜 *Salsola monoptera* Bunge 的形态相似，区别在于后者花药较小，长约 0.3mm；果时有 1 花被片生翅；植株较小。

（2）猪毛菜入药用量较小，市场走势难以得到商家的关注，价格变化不大。吉林虽然资源分布较广，但无商家收购。

（3）本种的幼苗及嫩茎叶，是东北地区农民采食的一种传统野菜，可供食用。

藜科 Chenopodiaceae 猪毛菜属 *Salsola*

刺沙蓬 *Salsola ruthenica* Iljin

| 植物别名 | 刺蓬、细叶猪毛菜。

| 药 材 名 | 刺沙蓬（药用部位：全草。别名：猪毛菜、大翅猪毛菜、扎蓬棵）。

| 形态特征 | 一年生草本，高 30 ~ 100cm。茎直立，自基部分枝，茎、枝生短硬毛或近无毛，有白色或紫红色条纹。叶片半圆柱形或圆柱形，无毛或有短硬毛，长 1.5 ~ 4cm，宽 1 ~ 1.5mm，先端有刺状尖，基部扩展，扩展处的边缘为膜质。花序穗状，生于枝条的上部；苞片长卵形，先端有刺状尖，基部边缘膜质，比小苞片长；小苞片卵形，先端有刺状尖；花被片长卵形，膜质，无毛，背面有 1 脉；花被片果时变硬，自背面中部生翅；翅 3 个较大，肾形或倒卵形，膜质，无色或淡紫红色，有数条粗壮而稀疏的脉，2 个较狭窄，花被果时（包括翅）直径 7 ~ 10mm；花被片在翅以上部分近革质，先端为薄膜质，

刺沙蓬

向中央聚集，包覆果实；柱头丝状，长为花柱的 3 ~ 4 倍。种子横生，直径约 2mm。花期 8 ~ 9 月，果期 9 ~ 10 月。

| 生境分布 | 生于河谷沙地、砾质戈壁、海边。分布于吉林白城（镇赉、通榆、洮南）、松原（长岭、前郭尔罗斯）等。

| 资源情况 | 野生资源较少。药材主要来源于野生。

| 采收加工 | 夏季开花时采收，除去泥土，切段，晒干。

| 药材性状 | 本品茎有棱，具短硬毛。叶片圆柱形，先端呈尖刺状，基部扩大，边缘膜质。枝上部为穗状花序；苞片、小苞片顶部都呈尖刺状；花被片硬，自背面中部生 5 翅，3 较大，2 较窄，向中央聚集，包于果实外，直径 7 ~ 10mm。种子直径约 2mm。气微，味苦。

| 功能主治 | 苦，凉。归肝、肾经。平肝，降血压。用于高血压引起的头痛、头晕。

| 用法用量 | 内服煎汤，15 ~ 30g；或用水烫后做菜吃。

| 附　　注 | 在 FOC 中，本种的拉丁学名被修订为 *Salsola tragus* Linnaeus。

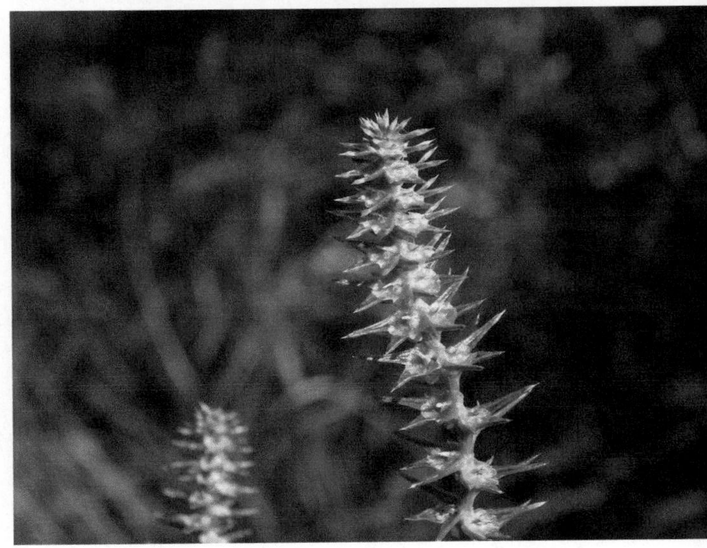

藜科 Chenopodiaceae 菠菜属 *Spinacia*

菠菜 *Spinacia oleracea* L.

| 植物别名 | 角菜、菠薐菜、菠薐。

| 药 材 名 | 菠菜（药用部位：全草。别名：波棱菜、赤根菜、波斯草）。

| 形态特征 | 植物高可达1m，无粉。根圆锥状，带红色，较少为白色。茎直立，中空，脆弱多汁，不分枝或有少数分枝。叶戟形至卵形，鲜绿色，柔嫩多汁，稍有光泽，全缘或有少数牙齿状裂片。雄花集成球形团伞花序，再于枝和茎的上部排列成有间断的穗状圆锥花序；花被片通常4，花丝丝形，扁平，花药不具附属物；雌花团集于叶腋；小苞片两侧稍扁，先端残留2小齿，背面通常各具1棘状附属物；子房球形，柱头4或5，外伸。胞果卵形或近圆形，直径约2.5mm，两侧扁；果皮褐色。

| 生境分布 | 生于田间。吉林无野生分布，各地作食材蔬菜有小规模田园栽培。

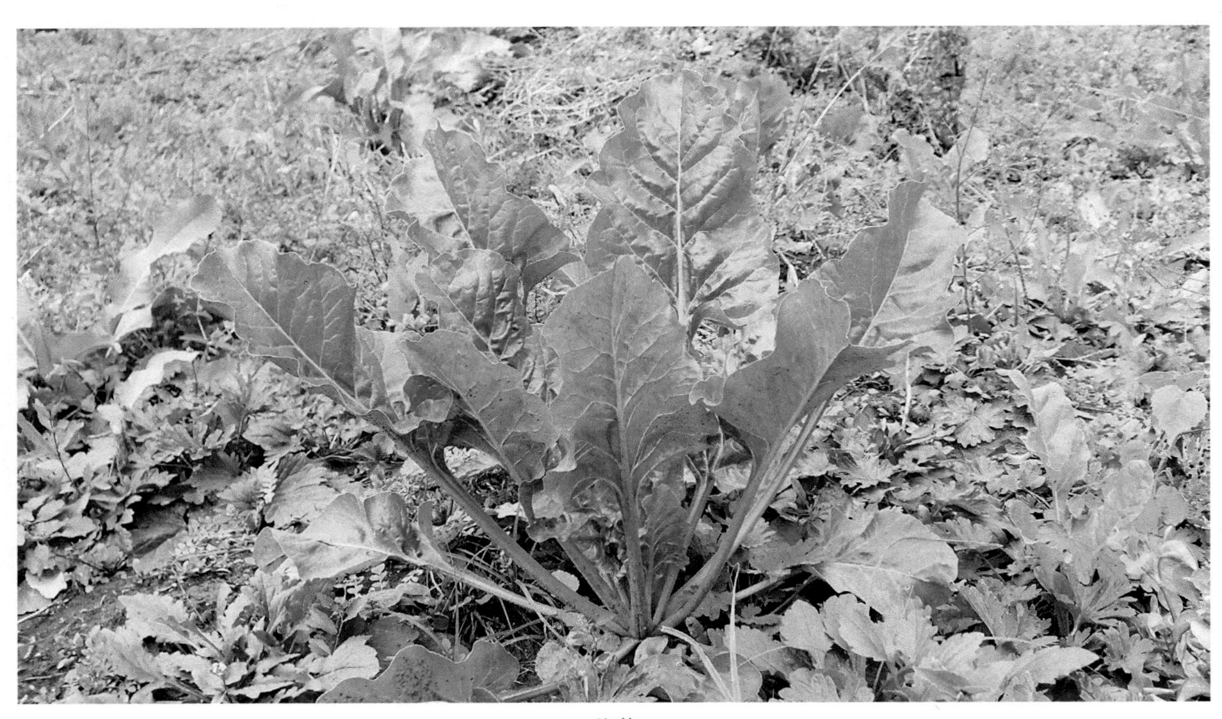

菠菜

| 资源情况 | 吉林广泛栽培。药材主要来源于栽培。

| 采收加工 | 春、夏、秋季均可采收，除去杂质，洗净，鲜用。

| 功能主治 | 甘，平。归肝、胃、大肠、小肠经。养血止血，敛阴平肝，润燥止咳，润肠。用于衄血，便血，贫血，坏血病，消渴引饮，大便滞涩，便秘，头痛，目眩。

| 用法用量 | 内服适量，煮食或研末；或捣汁。

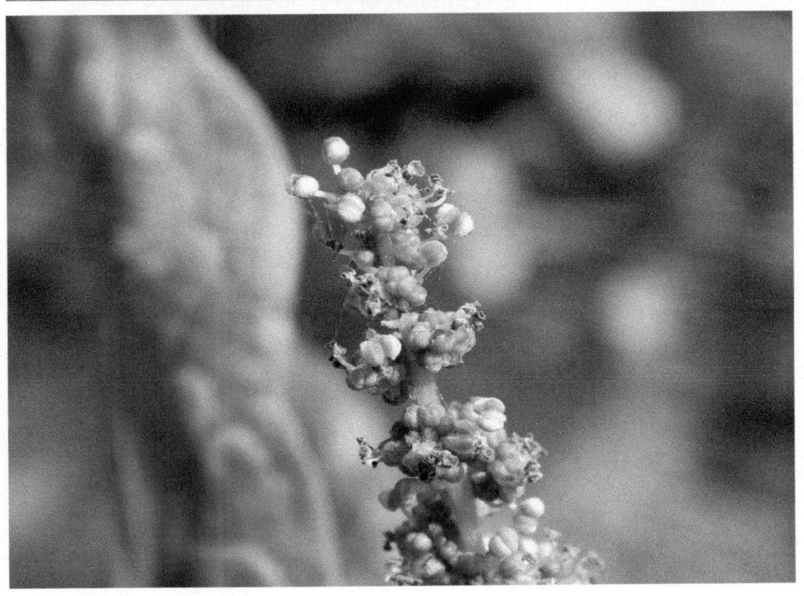

藜科 Chenopodiaceae 碱蓬属 *Suaeda*

碱蓬 *Suaeda glauca* (Bunge) Bunge

| 药 材 名 | 碱蓬（药用部位：全草）。

| 形态特征 | 一年生草本，高可达 1m。茎直立，粗壮，圆柱状，浅绿色，有条棱，上部多分枝；枝细长，上升或斜伸。叶丝状条形，半圆柱状，通常长 1.5 ~ 5cm，宽约 1.5mm，灰绿色，光滑无毛，稍向上弯曲，先端微尖，基部稍收缩。花两性，兼有雌性，单生或 2 ~ 5 团集，大多着生于叶的近基部处；两性花花被杯状，长 1 ~ 1.5mm，黄绿色；雌花花被近球形，直径约 0.7mm，较肥厚，灰绿色；花被裂片卵状三角形，先端钝，果时增厚，使花被略呈五角星状，干后变黑色；雄蕊 5，花药宽卵形至矩圆形，长约 0.9mm；柱头 2，黑褐色，稍外弯。胞果包在花被内，果皮膜质。种子横生或斜生，双凸镜形，黑色，直径约 2mm，周边钝或锐，表面具清晰的颗粒状点纹，稍有光泽；胚乳很少。花果期 7 ~ 9 月。

碱蓬

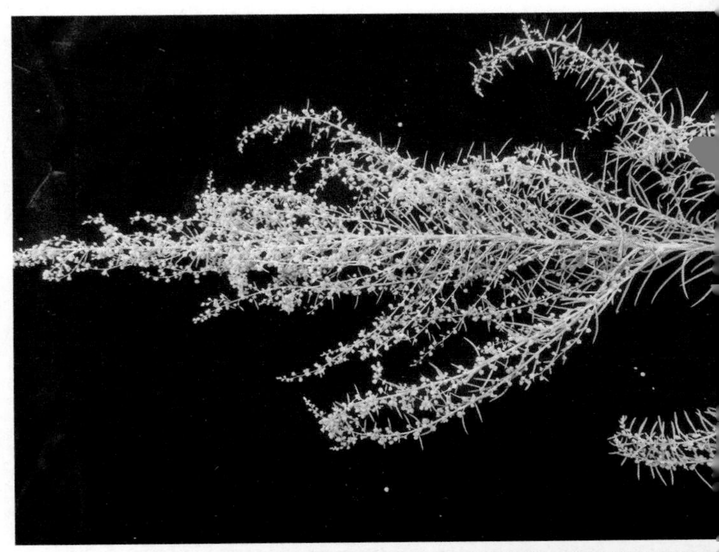

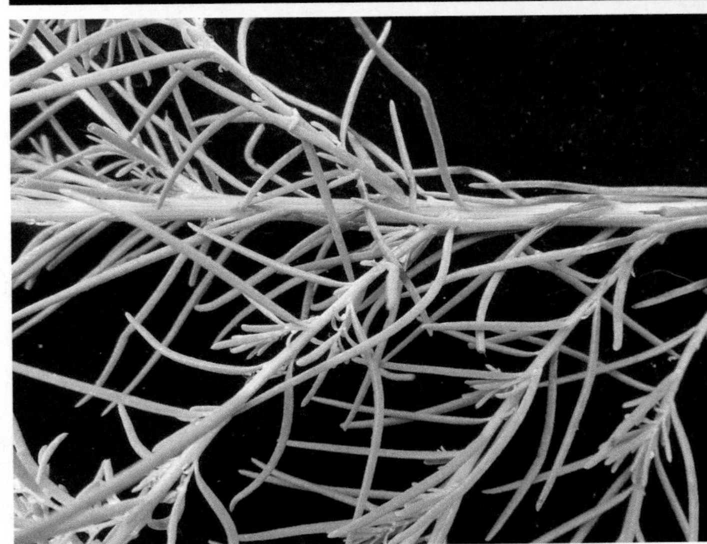

｜生境分布｜

生于湖滨、湿地、荒地、渠岸、田边等含盐碱的土壤上。分布于吉林白城（通榆、镇赉、洮南）、松原（前郭尔罗斯、长岭、扶余）、四平（双辽）等。

｜资源情况｜

野生资源较丰富。药材主要来源于野生。

｜采收加工｜

夏、秋季采收，除去杂质，晒干。

｜药材性状｜

本品茎呈圆柱状，浅绿色，粗壮，有条棱，上部多分枝，枝细长。叶多破碎，完整者呈丝状条形，灰黄色，无毛。偶尔可见花，多着生于叶基部。气微，味淡。

｜功能主治｜

微咸，微寒。归肾经。清热，消积。用于饮食积滞。

｜用法用量｜

内服煎汤，6 ~ 9g，鲜品 15 ~ 30g。

藜科 Chenopodiaceae 碱蓬属 *Suaeda*

盐地碱蓬 *Suaeda salsa* (L.) Pall.

| 植物别名 | 黄须菜、翅碱蓬。

| 药 材 名 | 盐地碱蓬（药用部位：全草）。

| 形态特征 | 一年生草本，高 20 ~ 80cm，绿色或紫红色。茎直立，圆柱状，黄褐色，有微条棱，无毛；分枝多集中于茎的上部，细瘦，开散或斜升。叶条形，半圆柱状，通常长 1 ~ 2.5cm，宽 1 ~ 2mm，先端尖或微钝，无柄，枝上部的叶较短。团伞花序通常含 3 ~ 5 花，腋生，在分枝上排列成有间断的穗状花序；小苞片卵形，几全缘；花两性，有时兼有雌性；花被半球形，底面平；裂片卵形，稍肉质，具膜质边缘，先端钝，果时背面稍增厚，有时并在基部延伸出三角形或狭翅状突出物；花药卵形或矩圆形，长 0.3 ~ 0.4mm；柱头 2，有乳头，通常带黑褐色，花柱不明显。胞果包于花被内；果皮膜质，果实成熟后常常破

盐地碱蓬

裂而露出种子。种子横生，双凸镜形或歪卵形，直径 0.8 ~ 1.5mm，黑色，有光泽，周边钝，表面具不清晰的网点纹。花果期 7 ~ 10 月。

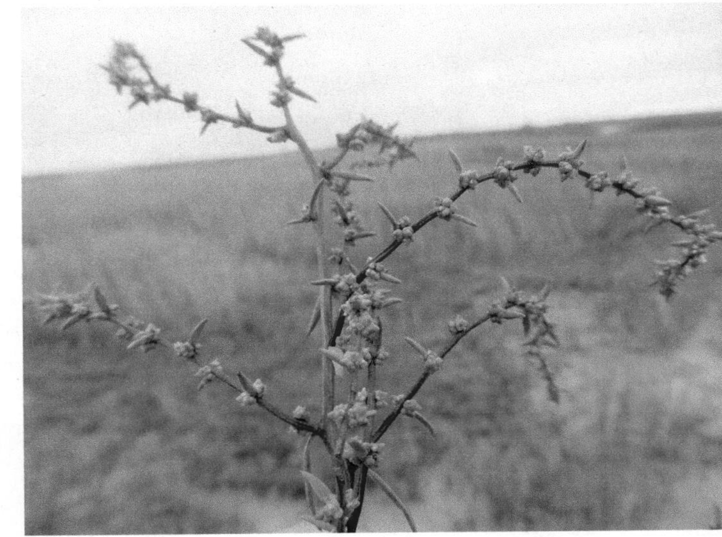

| **生境分布** |

生于盐碱地，在海滩及湖边常形成单种群落。分布于吉林白城（通榆、镇赉、洮南）、松原（前郭尔罗斯、长岭、扶余）、四平（双辽）等。

| **资源情况** |

野生资源丰富。药材主要来源于野生。

| **采收加工** |

夏、秋季采收，除去杂质，晒干。

| **功能主治** |

祛风湿，止痹痛。用于风湿痹痛。

苋科 Amaranthaceae 苋属 *Amaranthus*

白苋 *Amaranthus albus* L.

| 植物别名 | 绿苋菜、细枝苋。

| 药 材 名 | 白苋（药用部位：全草）。

| 形态特征 | 一年生草本，高 30 ~ 50cm。茎上升或直立，从基部分枝，分枝铺散，绿白色，有不明显棱角，无毛或具糙毛。叶片倒卵形或匙形，长 5 ~ 20mm，先端圆钝或微凹，具凸头，基部渐狭，边缘微波状，无毛；叶柄长 3 ~ 5mm，无毛。花簇腋生，或呈短顶生穗状花序，有 1 或数花；苞片及小苞片钻形，长 2 ~ 2.5mm，稍坚硬，先端长锥状锐尖，向外反曲，背面具龙骨；花被片长 1mm，比苞片短，稍呈薄膜状，雄花者矩圆形，先端长渐尖，雌花者矩圆形或钻形，先端短渐尖；雄蕊伸出花外；柱头 3。胞果扁平，倒卵形，长 1.2 ~ 1.5mm，黑褐色，皱缩，环状横裂；种子近球形，直径约 1mm，黑色至黑棕

白苋

色，边缘锐。花期 7 ~ 8 月，果期 9 月。

| 生境分布 |

生于住宅附近、路旁及杂草地上。吉林无野生分布，部分地区有栽培。

| 资源情况 |

吉林有栽培。药材主要来源于栽培。

| 采收加工 |

春、夏、秋季均可采收，洗净，鲜用或晒干。

| 功能主治 |

通便，开窍。用于大便不通。

苋科 Amaranthaceae 苋属 *Amaranthus*

尾穗苋 *Amaranthus caudatus* L.

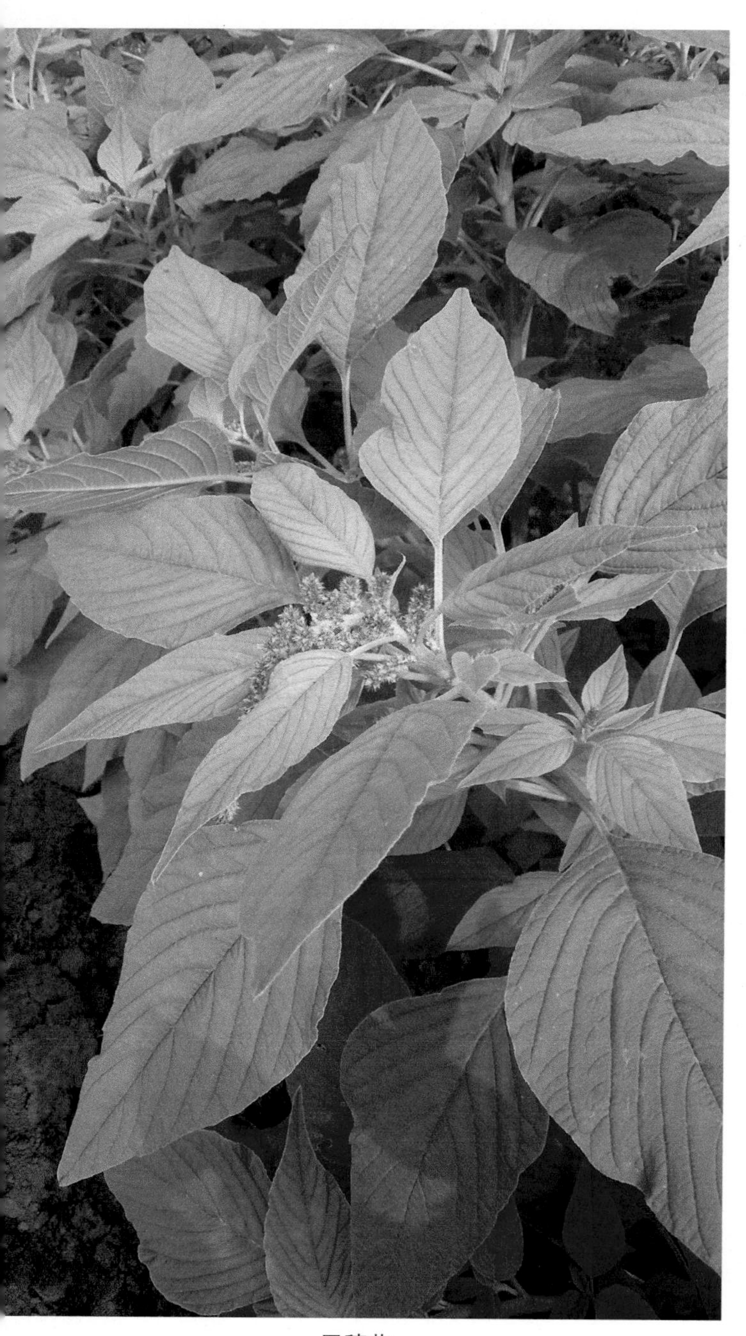
尾穗苋

| 植物别名 |

老枪谷、老仓谷、仙人谷。

| 药 材 名 |

老枪谷根（药用部位：根）、老枪谷子（药用部位：种子）。

| 形态特征 |

一年生草本，高达 1.5m。茎直立，粗壮，具钝棱角，单一或稍分枝，绿色或常带粉红色，幼时有短柔毛，后渐脱落。叶片菱状卵形或菱状披针形，长 4 ~ 15cm，宽 2 ~ 8cm，先端短渐尖或圆钝，具凸尖，基部宽楔形，稍不对称，全缘或波状缘，绿色或红色，除在叶脉上稍有柔毛外，两面无毛；叶柄长 1 ~ 15cm，绿色或粉红色，疏生柔毛。圆锥花序顶生，下垂，有多数分枝，中央分枝特长，由多数穗状花序形成，先端钝，花密集成雌花和雄花混生的花簇；苞片及小苞片披针形，长 3mm，红色，透明，先端尾尖，边缘有疏齿，背面有 1 中脉；花被片长 2 ~ 2.5mm，红色，透明，先端具凸尖，边缘互压，有 1 中脉，雄花的花被片矩圆形，雌花的花被片矩圆状披针形；雄蕊稍超出；柱头 3，长不及 1mm。胞果近球形，直径 3mm，上半部红色，超出花被片；种子近球形，直径 1mm，淡棕黄色，有厚的环。花期 7 ~ 8 月，果期 9 ~ 10 月。

| 生境分布 | 生于路旁、荒地、山坡、田边及住宅附近。吉林各地均有分布。

| 资源情况 | 野生资源较丰富。药材主要来源于野生。

| 采收加工 | 老枪谷根：秋季采挖，除去茎叶及泥沙，晒干。

老枪谷子：秋季果实成熟时剪下果穗，晒干，搓下种子，干燥。

| 药材性状 | 老枪谷子：本品近球形，直径 1mm，淡棕黄色，具环状厚边，略有光泽。气微，味淡。

| 功能主治 | 老枪谷根：甘，平。归脾、肾经。健脾益血，滋补强壮。用于贫血，头昏，四肢无力，小儿疳积。

老枪谷子：辛，凉。清热透表。用于小儿水痘，麻疹。

| 用法用量 | 老枪谷根：内服煎汤，10 ~ 30g。

老枪谷子：内服煎汤，3 ~ 6g。

| 附　　注 | 本种与繁穗苋 *Amaranthus paniculatus* L. 的形态极相近，区别在于本种花穗下垂，中央分枝特长，先端芒刺不明显，花被片比胞果短，叶片先端较钝。

苋科 Amaranthaceae 苋属 *Amaranthus*

凹头苋 *Amaranthus lividus* L.

| 植物别名 | 野苋菜、苋菜。

| 药 材 名 | 凹头苋（药用部位：全草。别名：野苋菜、光苋菜、细苋）、野苋子（药用部位：种子。别名：苋菜子、青葙子、西风谷）。

| 形态特征 | 一年生草本，高 10 ~ 30cm，全体无毛。茎伏卧而上升，从基部分枝，淡绿色或紫红色。叶片卵形或菱状卵形，长 1.5 ~ 4.5cm，宽 1 ~ 3cm，先端凹缺，有 1 芒尖，或微小不显，基部宽楔形，全缘或稍呈波状；叶柄长 1 ~ 3.5cm。花呈腋生花簇，直至下部叶的腋部，生于茎端和枝端者呈直立穗状花序或圆锥状花序；苞片及小苞片矩圆形，长不及 1mm；花被片矩圆形或披针形，长 1.2 ~ 1.5mm，淡绿色，先端急尖，边缘内曲，背部有 1 隆起中脉；雄蕊比花被片稍短；柱头 2 或 3，果熟时脱落。胞果扁卵形，长 3mm，不裂，微皱缩而近平滑，超出宿存花被片；种子环形，直径约 12mm，黑色至黑褐色，边缘

凹头苋

具环状边。花期 7 ~ 8 月，果期 8 ~ 9 月。

| 生境分布 | 生于田间地头、房前屋后、路边及荒地。吉林各地均有分布。

| 资源情况 | 野生资源丰富。药材主要来源于野生。

| 采收加工 | 凹头苋：夏、秋季采收，除去杂质，晒干。

野苋子：秋季果实成熟时采割植株或摘取果穗，晒干，收集种子，除去杂质。

| 药材性状 | 凹头苋：本品主根较直，呈圆锥状。茎分枝，易折断，淡绿色。叶片皱缩，易碎，少有完整，展平后卵形，先端凹缺。穗状花序。胞果扁卵形，不裂，近平滑。气微，味淡。

野苋子：本品呈环形，直径 0.8 ~ 1.5mm。表面红黑色至黑褐色，边缘具环状边。气微，味淡。

| 功能主治 | 凹头苋：甘、淡，凉。清热利湿。用于肠炎，痢疾，咽炎，乳腺炎，痔疮肿痛出血，毒蛇咬伤。

野苋子：清肝明目，利尿。用于肝热目赤，翳障，小便不利。

| 用法用量 | 凹头苋：内服煎汤，12 ~ 18g。外用适量，捣敷。

野苋子：内服煎汤，6 ~ 12g。

| 附 注 | （1）在 FOC 中，本种的拉丁学名被修订为 *Amaranthus blitum* Linnaeus。

（2）本种与皱果苋 *Amaranthus viridis* L. 的形态相似，区别在于本种的茎伏卧而上升，由基部分枝，胞果微皱缩而近平滑。

（3）本种幼苗可食用。

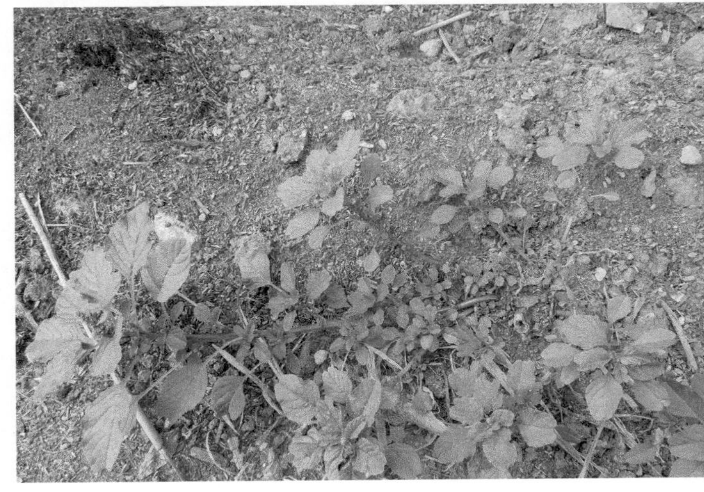

苋科 Amaranthaceae 苋属 *Amaranthus*

繁穗苋 *Amaranthus paniculatus* L.

| 植物别名 | 天雪米、鸦谷。

| 药 材 名 | 红粘谷子（药用部位：种子。别名：红粘谷）。

| 形态特征 | 一年生草本，高达 1.5m。茎直立，粗壮，具钝棱角，单一或稍分枝，绿色或常带粉红色，幼时有短柔毛，后渐脱落。叶片菱状卵形或菱状披针形，长 4 ~ 15cm，宽 2 ~ 8cm，先端短渐尖或圆钝，具凸尖，基部宽楔形，稍不对称，全缘或波状缘，绿色或红色，除在叶脉上稍有柔毛外，两面无毛；叶柄长 1 ~ 15cm，绿色或粉红色，疏生柔毛。圆锥花序直立或以后下垂，花穗先端尖；苞片及花被片先端芒刺明显；花被片和胞果等长，由多数穗状花序形成，先端钝，花密集成雌花和雄花混生的花簇；雌花苞片为花被片长的 1.5 倍；花被片长 2 ~ 2.5mm，红色，透明，先端圆钝，边缘互压，有 1 中脉，

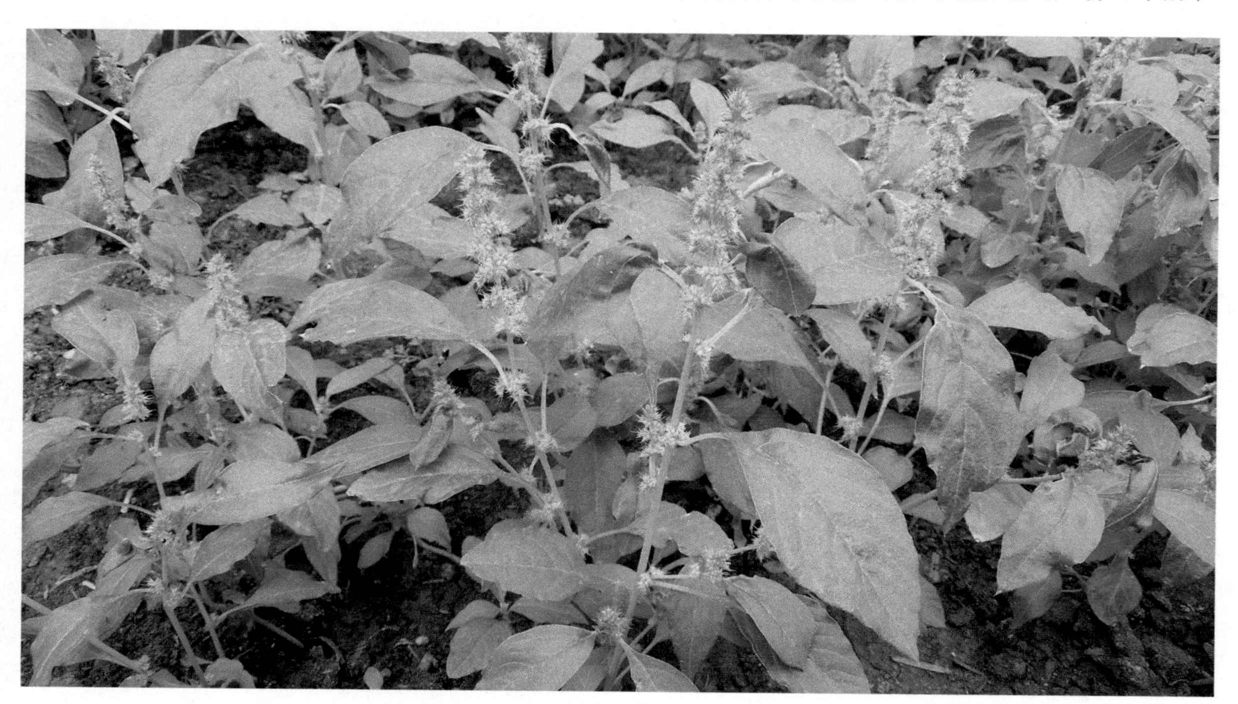

繁穗苋

雄花的花被片矩圆形，雌花的花被片矩圆状披针形；雄蕊稍凸出；柱头 3，长不及 1mm。胞果近球形，直径 3mm，上半部红色，超出花被片；种子近球形，直径 1mm，淡棕黄色，有厚的环。花期 6 ~ 7 月，果期 9 ~ 10 月。

| 生境分布 | 生于田间地头、路边、村庄附近及荒地。吉林各地均有分布。

| 资源情况 | 野生资源较丰富。药材主要来源于野生。

| 采收加工 | 秋季果实成熟时采割植株或摘取果穗，晒干，收集种子，除去杂质，晒干。

| 药材性状 | 本品呈球形，直径 0.5 ~ 1.2mm，黄色或浅黄色，具环状边，边缘钝，略有光泽。气微，味淡。

| 功能主治 | 微甘，凉。清热解毒，活血消肿，止痛。用于痢疾，胁痛，跌打损伤，痈疮肿毒。

| 用法用量 | 内服煎汤，9 ~ 15g。

| 附　　注 | 本种和尾穗苋 *Amaranthus caudatus* L. 的形态相近，区别在于本种圆锥花序直立或以后下垂，花穗先端尖；苞片及花被片先端芒刺明显；花被片和胞果等长。本种又与千穗谷 *Amaranthus hypochondriacus* L. 的形态相近，区别在于本种雌花苞片为花被片长的 1.5 倍，花被片先端圆钝，花期 6 ~ 7 月，果期 9 ~ 10 月。

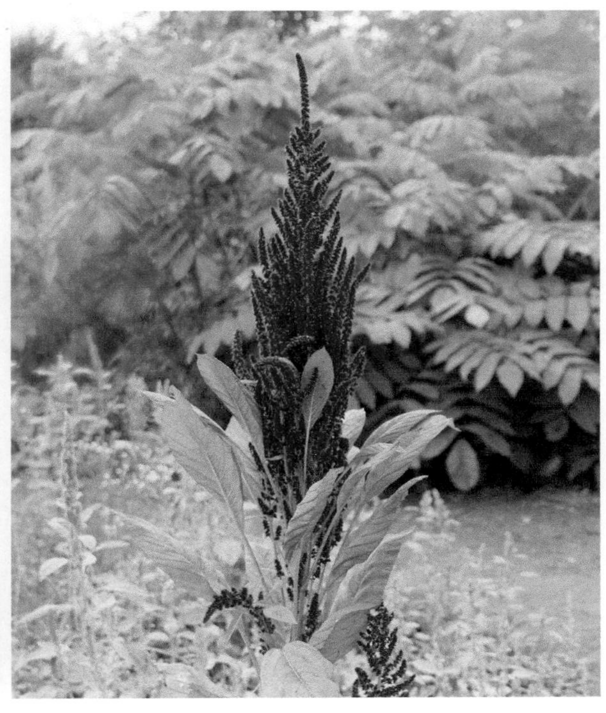

苋科 Amaranthaceae 苋属 *Amaranthus*

反枝苋 *Amaranthus retroflexus* L.

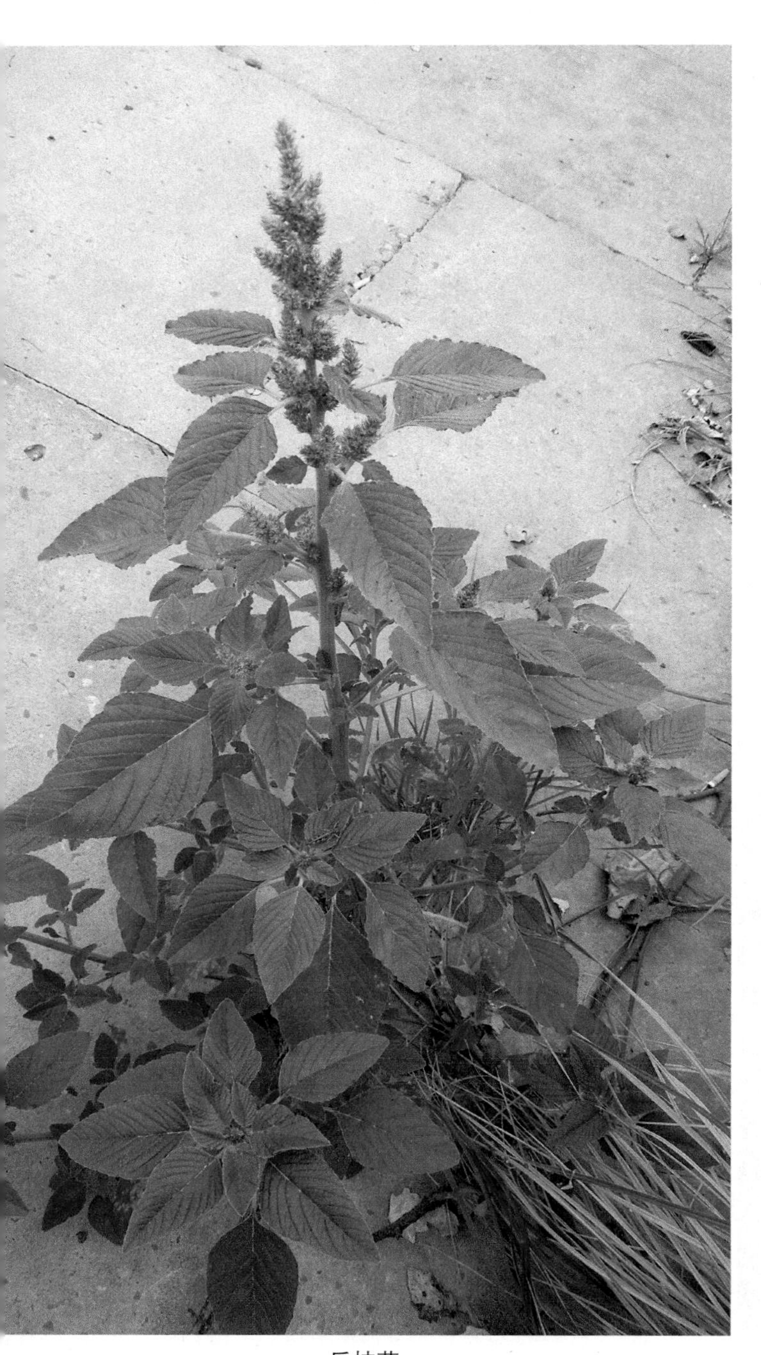
反枝苋

| 植物别名 |

野苋、野苋菜、西风谷。

| 药 材 名 |

野苋菜（药用部位：全草。别名：野苋、光苋菜）、野苋子（药用部位：种子。别名：苋菜子、青葙子、西风谷）。

| 形态特征 |

一年生草本，高 20 ~ 80cm，有时超过 1m。茎直立，粗壮，单一或分枝，淡绿色，有时具带紫色条纹，稍具钝棱，密生短柔毛。叶片菱状卵形或椭圆状卵形，长 5 ~ 12cm，宽 2 ~ 5cm，先端锐尖或尖凹，有小凸尖，基部楔形，全缘或具波状缘，两面及边缘有柔毛，下面毛较密；叶柄长 1.5 ~ 5.5cm，淡绿色，有时淡紫色，有柔毛。圆锥花序顶生及腋生，直立，直径 2 ~ 4cm，由多数穗状花序形成，顶生花穗较侧生者长；苞片及小苞片钻形，长 4 ~ 6mm，白色，背面有 1 龙骨状突起，伸出先端成白色尖芒；花被片矩圆形或矩圆状倒卵形，长 2 ~ 2.5mm，薄膜质，白色，有 1 淡绿色细中脉，先端急尖或尖凹，具凸尖；雄蕊比花被片稍长；柱头 3，有时 2。胞果扁卵形，长约 1.5mm，环状横裂，薄膜质，淡绿色，包裹在宿存花被片内；种子近球形，直径 1mm，棕色或黑色，边缘钝。花期 7 ~ 8 月，果期 8 ~ 9 月。

| 生境分布 | 生于田间地头、房前屋后、路边及荒地、草地，有时生于瓦房上。吉林各地均有分布。

| 资源情况 | 野生资源丰富。药材主要来源于野生。

| 采收加工 | 野苋菜：夏、秋季采收，除去杂质，洗净，鲜用或晒干。
野苋子：同“凹头苋”。

| 药材性状 | 野苋菜：本品主根较直。茎稍具钝棱，被短柔毛。叶片皱缩，展平后呈菱状卵形或椭圆形，长 5 ~ 12cm，宽 2 ~ 5cm，先端微凸，具小凸尖，两面和边缘有柔毛；叶柄长 1.5 ~ 5.5cm。圆锥花序。胞果扁卵形，盖裂。气微，味淡。
野苋子：同“凹头苋”。

| 功能主治 | 野苋菜：甘、淡，微寒。归大肠、小肠经。清热解毒，利湿消肿，凉血止血。用于泄泻，痢疾，痔疮肿痛出血，发热，头痛，身痛，目赤肿痛，尿黄不利。
野苋子：同“凹头苋”。

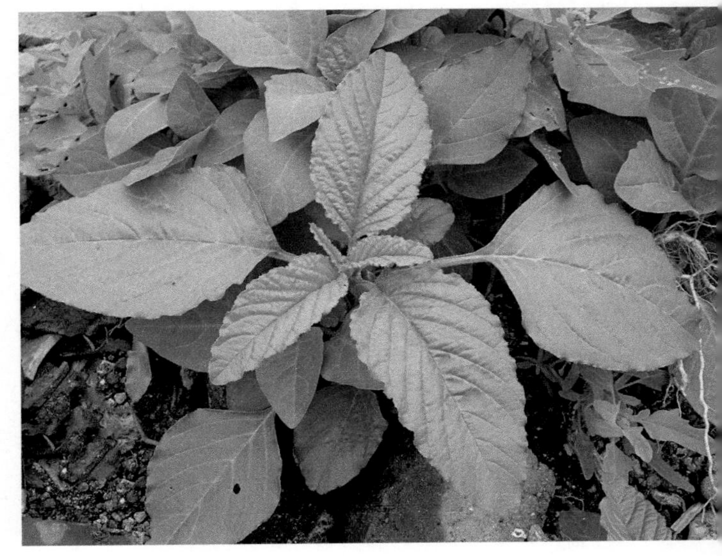

| 用法用量 | 野苋菜：内服煎汤，9 ~ 30g；或捣汁。外用适量，捣敷。
野苋子：同“凹头苋”。

| 附　　注 | 本种嫩茎叶为野菜，可食用，也可作家畜饲料。

苋科 Amaranthaceae 苋属 *Amaranthus*

苋 *Amaranthus tricolor* L.

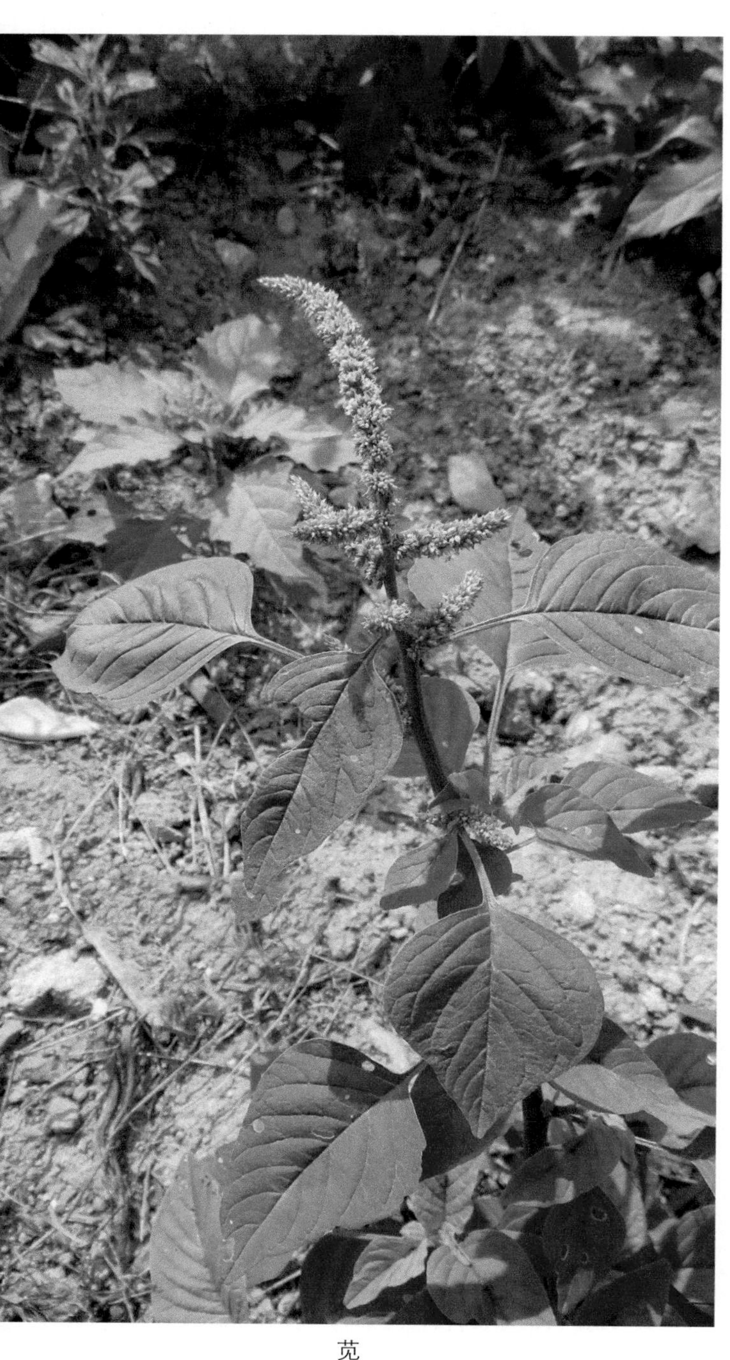

苋

| 植物别名 |

苋菜、三色苋、雁来红。

| 药 材 名 |

苋（药用部位：茎叶。别名：雁来红、苋菜、人苋）。

| 形态特征 |

一年生草本，高 80 ~ 150cm。茎粗壮，绿色或红色，常分枝，幼时有毛或无毛。叶片卵形、菱状卵形或披针形，长 4 ~ 10cm，宽 2 ~ 7cm，绿色或常呈红色、紫色、黄色，或部分绿色夹杂其他颜色，先端圆钝或尖凹，具凸尖，基部楔形，全缘或具波状缘，无毛；叶柄长 2 ~ 6cm，绿色或红色。花簇腋生，直到下部叶，或同时具顶生花簇，呈下垂的穗状花序；花簇球形，直径 5 ~ 15mm，雄花和雌花混生；苞片及小苞片卵状披针形，长 2.5 ~ 3mm，透明，先端有 1 长芒尖，背面具 1 绿色或红色隆起中脉；花被片矩圆形，长3 ~ 4mm，绿色或黄绿色，先端有1长芒尖，背面具 1 绿色或紫色隆起中脉；雄蕊比花被片长或短。胞果卵状矩圆形，长 2 ~ 2.5mm，环状横裂，包裹在宿存花被片内；种子近圆形或倒卵形，直径约 1mm，黑色或黑棕色，边缘钝。花期 5 ~ 8 月，果期 7 ~ 9 月。

| **生境分布** | 生于田园、村庄附近路旁、草甸及沟旁等地。吉林各地均有分布。

| **资源情况** | 野生资源丰富。药材主要来源于野生。

| **采收加工** | 夏、秋季采收，除去杂质，洗净，鲜用或晒干。

| **药材性状** | 本品茎常分枝，绿色或红色。叶互生，叶片皱缩，展平后呈菱状卵形至披针形，长 4 ~ 10cm，宽 2 ~ 7cm，先端钝或尖凹，具凸尖，绿色或红色、紫色、黄色，或绿色带有彩斑；叶柄长 2 ~ 6cm。穗状花序。胞果卵状矩圆形，盖裂。气微，味淡。

| **功能主治** | 微甘，凉。归大肠、小肠经。清热解毒，通利二便。用于痢疾，二便不通，蛇虫螫伤，疮毒。

| **用法用量** | 内服煎汤，30 ~ 60g；或煮粥。外用适量，捣敷；或煎汤熏洗。

| **附　　注** | 本种嫩茎叶为野菜，可食用，也可作家畜饲料。

苋科 Amaranthaceae 苋属 *Amaranthus*

皱果苋 *Amaranthus viridis* L.

皱果苋

|植物别名|

细苋、猪苋、绿苋。

|药 材 名|

白苋（药用部位：全草。别名：细苋、糠苋、野苋）。

|形态特征|

一年生草本，高 40 ~ 80cm，全体无毛。茎直立，有不明显棱角，稍有分枝，绿色或带紫色。叶片卵形、卵状矩圆形或卵状椭圆形，长 3 ~ 9cm，宽 2.5 ~ 6cm，先端尖凹或凹缺，少数圆钝，有 1 芒尖，基部宽楔形或近截形，全缘或微呈波状；叶柄长 3 ~ 6cm，绿色或带紫红色。圆锥花序顶生，长 6 ~ 12cm，宽 1.5 ~ 3cm，有分枝，由穗状花序形成，圆柱形，细长，直立，顶生花穗比侧生者长；总花梗长 2 ~ 2.5cm；苞片及小苞片披针形，雄蕊比花被片短；柱头 2 或 3。胞果扁球形，直径约 2mm；种子近球形，黑色或黑褐色，具薄且锐的环状边缘。花期 7 ~ 8 月，果期 8 ~ 9 月。

|生境分布|

生于房屋附近的杂草地上或田野间。分布于

吉林通化（通化、辉南、靖宇、梅河口）、白山（靖宇、抚松）、长春等。

| 资源情况 | 野生资源较丰富。药材主要来源于野生。

| 采收加工 | 夏、秋季采收，除去杂质，晒干。

| 药材性状 | 本品主根呈圆锥形。全体紫红色或棕红色。茎长40 ~ 80cm，分枝较少。叶互生，叶片皱缩，展平后呈卵形至卵状矩圆形，长2 ~ 9cm，宽2.5 ~ 6cm，先端圆钝而微凹，具小芒尖，基部近楔形；叶柄长3 ~ 6cm。穗状花序腋生。胞果扁球形，不裂，极皱缩，超出宿存花被片。种子细小，褐色或黑色，略有光泽。气微，味淡。

| 功能主治 | 甘、淡，微寒。归大肠、小肠经。清热利湿。用于细菌性痢疾，肠炎，泄泻，乳痈，痔疮肿痛。

| 用法用量 | 内服煎汤，15 ~ 30g，鲜品倍量；或捣烂绞汁。外用适量，捣敷；或煅研外擦；或煎汤熏洗。

苋科 Amaranthaceae 青葙属 *Celosia*

青葙 *Celosia argentea* L.

|植物别名| 狗尾草、百日红、鸡冠花。

|药 材 名| 青葙子（药用部位：种子）。

|形态特征| 一年生草本，高 0.3 ~ 1m，全体无毛。茎直立，有分枝，绿色或红色，具明显条纹。叶片矩圆披针形、披针形或披针状条形，少数卵状矩圆形，长 5 ~ 8cm，宽 1 ~ 3cm，绿色常带红色，先端急尖或渐尖，具小芒尖，基部渐狭；叶柄长 2 ~ 15mm，或无叶柄。花多数，密生，在茎端或枝端呈单一、无分枝的塔状或圆柱状穗状花序，长 3 ~ 10cm；苞片及小苞片披针形，长 3 ~ 4mm，白色，光亮，先端渐尖，延长成细芒，具 1 中脉，在背部隆起；花被片矩圆状披针形，长 6 ~ 10mm，初为白色，先端带红色，或全部粉红色，后成白色，先端渐尖，具 1 中脉，在背面凸起；花丝长 5 ~ 6mm，分离部分长

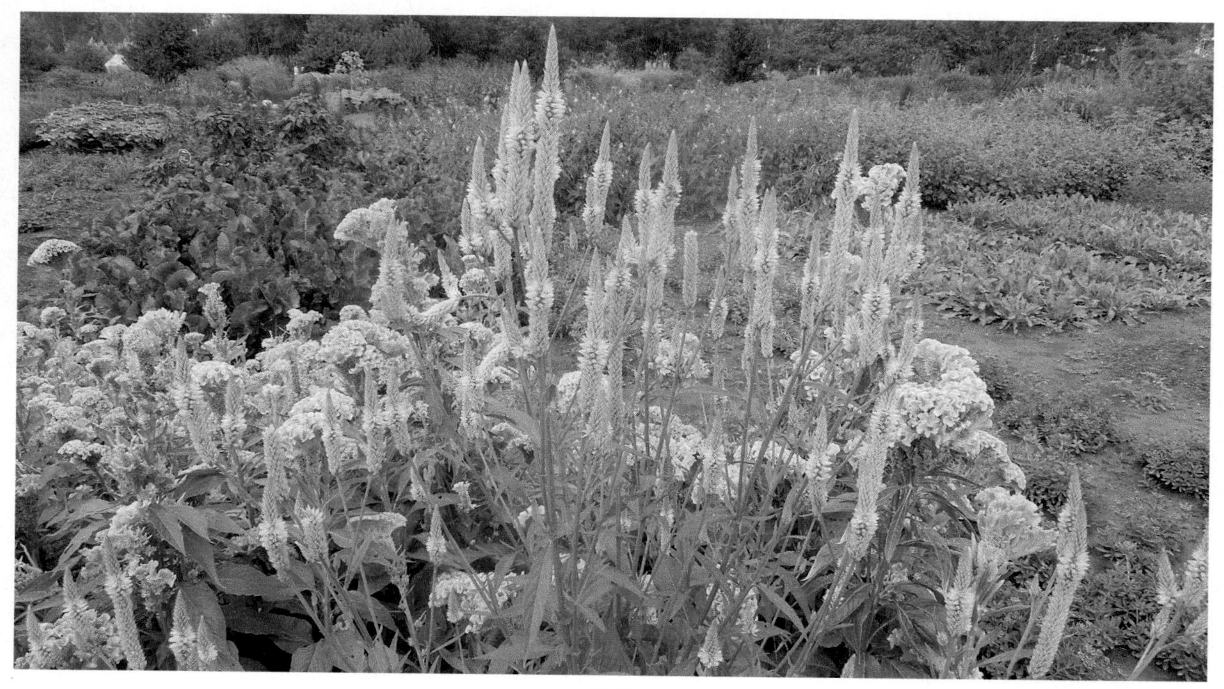

青葙

2.5 ~ 3mm，花药紫色；子房有短柄，花柱紫色，长 3 ~ 5mm。胞果卵形，长 3 ~ 3.5mm，包裹在宿存花被片内；种子凸透镜状肾形，直径约 1.5mm。花期 5 ~ 8 月，果期 6 ~ 10 月。

| 生境分布 | 生于平原、田边、丘陵、山坡、荒野路旁、山沟、河滩、沙丘等疏松土壤上，也生于坡地、路边较干燥的向阳处。吉林各地均有分布，东部、中部部分地区有栽培。

| 资源情况 | 野生资源较丰富。吉林有栽培。药材主要来源于野生。

| 采收加工 | 秋季果实成熟时采割植株或摘取果穗，晒干，收集种子，除去杂质，再次晒干。

| 药材性状 | 本品呈扁圆形，少数呈圆肾形，直径 1 ~ 1.5mm。表面黑色或红黑色，光亮，中间微隆起，侧边微凹处有种脐。种皮薄而脆。气微，味淡。以色黑光亮、饱满者佳。

| 功能主治 | 苦，微寒。归肝经。清肝泻火，明目退翳。用于肝热目赤，目生翳膜，视物昏花，肝火眩晕。

| 用法用量 | 内服煎汤，9 ~ 15g。外用适量，研末调敷；或捣汁灌鼻。

| 附　　注 | 青葙子市场价格平稳，走势一般。吉林九台、梨树等地曾作为药材栽培过，但因为产量太低，早已弃种。目前吉林的青葙子资源多为野生或逸生，亦有作观赏花卉零星种植的，无药材商品产出。

苋科 Amaranthaceae 青葙属 *Celosia*

鸡冠花 *Celosia cristata* L.

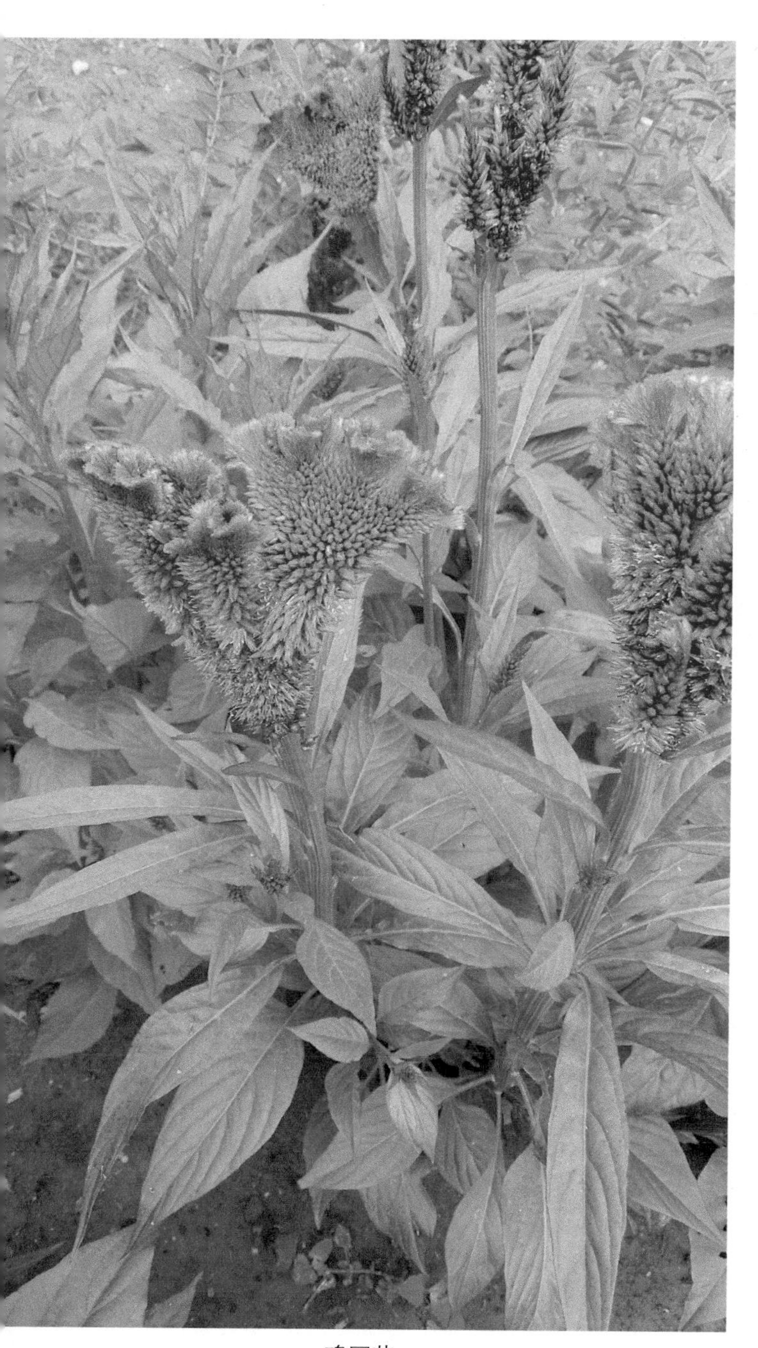

鸡冠花

|药 材 名|

鸡冠花（药用部位：花序。别名：鸡公花、鸡髻花、鸡冠头）。

|形态特征|

一年生草本，高0.3～1m，全体无毛。茎直立，有分枝，绿色或红色，具明显条纹。叶片卵形、卵状披针形或披针形，宽2～6cm。花多数，极密生，呈扁平肉质鸡冠状、卷冠状或羽毛状的穗状花序，1个大花序下面有数个较小的分枝，圆锥状矩圆形，表面羽毛状；花被片红色、紫色、黄色、橙色或红黄相间。花果期7～9月。

|生境分布|

生于田间、绿化带或住宅附近。分布于吉林延边、白山、通化、长春、吉林、辽源等，吉林各地均有栽培。

|资源情况|

野生资源较少。吉林广泛栽培。药材主要来源于栽培。

|采收加工|

秋季花盛开时采收，晒干。

| 药材性状 |

本品为穗状花序，多扁平而肥厚，呈鸡冠状，长 8 ~ 25cm，宽 5 ~ 20cm，上缘宽，具皱褶，密生线状鳞片，下端渐窄，常残留扁平的茎，表面红色、紫红色或黄白色；中部以下密生多数小花，每花宿存的苞片和花被片均呈膜质。果实盖裂；种子扁圆肾形，黑色，有光泽。体轻，质柔韧。气微，味淡。以朵大而扁、色泽鲜艳的白鸡冠花较佳，色红者次之。

| 功能主治 |

甘、涩，凉。归肝、大肠经。收敛止血，止带，止痢。用于吐血，崩漏，便血，痔血，赤白带下，久痢不止。

| 用法用量 |

内服煎汤，6 ~ 12g；或入丸、散。外用适量，煎汤熏洗。

| 附　　注 |

（1）鸡冠花在吉林药用历史较久。在《辉南县志》（1927 年）、《怀德县志（民国三年）》（1929 年）、《榆树县志》（1943 年）等多部地方志中均有关于“鸡冠花”的记载。

（2）本种为常见观赏花卉，全国各地随处可见，但作为药材商品产出量不大。吉林省内也广有栽培，却无人当作药材采收，应加大宣传以提高收购力度。

苋科 Amaranthaceae 千日红属 *Gomphrena*

千日红 *Gomphrena globosa* L.

| 植物别名 | 火球花、百日红。

| 药 材 名 | 千日红（药用部位：花序。别名：百日红、千日白、千年红）。

| 形态特征 | 一年生直立草本，高 20 ～ 60cm。茎粗壮，有分枝，枝略呈四棱形，有灰色糙毛，幼时更密，节部稍膨大。叶片纸质，长椭圆形或矩圆状倒卵形，长 3.5 ～ 13cm，宽 1.5 ～ 5cm，先端急尖或圆钝，凸尖，基部渐狭，边缘波状，两面有小斑点、白色长柔毛及缘毛；叶柄长 1 ～ 1.5cm，有灰色长柔毛。花多数，密生，呈顶生球形或矩圆形头状花序，单一或 2 ～ 3，直径 2 ～ 2.5cm，常紫红色，有时淡紫色或白色；总苞具 2 绿色对生叶状苞片，卵形或心形，长 1 ～ 1.5cm，两面有灰色长柔毛；苞片卵形，长 3 ～ 5mm，白色，先端紫红色；小苞片三角状披针形，长 1 ～ 1.2cm，紫红色，内面凹陷，先端渐

千日红

尖，背棱有细锯齿缘；花被片披针形，长 5 ~ 6cm，不展开，先端渐尖，外面密生白色绵毛，花期后不变硬；雄蕊花丝联合成管状，先端 5 浅裂，花药生于裂片的内面，微伸出；花柱条形，比雄蕊管短，柱头 2，叉状分枝。胞果近球形，直径 2 ~ 2.5mm；种子肾形，棕色，光亮。花果期 6 ~ 9 月。

| 生境分布 | 生于花坛、庭院等。吉林无野生分布，各地均可栽培。

| 资源情况 | 吉林偶见栽培。药材主要来源于栽培。

| 采收加工 | 夏、秋季采摘花序，晒干。

| 药材性状 | 本品头状花序单生或 2 ~ 3 并生，球形或近长圆形，直径 2 ~ 2.5cm。鲜时紫红色、淡红色或白色，干后棕色或棕红色；总苞 2，叶状；每花基部有干膜质卵形苞片 1，三角状披针形；小苞片 2，紫红色，背棱有明显细锯齿；花被片 5，披针形，外面密被白色绵毛；干后花被片部分脱落。有时可见胞果，近圆形，含细小种子 1；种皮棕黑色，有光泽。气微，味淡。

| 功能主治 | 甘、微咸，平。归肺、肝经。止咳平喘，清肝明目，解毒。用于咳嗽，哮喘，百日咳，小儿夜啼，目赤肿痛，肝热头晕，头痛，痢疾，疮疖。

| 用法用量 | 内服煎汤，3 ~ 9g。外用适量，捣敷；或煎汤洗。

仙人掌科 Cactaceae 量天尺属 *Hylocereus*

量天尺 *Hylocereus undatus* (Haw.) Britt. et Rose

| 植物别名 | 火龙果、三角火旺、三棱箭。

| 药 材 名 | 量天尺（药用部位：花、茎。别名：霸王鞭、霸王花、剑花）。

| 形态特征 | 攀缘肉质灌木，长 3 ~ 15m，具气根。分枝多数，延伸，具 3 角或棱，长 0.2 ~ 0.5m，宽 3 ~ 8（~ 12）cm，棱常翅状，边缘波状或圆齿状，深绿色至淡蓝绿色，无毛，老枝边缘常胼胀状，淡褐色，骨质；小窠沿棱排列，相距 3 ~ 5cm，直径约 2mm，每小窠具 1 ~ 3 开展的硬刺；刺锥形，长 2 ~ 5（~ 10）mm，灰褐色至黑色。花漏斗状，长 25 ~ 30cm，直径 15 ~ 25cm，于夜间开放；花托及花托筒密被淡绿色或黄绿色鳞片，鳞片卵状披针形至披针形，长 2 ~ 5cm，宽 0.7 ~ 1cm；萼状花被片黄绿色，线形至线状披针形，长 10 ~ 15cm，宽 0.3 ~ 0.7cm，先端渐尖，有短尖头，全缘，通常

量天尺

反曲；瓣状花被片白色，长圆状倒披针形，长 12 ~ 15cm，宽 4 ~ 5.5cm，先端急尖，具 1 芒尖，全缘或呈啮蚀状，开展；花丝黄白色，长 5 ~ 7.5cm；花药长 4.5 ~ 5mm，淡黄色；花柱黄白色，长 17.5 ~ 20cm，直径 6 ~ 7.5mm；柱头 20 ~ 24，线形，长 3 ~ 3.3mm，先端长渐尖，开展，黄白色。浆果红色，长球形，长 7 ~ 12cm，直径 5 ~ 10cm，果脐小，果肉白色；种子倒卵形，长 2mm，宽 1mm，厚 0.8mm，黑色，种脐小。花期 7 ~ 12 月。

| 生境分布 | 生于山坡或温室，常攀缘生长。吉林无野生分布，各地均可栽培。

| 资源情况 | 吉林偶见栽培。药材主要来源于栽培。

| 采收加工 | 夏、秋季采花，晒干。全年均可采茎，多鲜用。

| 功能主治 | 花，甘、淡，微凉。清热，润肺，止咳。用于肺结核，支气管炎，颈淋巴结结核。茎，甘、淡，微凉。舒筋活络，解毒。外用于骨折，腮腺炎，疮肿。

| 用法用量 | 花，内服煎汤，15 ~ 30g；或与猪瘦肉煮汤吃。鲜茎，外用适量，去皮刺，捣敷。

仙人掌科 Cactaceae 仙人掌属 *Opuntia*

仙人掌 *Opuntia stricta* (Haw.) Haw. var. *dillenii* (Ker-Gawl.) Benson

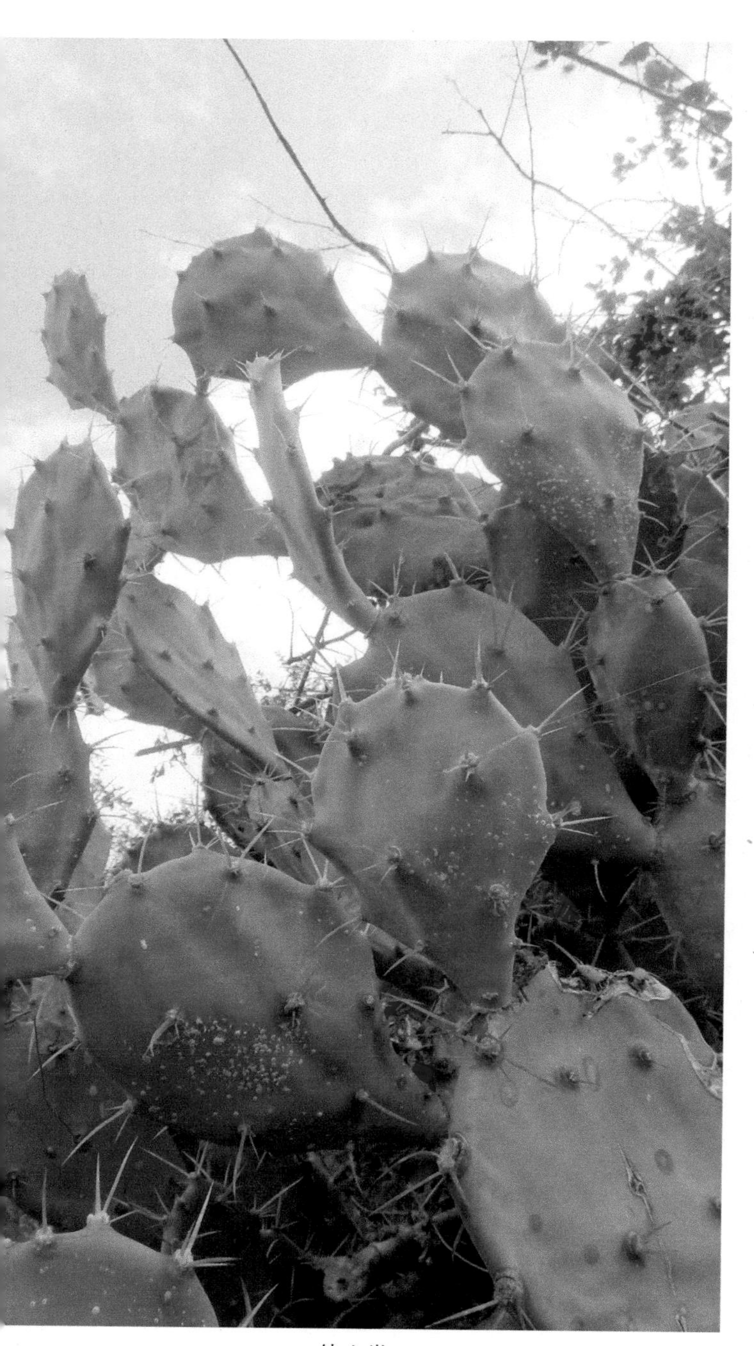

仙人掌

| 药 材 名 |

仙人掌（药用部位：地上部分。别名：仙巴掌、霸王树、玉芙蓉）。

| 形态特征 |

从生肉质灌木，高（1 ~ ）1.5 ~ 3m。上部分枝宽倒卵形、倒卵状椭圆形或近圆形，长10 ~ 35（ ~ 40）cm，宽7.5 ~ 20（ ~ 25）cm，厚达1.2 ~ 2cm，先端圆形，边缘通常呈不规则波状，基部楔形或渐狭，绿色至蓝绿色，无毛；小窠疏生，直径0.2 ~ 0.9cm，明显凸出，成长后刺常增粗并增多，每小窠具（1 ~ ）3 ~ 10（ ~ 20）刺，密生短绵毛和倒刺刚毛；刺黄色，有淡褐色横纹，粗钻形，多少开展并内弯，基部扁，坚硬，长1.2 ~ 4（ ~ 6）cm，宽1 ~ 1.5mm；倒刺刚毛暗褐色，长2 ~ 5mm，直立，多少宿存；短绵毛灰色，短于倒刺刚毛，宿存。叶钻形，长4 ~ 6mm，绿色，早落。花辐状，直径5 ~ 6.5cm；花托倒卵形，长3.3 ~ 3.5cm，直径1.7 ~ 2.2cm，先端截形并凹陷，基部渐狭，绿色，疏生凸出的小窠，小窠具短绵毛、倒刺刚毛和钻形刺；萼状花被片宽倒卵形至狭倒卵形，长10 ~ 25mm，宽6 ~ 12mm，先端急尖或圆形，具小尖头，黄色，具绿色中肋；瓣状花被片倒卵形或匙状倒卵形，长 25 ~ 30mm，宽 12 ~ 23mm，先端圆形、截形或微凹，全缘或呈浅啮蚀状；花丝淡黄色，长 9 ~ 11m；花药长约 1.5mm，黄色；花柱长 11 ~ 18mm，直径 1.5 ~ 2mm，淡黄色；柱头 5，长 4.5 ~ 5mm，黄白色。浆果倒卵球形，先端凹陷，基部多少狭缩成柄状，长 4 ~ 6cm，直径 2.5 ~ 4cm，表面平滑无毛，紫红色，每侧具 5 ~ 10 凸起的小窠，小窠具短绵毛、倒刺刚毛和钻形刺；种子多数，扁圆形，长 4 ~ 6mm，宽 4 ~ 4.5cm，厚约 2mm，边缘稍不规则，无毛，淡黄褐色。花期 6 ~ 10（ ~ 12）月。

| 生境分布 | 生于庭院。吉林无野生分布，各地均可栽培。

| 资源情况 | 吉林省偶见栽培。药材主要来源于栽培。

| 采收加工 | 全年均可采收，鲜用或切片晒干。

| 药材性状 | 本品呈长条状或长条扭曲状，长 7 ~ 20cm，宽 0.5 ~ 2cm，厚 0.2 ~ 1cm。表面灰绿色，有棕色或褐色斑块，光滑或少有折皱。散在隆起的棕色圆点或窝状针刺脱落的痕迹；质脆，易折断，断面粗糙，略显粉性，灰黄色、灰绿色或淡棕色。气微，味淡。

| 功能主治 | 苦，寒。归胃、肺、大肠经。润燥止渴，清热解毒，行气活血。用于消渴，疮疡肿毒。

| 用法用量 | 内服煎汤，10 ~ 30g；或焙干研末，3 ~ 6g。外用适量，鲜品捣敷。

| 附　　注 | 本种药材已被列入 2019 年版《吉林省中药材标准》第二册。

木兰科 Magnoliaceae 木兰属 *Magnolia*

天女木兰 *Magnolia sieboldii* K. Koch

|植物别名| 天女花、小花木兰、山牡丹。

|药 材 名| 木兰花（药用部位：花蕾。别名：天女花）。

|形态特征| 落叶小乔木，高可达 10m。当年生小枝细长，直径约 3mm，淡灰褐色，初被银灰色平伏长柔毛。叶膜质，倒卵形或宽倒卵形，长（6 ~）9 ~ 15（~ 25）cm，宽 4 ~ 9（~ 12）cm，先端骤狭急尖或短渐尖，基部阔楔形、钝圆、平截或近心形，上面中脉及侧脉被弯曲柔毛，下面苍白色，通常被褐色及白色多细胞毛，散生金黄色小点，中脉及侧脉被白色长绢毛，侧脉每边 6 ~ 8；叶柄长 1 ~ 4（~ 6.5）cm，被褐色及白色平伏长毛；托叶痕长约为叶柄的 1/2。花与叶同时开放，白色，芳香，杯状，盛开时碟状，直径 7 ~ 10cm；花梗长 3 ~ 7cm，密被褐色及灰白色平伏长柔毛，着生平展或稍垂的花朵；花被片 9，

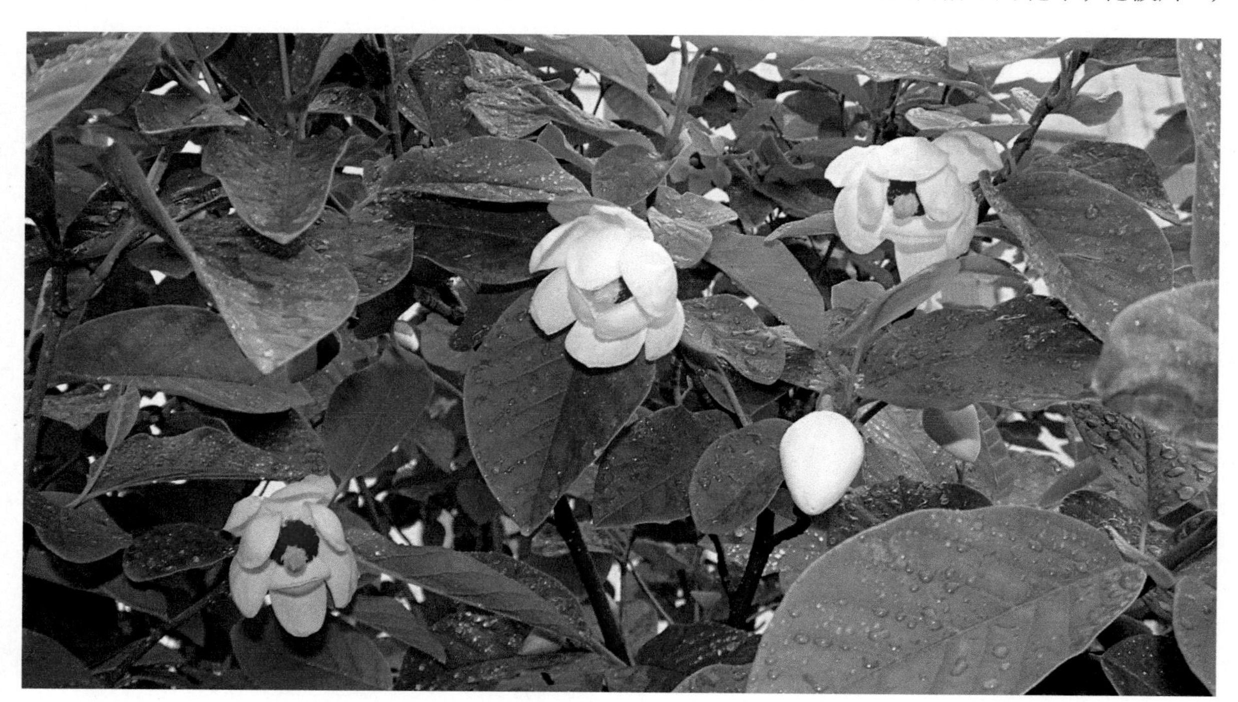

天女木兰

近等大，外轮 3 长圆状倒卵形或倒卵形，长 4 ~ 6cm，宽 2.5 ~ 3.5cm，基部被白色毛，先端宽圆或圆，内两轮 6，较狭小，基部渐狭成短爪；雄蕊紫红色，长 9 ~ 11mm，花药长约 6mm，两药室邻接，内向纵裂，先端微凹或药隔平，不伸出，花丝长 3 ~ 4mm；雌蕊群椭圆形，绿色，长约 1.5cm。聚合果成熟时红色，倒卵圆形或长圆体形，长 2 ~ 7cm；蓇葖果狭椭圆体形，长约 1cm，沿背缝线两瓣全裂，先端具长约 2mm 的喙；种子心形，外种皮红色，内种皮褐色，长与宽均 6 ~ 7mm，顶孔细小末端具尖。

| 生境分布 | 生于山坡、林缘。分布于吉林白山、通化等。

| 资源情况 | 野生资源稀少。药材主要来源于野生。

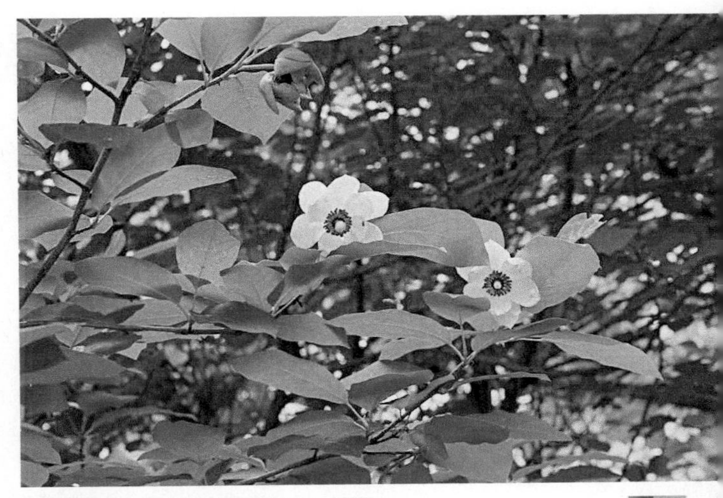

| 采收加工 | 6 ~ 7 月间，将花连蒂一同采收，最好午后采摘，阴干，避免暴晒。

| 药材性状 | 本品略呈圆锥状。花被片外表面紫棕色，有毛茸，内表面黄棕色；雄蕊多数，花丝紫褐色；雌蕊心皮少数，离生，紫黑色。气清香，味淡。

| 功能主治 | 苦，寒。归肝、脾经。消肿解毒，祛风散寒，润肺止咳，化痰。用于痈毒，肺热咳嗽，痰中带血，鼻炎。

| 用法用量 | 内服煎汤，15 ~ 30g。

| 附　　注 | 本种为吉林省 I 级重点保护野生植物。

木兰科 Magnoliaceae 含笑属 *Michelia*

白兰 *Michelia alba* DC.

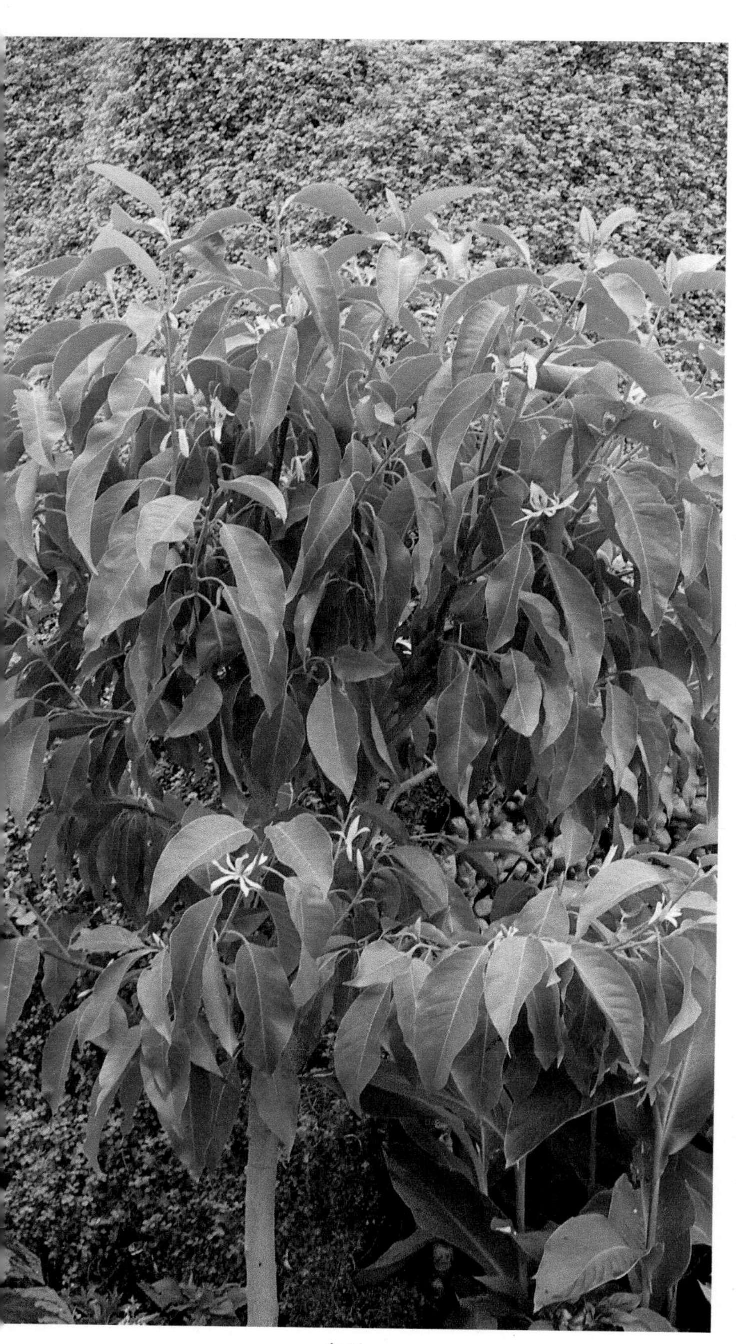
白兰

| 植物别名 |

白缅花、缅桂花、白玉兰。

| 药 材 名 |

白兰花（药用部位：花、叶。别名：白兰花、白玉兰）。

| 形态特征 |

常绿乔木，高达 17m。枝广展，树冠阔伞形；胸径可达 50cm；树皮灰色；揉枝叶有芳香；嫩枝及芽密被淡黄白色微柔毛，老时毛渐脱落。叶薄革质，长椭圆形或披针状椭圆形，长 10 ~ 27cm，宽 4 ~ 9.5cm，先端长渐尖或尾状渐尖，基部楔形，上面无毛，下面疏生微柔毛，干时两面网脉均很明显；叶柄长 1.5 ~ 2cm，疏被微柔毛；托叶痕达叶柄中部。花白色，极香；花被片 10，披针形，长 3 ~ 4cm，宽 3 ~ 5mm；雄蕊的药隔伸出长尖头；雌蕊群被微柔毛，雌蕊群柄长约 4mm，心皮多数，通常部分不发育，成熟时随着花托的延伸，形成蓇葖果疏生的聚合果。蓇葖果成熟时鲜红色。花期 4 ~ 9 月，夏季盛开，通常不结果实。

| 生境分布 | 生于山坡。吉林无野生分布，各地均可栽培。

| 资源情况 | 吉林偶见栽培。药材主要来源于栽培。

| 采收加工 | 夏、秋季开花时采收花，鲜用或晒干。夏、秋季采摘叶，洗净，鲜用或晒干。

| 药材性状 | 本品花呈狭钟形，长 2 ~ 3cm，红棕色至棕褐色；花被片多为 12，外轮狭披针形，内轮较小；雄蕊多数，花药条形，淡黄棕色，花丝短，易脱落；心皮多数，分离，柱头褐色，外弯，花柱密被灰黄色细绒毛。花梗长 2 ~ 6mm，密被灰黄色细绒毛。质脆，易破碎。气芳香，味淡。

| 功能主治 | 花，苦、辛，微温。行气，止咳。用于胸闷腹胀，中暑，咳嗽，前列腺炎，带下。叶，苦、辛，平。清热利尿，止咳化痰。用于泌尿系统感染，小便不利，支气管炎。

| 用法用量 | 花，内服煎汤，6 ~ 9g。叶，内服煎汤，9 ~ 30g。外用适量，鲜品捣敷。

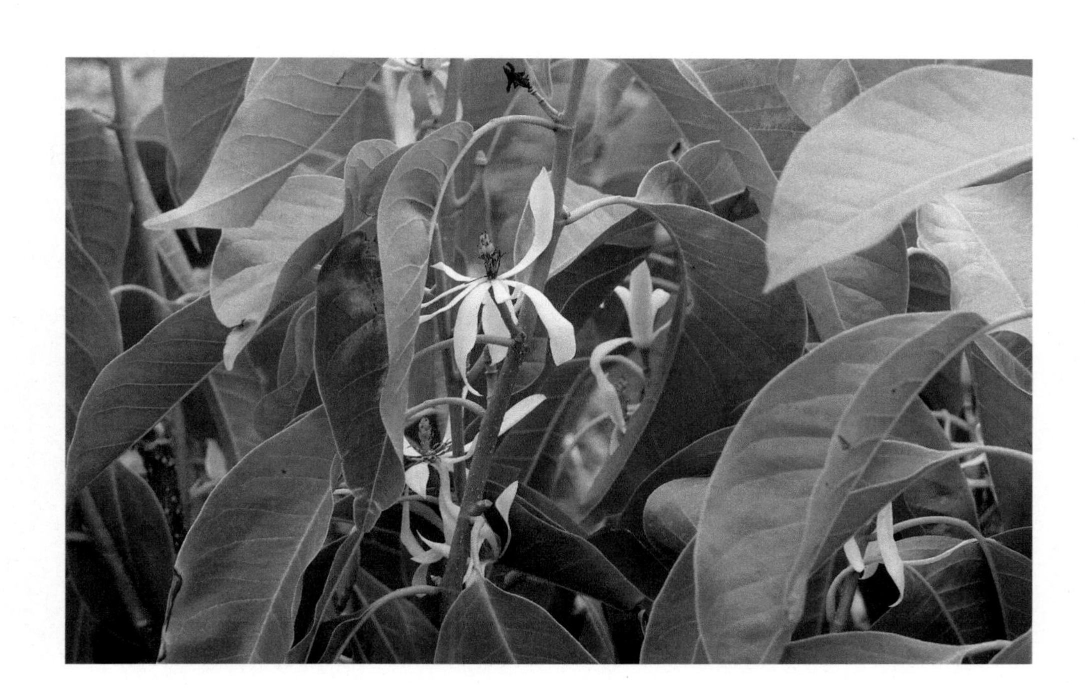

樟科 Lauraceae 山胡椒属 *Lindera*

三桠乌药 *Lindera obtusiloba* Bl.

| 植物别名 | 三叶钓樟、三钻七。

| 药 材 名 | 三钻风（药用部位：树皮。别名：山胡椒、三钻七）。

| 形态特征 | 落叶乔木或灌木，高 3 ~ 10m。树皮黑棕色；小枝黄绿色，当年生枝条较平滑，有纵纹，老枝渐多木栓质皮孔、褐斑及纵裂。芽卵形，先端渐尖；外鳞片 3，革质，黄褐色，无毛，椭圆形，先端尖，长 0.6 ~ 0.9cm，宽 0.6 ~ 0.7cm；内鳞片 3，有淡棕黄色厚绢毛；有时为混合芽，内有叶芽及花芽。叶互生，近圆形至扁圆形，长 5.5 ~ 10cm，宽 4.8 ~ 10.8cm，先端急尖，全缘或 3 裂，常明显 3 裂，基部近圆形或心形，有时宽楔形，上面深绿色，下面绿苍白色，有时带红色，被棕黄色柔毛或近无毛；三出脉，偶有五出脉，网脉明显；叶柄长 1.5 ~ 2.8cm，被黄白色柔毛。花序腋生，混合芽椭圆形，先

三桠乌药

端亦急尖；外面的 2 芽鳞革质，棕黄色，有皱纹，无毛，内面鳞片近革质，被贴服微柔毛；花芽内具无总梗花序 5 ~ 6，混合芽内有花芽 1 ~ 2；总苞片 4，长椭圆形，膜质，外面被长柔毛，内面无毛，内具花 5。（未开放的）雄花花被片 6，长椭圆形，外被长柔毛，内面无毛；能育雄蕊 9，花丝无毛，第 3 轮的基部着生 2 具长柄宽肾形角突的腺体，第 2 轮的基部有时也有 1 腺体；退化雌蕊长椭圆形，无毛，花柱、柱头不分，成 1 小凸尖。雌花花被片 6，长椭圆形，长 2.5mm，宽 1mm，内轮略短，外面背脊部被长柔毛，内面无毛，退化雄蕊条片形，第 1.2 轮长 1.7mm，第 3 轮长 1.5mm，基部有 2 具长柄腺体，其柄基部与退化雄蕊基部合生；子房椭圆形，长 2.2mm，直径 1mm，无毛，花柱短，长不及 1mm，花未开放时沿子房向下弯曲。果实广椭圆形，长 0.8cm，直径 0.5 ~ 0.6cm，成熟时红色，后变紫黑色，干时黑褐色。花期 3 ~ 4 月，果期 8 ~ 9 月。

| 生境分布 | 生于海拔 20 ~ 3000m 的山谷、密林灌丛中。分布于吉林延边、白山、通化等。

| 资源情况 | 野生资源较少。药材主要来源于野生。

| 采收加工 | 全年均可采收，晒干或鲜用。

| 药材性状 | 本品呈细卷筒状，长 16 ~ 25cm，宽 2cm，厚 1.5 ~ 2mm。外表面灰褐色，粗糙，具不规则细纵纹和斑块状纹理，有凸起的类圆形小皮孔，栓皮脱落或刮去后较平滑，棕黄色至红棕色；内表面红棕色，平坦，可见细纵纹，划之略显油痕。质硬脆，折断面较平坦。外层棕黄色，内层红棕色而略带油质。气微香，味淡、微辛。

| 功能主治 | 辛，温。归胃、肝经。温中行气，活血散瘀。用于心腹疼痛，跌打损伤，瘀血肿痛，疮毒。

| 用法用量 | 内服煎汤，5 ~ 10g。外用适量，捣敷。

毛茛科 Ranunculaceae 乌头属 *Aconitum*

两色乌头 *Aconitum alboviolaceum* Kom.

| 药 材 名 | 两色乌头（药用部位：块根）。

| 形态特征 | 多年生草本。根圆柱形，长 10 ~ 15cm。茎缠绕，长 1 ~ 2.5m，疏被反曲的短柔毛或变无毛。基生叶 1，与茎下部叶具长柄，茎上部叶变小，具较短柄；叶片五角状肾形，长 6.5 ~ 9.5（~ 18）cm，宽 9.5 ~ 17（~ 25）cm，基部心形，3 深裂稍超过中部或近中部，深裂片互相稍分开，中央深裂片菱状倒梯形、宽菱形或菱形，先端钝或微尖，稀短渐尖，不分裂或上部不明显 3 浅裂，边缘自中部以上具粗牙齿，侧深裂片斜扇形，不等 2 浅裂近中部，上浅裂片似中深裂片，两面被极稀疏的短伏毛。总状花序长 6 ~ 14cm。具 3 ~ 8 花；花序轴及花梗密被伸展的短柔毛；苞片线形，长 3 ~ 3.5mm；花梗长 9mm；小苞片生于花梗的基部或中部，形状似苞片，但较小；

两色乌头

萼片淡紫色或近白色，被伸展的柔毛，上萼片圆筒形，长 1.3 ~ 2cm，中部直径 2.8 ~ 5mm，喙短，稍向下弯，下缘长 1 ~ 1.3cm；花瓣无毛，与上萼片近等长，距细，比唇长，拳卷；雄蕊无毛，花丝全缘；心皮 3，子房疏被伸展的短毛或无毛。蓇葖果直立，长约 1.2cm；种子倒圆锥状三角形，长约 2.5mm，生横狭翅。8 ~ 9 月开花。

| 生境分布 | 生于海拔 350 ~ 1400m 的山地谷中、灌丛间、林中。以长白山区为主要分布区域，分布于吉林延边、白山、通化、吉林、辽源（东丰）等。

| 资源情况 | 野生资源较少。药材主要来源于野生。

| 采收加工 | 冬、春季采挖，剪去残茎，除去泥土，晒干。

| 药材性状 | 本品呈不规则圆锥形，略弯曲，长 3 ~ 12cm，直径 0.5 ~ 2cm；先端常有残茎和少数不定根残基。表面灰褐色或黑棕褐色，有纵皱缩纹，粗糙质硬，难折断。无臭，味辛辣。

| 功能主治 | 苦，温；有毒。归心、肝、脾经。祛风止痛，镇痉，除湿。用于风湿痹痛，麻木，关节疼痛，跌打损伤。

| 用法用量 | 内服煎汤，1.5 ~ 3g。

毛茛科 Ranunculaceae 乌头属 *Aconitum*

敦化乌头 *Aconitum dunhuaense* S. H. Li

敦化乌头

| 药 材 名 |

敦化乌头（药用部位：块根）。

| 形态特征 |

多年生草本。茎高 80cm 以上，无毛，上部稍呈“之”字形弯曲，叉状分枝。茎生叶具柄，长 2 ~ 5cm；下部叶的叶片近圆形，长约 12cm，宽约 14cm，3 全裂，中央全裂片菱形，宽 5 ~ 6cm，近 2 回羽状分裂，末回小裂片狭三角形，宽 2 ~ 4mm，渐尖，侧全裂片斜扇形，不等 2 深裂近基部，表面沿脉有稀疏短伏毛，背面无毛；上部叶较小，叶片长 3 ~ 5cm。腋生花序的轴呈“之”字形弯曲，无毛，叉状分枝；苞片叶状；花梗长 5 ~ 8.5cm，下部无毛，中部以上被开展的短柔毛；小苞片生于花梗中部之下，匙状狭倒披针形，长 4 ~ 8mm，宽 1 ~ 3mm；萼片蓝紫色，外面疏被短柔毛，上萼片高盔形，高约 2cm，自基部至喙长约 1.5cm，侧萼片长约 1.2cm，下萼片长约 1cm；花瓣无毛，瓣片宽 3 ~ 4mm，唇 2 浅裂，距头状，向后下方弯曲；雄蕊无毛；心皮（4 ~ ）5，子房有稀疏的短柔毛。8 月开花。

| 生境分布 | 生于山坡草地。分布于吉林通化（通化）、白山（临江）、吉林（蛟河）、延边（和龙、敦化）等。

| 资源情况 | 野生资源较少。药材主要来源于野生。

| 采收加工 | 秋季茎叶枯萎时采挖，除去残茎、须根及泥沙，晒干。

| 功能主治 | 镇痛。用于各种疼痛。

| 附　　注 | （1）本种的花序近两叉状分枝，近似大苞乌头 *Aconitum raddeanum* Regel，但花梗上部有伸展的毛，小苞片生于花梗中部之下，通常不分裂，叶分裂程度较大，可以以此区别。

（2）本种为吉林省特有药用植物，长白山地区作草乌资源植物。

毛茛科 Ranunculaceae 乌头属 *Aconitum*

弯枝乌头 *Aconitum fischeri* Reichb. var. *arcuatum* (Maxim.) Regel

弯枝乌头

|植物别名|

弯枝薄叶乌头、大花乌头。

|药 材 名|

弯枝乌头（药用部位：块根）。

|形态特征|

多年生草本。块根圆锥形。茎高 1 ~ 1.6m，直立或上部稍弯曲，茎上部呈“之”字形弯曲，枝条常较长，与花序均不等二叉状分枝，等距离生 12 ~ 18 叶。茎最下部叶在开花时枯萎，其他下部叶有长柄；叶片近五角形，长 8 ~ 12cm，宽 12 ~ 15cm，3 深裂至距基部 1 ~ 1.6cm 处，中央深裂片菱形，渐尖，3 裂稍超过中部，侧深裂片不等 2 深裂；叶柄长 6.5 ~ 9cm。花序总状，茎先端花序具 4 ~ 6 花，分枝的花序具 2 ~ 3 花；花梗弧状弯曲，长 1 ~ 3cm；小苞片生于花梗中部附近，狭线形，长 2.5 ~ 4mm；萼片淡紫蓝色，上萼片高 2.2 ~ 2.5cm，下缘长约 2cm，喙短，侧萼片长 1 ~ 1.4cm；花瓣无毛，瓣片长约 8mm，唇长约 4.5mm，末端 2 浅裂，距长约 2mm，稍拳卷；花丝全缘；心皮 3。蓇葖果长约 1.4cm，无毛；种子长约 2.5mm，周围具 1 圈宽纵翅，在一面生横翅。花期 7 ~ 8 月，果期 8 ~ 9 月。

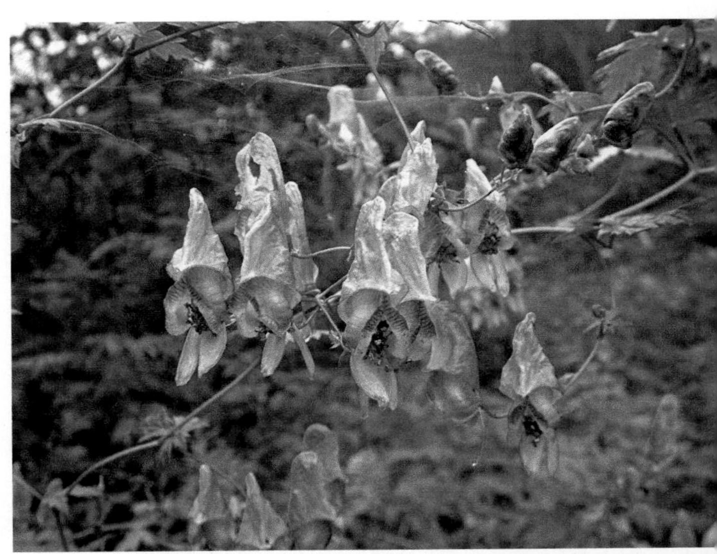

| 生境分布 |

生于山林下或草坡上。以长白山区为主要分布区域，分布于吉林延边、白山、通化、吉林、辽源（东丰）等。

| 资源情况 |

野生资源较少。药材主要来源于野生。

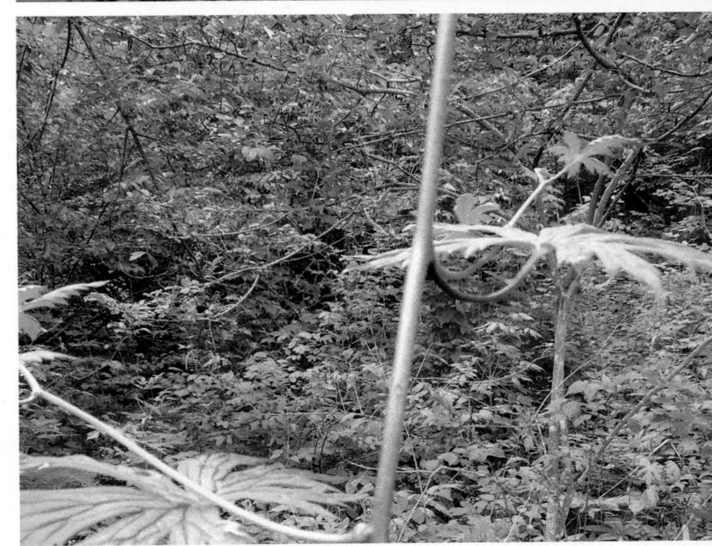

| 采收加工 |

秋季茎叶枯萎时采挖，除去残茎、须根及泥沙，晒干。

| 功能主治 |

辛，温；有毒。祛风除湿，温经止痛，消肿。用于风寒湿痹，关节疼痛，心腹冷痛。

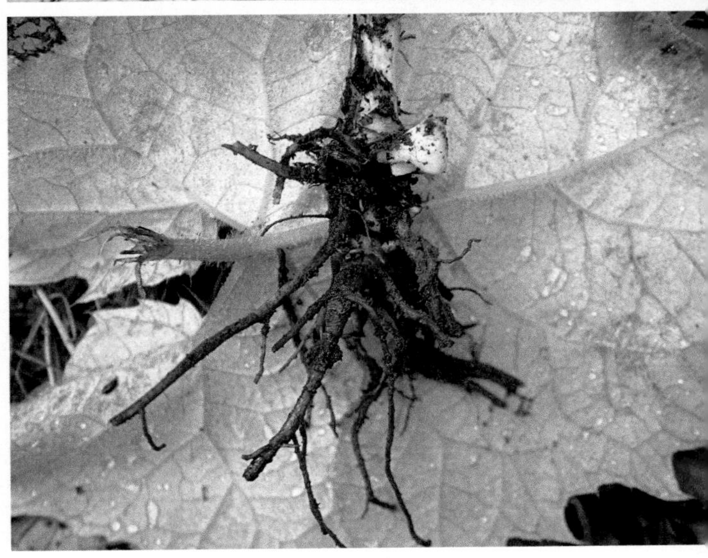

毛茛科 Ranunculaceae 乌头属 *Aconitum*

鸭绿乌头 *Aconitum jaluense* Kom.

| **植物别名** | 东北三叶乌头。

| **药 材 名** | 鸭绿乌头（药用部位：块根）。

| **形态特征** | 多年生草本。块根圆锥形，长约 3cm。茎高 45 ~ 100cm，无毛，等距地生叶，常分枝。茎下部叶在开花时枯萎；茎中部叶稍具短柄，叶片与北乌头相似，长 7 ~ 12cm，宽 8 ~ 16cm，基部心形，3 全裂，中央全裂片菱形，渐尖，3 裂，2 回裂片通常浅裂，表面有少数短伏毛，背面无毛，叶柄长为叶片之半或更短。花序顶生或腋生，有多数或少数花；花序轴和花梗通常密被伸展的短毛；苞片 3 裂或线形；花梗长 1.5 ~ 4cm；小苞片生于花梗中部附近，线状钻形，长 1.5 ~ 4.5mm；萼片紫蓝色，外面疏被短柔毛，上萼片高盔形，高约 2cm，自基部至喙长约 1.6cm，侧萼片长约 1.5cm，下萼片长圆形；

鸭绿乌头

花瓣无毛，瓣片长约12mm，唇长约6mm，先端微凹，距长2～3mm，向内反曲；雄蕊无毛，花丝全缘或有2小齿；心皮3（～4），无毛或被毛。蓇葖果长约2cm；种子长约2.5mm，只在一面有横膜翅。9月开花。

| 生境分布 | 生于山地林缘、草甸、红松阔叶林、阔叶林、林缘及河边灌丛中。分布于吉林延边（安图）、白山（长白、抚松）等。

| 资源情况 | 野生资源较少。药材主要来源于野生。

| 采收加工 | 秋季茎叶枯萎时采挖，除去残茎、须根及泥沙，晒干。

| 功能主治 | 辛、苦，大热；有大毒。祛风除湿，温经止血。用于风湿痹痛，虚寒出血。

| 附　　注 | （1）本种形态近似北乌头 *Aconitum kusnezoffii* Reichb.，但本种叶的全裂片分裂程度较小，不明显3浅裂，花序有开展的毛，可以以此区别。光梗鸭绿乌头 *Aconitum jaluense* var. *glabrescens* Nakai 只在花梗近顶部处有开展的毛，与北乌头叶分裂程度小的类型相似。宽裂北乌头 *Aconitum kusnezoffii* Reichb. var. *gibbiferum* (Reichb.) Regel 可以看作是鸭绿乌头与北乌头之间的过渡类型。本种形态也近似圆锥乌头 *Aconitum paniculigerum* Nakai，但本种的叶分裂程度较小，可以以此区别。

（2）东北地区将本种作草乌用。

毛茛科 Ranunculaceae 乌头属 *Aconitum*

吉林乌头 *Aconitum kirinense* Nakai

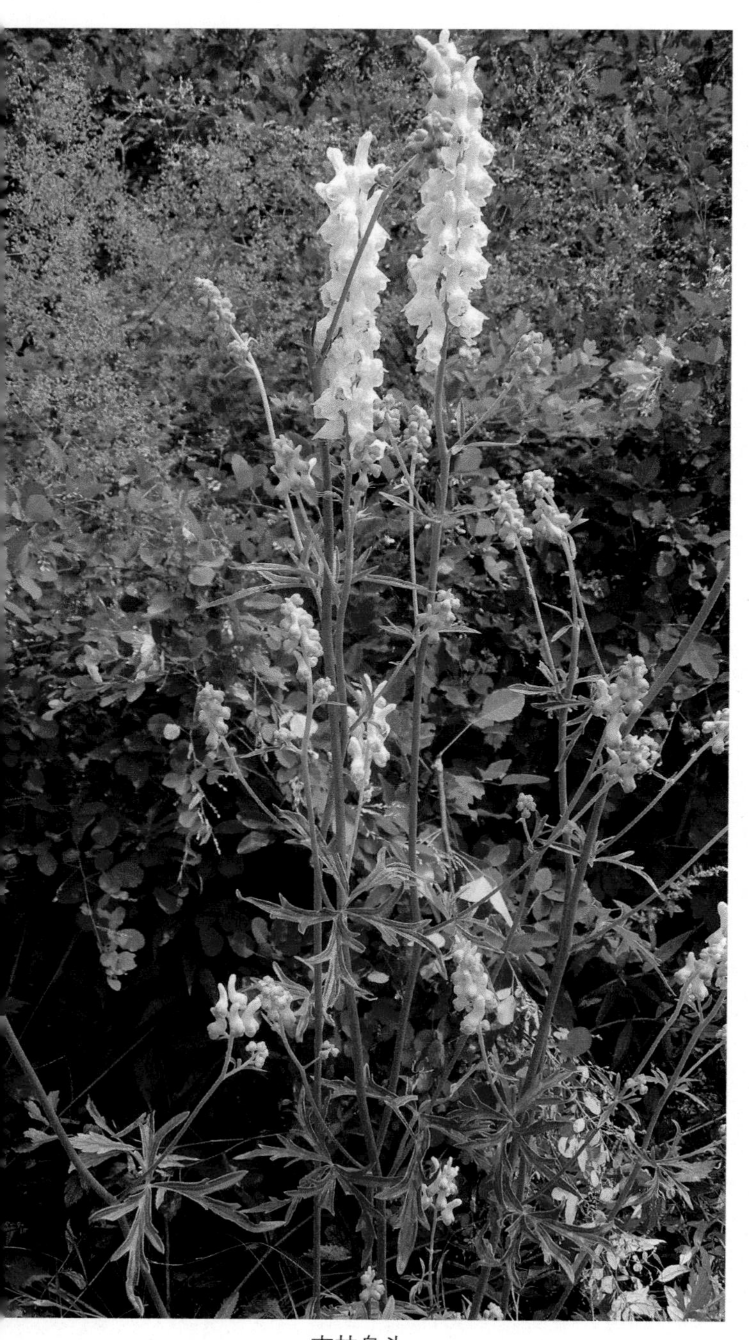
吉林乌头

| 植物别名 |

靰鞡花。

| 药 材 名 |

吉林乌头（药用部位：块根）。

| 形态特征 |

多年生草本。茎高 80 ~ 120cm，直径 3 ~ 5.5mm，下部疏被伸展的黄色长柔毛，上部被反曲的黄色短柔毛，分枝，疏生 2 ~ 6 叶。基生叶约 2，与茎下部叶均具长柄；叶片肾状五角形，长 12 ~ 17cm，宽 20 ~ 24cm，3 深裂至距基部 0.8 ~ 1.8cm 处，表面被紧贴的短曲柔毛，背面只沿脉疏被长柔毛或几无毛；叶柄长 20 ~ 30cm，疏被伸展的柔毛或几无毛。顶生总状花序长 18 ~ 22cm；花序轴及花梗被反曲而紧贴的短毛；花梗长 0.8 ~ 1.2cm；小苞片生于花梗中部或下部，钻形，长 1.2 ~ 4mm；萼片黄色，外面密被短柔毛，上萼片圆筒形，高 1.4 ~ 1.8cm，直径 4 ~ 5mm，喙短，下缘稍凹，长 9 ~ 10mm，侧萼片宽倒卵形，长约 8mm，下萼片狭椭圆形；花瓣无毛，唇长约 3mm，舌状，微凹，距与唇近等长或稍短，先端膨大，直或向后弯曲；花丝全缘，无毛或疏被缘毛；心皮 3，无毛。蓇葖果长 1 ~ 1.2cm，无毛；种子三棱形，长约 2.5mm，密生波状横狭翅。7 ~ 9 月开花，9 月结果。

| 生境分布 | 生于山地草坡、林缘或红松林中。以长白山区为主要分布区域，分布于吉林延边、白山、通化、吉林、辽源（东丰）等。

| 资源情况 | 野生资源较少。药材主要来源于野生。

| 采收加工 | 夏、秋季采收，除去泥土及杂质，晒干。

| 药材性状 | 本品呈圆锥形，稍弯曲，长 5 ~ 20cm；先端常有残茎和少数不定根残基。表面灰褐色或棕褐色，粗糙，质脆，易折断，有裂隙。无臭，味辛辣。

| 功能主治 | 辛、苦，温；有毒。归肝、胃经。祛风除湿，温经止痛。用于胃脘疼痛，寒湿痹症，手足拘挛，心腹冷痛，痈疮肿痛，牙痛。

| 用法用量 | 内服煎汤，1 ~ 3g。外用适量，捣敷。

| 附　　注 | 本种与细叶黄乌头 *Aconitum barbatum* Pers. 形态相似，但本种叶掌状深裂，花瓣的距与唇近等长，心皮无毛，可以以此区别。

毛茛科 Ranunculaceae 乌头属 *Aconitum*

细叶乌头 *Aconitum macrorhynchum* Turcz.

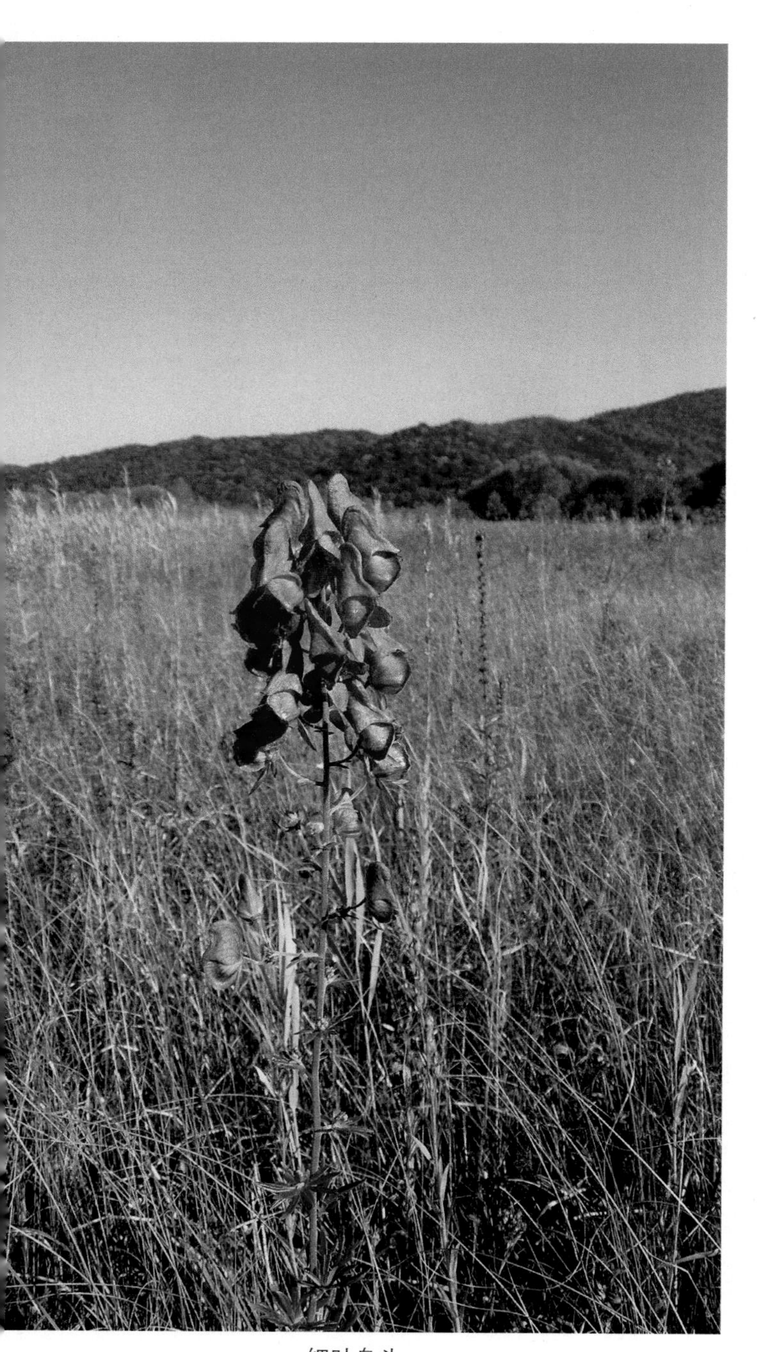

细叶乌头

|植物别名|

匐枝乌头。

|药 材 名|

细叶乌头（药用部位：块根）。

|形态特征|

多年生草本。块根胡萝卜形，长 1.2 ~ 2.8cm，直径 5 ~ 10mm。茎高 68 ~ 100cm，上部有时扭曲，等距离生叶，下部几无毛，上部疏被反曲的短柔毛。茎下部叶有长柄，在开花时枯萎；茎中部叶有稍长柄；叶片圆卵形，长 5.5 ~ 10cm，宽 6 ~ 12cm，3 全裂，中央全裂片三角状卵形，近羽状全裂，末回小裂片线形，宽 1 ~ 3mm，干时稍反卷，两面疏被短柔毛；叶柄与叶片近等长。总状花序生于茎及分枝先端，有 5 ~ 15 花；下部苞片叶状，上部苞片线形；花梗长 1.5 ~ 2.5cm；小苞片生于花梗下部至上部，线形，长（1.5 ~ ）2.5 ~ 4mm；萼片紫蓝色，外面疏被短柔毛，上萼片高盔形，高 1.5 ~ 1.9cm，下缘长 1.3 ~ 1.7cm，侧萼片圆倒卵形，长 1.1 ~ 1.4cm；花瓣的爪疏被短毛，瓣片无毛，唇长约 4.5mm，微凹，距长约 1mm，向后弯曲；花丝全缘或有 2 小齿，疏生短毛；心皮 5（～ 8），子房被短柔毛。蓇葖果长 1 ～ 1.3cm；种子长约 2.8mm，沿纵棱生狭翅，只在一面密生横膜翅。8 ～ 9 月开花。

| 生境分布 |

生于海拔 200 ～ 500m 的山地草甸、山坡或湿地。分布于吉林通化（柳河）、吉林（蛟河）、延边（敦化、延吉、安图）、白山（长白、抚松）等。

| 资源情况 |

野生资源较少。药材主要来源于野生。

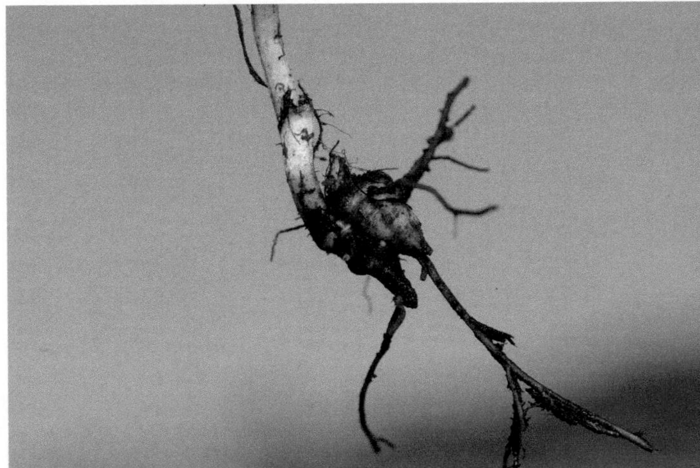

| 采收加工 |

9 ～ 10 月挖取块根，除去茎叶，洗净，切片晒干。

| 功能主治 |

辛、苦，热。祛风散寒，通经活络，止痛解痉。用于风湿性关节炎，半身不遂，肠胃虚寒痛，牙痛。外用于麻醉。

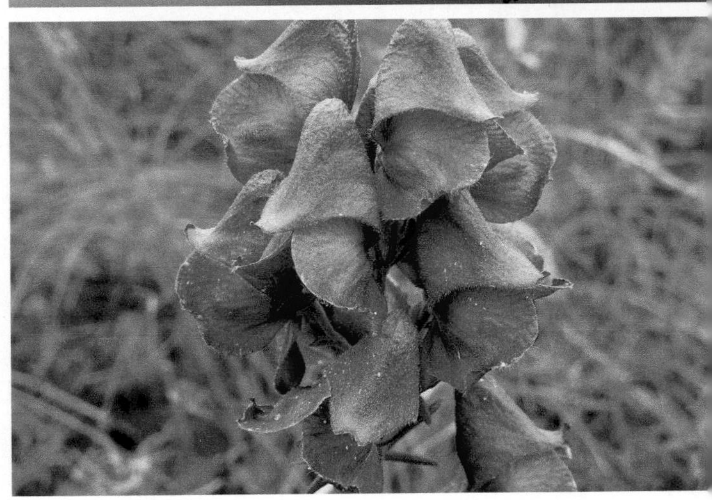

毛茛科 Ranunculaceae 乌头属 *Aconitum*

高山乌头 *Aconitum monanthum* Nakai

|药 材 名| 高山乌头（药用部位：块根、叶）。

|形态特征| 多年生草本。块根胡萝卜形，长 1.5 ~ 2.5cm，直径约达 4mm。茎高 14 ~ 30cm，无毛，不分枝或有少数分枝。基生叶 1 ~ 2，无毛，有长柄；叶片肾状五角形，长 2.5 ~ 3.5cm，宽 4 ~ 6.5cm，3 全裂，中央全裂片菱形或宽菱形，细裂，末回裂片披针状线形或狭披针形，宽 1.5 ~ 2mm，侧全裂片斜扇形，不等 2 裂近基部；叶柄长 5 ~ 20cm，基部有短鞘。茎生叶 2 ~ 4，与基生叶相似，但较小。花单独顶生或数朵形成聚伞花序；花梗长达 5cm，无毛；小苞片 3 裂或线形；萼片紫色，外面无毛，上萼片盔形，高 1.1 ~ 1.5cm，下缘长 1.4 ~ 2cm，稍凹，外缘近垂直，喙长 4 ~ 5mm，侧萼片长 1 ~ 1.4cm；花瓣无毛，瓣片大，长约 10mm，唇长约 3.5mm，末端 2 浅裂，距长约 1.5mm，

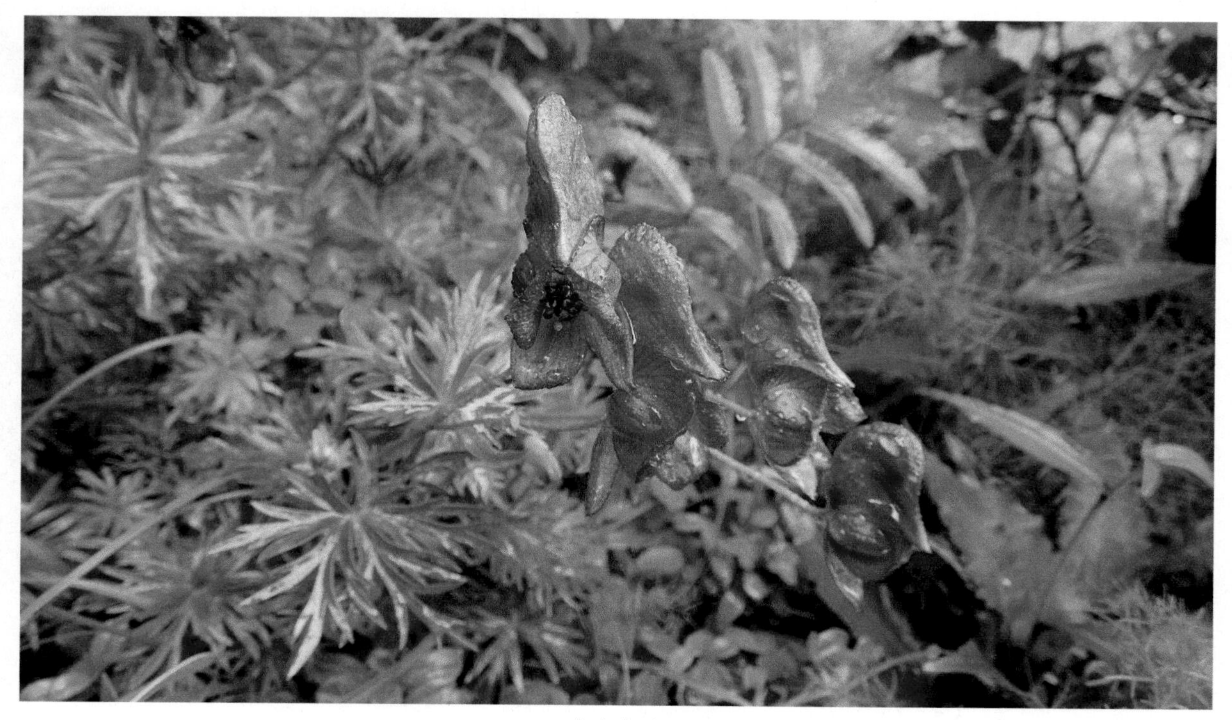

高山乌头

向后弯曲；雄蕊无毛，花丝全缘或在上部有 2 小齿；心皮 3，无毛。蓇葖果长约 1.8cm；种子长约 3mm，三棱形，密生横膜翅。7 ~ 8 月开花。

| 生境分布 | 生于海拔 1200 ~ 2600m 的山坡草地和高山苔原带。分布于吉林白山（抚松、靖宇、长白）等。

| 资源情况 | 野生资源较少。药材主要来源于野生。

| 采收加工 | 秋季茎叶枯萎时采挖块根，除去残茎、须根及泥沙，晒干。夏季枝叶茂盛时采收叶，晒干。

| 功能主治 | 块根，祛风胜湿，散寒止痛，开痰，消肿。用于风寒湿痹，中风瘫痪，破伤风，头风，脘腹冷痛，痰癖，气块，冷痢，喉痹，痈疽，疔疮，瘰疬。叶，清热止痛。用于发热，泄泻，腹痛，牙痛，头痛。

| 用法用量 | 块根，内服煎汤，3 ~ 6g；或入丸、散。外用适量，研末调敷；或醋、酒磨涂。叶，1 ~ 1.2g，多入丸、散。

| 附　　注 | 本种的植株低矮，基生叶存在，叶片细裂，花序伞房状，有少数花，是其特征，在花的构造方面却与北乌头 *Aconitum kusnezoffii* Reichb. 甚为相似。

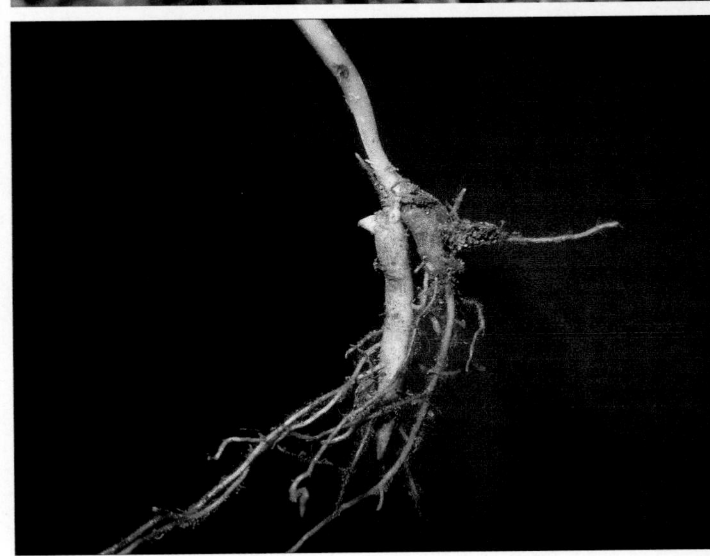

毛茛科 Ranunculaceae 乌头属 *Aconitum*

宽叶蔓乌头 *Aconitum sczukinii* Turcz.

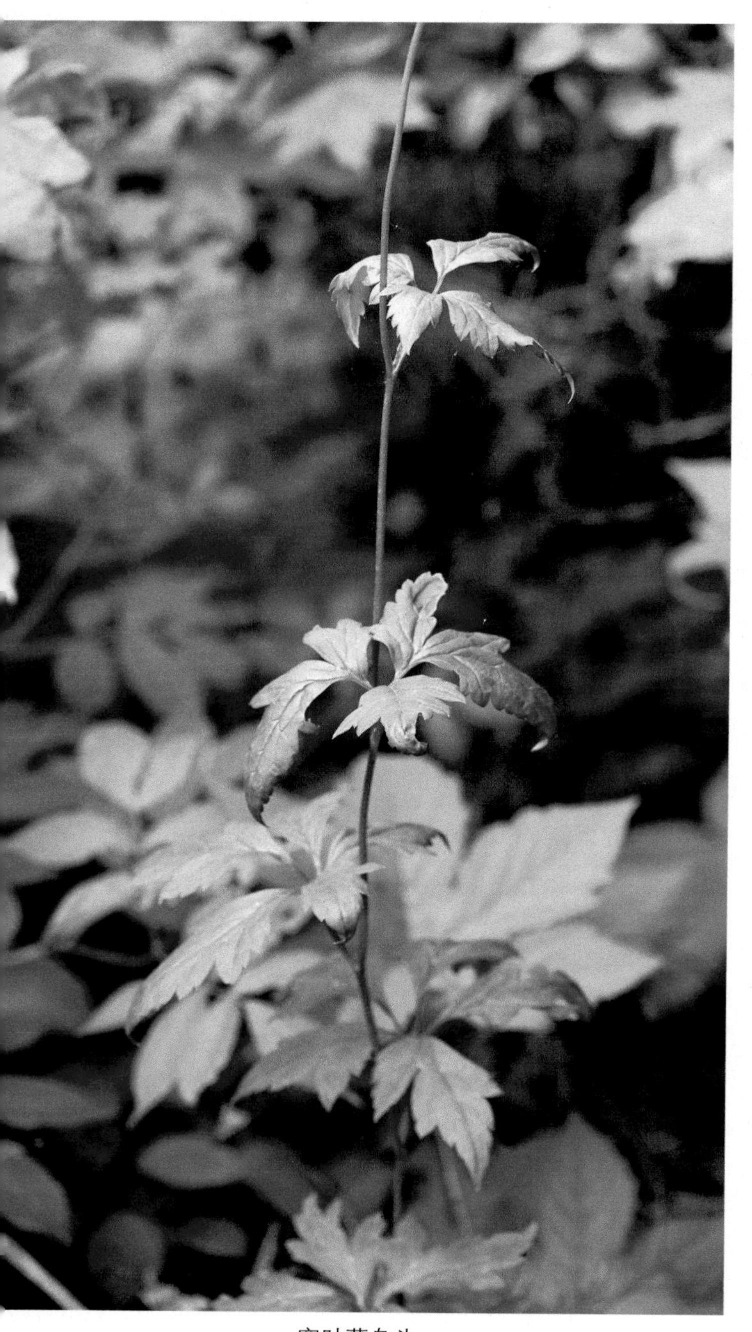
宽叶蔓乌头

| 植物别名 |

鸡头草。

| 药 材 名 |

宽叶蔓乌头（药用部位：块根）。

| 形态特征 |

多年生草本。块根倒圆锥形，长达 3.5cm，直径达 1.2cm。茎缠绕，偶尔下部近直立，疏被反曲的短柔毛，分枝。茎中部叶有短柄；叶片形状与川鄂乌头相似，长 7 ~ 10cm，宽 8 ~ 11cm，基部心形，3 全裂，全裂片具短柄或长柄，中央全裂片菱形或菱状卵形，渐尖，在中部之下 3 裂，边缘疏生卵形或三角状卵形粗牙齿，表面疏被紧贴的短柔毛，背面无毛；叶柄长约为叶片长度之半，疏被短柔毛，无鞘。花序顶生或腋生，有少数花；花序轴和花梗均密被伸展的柔毛；苞片小，线形；花梗长 1.5 ~ 2.5cm，通常在花序的一侧，向下弯曲；小苞片生于花梗中部附近，钻形，长 1.5 ~ 2mm；萼片蓝色，外面被稍密的短柔毛，上萼片高盔形，高 1.6 ~ 1.9cm，下缘长 1.4 ~ 1.6cm，稍凹，稍向上斜展，外缘近垂直，侧萼片长 1.2 ~ 1.4cm；花瓣无毛，瓣片长约 9mm，唇长约 5mm，距长约 2mm，向后弯曲或近拳卷；花丝全缘，无毛或疏生短毛；心皮 3 或 5，子房疏生短柔毛。蓇葖果直，长约 2cm；种子三棱形，长约 3mm，沿棱生狭翅，在两面密生横膜翅。8 ～ 9 月开花。

| 生境分布 | 生于海拔 350 ～ 1900m 的山地草坡、林缘、林中、沟谷水边。以长白山区为主要分布区域，分布于吉林延边、白山、通化、吉林、辽源（东丰）等。

| 资源情况 | 野生资源较丰富。药材主要来源于野生。

| 采收加工 | 秋、冬季采挖块根，洗净泥沙，剪去须根，切片晒干。

| 药材性状 | 本品呈不规则长圆锥形或倒圆锥形，长 2.5 ～ 4.5cm，直径 1.2 ～ 2cm。略弯曲。先端常有残茎、少数不定根残基，表面灰褐色或黑棕褐色，多有纵皱缩纹、多数具点状须根痕。质硬，不易折断，断面不齐，灰白色或暗灰色，呈类圆形，髓部较大。气微，味辛辣、麻舌。

| 功能主治 | 辛、苦，热；有大毒。祛风除湿，温经止痛，麻醉。用于风湿痹痛，关节疼痛。

| 附　　注 | 本种与川鄂乌头 *Aconitum henryi* Pritz. 形态相似，但本种叶的中全裂片通常较宽，菱形，在中部 3 裂，可以以此区别。本种也与蔓乌头 *Aconitum volubile* Pall. ex Koelle 形态相似，但本种叶的裂片分裂程度较小，小裂片卵形或三角形，可以以此区别。

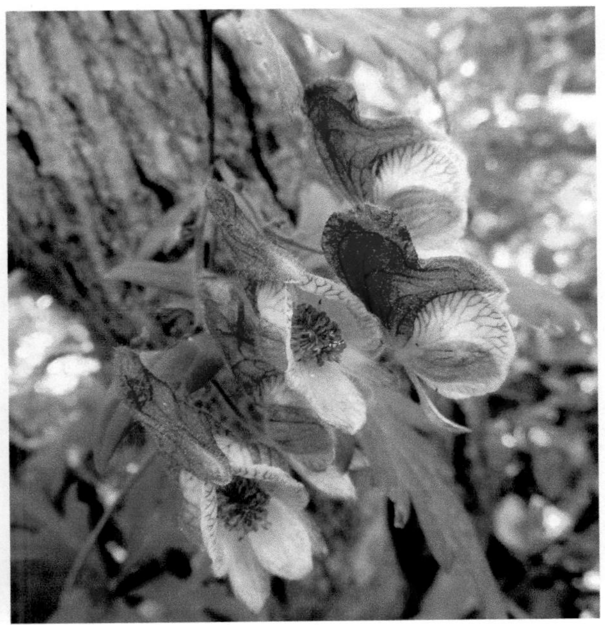

毛茛科 Ranunculaceae 乌头属 *Aconitum*

长白乌头 *Aconitum tschangbaischanense* S. H. Li et Y. H. Huang

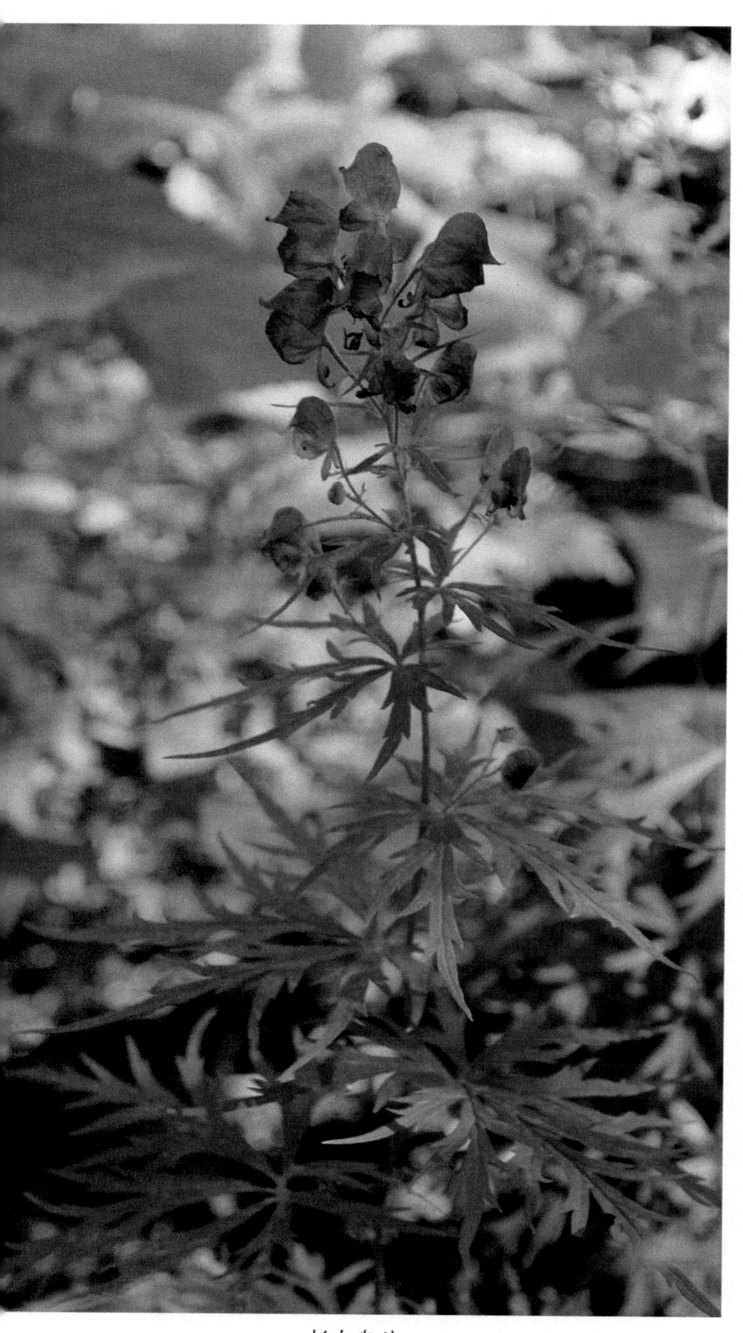
长白乌头

药材名

长白乌头（药用部位：块根）。

形态特征

多年生草本。块根倒圆锥形，长 2.5 ~ 3.5cm，直径 6 ~ 7mm。茎高 85 ~ 140cm，下部变无毛，中部以上疏被反曲的短柔毛，等距离生叶。茎下部叶在开花时枯萎。茎中部叶有稍长柄；叶片肾状五角形，长 7 ~ 10cm，宽 10 ~ 12cm，基部心形，3 全裂，中央全裂片菱形，长渐尖，羽状深裂近中脉，末回裂片线状披针形或线形，宽 2 ~ 4mm，通常全缘，表面沿稍下陷的脉被短柔毛，背面无毛；叶柄比叶片稍短，无毛。总状花序顶生或腋生，顶生的有 7 ~ 14 花，长 11 ~ 14.5cm；花序轴被反曲的短毛；下部苞片叶状，上部苞片线形；花梗长 2 ~ 5.5cm，密被伸展的柔毛；小苞片生于花梗上部或中部附近，线形，长 5 ~ 10mm，宽 0.5 ~ 1mm；萼片蓝色，外面疏被短柔毛，上萼片高盔形或盔形，高 1.5 ~ 2cm，下缘稍凹，自基部至喙长 1.1 ~ 1.5cm；花瓣无毛，瓣片长约 10mm，宽约 3.5cm，唇长约 6mm，距长约 1.5mm，向后弯曲；雄蕊无毛，花丝大多全缘；心皮 5，子房上部疏生短毛或无毛。

| 生境分布 |

生于海拔 1000 ~ 1700m 的山地草坡或林边草地。分布于吉林白山（抚松、靖宇、长白）等。

| 资源情况 |

野生资源稀少。药材主要来源于野生。

| 采收加工 |

秋季茎叶枯萎时采挖，除去残茎、须根及泥沙，晒干。

| 药材性状 |

本品呈不规则圆锥形，长 1.5 ~ 3.5cm，直径 1.2 ~ 2.5cm。表面黑褐色，有须根痕及纵皱纹。质硬，不易折断，断面灰白色或暗灰色，可见类圆形环纹。气微，味辛辣、麻舌。

| 功能主治 |

辛，热。祛风散寒，消肿止痛。用于中风瘫痪，风寒湿痹，破伤风，头风，脘腹冷痛，痰癖，冷痢，痈疽，疔疮。

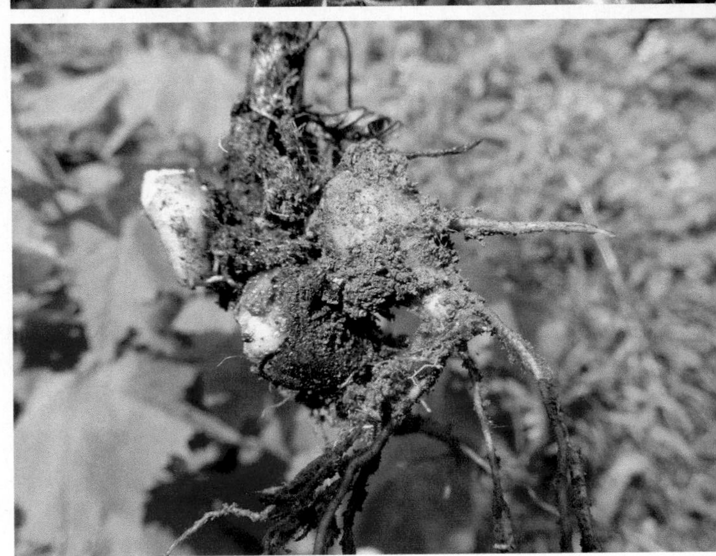

毛茛科 Ranunculaceae 乌头属 *Aconitum*

草地乌头 *Aconitum umbrosum* (Korsh.) Kom.

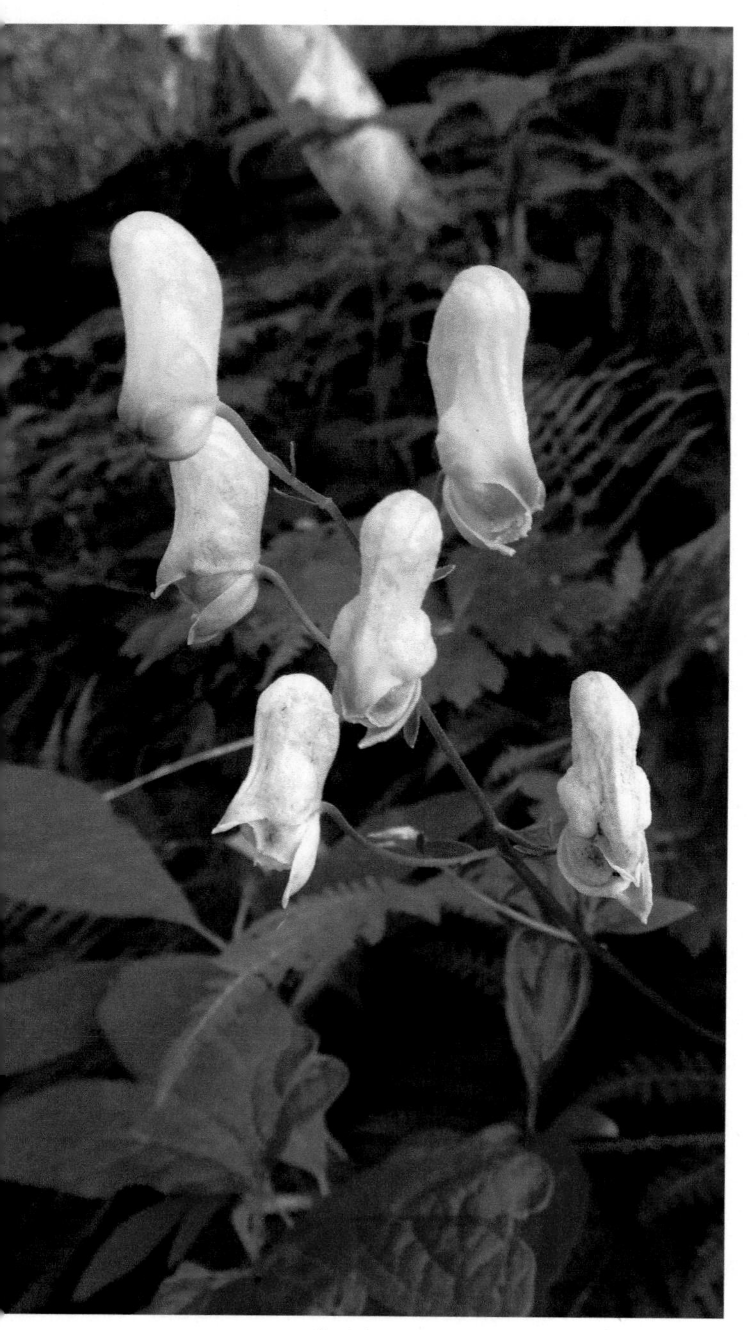
草地乌头

| 植物别名 |

阴地乌头、白山乌头。

| 药 材 名 |

黑大艽（药用部位：根。别名：大艽、黑秦艽、马尾大艽）。

| 形态特征 |

多年生草本。根近圆柱形，长超过 10cm，直径约 1cm。茎高 70 ~ 100cm，直径 3 ~ 6mm，疏被反曲的短柔毛，生 3 ~ 4 叶，在花序之下具少数分枝。基生叶约 3，与茎下部叶具长柄；叶片肾状五角形，长 7 ~ 12cm，宽 10 ~ 20cm，基部心形，3 深裂至本身长度的 3/4 ~ 5/6 处，深裂片互相覆压或稍分开，中央深裂片楔状菱形或菱形，侧深裂片斜扇形，不等 2 或 3 裂，两面疏被紧贴的短硬毛，背面常变无毛；叶柄长 28 ~ 50cm，几无毛。顶生总状花序长 10 ~ 30cm，有 7 ~ 20 花；花序轴及花梗密被反曲的短柔毛；基部苞片 3 裂，其他苞片狭线形，长 4 ~ 7.5mm；花梗长 0.8 ~ 2.5cm；小苞片生于花梗的基部之上，线状钻形，长 1.5 ~ 2.5mm；萼片黄色或淡黄色，外面被短柔毛，上萼片近圆筒形，高 1.5 ~ 1.9cm，直径 3.5 ~ 6mm，喙短，下缘近直，长 0.8 ~ 1cm；花瓣无毛，唇长在 3mm 以下，距比唇长，拳卷；雄蕊无毛，花丝全缘；心皮 3，无毛。7 月开花。

| 生境分布 | 生于山地杂木林或落叶松林中潮湿处。分布于吉林延边（敦化、和龙、安图）、白山（抚松、临江、长白）等。

| 资源情况 | 野生资源较少。药材主要来源于野生。

| 采收加工 | 春、秋季挖根，除去泥土、杂质，晒干。

| 药材性状 | 本品略呈倒圆锥形或近圆柱形，长约 10cm，直径约 1cm，根头部多为数个合生，向下渐扭结在一起。表面棕褐色，部分栓皮脱落，而呈浅黄白色。体轻松，质脆，易折断。气微，味苦而麻。

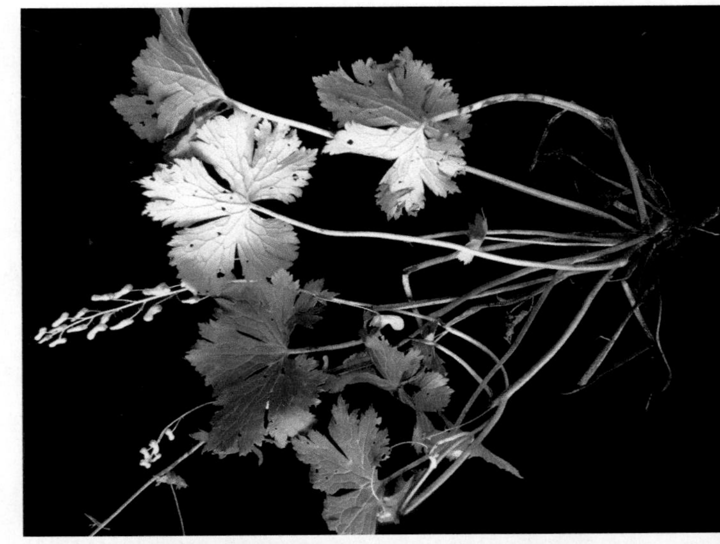

| 功能主治 | 辛，热；有大毒。祛风散寒，除湿止痛。用于风湿性关节炎，类风湿性关节炎，神经痛，跌打肿痛，胃腹冷痛。

| 用法用量 | 内服煎汤，2.5 ~ 7.5g，生品宜减量。外用适量，研末调敷；或以酒、醋磨汁涂。

| 附　　注 | 本种与吉林乌头 *Aconitum kirinense* Nakai 形态相近，但本种茎的毛反曲、较短，叶分裂程度较小，中央深裂片常楔状菱形或菱形，浅裂，上萼片较粗，花瓣的距比唇长，近螺旋状弯曲或拳卷，可以以此区别。

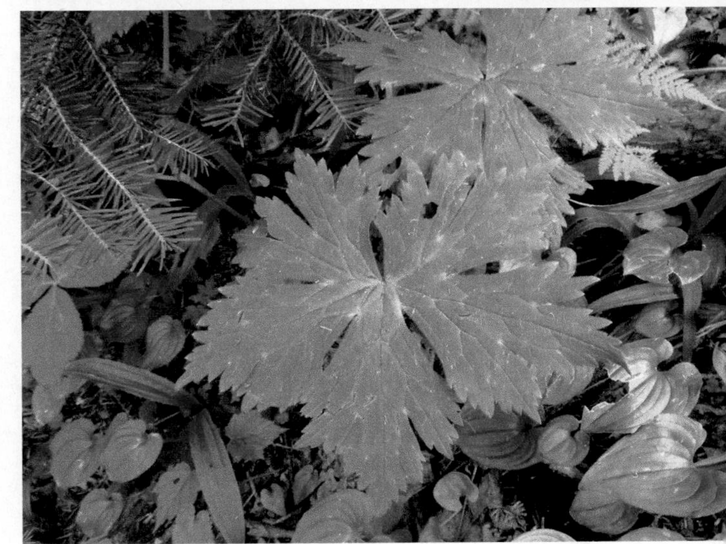

毛茛科 Ranunculaceae 乌头属 *Aconitum*

蔓乌头 *Aconitum volubile* Pall. ex Koelle

|植物别名| 藤乌头、细茎蔓乌头、鸡头草。

|药 材 名| 蔓乌头（药用部位：块根。别名：细茎蔓乌头、鸡头草）。

|形态特征| 多年生草本。茎缠绕，无毛或上部疏被反曲短柔毛，分枝。茎中部叶有长柄或稍长柄；叶片坚纸质，五角形，长 7 ~ 9cm，宽 8 ~ 10cm，基部心形，3 全裂，中央全裂片通常具柄，菱状卵形，渐尖，近羽状深裂，2 回裂片 3 ~ 4 对，最下面的 2 回裂片较大，狭菱形，有 2 ~ 3 三角形小裂片，上部的 2 回裂片小，狭三角形或狭披针形，侧全裂片斜扇形，不等 2 裂达基部或近基部，表面疏被紧贴的短柔毛，背面无毛或几无毛；叶柄长为叶片的 1/2 或 2/3。花序顶生或腋生，有 3 ~ 5 花；花序轴和花梗密被淡黄色伸展的短柔毛；基部苞片 3 裂，其他的苞片小，线形；花梗长 2 ~ 3.8cm；小苞片生于花梗中部以

蔓乌头

下，线形，长 2 ~ 3mm；萼片蓝紫色，外面被伸展的短柔毛，上萼片高盔形，高 1.8 ~ 2.7cm，自基部至喙长 1 ~ 1.5cm，下缘稍向上斜展，侧萼片长 1 ~ 1.5cm；花瓣无毛，瓣片长 6 ~ 10mm，唇长约为瓣片之半，距长 1.5 ~ 3mm，向后弯曲；雄蕊无毛，花丝全缘；心皮 5，子房被伸展的短柔毛。蓇葖果长 1.5 ~ 1.7cm；种子狭倒金字塔形，长约 2.5mm，密生横膜翅。8 ~ 9 月开花。

| 生境分布 | 生于海拔 200 ~ 1000m 的山地草坡或林缘、林下。以长白山区为主要分布区域，分布于吉林延边、白山、通化、吉林、辽源（东丰）等。

| 资源情况 | 野生资源较少。药材主要来源于野生。

| 采收加工 | 夏、秋季采挖，除去须根、残茎，以清水漂洗 3 天，每天换水 2 次，切片，晒干。

| 功能主治 | 辛，温；有大毒。归肺、肝经。祛风除湿，温经止痛，镇静。用于风寒湿痹，关节疼痛，寒疝作痛，心腹冷痛，麻醉止痛，痈疽疥癣。

| 用法用量 | 内服煎汤，0.3 ~ 0.6g。外用适量，研末调敷；或磨涂；或浸酒搽。

毛茛科 Ranunculaceae 乌头属 *Aconitum*

卷毛蔓乌头 *Aconitum volubile* Pall. ex Koelle var. *pubescens* Regel

|药材名| 卷毛蔓乌头（药用部位：块根）。

|形态特征| 多年生草本。茎缠绕，外面有弯曲并贴伏的短柔毛，分枝。茎中部叶有长柄或稍长柄；叶片坚纸质，五角形，长 7 ~ 9cm，宽 8 ~ 10cm，基部心形，3 全裂，中央全裂片通常具柄，菱状卵形，渐尖，近羽状深裂，2 回裂片 3 ~ 4 对，最下面的 2 回裂片较大，狭菱形，有 2 ~ 3 三角形小裂片，上部的 2 回裂片小，狭三角形或狭披针形，侧全裂片斜扇形，不等 2 裂达基部或近基部，表面疏被紧贴的短柔毛，背面无毛或几无毛；叶柄长为叶片的 1/2 或 2/3。花序顶生或腋生，有 3 ~ 5 花；轴密被淡黄色伸展的短柔毛；花梗外面有弯曲并贴伏的短柔毛；基部苞片 3 裂，其他的苞片小，线形；花梗长 2 ~ 3.8cm；小苞片生花梗中部以下，线形，长 2 ~ 3mm；萼片蓝紫色，外面被

卷毛蔓乌头

伸展的短柔毛，上萼片高盔形，高1.8～2.7cm，自基部至喙长1～1.5cm，下缘稍向上斜展，侧萼片长1～1.5cm，外面有弯曲并贴伏的短柔毛；花瓣无毛，瓣片长6～10mm，唇长约为瓣片之半，距长1.5～3mm，向后弯曲；雄蕊无毛，花丝全缘；心皮5，无毛，子房被伸展的短柔毛。蓇葖果长1.5～1.7cm；种子狭倒金字塔形，长约2.5mm，密生横膜翅。8～9月开花。

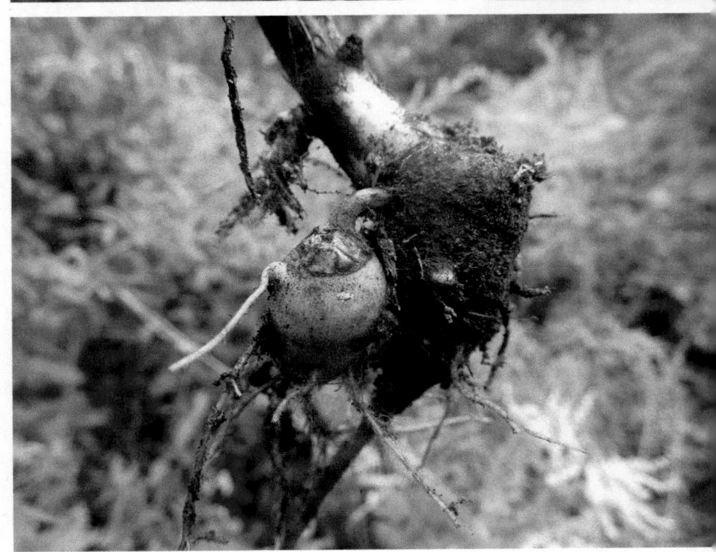

| 生境分布 |

生于山坡林边。分布于吉林延边、白山、通化等。

| 资源情况 |

野生资源较少。药材主要来源于野生。

| 采收加工 |

夏、秋季采挖，除去须根、残茎，以清水漂洗3日，每日换水2次，切片晒干。

| 功能主治 |

镇痛，安神。用于神经痛，风湿痛。

毛茛科 Ranunculaceae 类叶升麻属 *Actaea*

类叶升麻 *Actaea asiatica* Hara

| 植物别名 | 绿豆升麻。

| 药 材 名 | 绿豆升麻（药用部位：根茎。别名：马尾升麻）。

| 形态特征 | 多年生草本。根茎横走，质坚实，外皮黑褐色，生多数细长的根。茎高 30 ~ 80cm，圆柱形，直径 4 ~ 9mm，微具纵棱，下部无毛，中部以上被白色短柔毛，不分枝。叶 2 ~ 3，茎下部的叶为三回三出近羽状复叶，具长柄；叶片三角形，宽达 27cm；顶生小叶卵形至宽卵状菱形，长 4 ~ 8.5cm，宽 3 ~ 8cm，3 裂边缘有锐锯齿，侧生小叶卵形至斜卵形，表面近无毛，背面变无毛；叶柄长 10 ~ 17cm。茎上部叶的形状似茎下部叶，但较小，具短柄。总状花序长 2.5 ~ 4（~ 6）cm；花序轴和花梗密被白色或灰色短柔毛；苞片线状披针形，长约 2mm；花梗长 5 ~ 8mm；萼片倒卵形，长约 2.5mm，花瓣匙

类叶升麻

形，长 2 ~ 2.5mm，下部渐狭成爪；花药长约 0.7mm，花丝长 3 ~ 5mm；心皮与花瓣近等长。果序长 5 ~ 17cm，与茎上部叶等长或超出上部叶；果柄直径约 1mm；果实紫黑色，直径约 6mm；种子约 6，卵形，有 3 纵棱，长约 3mm，宽约 2mm，深褐色。5 ~ 6 月开花，7 ~ 9 月结果。

| 生境分布 | 生于海拔 350 ~ 1500m 的山地林下、沟边阴处、河边湿草地。以长白山区为主要分布区域，分布于吉林延边、白山、通化、吉林、辽源（东丰）等。

| 资源情况 | 野生资源较丰富。药材主要来源于野生。

| 采收加工 | 夏、秋季采收，除去泥土及杂质，晒干。

| 药材性状 | 本品呈不规则块状，长 3 ~ 12cm，直径 0.5 ~ 4cm。表面暗棕色至黑褐色，多具圆柱形分枝，呈结节状，分枝处结节显著膨大，有须根痕，先端常有残余的茎痕呈空洞状。体轻，质坚硬，不易折断，断面不平坦，有裂隙，皮部灰黄色，木部黄白色，有的髓部中空。气微，味辛、微苦。

| 功能主治 | 辛、苦，微凉。归肺经。祛风止咳，清热解毒。用于感冒头痛，顿咳，百日咳；外用于犬咬伤。

| 用法用量 | 内服煎汤，3 ~ 9g。外用适量，捣敷。

| 附　　注 | 在山西以南，本种植株的果序较短，长 3 ~ 6cm，比茎上部叶短或近等长；在河北及以北，本种植株的果序较长，长 5 ~ 17cm，与茎上部叶等长或超过后者。

毛茛科 Ranunculaceae 类叶升麻属 *Actaea*

红果类叶升麻 *Actaea erythrocarpa* Fisch.

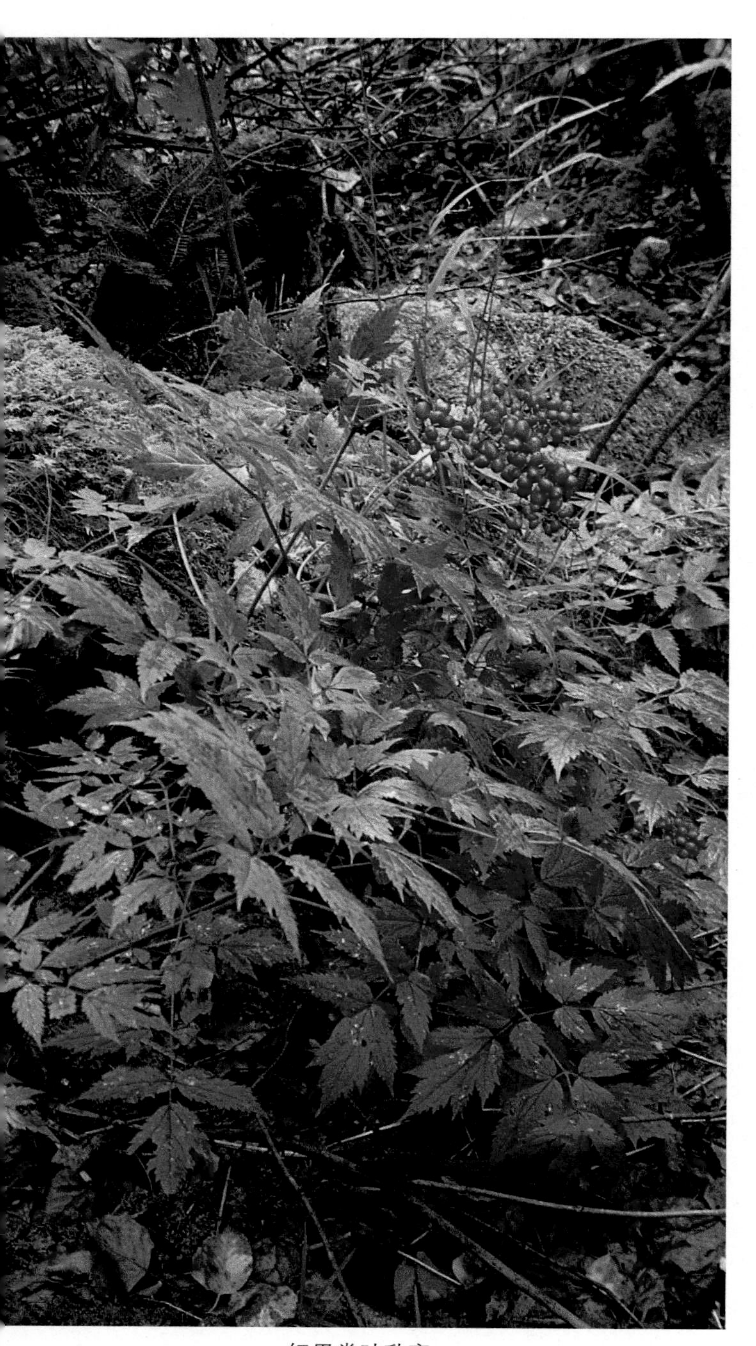

红果类叶升麻

|药材名|

红果类叶升麻（药用部位：根茎）。

|形态特征|

多年生草本。根茎横走，坚实，黑褐色，生多数细根。茎高 60 ~ 70cm，圆柱形，直径 4 ~ 6mm，微具纵棱，下部无毛，中部以上被短柔毛。叶 2 ~ 3。下部叶为三回三出近羽状复叶，具长柄；叶片三角形，宽达 25cm；顶生小叶卵形至宽卵形，长 6 ~ 10cm，宽 5 ~ 8cm，3 裂，边缘有锐锯齿，侧生小叶斜卵形，具不规则的 2 ~ 3 深裂，表面近无毛，背面沿脉疏被白色短柔毛或近无毛；叶柄长达 24cm。总状花序长约 6cm；花序轴及花梗均密被短柔毛；花直径 8 ~ 10mm，密集；萼片倒卵形，长约 2.5mm；花瓣匙形，长约 2.5mm，先端圆形，下部渐狭成爪；花药长约 0.7mm，花丝长 4 ~ 5mm；心皮与花瓣近等长。果序长 4 ~ 10cm；果柄直径约 0.6mm，疏被白色短柔毛；果实红色，直径 5 ~ 6mm，无毛；种子约 8，长约 3mm，宽约 2mm，近黑色，干后表面微粗糙状，无毛。5 ~ 6 月开花，7 ~ 8 月结果。

| **生境分布** | 生于林下、林间草甸或路旁。以长白山区为主要分布区域，分布于吉林延边、白山、通化、吉林、辽源（东丰）等。

| **资源情况** | 野生资源稀少。药材主要来源于野生。

| **采收加工** | 秋季茎叶枯萎时采挖，除去残茎、须根及泥沙，晒干。

| **功能主治** | 辛、微苦，凉。祛风解表，清热镇咳。用于风湿病，肌炎，感冒头痛，百日咳，妇科疾病。

| **附　　注** | 本种药材作朝药可用于胃炎，胃癌，肠炎，十二指肠溃疡。

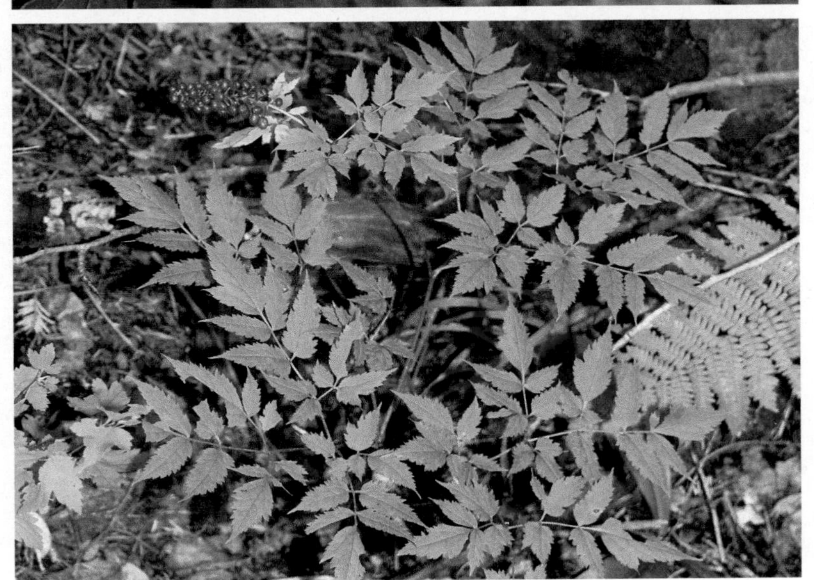

毛茛科 Ranunculaceae 侧金盏花属 *Adonis*

侧金盏花 *Adonis amurensis* Regel et Radde

| 植物别名 | 冰凉花、冰里花。

| 药 材 名 | 福寿草（药用部位：全草。别名：顶冰花、雪莲、长春菊）。

| 形态特征 | 多年生草本。根茎短而粗，有多数须根。茎在开花时高 5 ~ 15cm，以后高达 30cm，无毛或顶部有稀疏短柔毛，不分枝或有时分枝，基部有数个膜质鳞片。叶在花后长大，茎下部叶有长柄，无毛；叶片正三角形，长达 7.5cm，宽达 9cm，3 全裂，全裂片有长柄，2 ~ 3 回细裂，末回裂片狭卵形至披针形，有短尖头；叶柄长达 6.5cm。花直径 2.8 ~ 3.5cm；萼片约 9，常带淡灰紫色，长圆形或倒卵状长圆形，与花瓣等长或稍长，长 14 ~ 18mm，无毛或近边缘有稀疏短柔毛；花瓣约 10，黄色，倒卵状长圆形或狭倒卵形，长 1.4 ~ 2cm，宽 5 ~ 7mm，无毛；雄蕊长约 3mm，无毛；心皮多数，子房有短柔毛，

侧金盏花

花柱长约 0.8mm，向外弯曲，柱头小，球形。瘦果倒卵球形，长约 3.8mm，被短柔毛，有短宿存花柱。3 ~ 4 月开花。

| 生境分布 | 生于山坡草地、林下、林缘。早春植物，冰雪未融鲜花开放。以长白山区为主要分布区域，分布于吉林延边、白山、通化、吉林、辽源（东丰）、松原（扶余）等。

| 资源情况 | 野生资源较丰富。药材主要来源于野生。

| 采收加工 | 早春采收，除去杂质，晾干。

| 药材性状 | 本品柔软纤细。根茎短粗，深红棕色，下面着生多数须根，直径约 1mm。茎长 20 ~ 40cm。叶互生，二回羽状复叶，灰绿色。偶见顶生的花，花瓣黄白色，外被淡紫色萼片。质脆。气微，味苦。

| 功能主治 | 苦，平；有小毒。强心利尿，镇静。用于心悸，急、慢性心功能不全，心性水肿，癫痫。

| 用法用量 | 内服煎汤，0.3 ~ 0.9g。

| 附　　注 | 福寿草有速效强心的功效，民间用于治疗各种心脏病，效果显著，在药材市场供求平稳。吉林东部山区有部分药材商品产出，但销量较少。

毛茛科 Ranunculaceae 侧金盏花属 *Adonis*

辽吉侧金盏花 *Adonis pseudoamurensis* W. T. Wang

| **植物别名** | 福寿草、冰凉花。

| **药 材 名** | 辽吉侧金盏花（药用部位：全草）。

| **形态特征** | 多年生草本。根茎长约 1.5cm，直径约达 5mm。茎 4 ~ 20cm，直径 1.2 ~ 2mm，无毛或顶部有稀疏短柔毛，下部或上部分枝。基部和下部叶鳞片状，卵形或披针形，长 0.7 ~ 1.8cm。茎中部以上叶约 4，无毛，无柄或近无柄；叶片宽菱形，长和宽均为 4 ~ 8cm，2 ~ 3 回羽状全裂，末回裂片披针形或线状披针形，宽 1 ~ 1.5cm，先端锐尖。花单生茎或枝的先端，直径 2.5 ~ 4cm；萼片约 5，灰紫色，宽卵形、菱状宽卵形或宽菱形，长 7.5 ~ 10mm，宽 6 ~ 9mm，先端钝或圆形，有时急尖，全缘或上部边缘有 1 ~ 2 小齿，有短睫毛；花瓣约 13，黄色，长圆状倒披针形，长 1.2 ~ 2cm，宽 3.5 ~ 7mm；

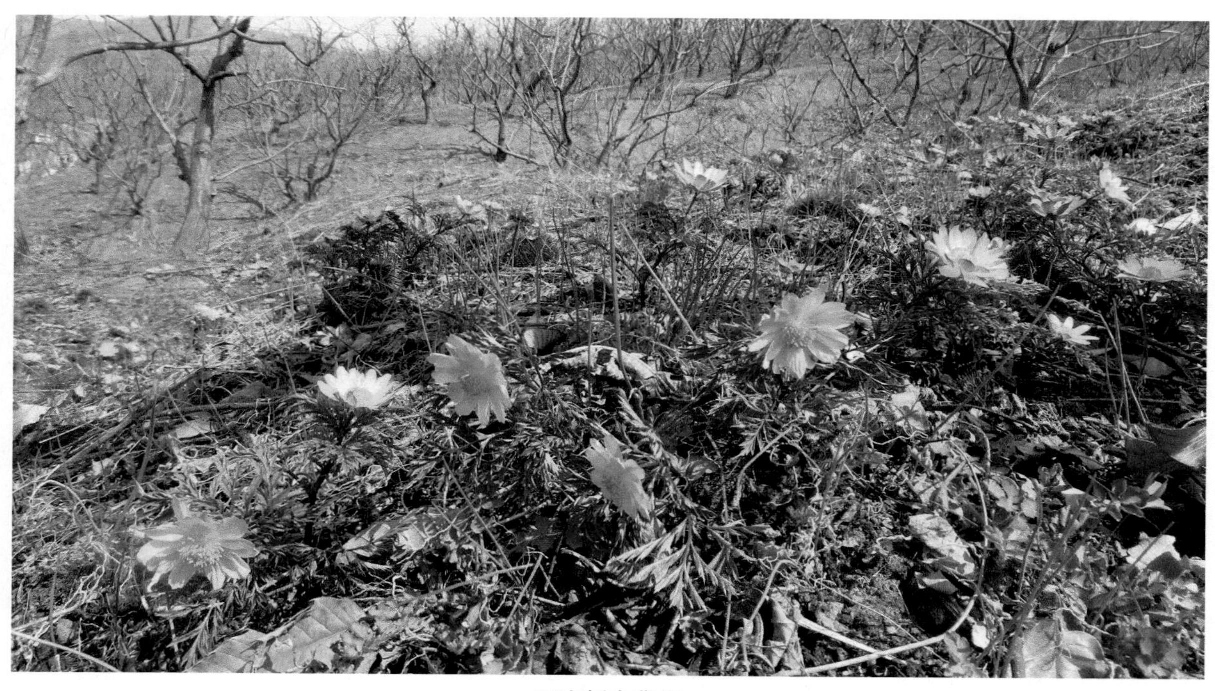

辽吉侧金盏花

雄蕊长达 4.5mm，花药长圆形，长约 1.2mm；心皮近无毛，花柱长约 0.8mm。3 ~ 4 月开花。

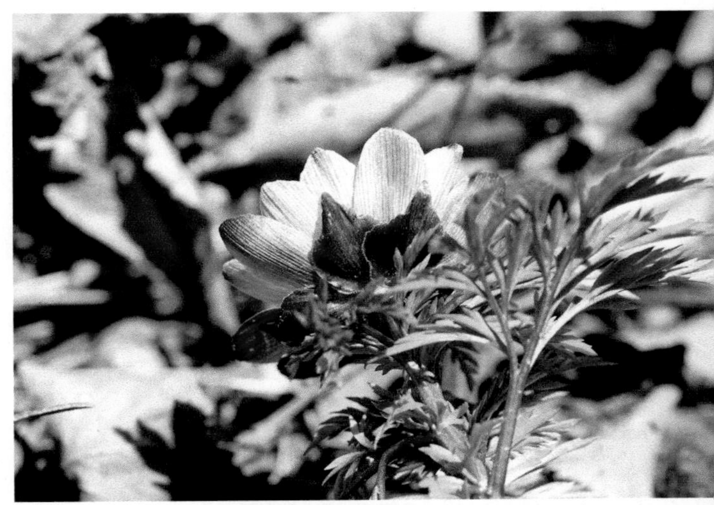

| 生境分布 |

生于阴坡林下、林缘或山坡阳处。分布于吉林延边、白山、通化、长春、吉林、辽源等。

| 资源情况 |

野生资源较少。药材主要来源于野生。

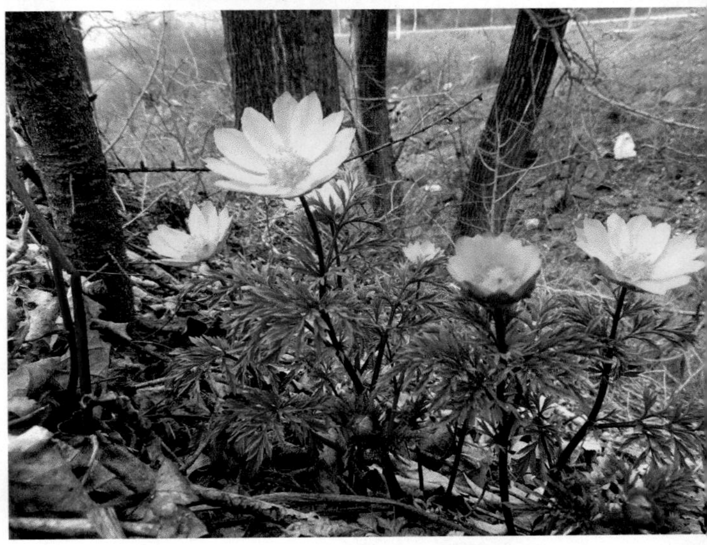

| 采收加工 |

早春采收，除去杂质，晾干。

| 功能主治 |

苦，平；有小毒。强心利尿，镇静。用于心悸，急、慢性心功能不全，心性水肿，癫痫。

| 附　　注 |

在 FOC 中，本种的拉丁学名被修订为 *Adonis ramosa* Franchet。

毛茛科 Ranunculaceae 银莲花属 *Anemone*

黑水银莲花 *Anemone amurensis* (Korsh.) Kom.

| **植物别名** | 黑龙江银莲花、东北银莲花草。

| **药 材 名** | 黑水银莲花（药用部位：全草）。

| **形态特征** | 多年生草本。植株高 20 ～ 25cm。根茎横走，细长，直径约 2mm，节间长约 3mm。基生叶 1 ～ 2，或不存在，有长柄；叶片三角形；宽 2.5 ～ 5cm，3 全裂，全裂片有细柄，中全裂片又 3 全裂；叶柄长约 9.5cm。花葶无毛；苞片 3，有柄，叶片卵形或五角形，长 2.7 ～ 3cm，宽 2.6 ～ 3.8cm，3 全裂，中全裂片有短柄，卵状菱形，近羽状深裂，边缘有不规则锯齿，两面近无毛，柄长 1.3 ～ 1.5cm，扁，边缘有狭翅；花梗 1，长 1.5 ～ 4cm，有短柔毛；萼片 6 ～ 7（～ 10），白色，长圆形或倒卵状长圆形，长 1.3 ～ 1.5cm，宽 4.4 ～ 5.5mm，先端圆形，无毛；雄蕊长 4 ～ 6mm，花药椭圆形，长约 1mm，花丝丝形；心

黑水银莲花

皮约12，子房被柔毛，花柱长约为子房之半，上部向外弯。5月开花。

|生境分布|

生于山地林下或灌丛下，喜半阴、湿润环境，比较耐寒。早春季节为优势物种。以长白山区为主要分布区域，分布于吉林延边、白山、通化、吉林、辽源（东丰）等。

|资源情况|

野生资源较丰富。药材主要来源于野生。

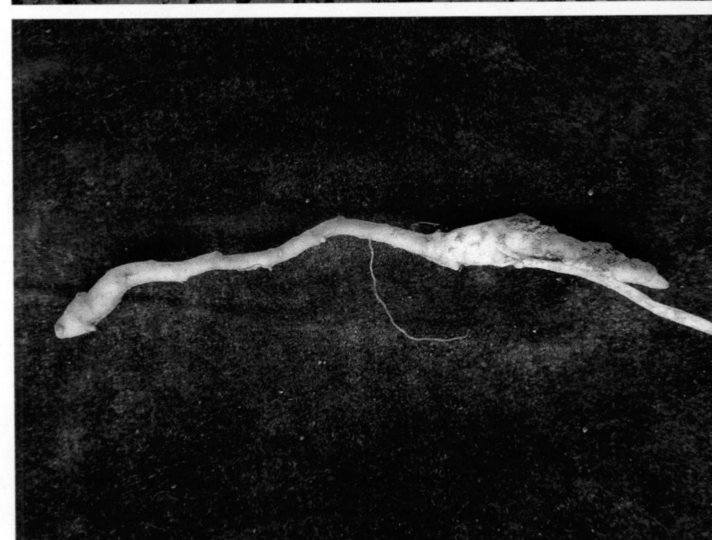

|采收加工|

同“侧金盏花”。

|功能主治|

解表发汗，平喘，补肝益肾。用于麻痹，月经不调，胃痛，痛风，积水，百日咳。

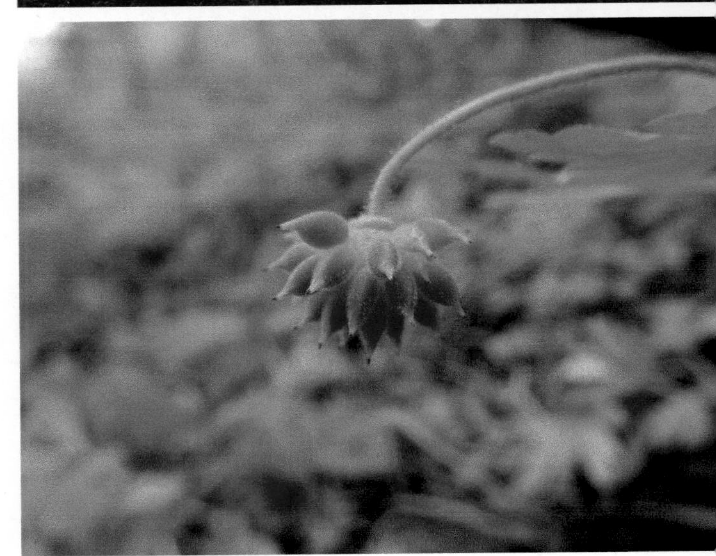

毛茛科 Ranunculaceae 银莲花属 *Anemone*

毛果银莲花 *Anemone sczukinii* Turcz.

| 药材名 | 毛果银莲花（药用部位：叶）。

| 形态特征 | 多年生草本。植株高 13 ~ 28cm。根茎细长，直径约 1mm，节间长约 4.5mm。基生叶 1 ~ 2，有长柄；叶片肾状五角形，长（2 ~ ）4 ~ 5.2cm，宽（3.5 ~ ）5 ~ 10cm，3 全裂，中全裂片宽菱形，上部 3 浅裂，浅裂片有少数小裂片和牙齿，侧全裂片斜扇形，2 深裂，两面有短柔毛；叶柄长（4 ~ ）9.5 ~ 12cm，有稀疏或密的开展柔毛。花葶有与叶柄相同的毛；苞片 3，无柄，不等大，菱形或宽菱形，长 1.2 ~ 3.8cm，3 深裂；花梗 1 ~ 2，长 1.8 ~ 7cm，有白色短柔毛；萼片 5（ ~ 6），白色，倒卵形，长 10 ~ 15mm，宽 6 ~ 9mm，先端钝或圆形，外面有疏柔毛；雄蕊长约为萼片之半，花药椭圆形，长约 1mm，花丝丝形；心皮 6 ~ 10（ ~ 16），子房密被柔毛，有短花柱，

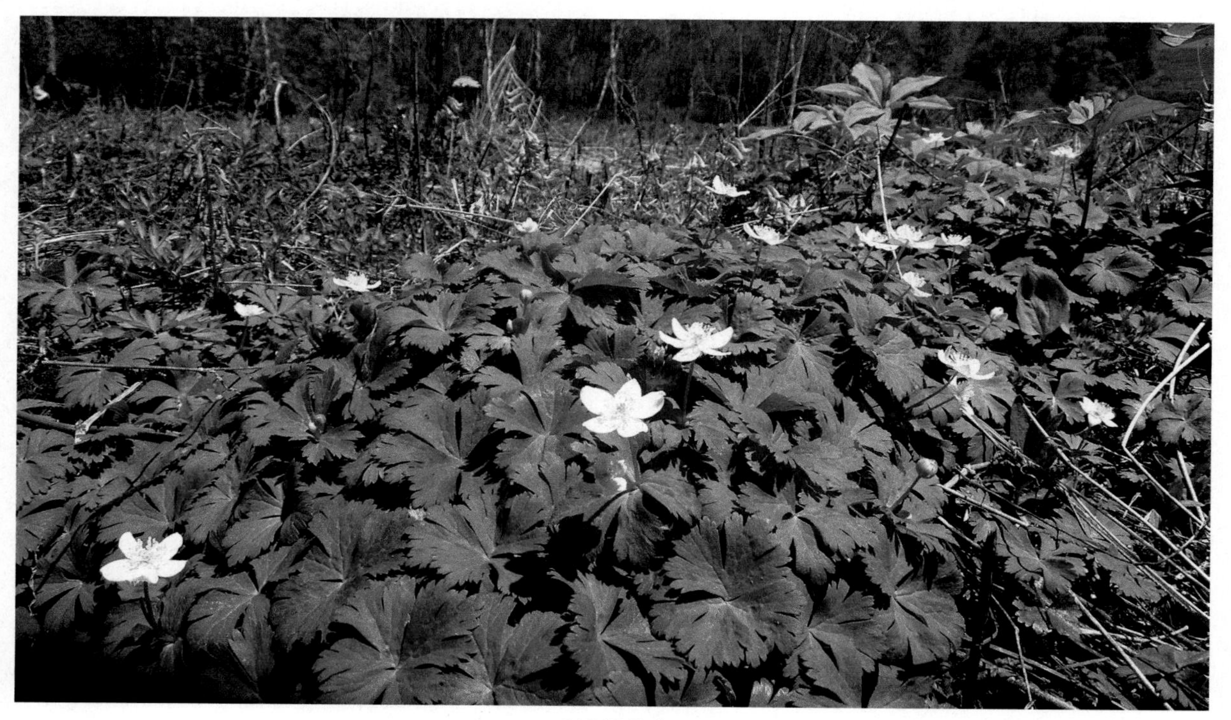

毛果银莲花

柱头近头形。5 ~ 7 月开花。

| 生境分布 |

生于山地林下、灌丛中或阴坡湿地。分布于吉林通化（通化、柳河）、延边（敦化、安图）、白山（长白、抚松、临江）等。

| 资源情况 |

野生资源较少。药材主要来源于野生。

| 采收加工 |

春、夏季采收，晒干。

| 功能主治 |

解毒，杀虫。外用于疮痈肿毒。

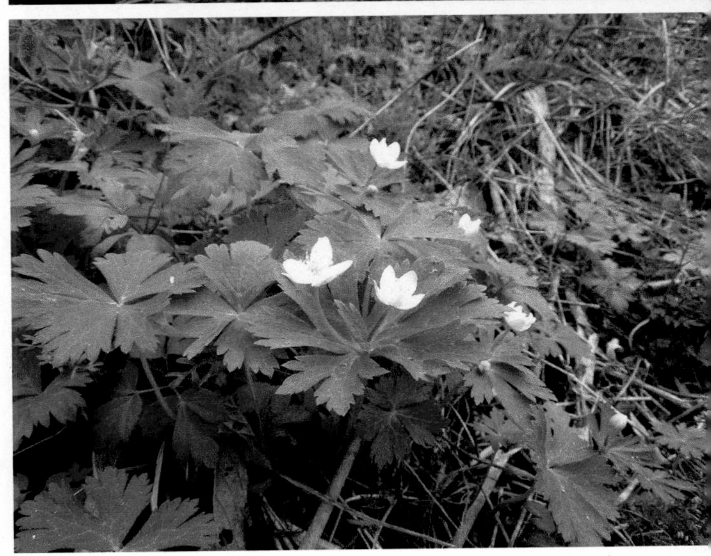

毛茛科 Ranunculaceae 银莲花属 *Anemone*

二歧银莲花 *Anemone dichotoma* L.

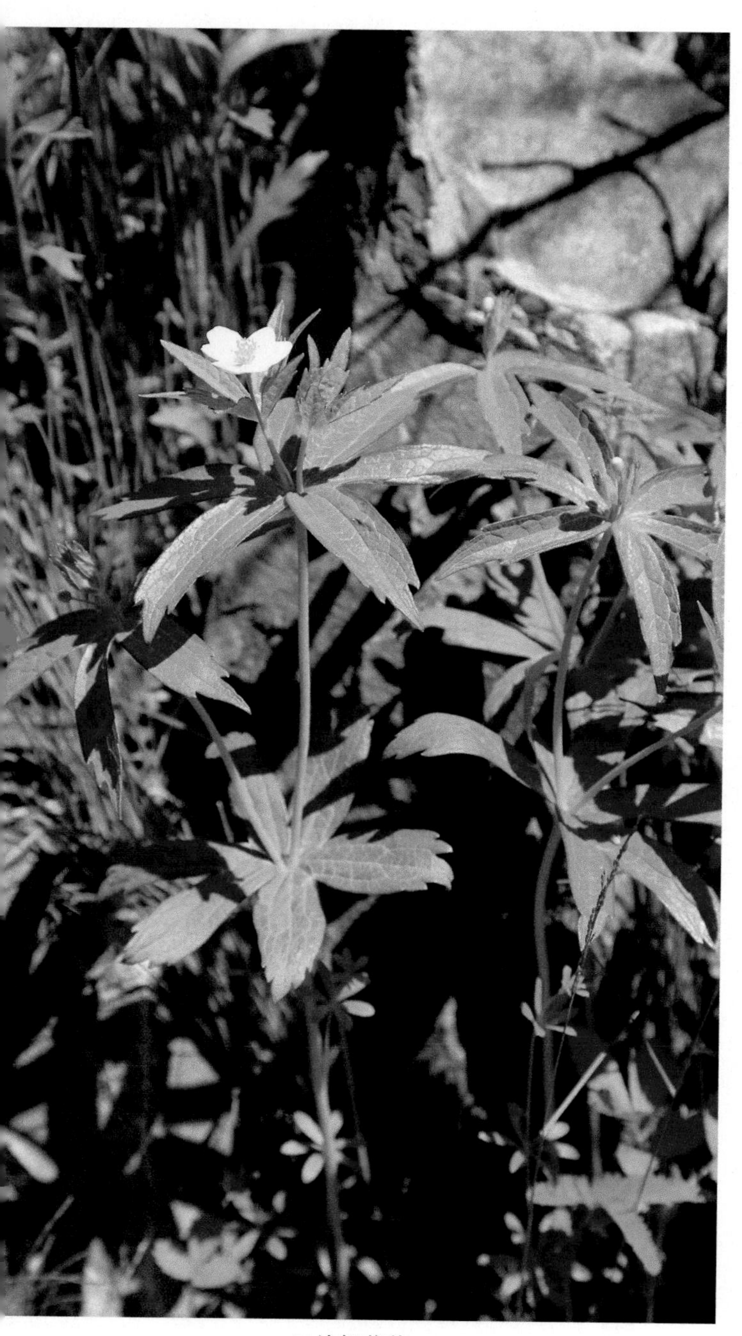

二歧银莲花

| 植物别名 |

草玉梅、土黄芩、银莲花。

| 药 材 名 |

二歧银莲花根（药用部位：根茎）。

| 形态特征 |

多年生草本。植株高 35 ~ 60cm。基生叶 1，通常不存在。花葶有稀疏贴伏的短柔毛；总苞苞片 2，扇形，长 3 ~ 6cm，宽 4.5 ~ 10cm，3 深裂近基部，深裂片近等长，狭楔形或线状倒披针形，宽 0.7 ~ 2.3cm，不明显 3 浅裂，或不分裂而有少数锐牙齿，表面近无毛，背面有短柔毛；花序 2 ~ 3 回二歧状分枝，1 回分枝近等长或不等长，长 9 ~ 14cm，2 回分枝长 1 ~ 10cm；小总苞苞片似总苞苞片，近等大或较小，花单生于花序分枝处；萼片 5，白色或带粉红色，倒卵形或椭圆形，长 0.7 ~ 1.2cm，宽 7 ~ 8mm；雄蕊长达 4mm；心皮约 30，无毛，长约 2.2mm，子房长圆形，有向外弯的短花柱。瘦果扁平，卵形或椭圆形，长 5 ~ 7mm，有边缘和稍弯的宿存花柱。6 月开花。

| 生境分布 | 生于丘陵、山坡、湿草地或林中。春季为优势物种。分布于吉林通化（辉南）、吉林（磐石、蛟河、桦甸）、白山（靖宇、长白、抚松）、延边（安图、珲春）等。

| 资源情况 | 野生资源较少。药材主要来源于野生。

| 采收加工 | 秋季采挖，晒干。

| 功能主治 | 苦，凉。舒筋活血，清热解毒，止痢。用于跌打损伤，痢疾，风湿性关节炎；外用于疮痈肿毒。

| 用法用量 | 内服煎汤，3 ~ 9g。外用适量。

毛茛科 Ranunculaceae 银莲花属 *Anemone*

长毛银莲花 *Anemone narcissiflora* L. var. *crinita* (Juz.) Tamura

| 植物别名 | 卵裂银莲花。

| 药 材 名 | 长毛银莲花（药用部位：全草）。

| 形态特征 | 多年生草本。植株高 45 ~ 67cm。根茎长约 6cm。基生叶 7 ~ 9，有长柄；叶片近圆形或圆五角形，较大，长 4 ~ 6cm，宽 7.5 ~ 11cm，全裂片无柄，细裂，末回裂片披针形至线形。花葶和叶柄密被近平展或稍向下斜展的长柔毛；苞片约 4，无柄，菱形或宽菱形，3 深裂，或倒披针形，不分裂，先端有 3 齿；伞辐 2 ~ 5，长 1 ~ 7cm，有柔毛；萼片 5（~ 7），白色，倒卵形，长 1.2 ~ 1.5cm，宽 6 ~ 10mm，外面有短柔毛；雄蕊长 2 ~ 4mm，花药椭圆形，心皮无毛。花期 6 ~ 7 月。

长毛银莲花

| 生境分布 | 生于山地、草坡或林下。吉林各地均有分布。

| 资源情况 | 野生资源较少。药材主要来源于野生。

| 采收加工 | 早春采收，除去杂质，晾干。

| 功能主治 | 酸，微寒。清热解毒，除湿。用于肿毒，湿疹，带状疱疹等。

| 附　　注 | 在 FOC 中，本种的拉丁学名被修订为 *Anemone narcissiflora* subsp. *crinita* (Juzepczuk) Kitagawa。

毛茛科 Ranunculaceae 银莲花属 *Anemone*

反萼银莲花 *Anemone reflexa* Stephan

| 药 材 名 | 反萼银莲花（药用部位：根茎）。

| 形态特征 | 多年生草本。植株高 16 ～ 26cm。根茎横走，近圆柱形，直径约 4mm，节间长 2 ～ 4mm。基生叶通常不存在。花葶无毛；苞片 3（～ 4），有柄（长 1 ～ 1.9cm），叶片近五角形，长 3.5 ～ 6.8cm，宽 3.4 ～ 7cm，3 全裂，中全裂片长圆状披针形或狭菱形，长渐尖，在中部为不明显 3 浅裂，边缘有锯齿，侧全裂片不等 2 浅裂；花梗 1，长 1.5 ～ 3.8cm，密被短柔毛；萼片 5 或 7，白色，披针状线形，长 3 ～ 6.5mm，宽 1 ～ 1.5mm，开花时向下反折；雄蕊长 2 ～ 3.5mm，花药椭圆形，先端圆形，花丝扁，狭线形，有 1 纵脉；心皮约 12，子房密被淡黄色短柔毛，花柱短，先端有近球形的小柱头。花期 4 ～ 5 月。

反萼银莲花

| 生境分布 |

生于山地谷中灌丛下、山坡、林缘、林下。春季为优势物种。分布于吉林通化（柳河、集安、通化）、白山（抚松、长白）、延边（延吉、安图）等。

| 资源情况 |

野生资源较丰富。药材主要来源于野生。

| 采收加工 |

5 ~ 6 月地上部分枯萎前采挖，除去地上残茎及须根，洗净，晒干。

| 功能主治 |

辛，微温。祛痰开窍，祛风化湿，醒脾安神，健胃，解毒。用于神昏谵语，癫痫，痰饮，疮疡肿毒。

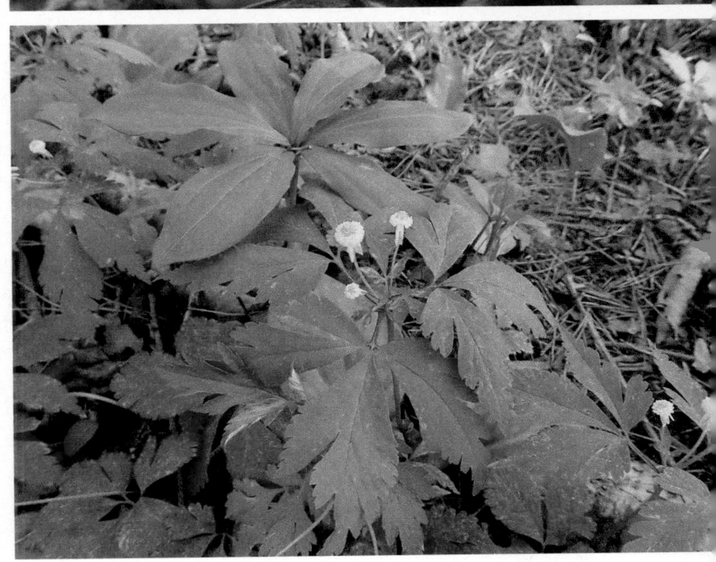

毛茛科 Ranunculaceae 银莲花属 *Anemone*

细茎银莲花 *Anemone rossii* S. Moore

| 植物别名 | 小银莲花、朝鲜银莲花。

| 药 材 名 | 细茎银莲花（药用部位：根茎。别名：小银莲花）。

| 形态特征 | 多年生草本。植株高 10 ~ 30cm。根茎圆柱形，长约 2.5cm，直径 3 ~ 4mm，节间长约 2mm。基生叶 1，有长柄；叶片圆肾形，长约 1.8cm，宽约 3.5cm，三全裂，中全裂片菱状倒卵形，3 裂至中部附近，2 回裂片有线形小裂片，侧全裂片不等 2 深裂，表面有稀疏伏毛，背面无毛；叶柄长 8 ~ 20cm。花葶上部疏被柔毛或近无毛；苞片 3，无柄，似基生叶，长 1.1 ~ 1.7cm；花梗 1，长 0.7 ~ 6cm，疏被短柔毛；萼片 5（~ 7），白色，狭倒卵形，长 8 ~ 12mm，宽 4 ~ 6.5mm，无毛或外面有疏柔毛；雄蕊长达 3mm，花药狭椭圆形，长约 1mm，花丝狭线形；心皮 7 ~ 8，子房密被白色柔毛，花柱近不存在，柱

细茎银莲花

头陀螺形。5 ~ 6 月开花。

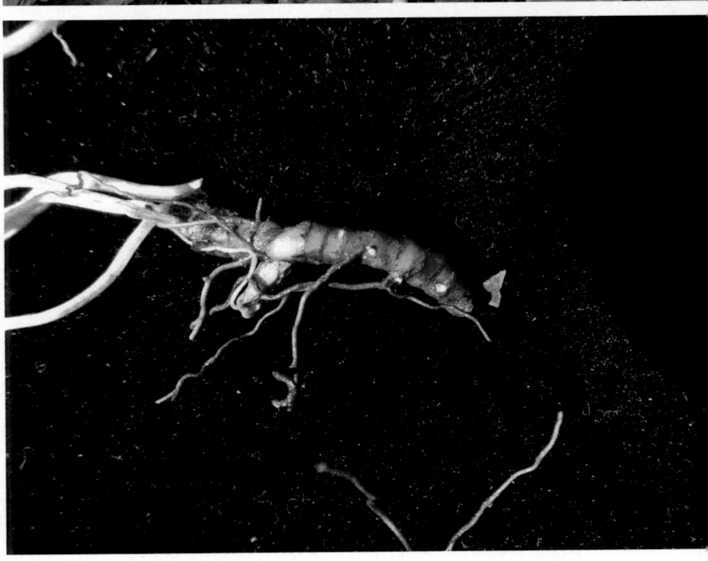

| 生境分布 |

生于山地阴湿草坡或林下。以长白山区为主要分布区域，分布于吉林延边、白山、通化、吉林、辽源（东丰）等。

| 资源情况 |

野生资源较少。药材主要来源于野生。

| 采收加工 |

5 ~ 6 月地上部分枯萎前采挖，除去地上残茎及须根，洗净，晒干。

| 功能主治 |

祛风湿，消痈肿。用于风湿痹证，疮痈肿毒。

| 附　　注 |

在 FOC 中，本种的拉丁学名被修订为 *Anemone baicalensis* Turcz. var. *rossii* (S. Moore) Kitagawa。

毛茛科 Ranunculaceae 银莲花属 *Anemone*

阴地银莲花 *Anemone umbrosa* C. A. Mey.

| 药 材 名 | 阴地银莲花（药用部位：根茎）。

| 形态特征 | 多年生草本。植株高 8 ~ 29cm。根茎横走。基生叶通常不存在，有时 1，柄长约 8.5cm；叶片三角状卵形，宽约 3.5cm，基部心形，3 全裂，全裂片近无柄，卵形，不明显 3 浅裂，边缘有浅锯齿，侧全裂片不等 2 裂，两面有短伏毛。花葶细，苞片 3，柄长 0.7 ~ 1.5cm，叶片三角形或五角形，长 2 ~ 4.2cm，宽 2.2 ~ 5.5cm，3 全裂，花梗 1 ~ 2，长 3.5 ~ 6cm，萼片 5，白色，椭圆形或卵状椭圆形，长 7 ~ 12mm，宽 4 ~ 7mm，先端圆或钝，外面有短柔毛；雄蕊长 4 ~ 5.5mm，花药椭圆形，长约 0.7mm，先端圆形，花丝丝形；心皮约 11，子房密被柔毛，花柱短。花期 5 ~ 6 月，果期 6 ~ 7 月。

阴地银莲花

| **生境分布** | 生于海拔 200 ~ 500m 的低山阴坡草地、林下阴处、林缘、灌丛等处。分布于吉林省通化（柳河、集安、通化、梅河口）、吉林（桦甸、蛟河）、白山（长白、抚松）、延边（安图）等。

| **资源情况** | 野生资源较少。药材主要来源于野生。

| **采收加工** | 5 ~ 6 月地上部分枯萎前采挖，除去地上残茎及须根，洗净，晒干。

| **功能主治** | 祛风湿，消痈肿，止痛。用于风湿痹痛，疮痈肿毒。

毛茛科 Ranunculaceae 耧斗菜属 *Aquilegia*

白山耧斗菜 *Aquilegia japonica* Nakai et Hara

|植物别名| 长白耧斗菜。

|药 材 名| 白山耧斗菜（药用部位：全草）。

|形态特征| 多年生草本。根细长圆柱形，不分枝，直径 3 ~ 8mm，外皮黑褐色。茎通常单一，直立，不分枝或有时在上部少分枝，高 15 ~ 40cm，疏被开展的白色短柔毛。叶全部基生，少数，为二回三出复叶；叶片宽 2.5 ~ 8cm，小叶卵圆形，长 0.9 ~ 2.4cm，宽 1.3 ~ 3.3cm，3 全裂，全裂片楔状倒卵形，宽 0.8 ~ 2.1cm，先端 3 浅裂，浅裂片有 2 ~ 3 浅圆齿，表面绿色，无毛，背面粉绿色，无毛或被极稀疏的白色柔毛；叶柄长 3.5 ~ 19cm。花 1 ~ 3，中等大，直径 3.5 ~ 4.2cm；苞片线状披针形，1 ~ 3 浅裂，长 4 ~ 7mm；萼片蓝紫色，开展，椭圆状倒卵形，长 1.5 ~ 2.5cm，宽 0.7 ~ 1.5cm，先端钝或近圆形；花瓣

白山耧斗菜

瓣片黄白色至白色，短长方形，长 0.7 ~ 1.2cm，先端钝圆，距紫色，长 1 ~ 1.6cm，末端弯曲呈钩状；雄蕊约与瓣片等长，花药宽椭圆形，长约 2mm，灰色或黄色；退化雄蕊膜质，白色，长约 8mm；心皮无毛，子房长约 6mm，花柱长约 5mm。7 月开花。

| 生境分布 |

生于高山坡草地、高山苔原带。分布于吉林白山（抚松、靖宇、长白）等。

| 资源情况 |

野生资源较少。药材主要来源于野生。

| 采收加工 |

夏、秋季采收，除去杂质，晒干。

| 功能主治 |

止血。用于月经过多，崩漏。

毛茛科 Ranunculaceae 耧斗菜属 *Aquilegia*

尖萼耧斗菜 *Aquilegia oxysepala* Trautv. et Mey.

| 植物别名 | 血见愁。

| 药 材 名 | 耧斗菜（药用部位：全草。别名：血见愁）。

| 形态特征 | 多年生草本。根粗壮，圆柱形，外皮黑褐色。茎高 40 ~ 80cm，直径 3 ~ 4mm，近无毛或被极稀疏的柔毛，上部多少分枝。基生叶数枚，为二回三出复叶，叶片宽 5.5 ~ 20cm，中央小叶通常具 1 ~ 2mm 的短柄，楔状倒卵形，长 2 ~ 6cm，宽 1.8 ~ 5cm，3 浅裂或 3 深裂，裂片先端圆形，常具 2 ~ 3 粗圆齿，表面绿色，无毛，背面淡绿色，无毛或近无毛，叶柄长 10 ~ 20cm，被开展的白色柔毛或无毛，基部变宽呈鞘状；茎生叶数枚，具短柄，向上渐变小。花 3 ~ 5，较大而美丽，微下垂；苞片 3 全裂；钝；萼片紫色，稍开展，狭卵形，长 2.5 ~ 3.1cm，宽 8 ~ 12mm，先端急尖；花瓣瓣片黄白色，

尖萼耧斗菜

长 1 ~ 1.3cm，宽 7 ~ 9mm，先端近截形，距长 1.5 ~ 2cm，末端强烈内弯呈钩状；雄蕊与瓣片近等长，花药黑色，长 1.5 ~ 2mm；心皮 5，被白色短柔毛。蓇葖果长 2.5 ~ 3cm；种子黑色，长约 2mm。5 ~ 6 月开花，7 ~ 8 月结果。

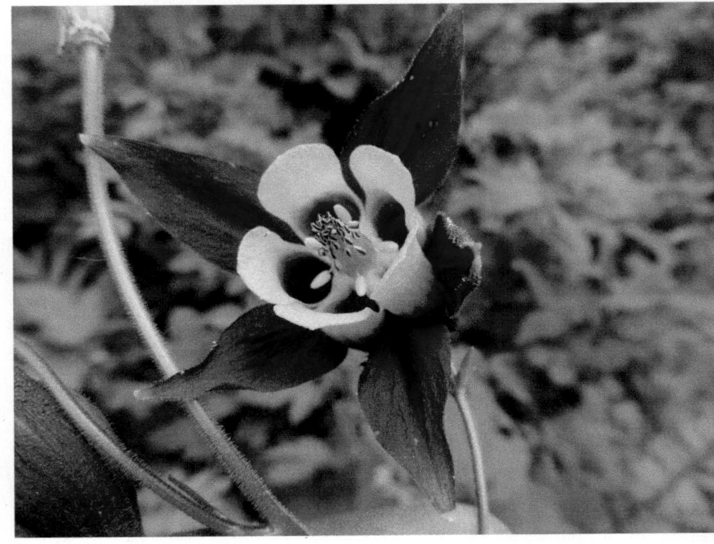

| 生境分布 | 生于山地杂木林林缘和草地中。以长白山区为主要分布区域，分布于吉林延边、白山、通化、吉林、辽源（东丰）等。

| 资源情况 | 野生资源较丰富。药材主要来源于野生。

| 采收加工 | 夏、秋季采收，除去杂质，晒干。

| 药材性状 | 本品圆柱形，黑色。叶皱缩，绿色。苞片淡紫色，花冠黄色。蓇葖果绿色至棕黄色，先端尖，呈鸟嘴状。种子细小，卵形至半月形，黑色，光滑或具细小突起。气微，味微涩。

| 功能主治 | 苦、微甘，平。调经活血。用于月经不调，痢疾，腹痛，呼吸道炎症，功能性子宫出血，烧伤。

| 用法用量 | 内服煎汤，3 ~ 6g；或熬膏。

毛茛科 Ranunculaceae 耧斗菜属 *Aquilegia*

耧斗菜 *Aquilegia viridiflora* Pall.

| 植物别名 | 漏斗菜、血见愁。

| 药 材 名 | 耧斗菜（药用部位：全草）。

| 形态特征 | 多年生草本。根肥大，圆柱形，直径达 1.5cm，简单或有少数分枝，外皮黑褐色。茎高 15 ~ 50cm，常在上部分枝，除被柔毛外还密被腺毛。基生叶少数，二回三出复叶；叶片宽 4 ~ 10cm，中央小叶具 1 ~ 6mm 的短柄，楔状倒卵形，长 1.5 ~ 3cm，宽几相等或更宽，上部 3 裂，裂片常有 2 ~ 3 圆齿，表面绿色，无毛，背面淡绿色至粉绿色，被短柔毛或近无毛；叶柄长达 18cm，疏被柔毛或无毛，基部有鞘。茎生叶数枚，为一至二回三出复叶，向上渐变小。花 3 ~ 7，倾斜或微下垂；苞片 3 全裂；花梗长 2 ~ 7cm；萼片黄绿色，长椭圆状卵形，长 1.2 ~ 1.5cm，宽 6 ~ 8mm，先端微钝，疏被柔毛；花瓣瓣片与

耧斗菜

萼片同色，直立，倒卵形，比萼片稍长或稍短，先端近截形，距直或微弯，长 1.2 ~ 1.8cm；雄蕊长达 2cm，伸出花外，花药长椭圆形，黄色；退化雄蕊白膜质，线状长椭圆形，长 7 ~ 8mm；心皮密被伸展的腺状柔毛，花柱比子房长或与子房等长。蓇葖果长 1.5cm；种子黑色，狭倒卵形，长约 2mm，具微凸起的纵棱。5 ~ 7 月开花，7 ~ 8 月结果。

| 生境分布 | 生于海拔 200 ~ 2300m 的山地路旁、河边或潮湿草地。本种喜凉爽气候而耐寒，喜富含腐殖质、湿润而排水良好的砂壤土。分布于吉林通化、白山、吉林（蛟河、磐石）等。

| 资源情况 | 野生资源一般。药材主要来源于野生。

| 采收加工 | 夏、秋季采挖，除去泥土及杂质，晒干。

| 药材性状 | 同“尖萼耧斗菜”。

| 功能主治 | 辛、微苦，平。清热解毒，调经止血。用于月经不调，崩漏，咽喉痛，咳嗽，痢疾，腹痛。

| 用法用量 | 内服煎汤，3 ~ 6g；或熬膏。

毛茛科 Ranunculaceae 耧斗菜属 *Aquilegia*

黄花尖萼耧斗菜 *Aquilegia oxysepala* f. *pallidiflora* (Nakai) Kitag.

| 药 材 名 | 耧斗菜（药用部位：全草。别名：血见愁、漏斗菜）。

| 形态特征 | 多年生草本，高 40 ~ 80cm。根圆柱形，外皮黑褐色。茎直立，近无毛或有极疏的柔毛。基生叶为二回三出复叶；叶柄长 10 ~ 20cm，被白色柔毛或无毛，具鞘；叶片宽 5.5 ~ 20cm，中央小叶楔状倒卵状，长 2 ~ 6cm，宽 1.8 ~ 5cm，3 浅裂或 3 深裂，裂片先端圆，具 2 ~ 3 粗圆齿，上面绿色，无毛，下面淡绿色，无毛或近无毛，小叶柄极短；茎生叶较小，具短柄。单歧聚伞花序，3 ~ 5 花，较大而美丽，微下垂；苞片 3 全裂；花两性，萼片 5，花瓣状，黄白色，稍开展，长 2.5 ~ 3.1cm，宽 8 ~ 12mm，先端急尖；花瓣 5，黄白色，瓣片长 1 ~ 1.3cm，宽 7 ~ 9mm，先端近截形，距长 1.5 ~ 2cm，末端内弯呈钩状；雄蕊多数，与瓣片近等长，花药黑色；退化雄蕊

黄花尖萼耧斗菜

长圆状披针形；心皮 5，被白色短柔毛。蓇葖果长 2 ~ 3cm，疏被毛。种子狭卵形，长约 2mm。花期 5 ~ 6 月，果期 7 ~ 8 月。

| 生境分布 | 生于山地杂木林林缘和草地中。以长白山区为主要分布区域，分布于吉林延边、白山、通化、吉林、辽源（东丰）、四平（伊通）等。

| 资源情况 | 野生资源较丰富。药材主要来源于野生。

| 采收加工 | 夏、秋季采收，除去杂质，晒干。

| 功能主治 | 苦、微甘，温。通经活血。用于月经不调。

| 用法用量 | 内服煎汤，3 ~ 6g；或熬膏。

毛茛科 Ranunculaceae 驴蹄草属 *Caltha*

驴蹄草 *Caltha palustris* L.

| 植物别名 | 三角叶驴蹄草、猿猴草、马蹄草。

| 药 材 名 | 马蹄叶（药用部位：全草。别名：薄叶驴蹄草、水葫芦、水八角）。

| 形态特征 | 多年生草本。全部无毛，有多数肉质须根。茎高（10 ～）20 ～ 48cm，直径（1.5 ～）3 ～ 6mm，实心，具细纵沟，在中部或中部以上分枝，稀不分枝。基生叶 3 ～ 7，有长柄；叶片圆形、圆肾形或心形，长（1.2 ～）2.5 ～ 5cm，宽（2 ～）3 ～ 9cm，先端圆形，基部深心形或基部 2 裂片互相覆压，边缘全部密生正三角形小牙齿；叶柄长（4 ～）7 ～ 24cm。茎生叶通常向上逐渐变小，稀与基生叶近等大，圆肾形或三角状心形，具较短的叶柄或最上部叶完全不具柄。茎或分枝顶部有由 2 花组成的简单的单歧聚伞花序；苞片三角状心形，边缘生牙齿；花梗长（1.5 ～）2 ～ 10cm；萼片 5，黄色，倒卵

驴蹄草

形或狭倒卵形，长 1 ~ 1.8（~ 2.5）cm，宽 0.6 ~ 1.2（~ 1.5）cm，先端圆形；雄蕊长 4.5 ~ 7（~ 9）mm，花药长圆形，长 1 ~ 1.6mm，花丝狭线形；心皮（5 ~）7 ~ 12，与雄蕊近等长，无柄，有短花柱。蓇葖果长约 1cm，宽约 3mm，具横脉，喙长约 1mm；种子狭卵球形，长 1.5 ~ 2mm，黑色，有光泽，有少数纵皱纹。5 ~ 9 月开花，6 月开始结果。

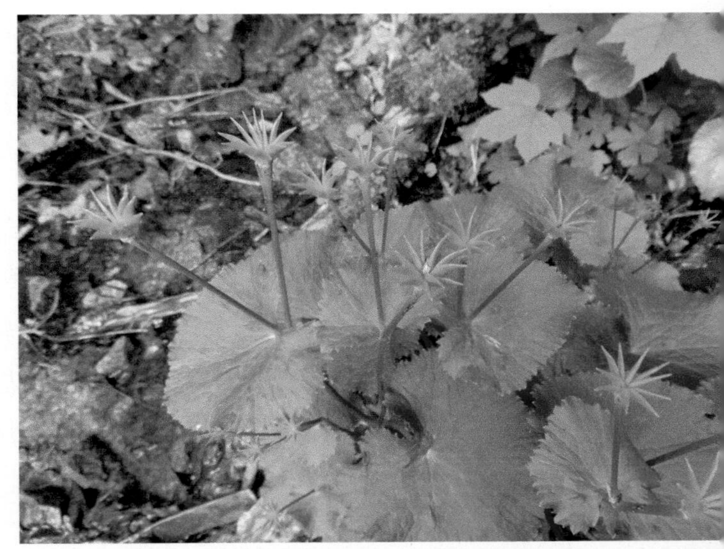

| 生境分布 | 生于山谷溪边、湿草甸、林下阴处，有时也生于草坡或林下较阴湿处。以长白山区为主要分布区域，分布于吉林延边、白山、通化、吉林、辽源（东丰）等。

| 资源情况 | 野生资源较丰富。药材主要来源于野生。

| 采收加工 | 夏、秋季采挖，除去泥土及杂质，晒干。

| 功能主治 | 辛，微温。清热解毒，散风除寒，利湿止痛。用于头目昏眩，头风疼痛，风湿关节痛，周身痛，化脓性创伤；外用于烫火伤，毒蛇咬伤，皮肤病。

毛茛科 Ranunculaceae 驴蹄草属 *Caltha*

膜叶驴蹄草 *Caltha palustris* var. *membranacea* Turcz.

| 植物别名 | 薄叶驴蹄草。

| 药 材 名 | 马蹄草（药用部位：全草。别名：大花驴蹄草、马蹄叶）。

| 形态特征 | 多年生草本。全部无毛，有多数肉质须根。茎高（10 ~ ）20 ~ 48cm，直径（1.5 ~ ）3 ~ 6mm，实心，具细纵沟，在中部或中部以上分枝，稀不分枝。叶较薄，近膜质；基生叶多圆肾形，有时三角状肾形，边缘均有牙齿，有时上部边缘的齿浅而钝。茎生叶通常向上逐渐变小，稀与基生叶近等大，圆肾形或三角状心形，具较短的叶柄或最上部叶完全不具柄。茎或分枝顶部有由 2 花组成的简单的单歧聚伞花序；苞片三角状心形，边缘生牙齿；花梗常较长，花梗长（1.5 ~ ）2 ~ 10cm；萼片 5，黄色，倒卵形或狭倒卵形，长 1 ~ 1.8（~ 2.5）cm，宽 0.6 ~ 1.2（~ 1.5）cm，先端圆形；雄蕊

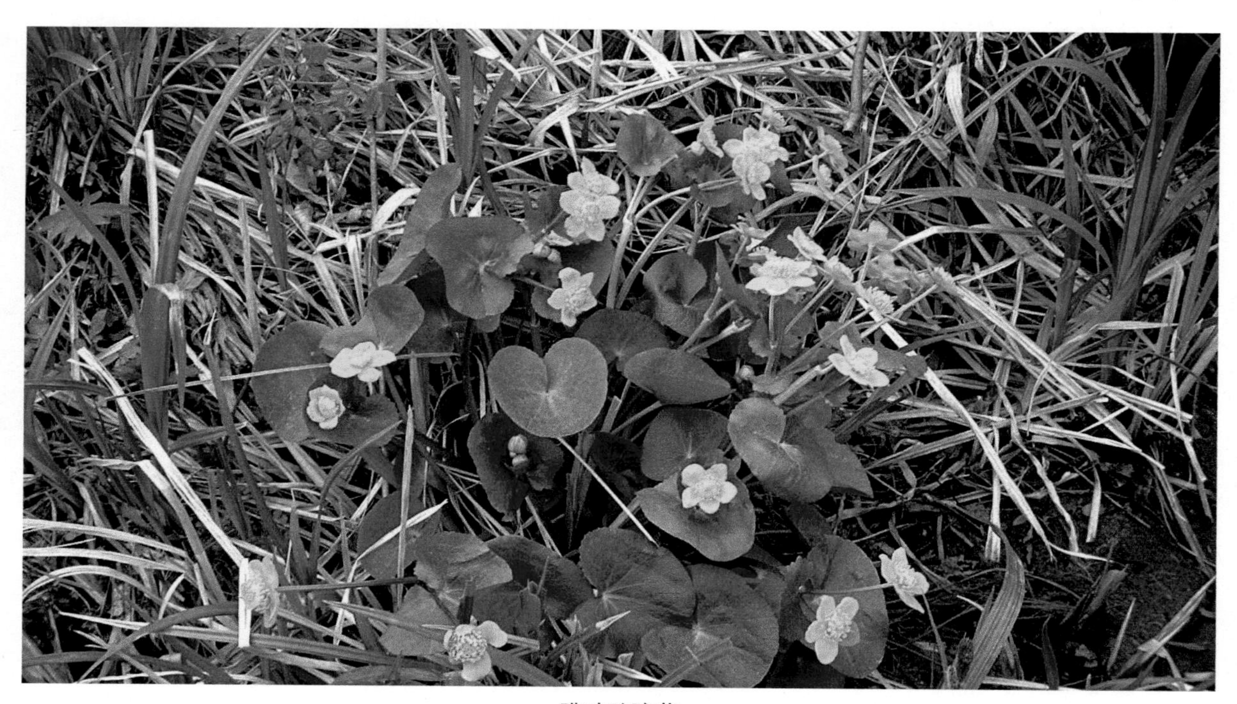

膜叶驴蹄草

长 4.5 ~ 7（~ 9）mm，花药长圆形，长 1 ~ 1.6mm，花丝狭线形；心皮（5 ~）7 ~ 12，与雄蕊近等长，无柄，有短花柱。蓇葖果长约 1cm，宽约 3mm，具横脉，喙长约 1mm；种子狭卵球形，长 1.5 ~ 2mm，黑色，有光泽，有少数纵皱纹。5 ~ 9 月开花，6 月开始结果。

| 生境分布 |

生于溪边、沼泽中或林中。以长白山区为主要分布区域，分布于吉林延边、白山、通化、吉林、辽源（东丰）、长春（九台）等。

| 资源情况 |

野生资源较丰富。药材主要来源于野生。

| 采收加工 |

夏、秋季采挖，除去泥土及杂质，晒干。

| 功能主治 |

辛，温。归脾、肺经。清热解毒，祛风除湿。用于发痧，扭伤，跌伤，皮肤病。

| 用法用量 |

内服煎汤，9 ~ 15g；或泡酒。外用适量，捣敷；或拌酒糟，烘热外敷；或煎汤洗。

毛茛科 Ranunculaceae 驴蹄草属 *Caltha*

三角叶驴蹄草 *Caltha palustris* L. var. *sibirica* Regel

| 植物别名 | 驴蹄草。

| 药 材 名 | 三角叶驴蹄草（药用部位：全草）。

| 形态特征 | 多年生草本。全部无毛，有多数肉质须根。茎高（10 ~ ）20 ~ 48cm，直径（1.5 ~ ）3 ~ 6mm，实心，具细纵沟，在中部或中部以上分枝，稀不分枝。基生叶 3 ~ 7，有长柄；叶多为宽三角状肾形，基部宽心形，边缘只在下部有牙齿，其他部分微波状或近全缘；叶柄长（4 ~ ）7 ~ 24cm。茎生叶通常向上逐渐变小，稀与基生叶近等大，圆肾形或三角状心形，具较短的叶柄或最上部叶完全不具柄。茎或分枝顶部有由 2 花组成的简单的单歧聚伞花序；苞片三角状心形，边缘生牙齿；花梗长（1.5 ~ ）2 ~ 10cm；萼片 5，黄色，倒卵形或狭倒卵形，长 1 ~ 1.8（ ~ 2.5）cm，宽 0.6 ~ 1.2（ ~ 1.5）cm，

三角叶驴蹄草

先端圆形；雄蕊长 4.5 ~ 7（~ 9）mm，花药长圆形，长 1 ~ 1.6mm，花丝狭线形；心皮（5 ~）7 ~ 12，与雄蕊近等长，无柄，有短花柱。蓇葖果长约 1cm，宽约 3mm，具横脉，喙长约 1mm；种子狭卵球形，长 1.5 ~ 2mm，黑色，有光泽，有少数纵皱纹。花期 5 ~ 9 月，果期 6 ~ 9 月。

| 生境分布 |

生于沼泽中、河边草地、山谷沟边或浅水中。以长白山区为主要分布区域，分布于吉林延边、白山、通化、吉林、辽源（东丰）等。

| 资源情况 |

野生资源较少。药材主要来源于野生。

| 采收加工 |

夏、秋季采收，洗净，鲜用或晒干。

| 功能主治 |

辛、微苦，凉。归肺、脾经。通便，开窍，祛风，解暑，活血消肿。用于伤风感冒，中暑发痧，跌打损伤，烫火伤。

| 用法用量 |

内服煎汤，9 ~ 15g；或泡酒。外用适量，捣敷；或拌酒糟，烘热外敷；或煎汤洗。

毛茛科 Ranunculaceae 升麻属 *Cimicifuga*

单穗升麻 *Cimicifuga simplex* Wormsk.

单穗升麻

| 植物别名 |

窟窿牙、野菜升麻。

| 药 材 名 |

野升麻（药用部位：根茎。别名：乌苏里升麻）。

| 形态特征 |

多年生草本。根茎粗壮，横走，外皮带黑色。茎单一，高 1 ~ 1.5m，直径 4 ~ 7mm，无毛。下部茎生叶有长柄，为二至三回三出近羽状复叶；叶片卵状三角形，宽达 30cm；顶生小叶有柄，宽披针形至菱形，长 4.5 ~ 8.5cm，宽 2 ~ 5.5cm，常 3 深裂或浅裂，边缘有锯齿，侧生小叶通常无柄，狭斜卵形，比顶生小叶为小，表面无毛，背面沿脉疏生白色长柔毛；叶柄长达 26cm；上部茎生叶叶较小，一至二回羽状三出。总状花序长达 35cm，不分枝或有时在基部有少数短分枝；苞片钻形，远较花梗为短；花梗长 5 ~ 8mm，和轴均密被灰色腺毛及柔毛；萼片宽椭圆形，长约 4mm；退化雄蕊椭圆形至宽椭圆形，先端膜质，2 浅裂；花药黄白色，长约 1mm，花丝狭线形，长 5 ~ 8mm，中央有 1 脉；心皮 2 ~ 7，密被灰色短绒毛，具柄。柄在近果期时延长。蓇葖果长 7 ~ 9mm，宽 4 ~ 5mm，被贴伏的短柔毛，下面具长达 5mm 的柄；种子 4 ~ 8，椭圆形，长约 3.5mm，四周被膜质翼状鳞翅。8 ~ 9 月开花，9 ~ 10 月结果。

| 生境分布 | 生于海拔 300 ~ 2300m 的山地草坪、潮湿的灌丛、草丛或草甸的草墩中。以长白山区为主要分布区域，分布于吉林延边、白山、通化、吉林、辽源（东丰）等，吉林长白山区各地均有栽培。

| 资源情况 | 野生资源较丰富。吉林有栽培。药材主要来源于野生。

| 采收加工 | 秋季茎叶枯萎时采挖，除去杂质，晒至须根干时，燎去或除去须根，晒干。

| 药材性状 | 本品呈不规则块状，稍弯曲，长约 20cm，直径 5 ~ 9cm。表面棕黑色至黑色，有横向纹理，上方残留多个大形的茎基残痕，下方及两侧有多数点状须根痕。质坚硬，不易折断。断面可见层环，棕黑色，皮部有浅黑色纵向条纹，有的木质部朽蚀成空洞，皮部有菱形纹理。气微，味辛、微苦。

| 功能主治 | 甘、辛、微苦，凉。归肺、脾、大肠经。清热解毒，升阳发表，散风透疹。用于伤风咳嗽，喉痛，头痛，时气疫疠，斑疹，风热疮痛，久泻脱肛，女子崩带，小儿麻疹。

| 用法用量 | 内服煎汤，3 ~ 9g。

毛茛科 Ranunculaceae 铁线莲属 *Clematis*

短尾铁线莲 *Clematis brevicaudata* DC.

| **植物别名** | 林地铁线莲、连架拐。

| **药 材 名** | 红钉耙藤（药用部位：茎、叶。别名：山木通、山木通藤、石通）。

| **形态特征** | 多年生藤本。枝有棱，小枝疏生短柔毛或近无毛。一至二回羽状复叶或二回三出复叶，有 5 ~ 15 小叶，有时茎上部为三出叶；小叶片长卵形、卵形至宽卵状披针形或披针形，长（1 ~ ）1.5 ~ 6cm，宽 0.7 ~ 3.5cm，先端渐尖或长渐尖，基部圆形、截形至浅心形，有时楔形，边缘疏生粗锯齿或牙齿，有时 3 裂，两面近无毛或疏生短柔毛。圆锥状聚伞花序腋生或顶生，常比叶短；花梗长 1 ~ 1.5cm，有短柔毛；花直径 1.5 ~ 2cm；萼片 4，开展，白色，狭倒卵形，长约 8mm，两面均有短柔毛，内面较疏或近无毛；雄蕊无毛，花药长 2 ~ 2.5mm。瘦果卵形，长约 3mm，宽约 2mm，密生柔毛，宿存花

短尾铁线莲

柱长 1.5 ~ 2（~ 3）cm。花期 7 ~ 9 月，果期 9 ~ 10 月。

| 生境分布 | 生于山地灌丛或疏林中。分布于吉林延边（敦化）、通化、吉林（蛟河）、松原（前郭尔罗斯、扶余）等。

| 资源情况 | 野生资源较丰富。药材主要来源于野生。

| 采收加工 | 夏季叶茂盛，花未开时采收，除去残茎、泥土及杂质，干燥。

| 药材性状 | 本品藤茎有的长达数米，缠绕成团或切段；茎细长圆柱形，直径 2 ~ 5mm；表面绿褐色或褐紫色，具纵棱，嫩藤可见柔毛；质脆，易折断，断面类白色。有的具叶，叶对生，叶柄较长，可达 4cm，二回三出复叶，完整的小叶先端渐尖，基部圆形，边缘疏生粗锯齿，有时 3 裂，枯绿色。气微，味微苦、涩。

| 功能主治 | 辛、微苦，温。除湿热，通血脉，利小便。用于跌打损伤，风湿痛，淋证，小便短涩，尿路感染，腹中胀满。

| 用法用量 | 内服煎汤，6 ~ 10g。

| 附　　注 | 本种与毛果扬子铁线莲 *Clematis ganpiniana* Lévl. et Vant. Tamura var. *tenuisepala* (Maximowicz) W. T. Wang 的形态区别在于后者花梗较长，长 1.5 ~ 6cm，花序较疏展，萼片干时变褐色至黑色，花药较短，长 1 ~ 2mm，瘦果较大，长约 5mm，宽约 3mm。

毛茛科 Ranunculaceae 铁线莲属 *Clematis*

紫花铁线莲 *Clematis fusca* Turcz. var. *violacea* Maxim.

紫花铁线莲

|药材名|

紫花铁线莲（药用部位：全草或根）。

|形态特征|

多年生直立草本或藤本，长 0.6 ~ 2m。根棕黄色，有膨大的节，节上有密集的侧根。茎表面暗棕色或紫红色，有纵的棱状突起及沟纹，节上及幼枝被曲柔毛，其余近于无毛。羽状复叶，连叶柄长 10 ~ 15cm，有（5 ~）7 ~ 9 小叶，先端小叶有时变成卷须；小叶片全缘而狭窄，长 4 ~ 9cm，宽 2 ~ 5cm，先端钝尖，基部圆形或心形，全缘或 2 ~ 3 分裂，两面近于无毛或仅背面叶脉上有疏柔毛；小叶柄长 1 ~ 2cm，叶柄长 2.5 ~ 4.5cm。聚伞花序腋生，（1 ~）3 花；花梗及苞片外面无毛或近于无；苞片呈紫红色；花钟状，下垂，直径 1.5 ~ 2cm；萼片 4，卵圆形或长方椭圆形，长 2 ~ 3cm，宽 0.7 ~ 1.2cm，外面被紧贴的褐色短柔毛，内面淡紫色，无毛，边缘被白色毡绒毛；雄蕊较萼片为短，花丝线形，外面及两侧被长柔毛，基部无毛，花药线形，内向着生，长 4 ~ 5mm，药隔外面被毛，先端有尖头状突起；子房被短柔毛，花柱被绢状毛。瘦果扁平，棕色，宽倒卵形，长约 7mm，宽约 5mm，边缘增厚，被稀疏短柔毛，宿存花柱长达3cm，被开展的黄色柔毛。花期6～7月，果期8～9月。

| 生境分布 | 生于路旁灌丛中、山坡、林边、杂木林中或草坡上。以长白山区为主要分布区域，分布于吉林延边、白山、通化、吉林、辽源（东丰）等。

| 资源情况 | 野生资源较少。药材主要来源于野生。

| 采收加工 | 茎叶茂盛时采收，除去杂质，干燥。秋季茎叶枯萎时采挖，除去泥土及须根，干燥。

| 功能主治 | 全草，活血化瘀，消肿止痛。用于跌打损伤，瘀血肿痛。根，祛风湿，调经。用于风湿痹痛，月经不调。

毛茛科 Ranunculaceae 铁线莲属 *Clematis*

大叶铁线莲 *Clematis heracleifolia* DC.

| 植物别名 | 卷萼铁线莲、草本女萎、草牡丹。

| 药 材 名 | 草牡丹（药用部位：全株。别名：牡丹藤、木通花、草本女萎）。

| 形态特征 | 多年生直立草本或半灌木。高 0.3 ~ 1m，有粗大的主根。茎粗壮，有明显的纵条纹。三出复叶；小叶片亚革质或厚纸质，卵圆形，长 6 ~ 10cm，宽 3 ~ 9cm，先端短尖基部圆形或楔形，有时偏斜，边缘有不整齐的粗锯齿，主脉及侧脉在叶背面显著隆起；叶柄长达 15cm；顶生小叶柄长，侧生者短。聚伞花序顶生或腋生，花梗粗壮，每花下有 1 线状披针形的苞片；花杂性，雄花与两性花异株；花直径 2 ~ 3cm，花萼下半部呈管状，先端常反卷；萼片 4，蓝紫色，长椭圆形至宽线形，雄蕊长约 1cm，花药线形与花丝等长，瘦果卵圆形，红棕色。花期 8 ~ 9 月，果期 10 月。

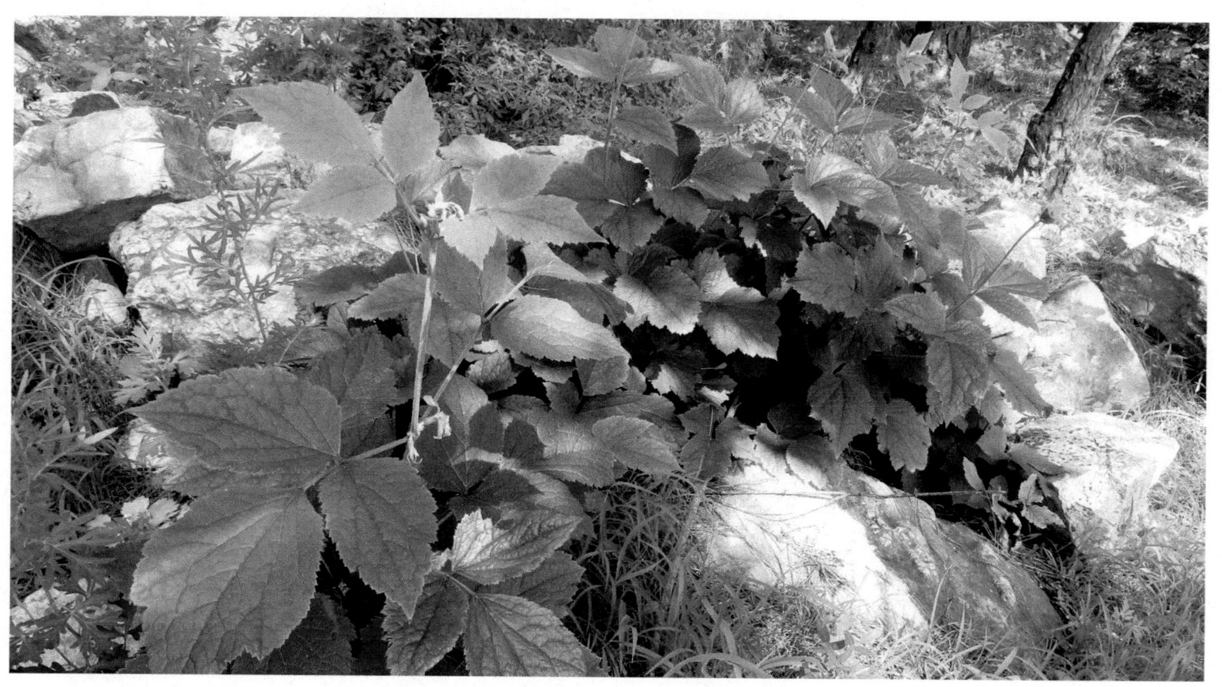

大叶铁线莲

| 生境分布 | 生于较高山坡的杂木林内、固定沙丘、干山坡草地、草原、山坡沟谷、路旁或林边。分布于吉林延边、白山、通化等。

| 资源情况 | 野生资源较丰富。药材主要来源于野生。

| 采收加工 | 秋季采收，除去杂质，干燥。

| 药材性状 | 本品根粗大，木质化；表面棕黄色。茎呈圆柱形，多切段，直径 5 ~ 8mm，下段茎木质，上段茎草质，黄绿或绿褐色，具纵棱。叶对生，完整叶为三出复叶，先端小叶较大，宽卵形，长、宽均 6 ~ 13cm，先端短尖，基部楔形，不分裂或 3 浅裂，边缘有粗锯齿，具柄；侧生小叶近无柄，较小。聚伞花序顶生或腋生，花梗粗壮有白色糙毛，花淡蓝色。气微，味微苦。

| 功能主治 | 辛、甘、苦，微温。归肝、大肠经。祛风除湿，解毒消肿。用于风湿关节痛，痛风，结核性溃疡；外用于疮疖肿毒，痔瘘。

| 用法用量 | 内服煎汤，9 ~ 15g；或泡酒。外用适量，煎汤熏洗。

| 附　　注 | 本种为直立粗壮草本，三出复叶，聚伞花序，花杂性，花萼基部成管状，上部反卷，蓝紫色，可以以此与本属其他种相区别。

毛茛科 Ranunculaceae 铁线莲属 *Clematis*

朝鲜铁线莲 *Clematis koreana* Kom.

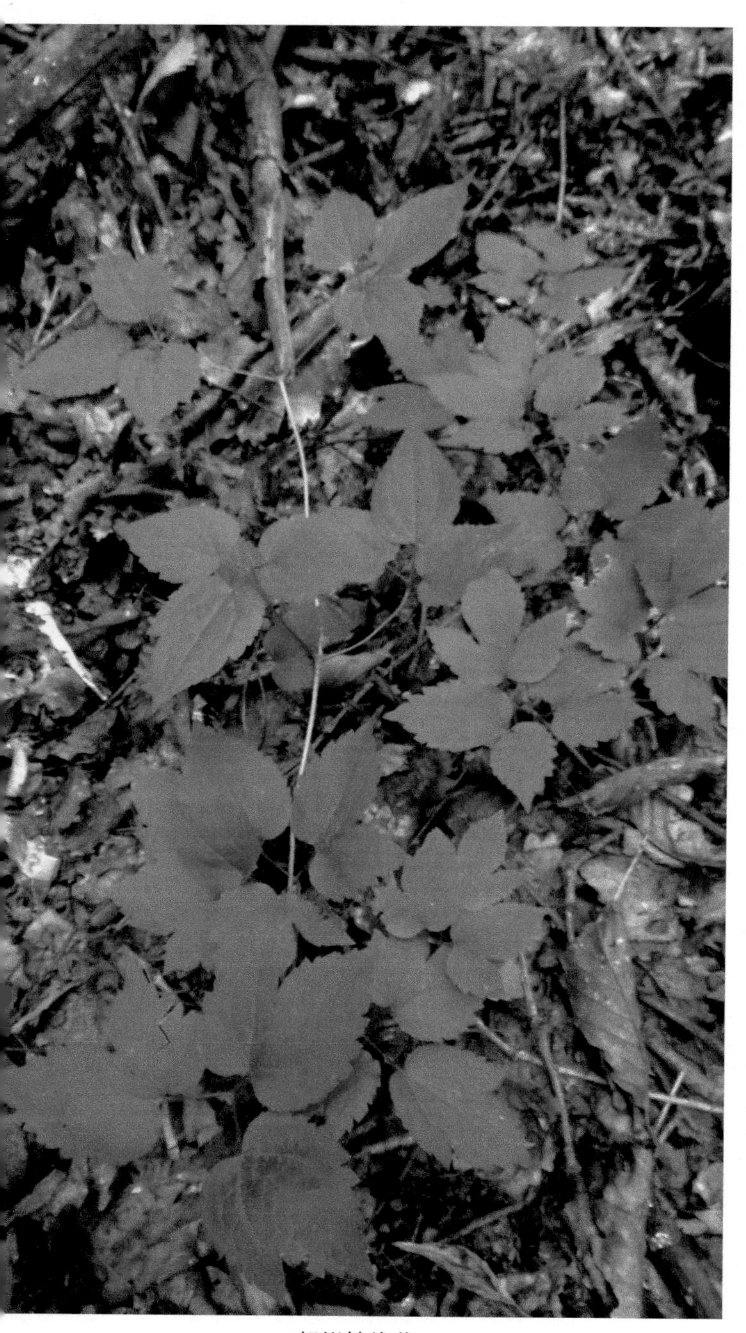
朝鲜铁线莲

| 药 材 名 |

朝鲜铁线莲（药用部位：根）。

| 形态特征 |

木质藤本或亚灌木。茎圆柱形，光滑无毛，当年生枝基部有宿存的芽鳞，鳞片膜质，披针形，长 1 ~ 2cm，幼时被白色柔毛。三出复叶；小叶片广卵圆形、卵圆形至近圆形，长 6 ~ 9cm，宽 5 ~ 7cm，先端渐尖或短尖，中央小叶片常 3 裂，基部心形，两侧的叶片常偏斜，边缘有粗大牙齿，幼时两面被稀疏柔毛，沿背面叶脉上柔毛更多，以后无毛；小叶柄长 1 ~ 2.5cm，叶柄长 4 ~ 7cm，上面有槽，疏被长柔毛。花单生于叶腋或枝顶，花梗粗壮，长 8 ~ 11cm，被稀疏柔毛或无毛；花萼钟状，微开展，下垂；萼片 4，淡黄色，卵状披针形至长卵圆形，长约 1.8cm，宽 5 ~ 8mm，先端渐尖，外面被白色柔毛，边缘被密毛；退化雄蕊线形，中部加宽成匙状，被柔毛，长为萼片之半；雄蕊花丝被毛，花药内向，药隔有毛。瘦果倒卵形，棕红色，长约 5mm，宽约 3mm，边缘增厚，宿存花柱长约 4.5cm，有浅灰色长柔毛。花期 5 月，果期 7 月。

| 生境分布 | 生于海拔 1000 ~ 1900m 的红松林及针叶、阔叶混交林内或灌丛中。分布于吉林延边、白山、通化等。

| 资源情况 | 野生资源较少。药材主要来源于野生。

| 采收加工 | 秋季茎叶枯萎时采挖，除去泥土及须根，干燥。

| 功能主治 | 祛风湿，通经络。用于风湿痹证。

| 附　　注 | （1）本种与西伯利亚铁线莲 *Clematis sibirica* (L.) Mill. 的形态相似，本种为一回三出复叶，小叶片广卵圆形，基部心形。本种与半钟铁线莲 *Clematis ochotensis* (Pall.) Poir 形态亦相似，但本种为淡黄色的花。

（2）本种果实上的柔毛压成粉末，可用于痔疮。

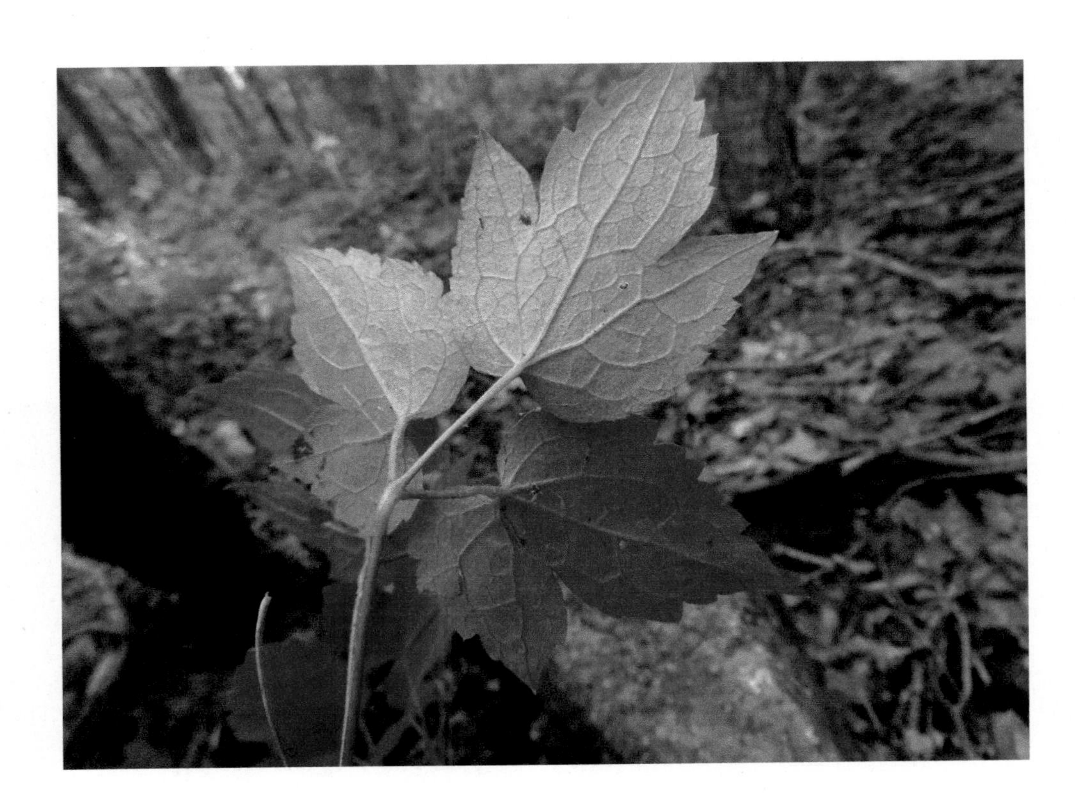

毛茛科 Ranunculaceae 铁线莲属 *Clematis*

长瓣铁线莲 *Clematis macropetala* Ledeb.

| 植物别名 | 大瓣铁线莲、石生长瓣铁线莲。

| 药 材 名 | 长瓣铁线莲（药用部位：全草）。

| 形态特征 | 木质藤本，长约 2m。幼枝微被柔毛，老枝光滑无毛。二回三出复叶，小叶片 9，纸质，卵状披针形或菱状椭圆形，长 2 ~ 4.5cm，宽 1 ~ 2.5cm，先端渐尖，基部楔形或近圆形，两侧的小叶片常偏斜，边缘有整齐的锯齿或分裂，两面近于无毛，脉纹在两面均不明显；小叶柄短，叶柄长 3 ~ 5.5cm，微被稀疏柔毛。花单生于当年生枝先端，花梗长 8 ~ 12.5cm，幼时微被柔毛，以后无毛；花萼钟状，直径 3 ~ 6cm；萼片 4，蓝色或淡紫色，狭卵形或卵状披针形，长 3 ~ 4cm，宽 1 ~ 1.5cm，先端渐尖，两面有短柔毛，边缘有密毛，脉纹成网状，两面均能见；退化雄蕊成花瓣状，披针形或线状披针形，

长瓣铁线莲

与萼片等长或微短，外面被密绒毛，内面近于无毛；雄蕊花丝线形，长约 1.2cm，宽约 2mm，外面及边缘被短柔毛，花药黄色，长椭圆形，内向着生，药隔被毛。瘦果倒卵形，长约 5mm，直径 2 ~ 3mm，被疏柔毛，宿存花柱长 4 ~ 4.5cm，向下弯曲，被灰白色长柔毛。花期 7 月，果期 8 月。

| 生境分布 | 生于荒山坡、草坡、岩石缝中或林下。分布于吉林白山（抚松、靖宇、长白）等。

| 资源情况 | 野生资源较少。药材主要来源于野生。

| 采收加工 | 夏、秋季采收，除去泥土及杂质，晒干。

| 功能主治 | 消食健胃，散结。用于消化不良，恶心，除疮，去痞块。此外，茎可利尿通淋，用于小便不利，小便淋漓涩痛。

| 附　　注 | 本种有二回三出复叶，与半钟铁线莲 *Clematis ochotensis* (Pall.) Poir. 的形态相似，区别在于本种退化雄蕊呈披针形或线状披针形，且与萼片等长。

毛茛科 Ranunculaceae 铁线莲属 *Clematis*

半钟铁线莲 *Clematis ochotensis* (Pall.) Poir.

| 植物别名 | 高山铁线莲。

| 药 材 名 | 半钟铁线莲（药用部位：根）。

| 形态特征 | 木质藤本。茎圆柱形，光滑无毛，幼时浅黄绿色，老后淡棕色至紫红色，当年生枝基部及叶腋有宿存的芽鳞，鳞片披针形，长 5 ~ 7mm，宽 2 ~ 3mm，先端有尖头，表面密被白色柔毛，以后无毛，内面无毛。三出复叶至二回三出复叶；小叶片 3 ~ 9，窄卵状披针形至卵状椭圆形，长 3 ~ 7cm，宽 1.5 ~ 3cm，先端钝尖，基部楔形至近圆形，常全缘，上部边缘有粗牙齿，侧生的小叶常偏斜，主脉上微被柔毛，其余无毛；小叶柄短，叶柄长 3 ~ 6cm，被稀疏曲柔毛。花单生于当年生枝顶，钟状，直径 3 ~ 3.5cm；萼片 4，淡蓝色，长方椭圆形至狭倒卵形，长 2.2 ~ 4cm，宽 1 ~ 2cm，两面近于无毛，外面边

半钟铁线莲

缘密被白色绒毛；退化雄蕊呈匙状条形，长约为萼片之半或更短，先端圆形，宽 2 ~ 4mm，外面边缘被白色绒毛，内面无毛；雄蕊短于退化雄蕊，花丝线形而中部较宽，边缘被毛，花药内向着生；心皮 30 ~ 50，被柔毛。瘦果倒卵形，长 4 ~ 5mm，宽 3 ~ 4mm，棕红色，微被淡黄色短柔毛，宿存花柱长 4 ~ 4.5cm。花期 5 ~ 6 月，果期 7 ~ 8 月。

| 生境分布 | 生于山谷、林边或灌丛中。分布于吉林白山（抚松、靖宇、长白）等。

| 资源情况 | 野生资源较少。药材主要来源于野生。

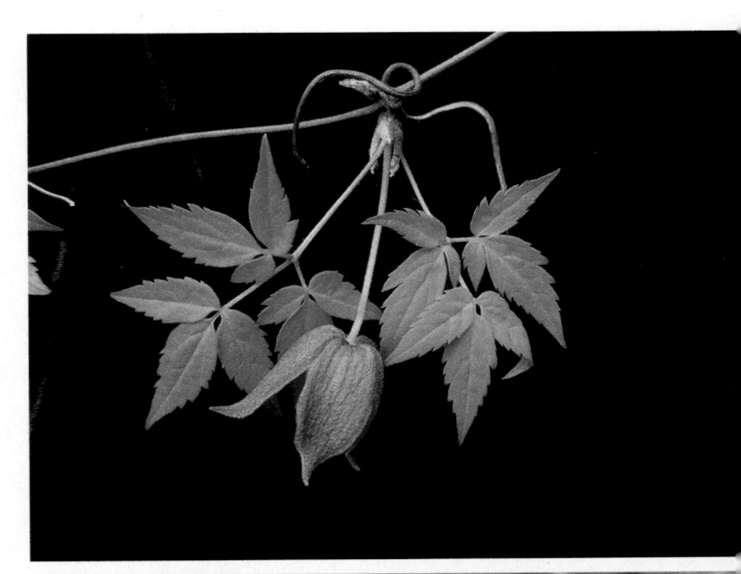

| 采收加工 | 秋季茎叶枯萎时采挖，除去泥土及须根，干燥。

| 功能主治 | 祛风除湿，利尿通淋。用于风湿痹证，小便淋漓不尽，小便涩痛。

| 附　　注 | （1）在 FOC 中，本种的拉丁学名被修订为 *Clematis sibirica* (L.) Mill. var. *ochotensis* (Pallas) S. H. Li & Y. H. Huang。

（2）本种与长瓣铁线莲 *Clematis macropetala* Ledeb. 的形态相似，都有二回三出复叶，区别在于本种退化雄蕊呈匙状条形，长仅为萼片之半。本种与西伯利亚铁线莲 *Clematis sibirica* (L.) Mill. 的形态相似，区别在于本种萼片淡蓝色，小叶片有不整齐的锯齿等。

毛茛科 Ranunculaceae 铁线莲属 *Clematis*

转子莲 *Clematis patens* Morr. et Decne.

| 植物别名 | 大花铁线莲。

| 药 材 名 | 转子莲（药用部位：根）。

| 形态特征 | 多年生草质藤本。须根密集，红褐色。茎圆柱形，攀缘，长约 1m，表面棕黑色或暗红色，有明显的 6 纵纹，幼时被稀疏柔毛，以后毛逐渐脱落，仅节处宿存。羽状复叶；小叶片常 3，稀 5，纸质，卵圆形或卵状披针形，长 4 ~ 7.5cm，宽 3 ~ 5cm，先端渐尖或钝尖，基部常圆形，稀宽楔形或亚心形，全缘，有淡黄色开展的睫毛，基出主脉 3 ~ 5，在背面微凸起，沿叶脉被疏柔毛，其余部分无毛，小叶柄常扭曲，长 1.5 ~ 3cm，顶生的小叶柄常较长，侧生者微短；叶柄长 4 ~ 6cm。单花顶生；花梗直而粗壮，长 4 ~ 9cm，被淡黄色柔毛，无苞片；花大，直径 8 ~ 14cm；萼片 8，白色或淡黄色，

转子莲

倒卵圆形或匙形，长 4 ~ 6cm，宽 2 ~ 4cm，先端圆形，有长约 2mm 的尖头，基部渐狭，内面无毛，3 条直的中脉及侧脉明显，外面沿 3 条直的中脉形成 1 披针形的带，被长柔毛，外侧疏被短柔毛和绒毛，边缘无毛；雄蕊长达 1.7cm，花丝线形，短于花药，无毛，花药黄色，长约 1cm；子房狭卵形，长约 1.3cm，被绢状淡黄色长柔毛，花柱上部被短柔毛。瘦果卵形，宿存花柱长 3 ~ 3.5cm，被金黄色长柔毛。花期 5 ~ 6 月，果期 6 ~ 7 月。

| 生境分布 | 生于山坡杂草丛或灌丛中。分布于吉林白山、通化等。

| 资源情况 | 野生资源较少。药材主要来源于野生。

| 采收加工 | 秋季茎叶枯萎时采挖，除去泥土及须根，干燥。

| 功能主治 | 祛瘀，利尿，解毒，消肿止痛。用于瘀血肿痛，小便不利。

| 附　　注 | 本种花梗上无苞片，花大，展开，三出复叶，小叶片背面无毛，可以以此与本属其他种相区别。

毛茛科 Ranunculaceae 铁线莲属 *Clematis*

齿叶铁线莲 *Clematis serratifolia* Rehd.

| 药 材 名 | 齿叶铁线莲（药用部位：根茎）。

| 形态特征 | 藤本。茎细长，带紫褐色，有明显纵条纹，无毛或被疏毛。二回三出复叶；小叶片宽披针形、卵状披针形或卵状长圆形，长 3 ~ 6（~ 8）cm，宽 1 ~ 2.5（~ 3）cm，先端长渐尖，顶生小叶片基部为不对称的圆楔形，边缘有不整齐的锯齿状牙齿，两面无毛；叶柄长 4 ~ 6cm。聚伞花序腋生，有 3 花，有时 2 侧花芽不发育，而成单花腋生；花梗细长，有疏长毛，近顶部较密，后脱落；小苞片小，叶状，长圆状披针形或披针形，全缘或有数个牙齿；萼片 4，黄色，斜上展，卵状长圆形或椭圆状披针形，长 1.2 ~ 2.5cm，宽 0.6 ~ 0.8（~ 1）cm，先端尖，常呈钩状弯曲，外面边缘有绒毛，中间无毛，内面有柔毛，花丝扁平，边缘及内面生长柔毛，花药长圆形，无毛。

齿叶铁线莲

瘦果椭圆形，长约 3mm，两端稍尖，被柔毛，宿存花柱长约 3cm，有长柔毛。花期 8 月，果期 9 ~ 10 月。

| 生境分布 |

生于山坡、林下、山沟、溪流旁、灌丛或河套。以长白山区为主要分布区域，分布于吉林延边、白山、通化、吉林、辽源（东丰）等。

| 资源情况 |

野生资源较少。药材主要来源于野生。

| 采收加工 |

秋季茎叶枯萎时采挖，除去泥土及须根，干燥。

| 功能主治 |

祛风除湿，利尿止泻。用于腹胀肠鸣，水湿泄泻，小便不利。

毛茛科 Ranunculaceae 铁线莲属 *Clematis*

西伯利亚铁线莲 *Clematis sibirica* (L.) Mill.

｜药 材 名｜ 新疆木通（药用部位：茎枝。别名：天山木通、花木通）。

｜形态特征｜ 亚灌木，长达 3m。根棕黄色，直深入土中。茎圆柱形，光滑无毛，当年生枝基部有宿存的鳞片，外层鳞片三角形，革质，长 4 ~ 5mm，先端锐尖，内层鳞片膜质，长方状椭圆形，长 1.5 ~ 1.8cm，宽约 3mm，先端常 3 裂，有稀疏柔毛。二回三出复叶，小叶片或裂片 9，卵状椭圆形或窄卵形，纸质，长 3 ~ 6cm，宽 1.2 ~ 2.5cm，先端渐尖，基部楔形或近圆形，两侧的小叶片常偏斜，先端及基部全缘，中部有整齐的锯齿，两面均不被毛，叶脉在表面不显，在背面微隆起；小叶柄短或不显，微被柔毛，叶柄长 3 ~ 5cm，有疏柔毛。单花，与 2 叶同自芽中伸出，花梗长 6 ~ 10cm，花基部有密柔毛，无苞片；花钟状下垂，直径约 3cm；萼片 4，淡黄色，长方状椭圆形或狭卵形，

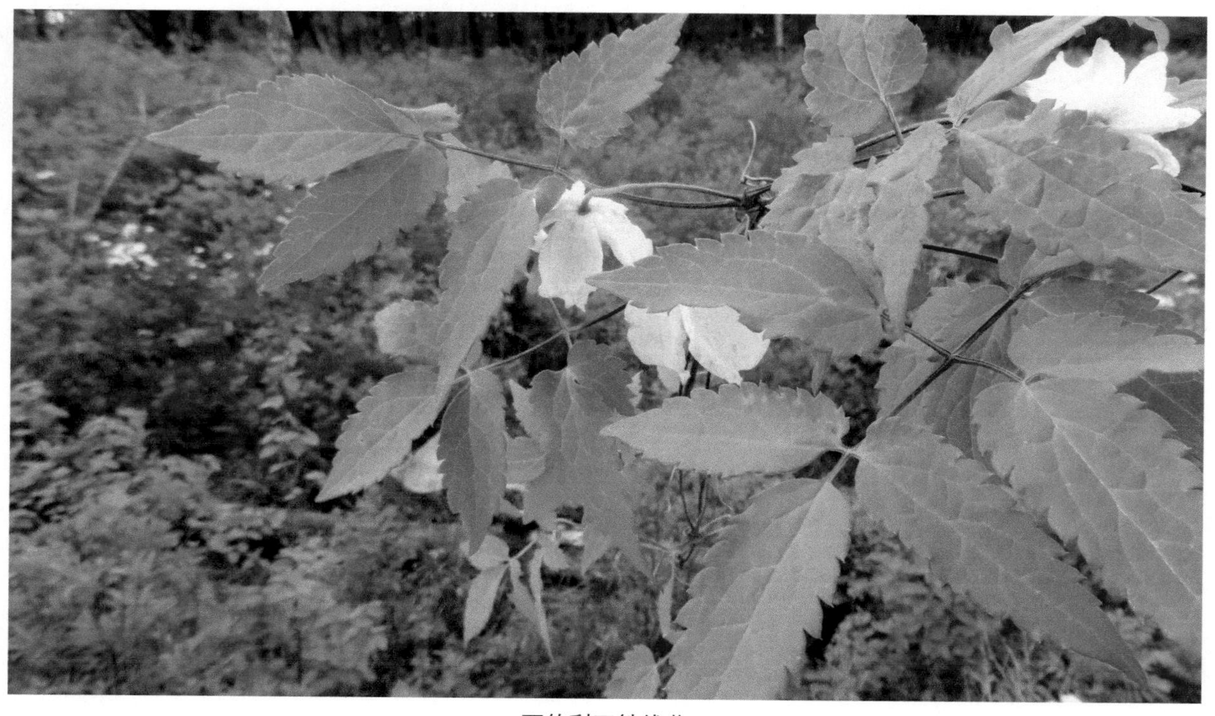

西伯利亚铁线莲

长 3 ~ 6cm，宽 1 ~ 1.5cm，质薄，脉纹明显，外面有稀疏短柔毛，内面无毛；退化雄蕊花瓣状，长仅为萼片之半，条形，先端较宽，呈匙状，钝圆，花丝扁平，中部增宽，两端渐狭，被短柔毛，花药长方状椭圆形，内向着生，药隔被毛；子房被短柔毛，花柱被绢状毛。瘦果倒卵形，长 5mm，直径 2 ~ 3mm，微被毛，宿存花柱长 3 ~ 3.5cm，有黄色柔毛。花期 6 ~ 7 月，果期 7 ~ 8 月。

| 生境分布 | 生于林边、路边或云杉林下。分布于吉林延边、白山、通化等。

| 资源情况 | 野生资源较少。药材主要来源于野生。

| 采收加工 | 四季均可采收，去粗皮，晒干。用时切段或切片。

| 药材性状 | 本品呈圆柱形，稍扭曲。除去粗皮者淡棕黄色，未去粗皮者棕褐色，并可见分枝基部存在革质或膜质鳞片，节稍膨大，质坚，断面木质部占大部分，导管也较大。气微，味微苦、辛。

| 功能主治 | 苦，微寒。归心、膀胱经。清热通淋，清心火，泻湿热，通血脉。用于尿道炎，小便不利，急性膀胱炎，尿血，尿道涩痛，大便秘结。

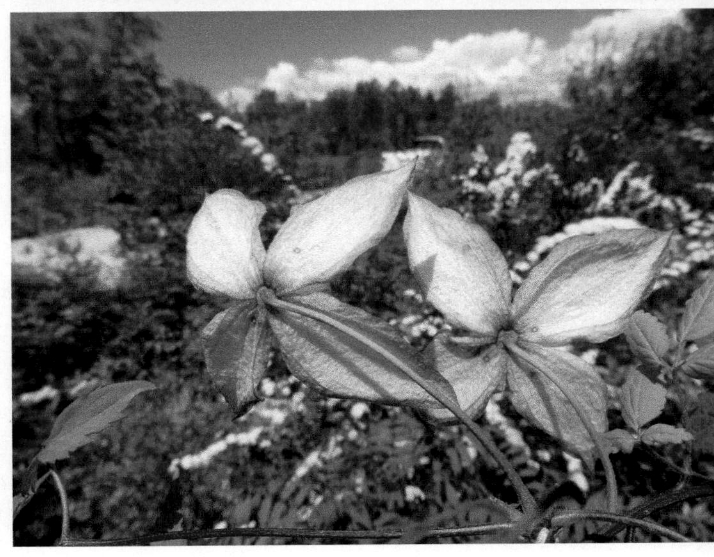

| 附　　注 | 本种与半钟铁线莲 *Clematis ochotensis* (Pall.) Poir. 的形态相似，区别在于本种花为黄色，小叶片边缘有整齐的锯齿。本种与天山铁线莲 *Clematis tianschanica* N. Pavl. 的形态亦相似，区别在于本种退化雄蕊先端钝圆，非为有凹陷。

毛茛科 Ranunculaceae 飞燕草属 *Consolida*

飞燕草 *Consolida ajacis* (L.) Schur

飞燕草

| 植物别名 |

高翠雀花。

| 药 材 名 |

飞燕草（药用部位：根、种子。别名：彩雀）。

| 形态特征 |

一年生草本。茎高约 60cm，与花序均被多少弯曲的短柔毛，中部以上分枝。茎下部叶有长柄，在开花时多枯萎，中部以上叶具短柄；叶片长达 3cm，掌状细裂，狭线形小裂片宽 0.4 ~ 1mm，有短柔毛。花序生茎或分枝先端；下部苞片叶状，上部苞片小，不分裂，线形；花梗长 0.7 ~ 2.8cm；小苞片生花梗中部附近，小，条形；萼片紫色、粉红色或白色，宽卵形，长约 1.2cm，外面中央疏被短柔毛，距钻形，长约 1.6cm；花瓣的瓣片 3 裂，中裂片长约 5mm，先端 2 浅裂，侧裂片与中裂片成直角展出，卵形；花药长约 1mm。蓇葖果长达 1.8cm，直，密被短柔毛，网脉稍隆起，不太明显。种子长约 2mm。

| 生境分布 |

生于草原草甸。分布于吉林白城、松原、四平等。

| 资源情况 | 野生资源较少。药材主要来源于野生。

| 采收加工 | 秋季茎叶枯萎时采挖，除去泥土及残茎，晒干。秋季采收种子，晒干。

| 功能主治 | 根，辛、苦，温；有毒。归肺、心、胃经。清热解痉，镇痛。用于腹痛；外用于跌打损伤，疥癣。种子，利水，止咳，平喘，催吐，泻下。用于喘息，水肿，胀满。

| 用法用量 | 外用适量，捣敷；或煎汤洗。种子毒性最大，一般外用。

毛茛科 Ranunculaceae 翠雀属 *Delphinium*

翠雀 *Delphinium grandiflorum* L.

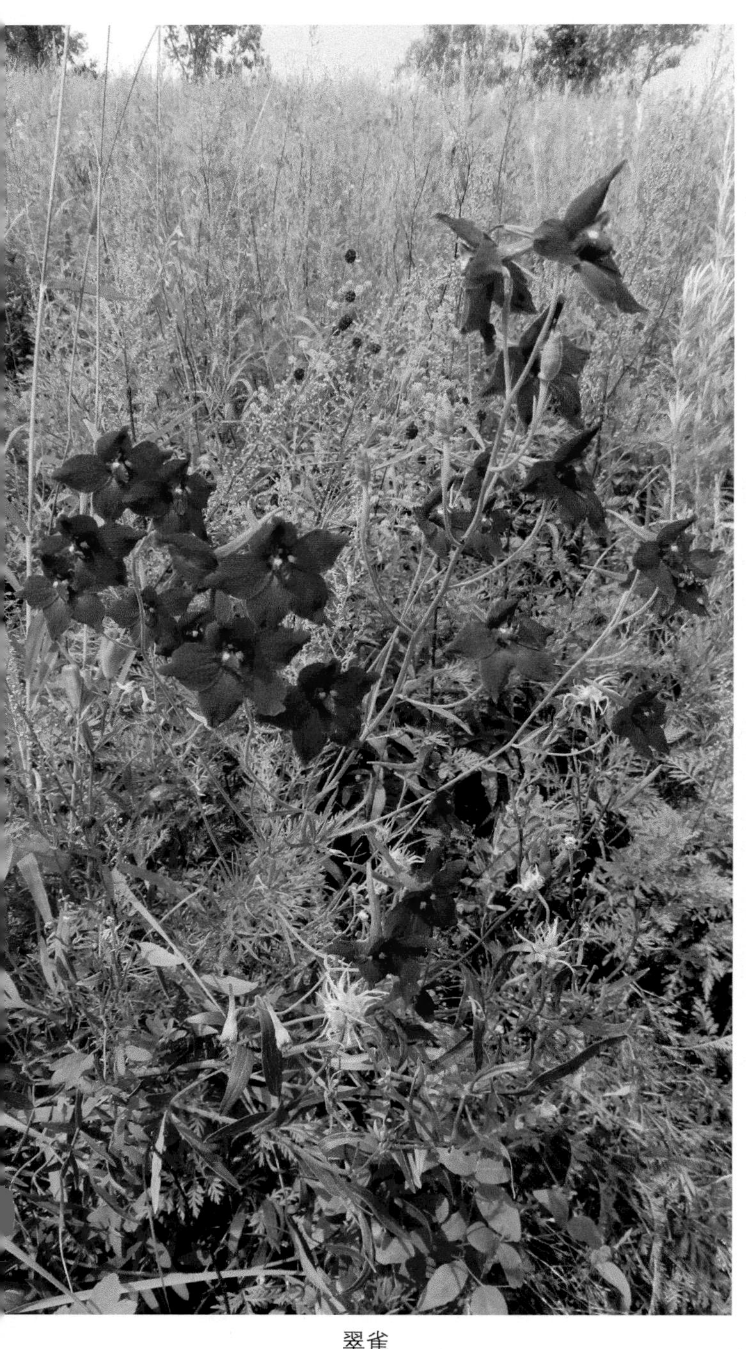

翠雀

| 植物别名 |

飞燕草、大花飞燕草、蓝蝴蝶。

| 药 材 名 |

飞燕草（药用部位：全草或根、种子。别名：猫眼花、鸽子花、鸡爪莲）。

| 形态特征 |

多年生草本。茎高 35 ~ 65cm，与叶柄均被反曲而贴伏的短柔毛，上部有时变无毛，等距地生叶，分枝。基生叶和茎下部叶有长柄；叶片圆五角形，长 2.2 ~ 6cm，宽 4 ~ 8.5cm，3 全裂，中央全裂片近菱形，1 ~ 2 回 3 裂近中脉，小裂片线状披针形至线形，宽 0.6 ~ 2.5（~ 3.5）mm，边缘干时稍反卷，侧全裂片扇形，不等 2 深裂近基部，两面疏被短柔毛或近无毛；叶柄长为叶片的 3 ~ 4 倍，基部具短鞘。总状花序有 3 ~ 15 花；下部苞片叶状，其他苞片线形；花梗长 1.5 ~ 3.8cm，与轴密被贴伏的白色短柔毛；小苞片生花梗中部或上部，线形或丝形，长 3.5 ~ 7mm；萼片紫蓝色，椭圆形或宽椭圆形，长 1.2 ~ 1.8cm，外面有短柔毛，距钻形，长 1.7 ~ 2（~ 2.3）cm，直或末端稍向下弯曲；花瓣蓝色，无毛，先端圆形；退化雄蕊蓝色，瓣片近圆形或宽倒卵形，先端全缘或微凹，腹面中央有黄色髯毛；雄蕊无毛；心皮 3，子房密被贴伏的短柔毛。蓇葖果直，长 1.4 ~ 1.9cm；种子倒卵状四面体形，长约 2mm，沿棱有翅。花期 5 ~ 10 月。

| 生境分布 | 生于山地草坡、丘陵沙地。分布于吉林白城（通榆、镇赉、洮南、大安）、松原（前郭尔罗斯、长岭、乾安）、长春（农安）、四平（双辽）、白山、通化、延边等。

| 资源情况 | 野生资源较少。药材主要来源于野生。

| 采收加工 | 夏季采收地上部分，除去泥土，晒干。秋季茎叶枯萎时采挖，除去泥土及须根，干燥。秋季果实成熟时采收，打下种子，晒干。

| 功能主治 | 全草或根，辛、苦，温；有毒。归肺、心、胃经。清热泻火，除湿止痒，止痛，杀虫；含漱用于风热牙痛，牙龈肿痛；外用于疥癣，脚气病，疮痈溃疡，头虱。种子，催吐，泻下，杀虫。用于哮喘；外用于疥疮，头虱。

| 用法用量 | 外用适量，捣敷；或煎汤洗。

毛茛科 Ranunculaceae 翠雀属 *Delphinium*

宽苞翠雀花 *Delphinium maackianum* Regel

| 植物别名 | 马氏飞燕草、乌头叶翠雀。

| 药 材 名 | 宽苞翠雀花（药用部位：根）。

| 形态特征 | 多年生草本。茎高 1.1 ~ 1.4m，下部被稍向下斜展的短糙毛，中部以上常变无毛。下部叶在开花时多枯萎；叶片五角形，长 7.2 ~ 11cm，宽 8 ~ 18cm，3 深裂至距基部 1.7 ~ 2.2cm 处，中央深裂片菱形或菱状楔形，在中部 3 浅裂，2 回裂片有少数小裂片和三角形牙齿，侧深裂片斜扇形，不等 2 深裂，两面有少数短毛；下部的叶柄长约 10cm。顶生总状花序狭长，有多数花；轴及花梗密被开展的黄色腺毛；基部苞片叶状，其他苞片带蓝紫色，长圆状倒卵形至倒卵形、船形，长 5 ~ 11mm，无毛；花梗长 1.3 ~ 3.8cm；小苞片生花梗下部，与苞片相似，蓝紫色，长 4 ~ 8.5mm；萼片脱落，紫蓝色，偶尔白色，

宽苞翠雀花

卵形或长圆状倒卵形，长 1 ~ 1.4cm，外面无毛，距钻形，长 1.6 ~ 1.7cm，有短腺毛；花瓣黑褐色，无毛；退化雄蕊黑褐色，瓣片与爪等长，卵形，2 浅裂，顶部疏被缘毛，腹面有黄色髯毛；雄蕊无毛；心皮 3，无毛。蓇葖果长约 1.4cm；种子金字塔状四面体形，长约 2mm，密生成层排列的鳞状横翅。7 ~ 8 月开花。

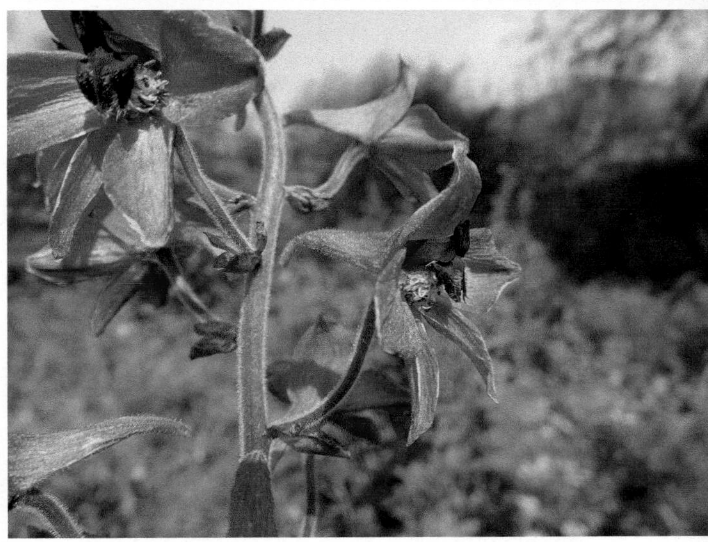

| 生境分布 |

生于水边、湿地、草甸、山地或草坡。以长白山区为主要分布区域，分布于吉林延边、白山、通化、吉林、辽源（东丰）等。

| 资源情况 |

野生资源较少。药材主要来源于野生。

| 采收加工 |

秋季茎叶枯萎时采挖，除去泥土及须根，干燥。

| 功能主治 |

苦，平。止痛，解表，调经。用于痛经，月经不调，月经过多，跌打损伤，流行性感冒；含漱用于牙痛。

毛茛科 Ranunculaceae 菟葵属 *Eranthis*

菟葵 *Eranthis stellata* Maxim.

| 植物别名 | 野葵。

| 药 材 名 | 菟葵（药用部位：茎苗。别名：天葵、棋盘菜、乳痈药）。

| 形态特征 | 一年生草本。根茎球形，直径 8 ~ 11mm。基生叶 1 或不存在，小，长约 6cm，有长柄，无毛；叶片圆肾形，长约 6mm，宽约 1cm，3 全裂。花葶高达 20cm，无毛；苞片在开花时尚未完全展开，花凋谢后长 2.5 ~ 3.5cm，深裂成披针形或线状披针形的小裂片，无毛；花梗长 4 ~ 10mm，果期增长到 2.5cm，通常有开展的短柔毛；花直径 1.6 ~ 2cm；萼片黄色，狭卵形或长圆形，长 7 ~ 10mm，宽 2.2 ~ 5mm，先端微钝，无毛；花瓣约 10，长 3.5 ~ 5mm，漏斗形，基部渐狭成短柄，上部二叉状；雄蕊长 5 ~ 7mm，无毛，花药长约 1.2mm；心皮 6 ~ 9，与雄蕊近等长，子房通常有短毛。蓇葖果星状展开，长

菟葵

约 15mm，有短柔毛，喙细，长约 3mm，心皮柄长约 2mm；种子暗紫色，近球形，直径约 1.6mm，种皮表面有皱纹。花期 3 ~ 4 月，果期 5 月。

| 生境分布 | 生于林下、林间草甸、山地林中或林边草地阴处。以长白山区为主要分布区域，分布于吉林延边、白山、通化、吉林、辽源（东丰）等。

| 资源情况 | 野生资源稀少。药材主要来源于野生。

| 采收加工 | 6 ~ 7 月采割茎苗，晒干。

| 功能主治 | 利尿通淋，清热解毒。用于尿酸结石，小便淋漓不尽；外用于各种恶疮，毒蛇咬伤。

毛茛科 Ranunculaceae 碱毛茛属 *Halerpestes*

水葫芦苗 *Halerpestes cymbalaria* (Pursh) Green

| 植物别名 | 圆叶碱毛茛。

| 药 材 名 | 水葫芦苗（药用部位：全草）。

| 形态特征 | 多年生草本。匍匐茎细长，横走。叶多数；叶片纸质，多近圆形，或肾形、宽卵形，长 0.5 ~ 2.5cm，宽稍大于长，基部圆心形、截形或宽楔形，边缘有 3 ~ 7（~ 11）圆齿，有时 3 ~ 5 裂，无毛；叶柄长 2 ~ 12cm，稍有毛。花葶 1 ~ 4，高 5 ~ 15cm，无毛；苞片线形；花小，直径 6 ~ 8mm；萼片绿色，卵形，长 3 ~ 4mm，无毛，反折；花瓣 5，狭椭圆形，与萼片近等长，先端圆形，基部有长约 1mm 的爪，爪上端有点状蜜槽；花药长 0.5 ~ 0.8mm，花丝长约 2mm；花托圆柱形，长约 5mm，有短柔毛。聚合果椭圆球形，直径约 5mm；瘦果小而极多，斜倒卵形，长 1.2 ~ 1.5mm，两面稍鼓起，有 3 ~ 5

水葫芦苗

纵肋，无毛，喙极短，呈点状。花果期5～9月。

｜生境分布｜

生于盐碱性沼泽地或湖边。分布于吉林白城（通榆、镇赉、洮南、大安）、松原（乾安、前郭尔罗斯）、四平（双辽、梨树）等。

｜资源情况｜

野生资源较少。药材主要来源于野生。

｜采收加工｜

夏季茎叶茂盛时采收，除去泥土，晒干。

｜功能主治｜

甘、淡，寒。利水消肿，祛风除湿。用于关节炎，风湿痹痛，各种水肿。

｜附　　注｜

本种瘦果细小而极多，近无喙，容易与三裂碱毛茛 *Halerpestes tricuspis* (Maxim.) Hand.-Mazz. 相区分。

毛茛科 Ranunculaceae 碱毛茛属 *Halerpestes*

长叶碱毛茛 *Halerpestes ruthenica* (Jacq.) Ovcz.

| **植物别名** | 黄戴戴。

| **药 材 名** | 长叶碱毛茛（药用部位：全草或种子）。

| **形态特征** | 多年生草本。匍匐茎长 30cm 以上。叶簇生；叶片卵状或椭圆状梯形，长 1.5 ~ 5cm，宽 0.8 ~ 2cm，基部宽楔形、截形至圆形，不分裂，先端有 3 ~ 5 圆齿，常有 3 基出脉，无毛；叶柄长 2 ~ 14cm，近无毛，基部有鞘。花葶高 10 ~ 20cm，单一或上部分枝，有 1 ~ 3 花，生疏短柔毛；苞片线形，长约 1cm；花直径约 1.5cm；萼片绿色，5，卵形，长 7 ~ 9mm，多无毛；花瓣黄色，6 ~ 12 枚，倒卵形，长 0.7 ~ 1cm，基部渐狭成爪，蜜槽点状；花药长约 0.5mm，花丝长约 3mm；花托圆柱形，有柔毛。聚合果卵球形，长 8 ~ 12mm，宽约 8mm；瘦果极多，紧密排列，斜倒卵形，长 2 ~ 3mm，无毛，边缘

长叶碱毛茛

有狭棱；两面有 3 ～ 5 分歧的纵肋，喙短而直。花果期 5 ～ 8 月。

| 生境分布 | 生于含水丰富的盐碱地或湿草地，是碱土及盐碱土的指示植物。分布于吉林白城（通榆、镇赉、洮南、大安）、松原（前郭尔罗斯、长岭、扶余）、四平（双辽）、长春（农安）等。

| 资源情况 | 野生资源较丰富。药材主要来源于野生。

| 采收加工 | 夏季茎叶茂盛时采收，除去泥土，晒干。秋季果实成熟时采收，打下种子，晒干。

| 功能主治 | 辛，温。祛湿解毒，温中止痛。用于风寒湿痹，胃脘冷痛不舒。

毛茛科 Ranunculaceae 獐耳细辛属 *Hepatica*

獐耳细辛 *Hepatica nobilis* Schreb. Gars var. *asiatica* (Nakai) Hara

| 植物别名 | 幼肺三七、雪割草。

| 药 材 名 | 獐耳细辛（药用部位：根茎）。

| 形态特征 | 多年生草本。植株高 8 ~ 18cm。根茎短，密生须根。基生叶 3 ~ 6，有长柄；叶片正三角状宽卵形，长 2.5 ~ 6.5cm，宽 4.5 ~ 7.5cm，基部深心形，3 裂至中部，裂片宽卵形，全缘，先端微钝或钝，有时有短尖头，有稀疏的柔毛；叶柄长 6 ~ 9cm，变无毛。花葶 1 ~ 6，有长柔毛；苞片 3，卵形或椭圆状卵形，长 7 ~ 12mm，宽 3 ~ 6mm，先端急尖或微钝，全缘，背面稍密被长柔毛；萼片 6 ~ 11，粉红色或堇色，狭长圆形，长 8 ~ 14mm，宽 3 ~ 6mm，先端钝；雄蕊长 2 ~ 6mm，花药椭圆形，长约 0.7mm；子房密被长柔毛。瘦果卵球形，长约 4mm，有长柔毛和短宿存花柱。4 ~ 5 月开花。

獐耳细辛

| 生境分布 |

生于海拔 1000m 以上的林荫下、溪旁、林下或草坡石下阴湿处。分布于吉林延边、白山、通化、吉林（永吉）等。

| 资源情况 |

野生资源较少。药材主要来源于野生。

| 采收加工 |

秋季茎叶枯萎时采挖，除去须根及泥沙，晒干。

| 药材性状 |

本品圆柱形，长 1 ~ 2cm，直径 2 ~ 8mm。表面棕褐色，环节密集，状如僵蚕，先端残留叶柄残基，纤维性。质脆，易折断，断面棕黄色。气微，味苦、辛。

| 功能主治 |

苦，平。活血祛风，杀虫止痒。用于跌打损伤，劳伤，筋骨酸痛；外用于皮肤病，风湿病。

| 用法用量 |

内服隔水蒸，3 ~ 4.5g。外用适量，研末调敷；或捣烂、绞汁涂。

毛茛科 Ranunculaceae 扁果草属 *Isopyrum*

东北扁果草 *Isopyrum manshuricum* Kom.

| 植物别名 | 扁果草。

| 药 材 名 | 东北扁果草（药用部位：块根）。

| 形态特征 | 多年生草本。根茎长而横走，生多数须根和纺锤状的块根；块根长 4 ~ 10mm，直径 1.3 ~ 1.7mm，外皮近黑色。茎直立，高 10 ~ 18cm，无毛。叶基生，少数，为二回三出复叶，无毛；叶片近三角形，宽达 6cm，中央小叶具细柄，近扇形，长 8 ~ 15mm，宽 15 ~ 20mm，3 深裂，深裂片倒卵形，先端具 3 钝圆齿，表面绿色，背面色较淡；叶柄长 5.5 ~ 7.5cm。花序稀疏，含花 2 ~ 3；苞片叶状，下部的二回三出，形状似基生叶，最上部的苞片一回三出，小叶 3 深裂；花梗纤细，长 1.5 ~ 6mm；萼片 5，白色，椭圆形或狭倒卵形，长 6.5 ~ 7.5mm，宽 3 ~ 3.5mm，先端钝；花瓣倒卵状椭圆形，

东北扁果草

长约 3mm，沿下缘微合生成浅杯状，具长约 0.4mm 的短柄，基部浅囊状；雄蕊 20 ~ 30，长约 5mm，花药宽椭圆形，长约 0.6mm；心皮（1 ~)2，子房狭倒卵形，扁平，长约 3mm，花柱长约 2mm。

| 生境分布 | 生于山地针、阔叶混交林下的湿地、林下、林间草甸。分布于吉林延边、白山、通化等。

| 资源情况 | 野生资源稀少。药材主要来源于野生。

| 采收加工 | 秋季茎叶枯萎时采挖，除去残茎、须根及泥沙，晒干。

| 功能主治 | 清热解毒，消肿散结。用于痈肿疔疮，乳痈，瘰疬，毒蛇咬伤。

毛茛科 Ranunculaceae 蓝堇草属 *Leptopyrum*

蓝堇草 *Leptopyrum fumarioides* (L.) Reichb.

| 药 材 名 | 蓝堇草（药用部位：全草）。

| 形态特征 | 一年生草本。直根细长，直径 2 ~ 3.5mm，生少数侧根。茎（2 ~ ）4 ~ 9（ ~ 17），多少斜升，生少数分枝，高 8 ~ 30cm。基生叶多数，无毛；叶片三角状卵形，长 0.8 ~ 2.7cm，宽 1 ~ 3cm，3 全裂，中全裂片等边菱形，长达 12mm，宽达 11mm，下延成的细柄常再 3 深裂，深裂片长椭圆状倒卵形至线状狭倒卵形，常具 1 ~ 4 钝锯齿，侧全裂片通常无柄，不等 2 深裂；叶柄长 2.5 ~ 13cm。茎生叶 1 ~ 2，小。花小，直径 3 ~ 5mm；花梗纤细，长 3 ~ 30mm；萼片椭圆形，淡黄色，长 3 ~ 4.5mm，宽 1.7 ~ 2mm，具 3 脉，先端钝或急尖；花瓣长约 1mm，近二唇形，上唇先端圆，下唇较短；雄蕊通常 10 ~ 15，花药淡黄色，长 0.5mm 左右，花丝长约 2.5mm；心

蓝堇草

皮 6 ~ 20，长约 2mm，无毛。蓇葖果直立，线状长椭圆形，长 8 ~ 10mm；种子 4 ~ 14，卵球形或狭卵球形，长 0.5 ~ 0.7mm。花期 5 ~ 6 月，果期 6 ~ 7 月。

| 生境分布 | 生于田边、路边或干燥草地上。分布于吉林长春等。

| 资源情况 | 野生资源较丰富。药材主要来源于野生。

| 采收加工 | 夏、秋季采收，除去泥土及杂质，晒干。

| 功能主治 | 清火，降血压，强心，利尿。用于心脏病，高血压，神经衰弱，肝炎腹胀，肾炎浮肿。

毛茛科 Ranunculaceae 芍药属 *Paeonia*

山芍药 *Paeonia japonica* (Makino) Miyabe et Takeda

| **植物别名** | 草芍药、卵叶芍药。

| **药 材 名** | 山芍药（药用部位：根）。

| **形态特征** | 多年生草本，高 40 ~ 60cm。根粗壮，有分枝，长圆形或纺锤状，褐色。茎直立，无毛，基部生数枚鞘状鳞片。叶 2 ~ 3，纸质，最下部为二回三出复叶，柄长 7 ~ 14cm，上部为三出复叶或单叶，顶生小叶大，倒卵形或宽椭圆形，长 1.2 ~ 1.5cm，下面无毛或沿脉疏生柔毛，侧生小叶较小，椭圆形。花瓣 6，白色，倒卵形，长 2.5 ~ 4cm；雄蕊多数；心皮 2 ~ 5，无毛，柱头大，扁平。蓇葖果长圆形，长 3 ~ 4cm，呈“弓”形弯曲，熟时开裂，反卷；种子红色或蓝黑色。花期 5 月，果期 8 ~ 9 月。

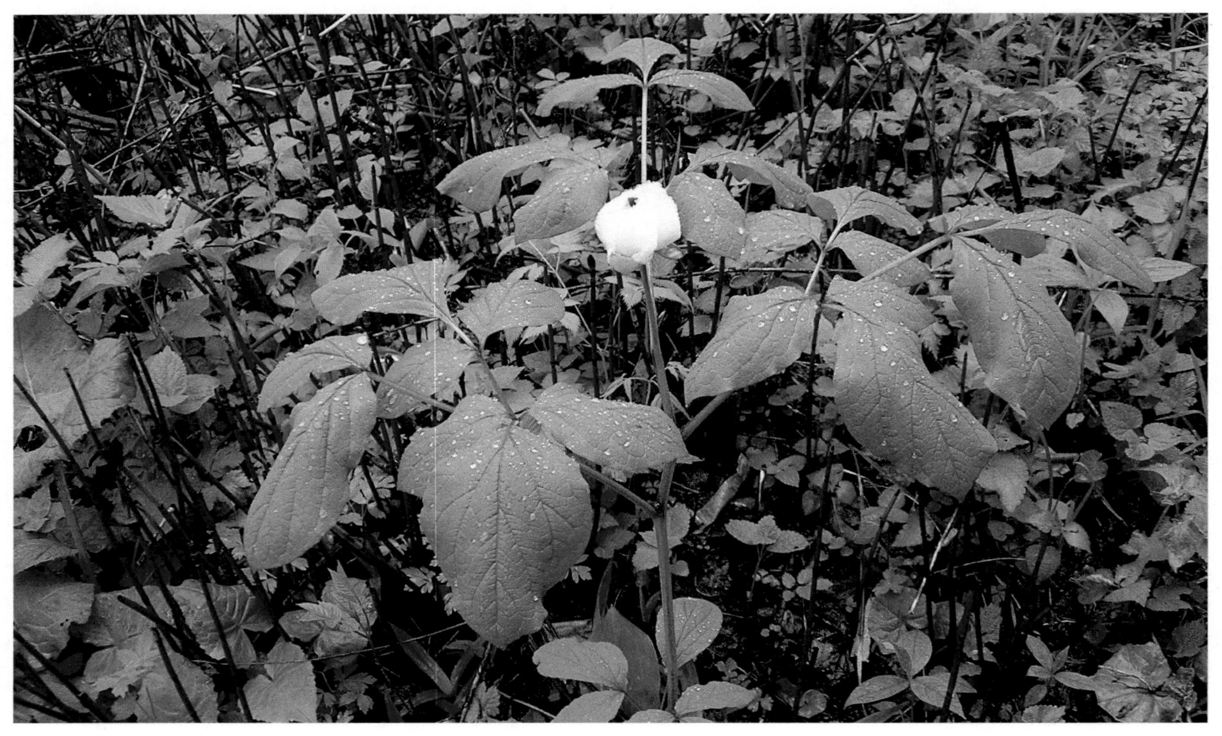

山芍药

| 生境分布 | 生于山地混交林下、林缘、阔叶林或灌丛等。以长白山区为主要分布区域，分布于吉林延边、白山、通化、吉林、辽源（东丰）等。

| 资源情况 | 野生资源较丰富。药材主要来源于野生。

| 采收加工 | 春、秋季采挖，除去泥土、须根及残茎，干燥，以秋季效果最佳。

| 功能主治 | 苦，微寒。清热解毒，活血止痛，泻肝利尿。用于瘀血肿痛，经闭痛经，肝火疼痛，眩晕，小便不利。

毛茛科 Ranunculaceae 芍药属 *Paeonia*

草芍药 *Paeonia obovata* Maxim.

| 植物别名 | 卵叶芍药、山芍药。

| 药 材 名 | 草芍药（药用部位：根）。

| 形态特征 | 多年生草本。根粗壮，长圆柱形。茎高 30 ~ 70cm，无毛，基部生数枚鞘状鳞片。茎下部叶为二回三出复叶，叶片长 14 ~ 28cm；顶生小叶倒卵形或宽椭圆形，长 9.5 ~ 14cm，宽 4 ~ 10cm，先端短尖，基部楔形，全缘，表面深绿色，背面淡绿色，无毛或沿叶脉疏生柔毛，小叶柄长 1 ~ 2cm；侧生小叶比顶生小叶小，同形，长 5 ~ 10cm，宽 4.5 ~ 7cm，具短柄或近无柄；茎上部叶为三出复叶或单叶，叶柄长 5 ~ 12cm。单花顶生，直径 7 ~ 10cm；萼片 3 ~ 5，宽卵形，长 1.2 ~ 1.5cm，淡绿色；花瓣 6，白色、红色、紫红色，倒卵形，长 3 ~ 5.5cm，宽 1.8 ~ 2.8cm；雄蕊长 1 ~ 1.2cm，花丝淡红色，

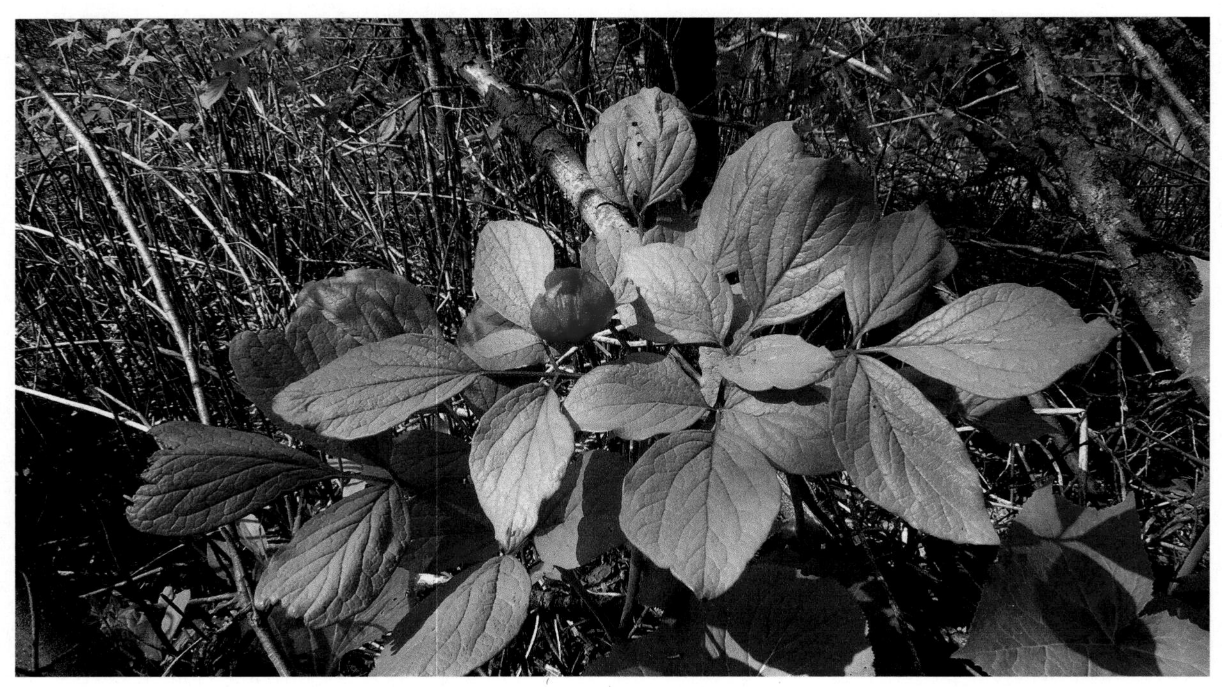

草芍药

花药长圆形；花盘浅杯状，包住心皮基部；心皮 2 ~ 3，无毛。蓇葖果卵圆形，长 2 ~ 3cm，成熟时果皮反卷呈红色。花期 5 ~ 6 月中旬，果期 9 月。

| 生境分布 | 生于山坡草地、林下、林缘及灌丛。分布于吉林延边、白山、通化、长春、吉林、辽源、松原（扶余）等。

| 资源情况 | 野生资源较少。药材主要来源于野生。

| 采收加工 | 秋季茎叶枯萎时采挖，除去残茎、须根及泥沙，晒干。

| 药材性状 | 本品呈长短不等的圆柱形或类纺锤状，先端根茎具数个枯朽凹穴状茎痕，根条不平直，偶见分枝，下部较细瘦，长 15 ~ 20cm，直径 0.5 ~ 2cm。表面棕褐色或紫褐色，具纵皱纹，可见横向皮孔及须根痕。质硬而脆，易折断，断面黄白色至淡紫棕色，具粉性；皮部窄，木部淡黄色至黄色，具放射状纹理。气微香，味微甜而后苦、微涩。

| 功能主治 | 苦、酸，微寒。归肝、脾经。清热凉血，祛瘀止痛。用于热毒发斑，吐血，衄血，血瘀腹痛，肝郁胁痛，经闭痛经，跌打损伤，痛肿疮疡。

| 用法用量 | 内服煎汤，4 ~ 10g；或入丸、散。

| 附　　注 | 本种为吉林省Ⅲ级重点保护野生植物。

毛茛科 Ranunculaceae 芍药属 *Paeonia*

牡丹 *Paeonia suffruticosa* Andr.

| 药 材 名 | 牡丹皮（药用部位：根皮。别名：丹皮、粉丹皮、条丹皮）。

| 形态特征 | 落叶灌木。茎高达 2m；分枝短而粗。叶通常为二回三出复叶，偶尔近枝顶的叶为 3 小叶；顶生小叶宽卵形，长 7 ~ 8cm，宽 5.5 ~ 7cm，3 裂至中部，裂片不裂或 2 ~ 3 浅裂，表面绿色，无毛，背面淡绿色，有时具白粉，沿叶脉疏生短柔毛或近无毛，小叶柄长 1.2 ~ 3cm；侧生小叶狭卵形或长圆状卵形，长 4.5 ~ 6.5cm，宽 2.5 ~ 4cm，不等 2 裂至 3 浅裂或不裂，近无柄；叶柄长 5 ~ 11cm，叶柄和叶轴均无毛。花单生枝顶，直径 10 ~ 17cm；花梗长 4 ~ 6cm；苞片 5，长椭圆形，大小不等；萼片 5，绿色，宽卵形，大小不等；花瓣 5，或为重瓣，玫瑰色、红紫色、粉红色至白色，通常变异很大，倒卵形，长 5 ~ 8cm，宽 4.2 ~ 6cm，先端呈不规则的波状；雄蕊长 1 ~ 1.7cm，

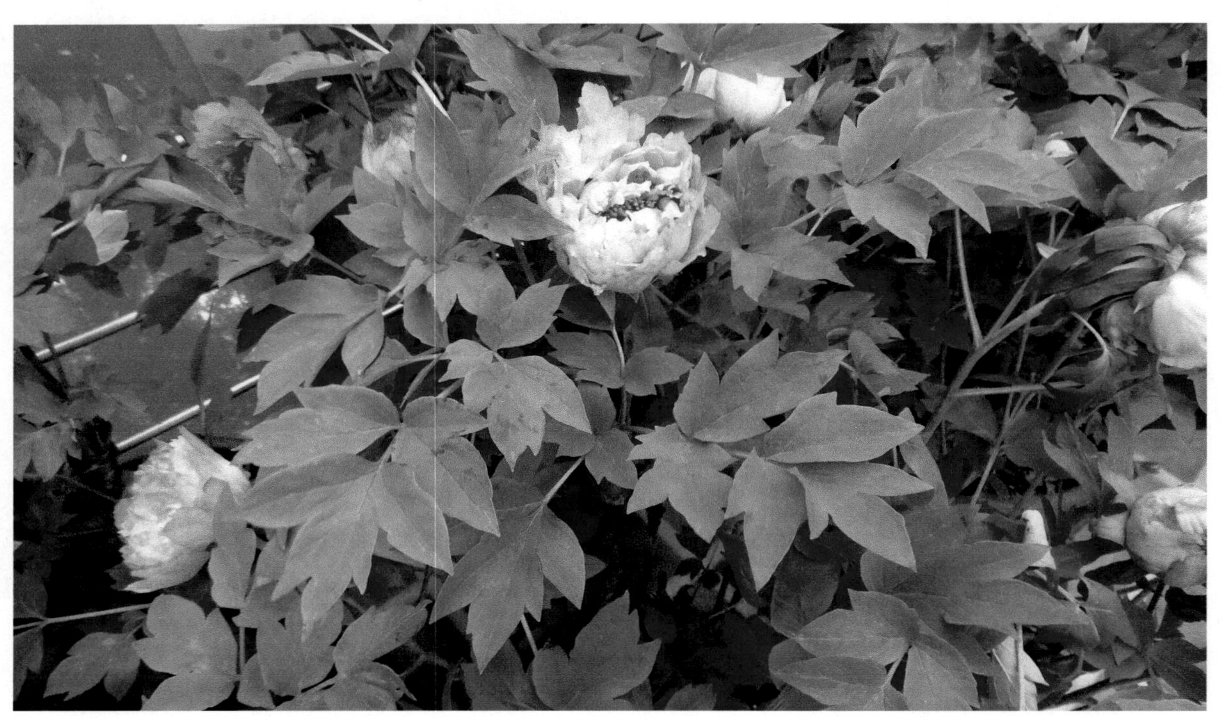

牡丹

花丝紫红色、粉红色，上部白色，长约 1.3cm，花药长圆形，长 4mm；花盘革质，杯状，紫红色，先端有数个锐齿或裂片，完全包住心皮，在心皮成熟时开裂；心皮 5，稀更多，密生柔毛。蓇葖果长圆形，密生黄褐色硬毛。花期 5 月，果期 6 月。

| 生境分布 | 生于植物园、房前屋后等处。吉林无野生分布，吉林部分地区有栽培。为常见观赏花卉。

| 资源情况 | 吉林有栽培。药材主要来源于栽培。

| 采收加工 | 秋季采挖根部，除去细根和泥沙，剥取根皮，晒干或刮去粗皮，除去木心，晒干。

| 药材性状 | 本品呈筒状或半筒状，有纵剖开的裂缝，略向内卷曲或张开，长 5 ~ 20cm，直径 0.5 ~ 1.2cm，厚 0.1 ~ 0.4cm。外表面灰褐色或黄褐色，有多数横长皮孔及细根痕，栓皮脱落处粉红色。内表面淡灰黄色或浅棕色，有明显的细纵纹，常见发亮的结晶。质硬而脆，易折断，断面较平坦，淡粉红色，粉性。气芳香，味微苦而涩。以条粗长、皮厚、粉性足、香气浓、结晶状物多者为佳。

| 功能主治 | 辛、苦，微寒。归心、肝、肾经。清热凉血，活血化瘀。用于热入营血，温毒发斑，吐血衄血，夜热早凉，无汗骨蒸，经闭痛经，跌扑伤痛，痈肿疮毒。

| 用法用量 | 内服煎汤，6 ~ 12g；或入丸、散。

毛茛科 Ranunculaceae 白头翁属 *Pulsatilla*

朝鲜白头翁 *Pulsatilla cernua* (Thunb.) Bercht. et Opiz.

| **植物别名** | 白头翁、猫头花、毛姑朵花。

| **药 材 名** | 朝鲜白头翁（药用部位：根）。

| **形态特征** | 多年生草本，植株高 14 ~ 28cm。根茎长约 10cm，直径 5 ~ 7mm。基生叶 4 ~ 6，在开花时还未完全发育，有长柄；叶片卵形，长 3 ~ 7.8cm，宽 4.4 ~ 6.5cm，基部浅心形，3 全裂，1 回中全裂片有细长柄，五角状宽卵形，又 3 全裂，2 回全裂片 2 回深裂，末回裂片披针形或狭卵形，宽 1.5 ~ 2.2mm，1 回侧全裂片无柄，表面近无毛，背面密被柔毛；叶柄长 4.5 ~ 14cm，密被柔毛。总苞近钟形，长 3 ~ 4.5cm；筒长 0.8 ~ 1.2cm，裂片线形，全缘或上部有 3 小裂片，背面密被柔毛；花梗长 2.5 ~ 6cm，有绵毛，结果时增长；萼片紫红色，长圆形或卵状长圆形，长 1.8 ~ 3cm，宽 6 ~ 12mm，先端圆或微钝，

朝鲜白头翁

外面有密柔毛；雄蕊长约为萼片之半。聚合果直径 6 ~ 8cm；瘦果倒卵状长圆形，长约 3mm，有短柔毛，宿存花柱长约 4cm，有开展的长柔毛。4 ~ 5 月开花。

| 生境分布 | 生于山地草坡、灌丛间、路边、荒地。以长白山区为主要分布区域，分布于吉林延边、白山、通化、吉林、辽源（东丰）、松原（乾安）、白城（洮北）等。东部山区有栽培。

| 资源情况 | 野生资源较丰富。药材主要来源于野生。

| 采收加工 | 春季开花前或秋季茎叶枯萎后采挖，除掉茎叶和须根，保留根头部白色茸毛，洗净泥土，晒干。

| 药材性状 | 本品呈长圆柱形或长圆锥形，有的扭曲而稍扁，长 10 ~ 30cm，直径 0.3 ~ 2cm。根头 2 至数个，稍膨大，多具鞘状叶柄残基，外被白色绒毛，下部有的具支根 2 ~ 3 及少数须根。表面黄棕色或黄褐色，具不规则纵皱纹或纵沟，皮部易片状脱落，有的有网状裂纹或裂隙，近根头处呈朽状。质硬而脆，断面皮部黄白色至黄棕色，木部淡黄色。气微，味微苦、涩。

| 功能主治 | 苦，寒。归胃、大肠经。清热凉血，解毒，镇痛，止血，止痢。用于热毒血痢，温疟寒热，鼻衄，血痔，带下。

| 用法用量 | 内服煎汤，9 ~ 15g。外用适量，研末调敷。

| 附　　注 | 朝鲜白头翁已被列入 2019 年版《吉林省中药材标准》第一册。

毛茛科 Ranunculaceae 白头翁属 *Pulsatilla*

兴安白头翁 *Pulsatilla dahurica* (Fisch.) Spreng.

兴安白头翁

|植物别名|

白头翁、毛姑朵花、老婆花。

|药 材 名|

兴安白头翁（药用部位：根）。

|形态特征|

多年生草本，植株高 25 ~ 40cm。根茎长达 16cm，直径 5 ~ 7mm。基生叶 7 ~ 9，有长柄；叶片卵形，长 4.5 ~ 7.5cm，宽 3 ~ 6cm，基部近截形，3 全裂或近似羽状分裂，1 回中全裂片有细长柄，又 3 全裂，2 回裂片深裂，深裂片狭楔形或宽线形，全缘或上部有 2 ~ 3 小裂片或牙齿，1 回侧全裂片无柄或近无柄，不等 3 深裂，表面近无毛，背面沿脉疏被柔毛；叶柄长 2.8 ~ 15cm，有柔毛。花葶 2 ~ 4，直立，有柔毛；总苞钟形，长 4 ~ 5cm，筒长 1.2 ~ 1.4cm，裂片似基生叶的裂片，背面有密柔毛；花梗长约 7.5cm，有密柔毛，结果时增长；花近直立；萼片紫色，椭圆状卵形，长约 2cm，宽 0.5 ~ 1cm，先端微钝，外面密被短柔毛。聚合果直径约 10cm；瘦果狭倒卵形，长约 3mm，密被柔毛，宿存花柱长 5 ~ 6cm，有近平展的长柔毛。5 ~ 6 月开花。

| 生境分布 | 生于山地草坡、石砾地、林间空地。分布于吉林延边、白山、通化、长春、吉林、辽源、松原（扶余）。

| 资源情况 | 野生资源较丰富。药材主要来源于野生。

| 采收加工 | 春、秋季采挖，除去茎叶和须根，保留根头部白色茸毛，洗净泥土，晒干。

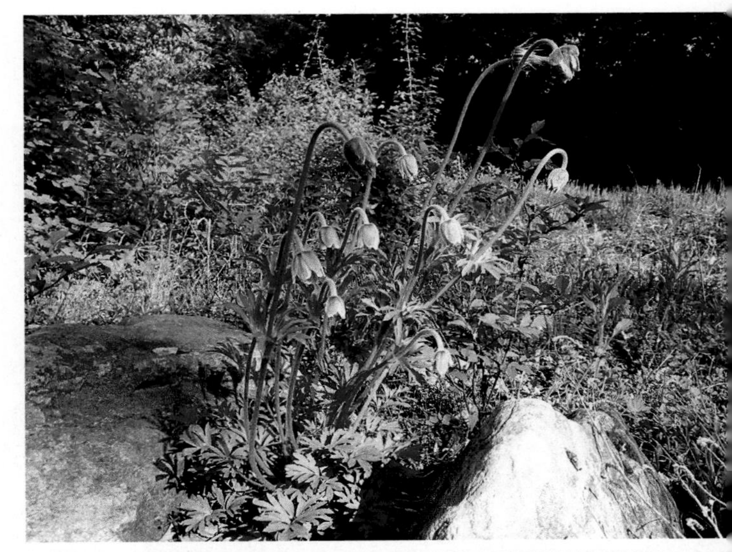

| 药材性状 | 本品呈类圆柱形，扭曲，长 8 ~ 25cm，直径 0.5 ~ 2cm。表面黄棕色，具纵皱纹，皮部易脱落，有的有网状裂纹。根头部稍膨大，有白色绒毛，可见鞘状叶柄残基。质硬脆，断面皮部黄白色，木部淡黄色。气微，味微苦、涩。

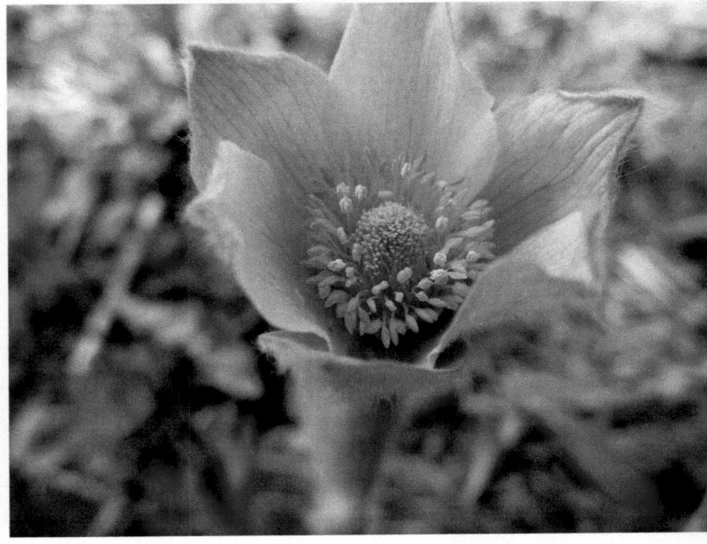

| 功能主治 | 清热解毒，凉血止痢，燥湿杀虫。用于赤白痢疾，鼻衄，崩漏，血痔，寒热温疟，带下，阴痒，湿疹，瘰疬，痈疮，眼目赤痛。

| 用法用量 | 内服煎汤，9 ~ 15g；或入丸、散。外用适量，煎汤洗；或捣敷。

毛茛科 Ranunculaceae 白头翁属 *Pulsatilla*

掌叶白头翁 *Pulsatilla patens* (L.) Mill. var. *multifida* (Pritz.) S. H. Li et Y. H. Huang

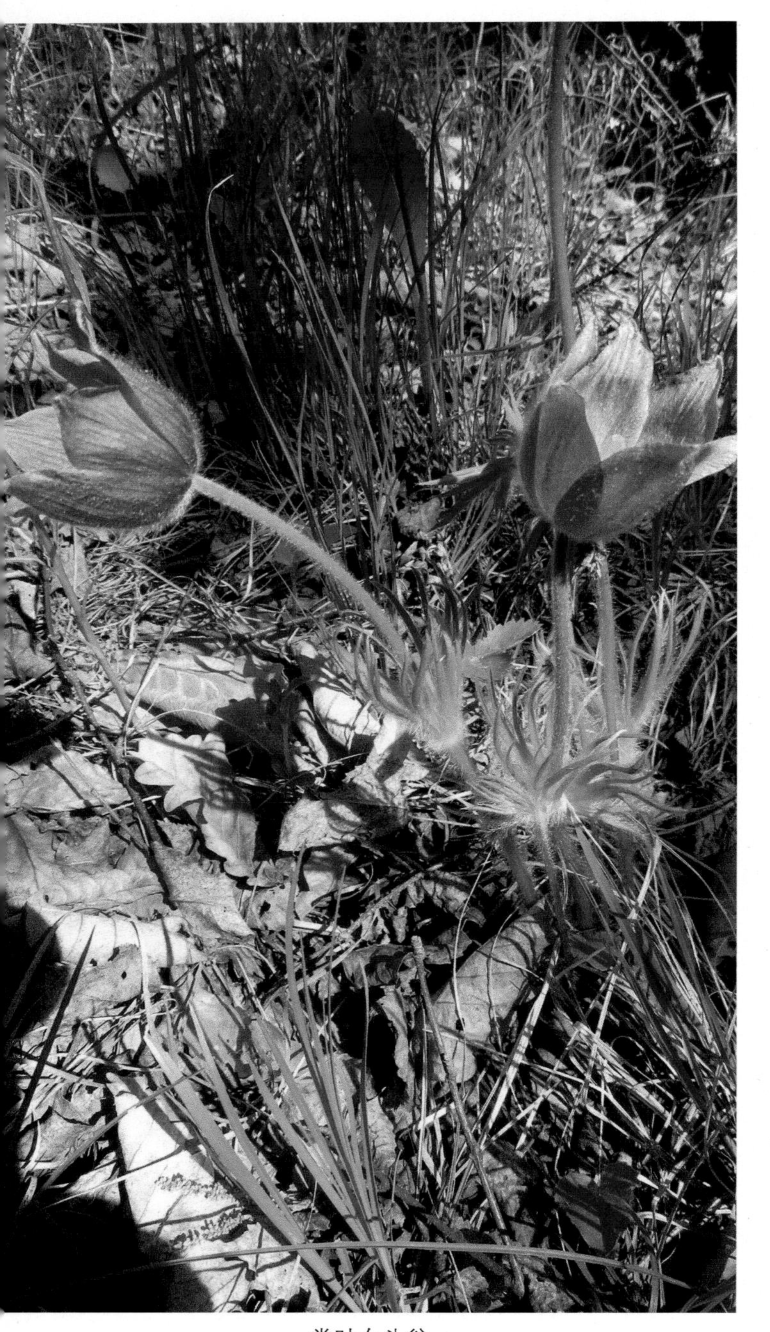

掌叶白头翁

| 药材名 |

掌叶白头翁（药用部位：根）。

| 形态特征 |

多年生草本，植株高达 40cm。根茎圆柱形，顶部常分枝。基生叶 5，在开花时开始发育，长 8 ~ 16cm，有长柄；叶片圆卵形或圆五角形，长 5.5 ~ 7cm，宽 8 ~ 11cm，中全裂片的柄长 6 ~ 14mm。中全裂片宽菱形，侧全裂片近无柄，叶柄长 5.5 ~ 12cm，有开展的长柔毛。花葶直立，总苞钟形，长 3.5 ~ 4.5cm，密被长柔毛，管部长 0.8 ~ 1.2cm，裂片狭线形，花梗有长柔毛，果期长达 27cm；花直立，萼片蓝紫色，长圆状卵形，长约 3cm，宽约 1cm，内面无毛，外面疏被长柔毛。聚合果直径约 5cm；瘦果近纺锤形，宿存花柱长 3.5 ~ 4.8cm，有向上展的长柔毛。花期 4 ~ 5 月，果期 6 ~ 7 月。

| 生境分布 |

生于草地、林缘或路旁等。吉林无野生分布，东部山区有栽培。

| 资源情况 |

吉林有栽培。药材主要来源于栽培。

| 采收加工 | 春、秋季采挖，除去茎叶和须根，保留根头部白色茸毛，洗净泥土，晒干。

| 功能主治 | 清热解毒，凉血止痢，止血。用于热毒血痢，痔疾下血，热毒疮疡。

| 附　　注 | 在 FOC 中，本种的拉丁学名被修订为 ***Pulsatilla patens*** (L.) Mill. subsp. ***multifida*** (Pritzel) Zämels。

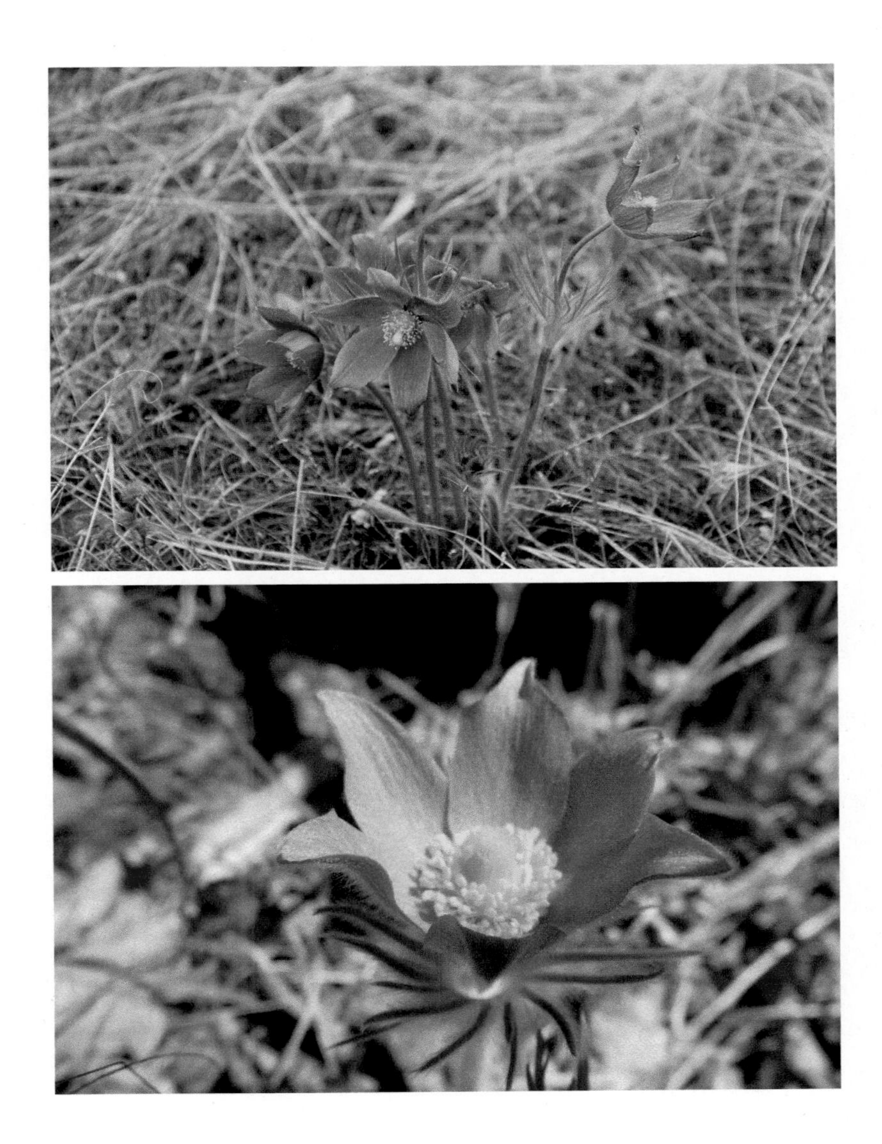

毛茛科 Ranunculaceae 毛茛属 *Ranunculus*

茴茴蒜 *Ranunculus chinensis* Bunge

茴茴蒜

|植物别名|

回回蒜毛茛、水胡椒、蝎虎草。

|药 材 名|

茴茴蒜（药用部位：全草。别名：水胡椒、蝎虎草、水杨梅）、茴茴蒜果（药用部位：果实。别名：水杨梅果）。

|形态特征|

一年生草本。须根多数簇生。茎直立粗壮，高 20 ~ 70cm，直径大于 5mm，中空，有纵条纹，分枝多，与叶柄均密生开展的淡黄色糙毛。基生叶与下部叶有长达 12cm 的叶柄，为三出复叶，叶片宽卵形至三角形，长 3 ~ 8（~ 12）cm，小叶 2 ~ 3 深裂，裂片倒披针状楔形，宽 5 ~ 10mm，上部有不等的粗齿、缺刻或 2 ~ 3 裂，先端尖，两面伏生糙毛，小叶柄长 1 ~ 2cm，侧生小叶柄较短，生开展的糙毛。上部叶较小，叶柄较短，叶片 3 全裂，裂片有粗牙齿或再分裂。花序有较多疏生的花，花梗贴生糙毛；花直径 6 ~ 12mm；萼片狭卵形，长 3 ~ 5mm，外面生柔毛；花瓣 5，宽卵圆形，与萼片近等长或稍长，黄色或上面白色，基部有短爪，蜜槽有卵形小鳞片；花药长约 1mm；花托在果期显著伸长，圆柱形，长达1cm，密生白短毛。聚合果长圆形，直径6 ~ 10mm；瘦果扁平，长3 ~ 3.5mm，宽约2mm，宽为厚的5倍以上，无毛，边缘有宽约0.2mm的棱，喙极短，呈点状，长0.1 ~ 0.2mm。花果期5 ~ 9月。

| 生境分布 | 生于平原与丘陵、溪边、田旁的水湿草地。吉林各地均有分布。

| 资源情况 | 野生资源较丰富。药材主要来源于野生。

| 采收加工 | 茴茴蒜：夏、秋季叶茂盛时采收，除去杂质，晒干。
茴茴蒜果：秋季果实成熟时采收，鲜用或晒干。

| 功能主治 | 茴茴蒜：苦、辛，微温；有小毒。归肝经。清热解毒，平喘，祛湿，杀虫，截疟，退翳。用于急性黄疸性肝炎，肝硬化腹水，疟疾，高血压，夜盲，哮喘，气管炎，疮癞，牛皮癣，口腔炎，牙痛，角膜薄翳，恶疮痈肿，食管癌。
茴茴蒜果：苦，微温。明目，截疟。用于夜盲，疟疾。

| 用法用量 | 内服煎汤，3 ~ 9g。外用适量，外敷患处或穴位，皮肤发赤起泡时除去；或鲜草洗净，绞汁涂搽；或煎汤洗。一般供外用，内服宜慎，并需久煎。

毛茛科 Ranunculaceae 毛茛属 *Ranunculus*

小掌叶毛茛 *Ranunculus gmelinii* DC.

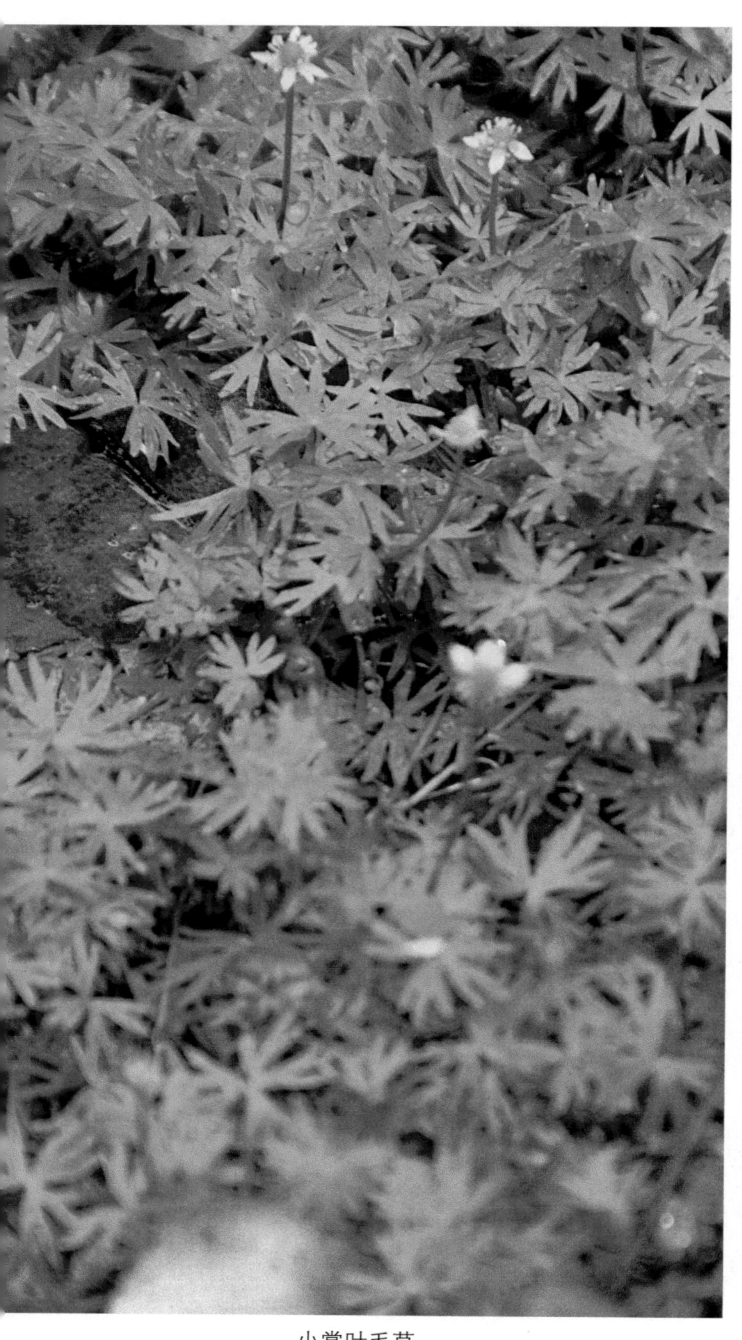
小掌叶毛茛

| 植物别名 |

小叶毛茛。

| 药 材 名 |

小掌叶毛茛（药用部位：全草）。

| 形态特征 |

多年生水生小草本。茎细长柔弱，长 30cm 以上，多节，节上生根长叶，节间长 3 ~ 8cm，常无毛。叶多数，茎生；叶片圆心形或肾形，长约 1cm，宽 1.2 ~ 1.5cm，3 ~ 5 深裂，裂片倒卵状楔形，2 ~ 3 深裂或再中裂，末回裂片线形，宽约 1mm，先端渐尖，无毛或疏生伏柔毛；叶柄长 2 ~ 4cm，基部有膜质宽鞘，近无毛。上部叶无柄，叶片 3 全裂和不分裂。花单生于茎顶和分枝先端，直径 6 ~ 8mm。花梗在果期伸长，有细毛；萼片 5 或 4，长约 2.5mm，近无毛，边缘膜质；花瓣 5，倒卵形，稍长于萼片，基部渐窄成爪，蜜槽杯形，边缘稍分离；花药卵形，长约 0.4mm；花托长约 2.5mm，长为宽的 2 倍，散生细毛。聚合果长圆形，直径 2 ~ 3mm；瘦果卵球形，长 1.2 ~ 1.5mm，宽约 1mm，宽稍大于厚，两面臌凸，背肋向内微凹，生细毛或近无毛，喙长约 0.5mm，外弯。花果期 6 ～ 9 月。

| 生境分布 | 生于水中沼泽地或水沟中。分布于吉林延边、白山、通化、长春、吉林、辽源等。

| 资源情况 | 野生资源较少。药材主要来源于野生。

| 采收加工 | 夏、秋季采收，除去杂质，鲜用或晒干。

| 功能主治 | 攻毒蚀疮，引赤发泡。用于积年顽癣，痈疽不溃，恶疮死肌。

毛茛科 Ranunculaceae 毛茛属 *Ranunculus*

毛茛 *Ranunculus japonicus* Thunb.

毛茛

| 植物别名 |

水茛、毛建草、老虎草。

| 药 材 名 |

毛茛（药用部位：全草。别名：野芹菜、烂肺草）。

| 形态特征 |

多年生草本。须根多数簇生。茎直立，高30 ~ 70cm，中空，有槽，具分枝，生开展或贴伏的柔毛。基生叶多数；叶片圆心形或五角形，长、宽为3 ~ 10cm，基部心形或截形，通常3深裂不达基部，中裂片倒卵状楔形、宽卵圆形或菱形，3浅裂，边缘有粗齿或缺刻，侧裂片的不等的2裂，两面贴生柔毛，下面或幼时的毛较密；叶柄长达15cm，生开展柔毛。下部叶与基生叶相似，渐向上叶柄变短，叶片较小，3深裂，裂片披针形，有尖牙齿或再分裂；最上部叶线形，全缘，无柄。聚伞花序有多数花，疏散；花直径1.5 ~ 2.2cm；花梗长达8cm，贴生柔毛；萼片椭圆形，长4 ~ 6mm，生白柔毛；花瓣5，倒卵状圆形，长6 ~ 11mm，宽4 ~ 8mm，基部有长约0.5mm的爪，蜜槽鳞片长1 ~ 2mm；花药长约1.5mm；花托短小，无毛。聚合果近球形，直径 6 ~ 8mm；瘦果扁平，长 2 ~ 2.5mm，上部最宽处与长近相等，约为厚的 5 倍以上，边缘有宽约 0.2mm 的棱，无毛，喙短直或外弯，长约 0.5mm。花果期 4 ~ 9 月。

| 生境分布 | 生于田沟旁、林缘路边的湿草地、田野、湿地、河岸、沟边或阴湿的草丛中。吉林各地均有分布。

| 资源情况 | 野生资源较丰富。药材主要来源于野生。

| 采收加工 | 夏、秋季采收，除去杂质，鲜用或晒干。

| 药材性状 | 本品全株被白色细长毛。须根多，肉质，细柱状。茎有分枝。基生叶具柄，叶片掌状或近五角形，常作 3 深裂，裂片椭圆形至倒卵形，中央裂片又 3 裂；茎生叶 3 深裂。花单一或数朵生于茎顶，黄色。气微，味辛、微苦。

| 功能主治 | 苦，寒；有毒。归肝、胆、心、胃经。清热，清肝利胆，退黄，定喘，截疟，消肿，镇痛，杀虫。用于黄疸，疟疾，哮喘，风湿关节痛，关节炎，胃痛，偏头痛，牙痛，火眼，跌打损伤，瘰疬，关节结核，骨结核，翼状胬肉，角膜薄翳。

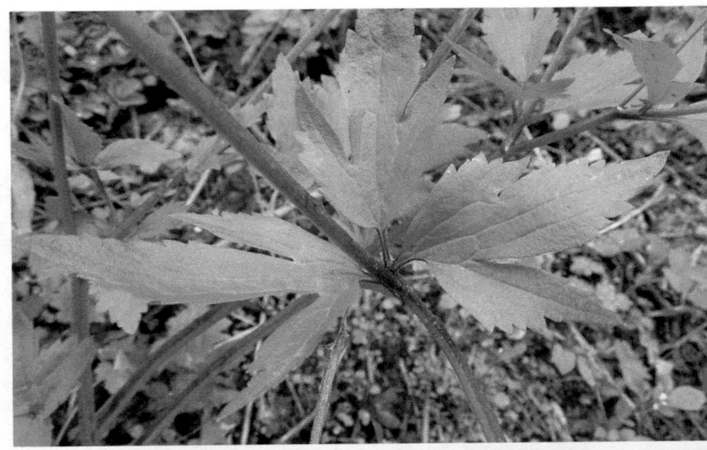

| 用法用量 | 外用适量，捣敷患处或穴位，待局部发赤起泡时取去；或煎汤洗。

| 附　　注 | （1）本种是我国分布广、数量多的一种毛茛，其形态变异较大，曾被分成不同的种和变种。其主要鉴别点为基生叶和下部叶的叶片 3 深裂不达基部，聚伞花序疏散，花直径约 1.5cm，花托无毛，瘦果扁平，长约 2.5mm。

（2）在《双山县乡土志略》（1930）的“本地物产”中有关于“毛茛”的记载。

毛茛科 Ranunculaceae 毛茛属 *Ranunculus*

白山毛茛 *Ranunculus japonicus* Thunb. var. *monticola* Kitag.

| 药材名 | 白山毛茛（药用部位：根）。

| 形态特征 | 多年生草本。植株较纤细、矮小。须根多数簇生。茎直立，中空，有槽，具分枝，生开展或贴伏的柔毛。基生叶多数；叶裂片较窄，茎生叶少数，裂片呈线状披针形，贴生粗毛；叶柄长达 15cm，生开展柔毛。下部叶与基生叶相似，渐向上叶柄变短，叶片较小，3 深裂，裂片披针形，有尖牙齿或再分裂；最上部叶线形，全缘，无柄。聚伞花序有多数花，疏散，花部也较小；花直径 1.5 ～ 2.2cm；花梗长达 8cm，贴生柔毛；萼片椭圆形，长 4 ～ 6mm，生白柔毛；花瓣 5，倒卵状圆形，长 6 ～ 11mm，宽 4 ～ 8mm，基部有长约 0.5mm 的爪，蜜槽鳞片长 1 ～ 2mm；花药长约 1.5mm；花托短小，无毛。聚合果近球形，直径 6 ～ 8mm；瘦果扁平，长 2 ～ 2.5mm，上部最宽处与长近相等，

白山毛茛

约为厚的5倍以上，边缘有宽约0.2mm的棱，无毛，喙短直或外弯，长约0.5mm。花果期4～9月。

| 生境分布 | 生于高山潮湿地带，如长白岳桦林带及长白山高山苔原带。分布于吉林白山（抚松、靖宇、长白）等。

| 资源情况 | 野生资源稀少。药材主要来源于野生。

| 采收加工 | 秋季茎叶枯萎时采挖，除去泥土、须根及残茎，干燥。

| 功能主治 | 苦，寒。清热解毒，凉血止痢。用于阿米巴痢疾，细菌性痢疾，痔疮出血，淋巴结结核。

| 附　　注 | （1）在FOC中，本种的拉丁学名被修订为 *Ranunculus paishanensis* Kitagawa。

（2）本种与毛茛 *Ranunculus japonicus* Thunb. 的区别在于植株较纤细、矮小，叶裂片较窄，茎生叶少数，裂片呈线状披针形，贴生粗毛，花部较小。

（3）本种为吉林省Ⅱ级重点保护野生植物。

毛茛科 Ranunculaceae 毛茛属 *Ranunculus*

匍枝毛茛 *Ranunculus repens* L.

| 植物别名 | 鸭巴掌、鸭爪子。

| 药 材 名 | 匍枝毛茛（药用部位：全草）。

| 形态特征 | 多年生草本。根茎短，簇生多数粗长须根。茎下部匍匐地面，节处生根并分枝，上部直立，高 30 ~ 60cm，粗壮，中空，有纵条纹，通常无毛。叶为三出复叶，基生叶和下部叶有长柄；叶片宽卵圆形，长、宽为 3 ~ 9cm，小叶有长 0.5 ~ 3cm 的小叶柄，3 深裂或 3 全裂，裂片菱状楔形，有不等的 2 ~ 3 中裂，边缘有粗锯齿或缺刻，先端尖，大多无毛；叶柄长 3 ~ 6cm，基部扩大，呈膜质宽鞘，无毛。下部叶与基生叶相似；上部叶较小，裂片线形，有短柄至无柄。花序有疏花；花直径 2 ~ 2.5cm；萼片卵形，长 5 ~ 7mm，无毛或疏生柔毛；花瓣 5 ~ 8，橙黄色至黄色，卵形至宽倒卵形，长 8 ~ 12mm，宽

匍枝毛茛

6 ~ 8mm，基部渐狭成爪，蜜槽有鳞片覆盖；花药长约 1.2mm，花丝长约为 3mm；花托长圆形，生白柔毛。聚合果卵球形，直径约 8mm；瘦果扁平，长 2 ~ 3mm，无毛，边缘有棱，喙直或外弯，长 0.5 ~ 1mm。花果期 5 ~ 8 月。

| 生境分布 |

生于沟边草地。以长白山区为主要分布区域，分布于吉林延边、白山、通化、吉林、辽源（东丰）等。

| 资源情况 |

野生资源较丰富。药材主要来源于野生。

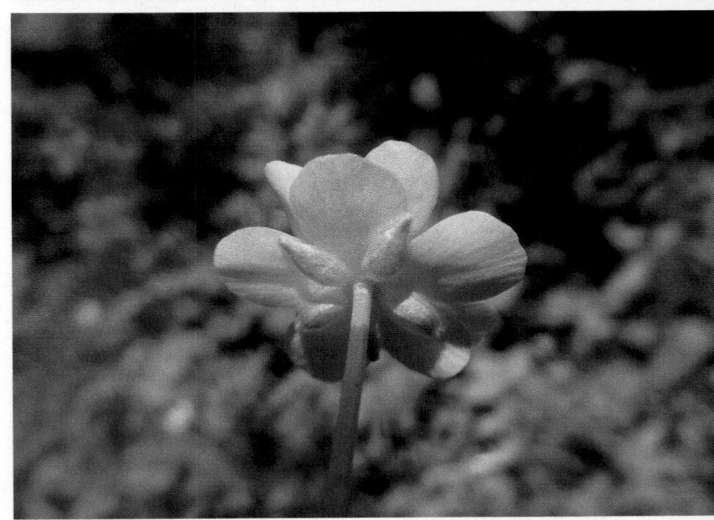

| 采收加工 |

夏、秋季采收，除去杂质，干燥。

| 功能主治 |

苦、辛，微温。利湿，消肿，止痛，退翳，截疟，杀虫。用于疟疾，黄疸，偏头痛，胃痛，风湿关节痛，鹤膝风，痈肿，恶疮，疥癣，牙痛，淋巴结结核，翼状胬肉，角膜薄翳。

毛茛科 Ranunculaceae 毛茛属 *Ranunculus*

石龙芮 *Ranunculus sceleratus* L.

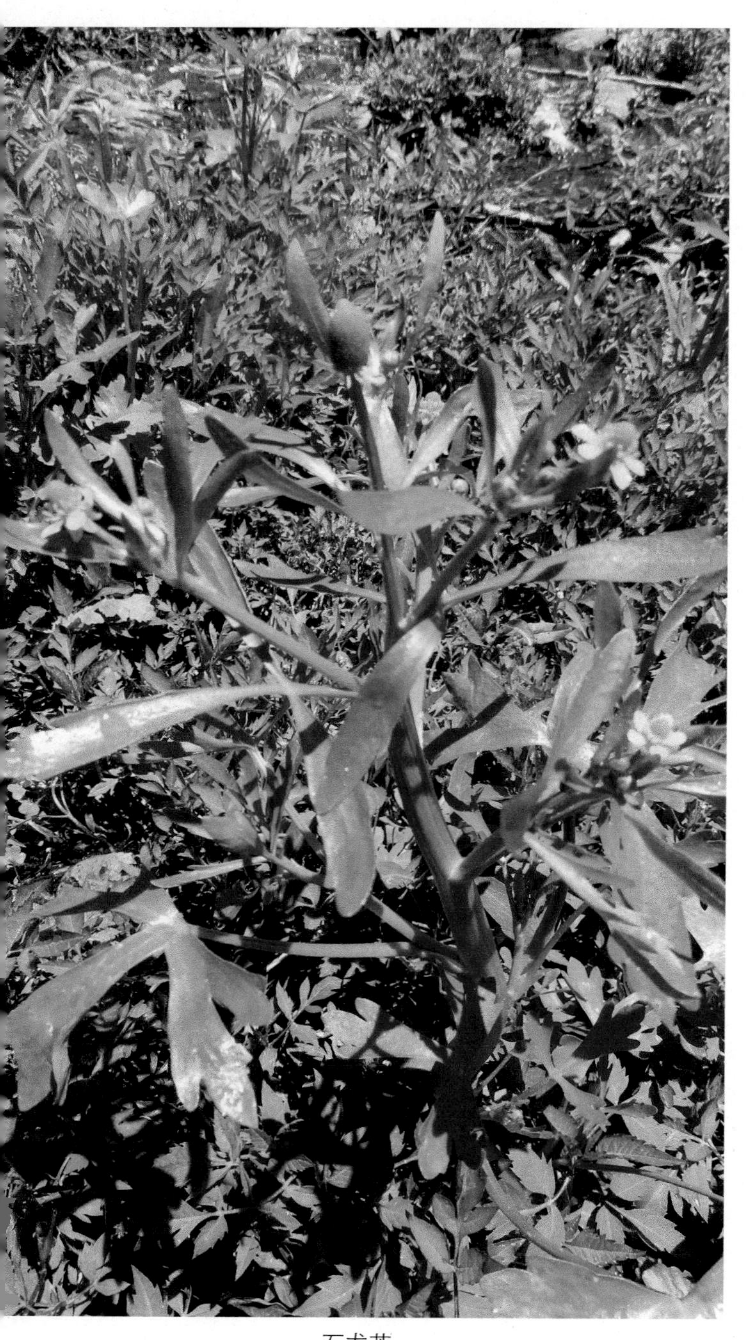
石龙芮

| 植物别名 |

野芹菜、鸭巴掌。

| 药 材 名 |

石龙芮（药用部位：全草。别名：苦堇、水堇、姜苔）、石龙芮子（药用部位：果实。别名：鲁果能、天豆、芮子）。

| 形态特征 |

一年生草本。须根簇生。茎直立，高 10 ~ 50cm，直径 2 ~ 5mm，有时粗达 1cm，上部多分枝，具多数节，下部节上有时生根，无毛或疏生柔毛。基生叶多数；叶片肾状圆形，长 1 ~ 4cm，宽 1.5 ~ 5cm，基部心形，3 深裂不达基部，裂片倒卵状楔形，有不等的 2 ~ 3 裂，先端钝圆，有粗圆齿，无毛；叶柄长 3 ~ 15cm，近无毛。茎生叶多数，下部叶与基生叶相似；上部叶较小，3 全裂，裂片披针形至线形，全缘，无毛，先端钝圆，基部扩大成膜质宽鞘抱茎。聚伞花序有多数花；花小，直径 4 ~ 8mm；花梗长 1 ~ 2cm，无毛；萼片椭圆形，长 2 ~ 3.5mm，外面有短柔毛，花瓣 5，倒卵形，等长或稍长于花萼，基部有短爪，蜜槽呈棱状袋穴；雄蕊 10 多枚，花药卵形，长约

0.2mm；花托在果期伸长增大，呈圆柱形，长 3 ~ 10mm，直径 1 ~ 3mm，生短柔毛。聚合果长圆形，长 8 ~ 12mm，长为宽的 2 ~ 3 倍；瘦果极多数，近百枚，紧密排列，倒卵球形，稍扁，长 1 ~ 1.2mm，无毛，喙短至近无，长 0.1 ~ 0.2mm。花果期 5 ~ 8 月。

| 生境分布 | 生于河沟边、平原湿地、水田边、溪边。吉林各地均有分布。吉林部分地区有栽培。

| 资源情况 | 野生资源较少。药材主要来源于野生。

| 采收加工 | 石龙芮：夏、秋季采收，除去杂质，干燥。

石龙芮子：果实成熟时采收，打子，晒干。

| 药材性状 | 石龙芮：本品长 10 ~ 45cm，疏生短柔毛或无毛。基生叶及下部叶具长柄；叶片肾状圆形，棕绿色，长 0.7 ~ 3cm，3 深裂，中央裂片 3 浅裂；茎上部叶变小，聚伞花序有多数小花，花托被毛；萼片 5，船形，外面被短柔毛；花瓣 5，狭倒卵形。

石龙芮子：聚合果距圆形；瘦果小而极多，倒卵形，稍扁，长约 1.2mm。气微，味苦、辛，有毒。

| 功能主治 | 石龙芮：苦、辛，平；有毒。归心、肺经。消肿，拔毒散结，截疟。用于淋巴结结核，疟疾，痈肿，蛇咬伤，慢性下肢溃疡。

石龙芮子：苦，平。归心经。和胃，益肾，明目，祛风湿。用于心烦腹满，肾虚遗精，阳痿阴冷，不育无子，风寒湿痹。

| 用法用量 | 石龙芮：内服煎汤，干品 3 ~ 9g，亦可炒研为散服，每次 1 ~ 1.5g。外用适量，捣敷或煎膏涂患处及穴位。

石龙芮子：内服煎汤，3 ~ 9g。

| 附　　注 | 本种为一年生草本，聚伞花序有多数小花，花直径 4 ~ 8mm，花托伸长被毛，瘦果小而极多，喙短，近点状，可以以此与本属其他种进行鉴别。

毛茛科 Ranunculaceae 唐松草属 *Thalictrum*

唐松草 *Thalictrum aquilegifolium* L.var. *sibiricum* Regel et Tiling

| 植物别名 | 翼果唐松草、猫爪子幌子。

| 药 材 名 | 唐松草（药用部位：根及根茎。别名：白蓬草、草黄连、马尾连）。

| 形态特征 | 多年生草本，植株全部无毛。茎粗壮，高 60 ~ 150cm，直径达 1cm，分枝。基生叶在开花时枯萎。茎生叶为三至四回三出复叶；叶片长 10 ~ 30cm；小叶草质，顶生小叶倒卵形或扁圆形，长 1.5 ~ 2.5cm，宽 1.2 ~ 3cm，先端圆或微钝，基部圆楔形或不明显心形，3 浅裂，裂片全缘或有 1 ~ 2 牙齿，两面脉平或在背面脉稍隆起；叶柄长 4.5 ~ 8cm，有鞘，托叶膜质，不裂。圆锥花序伞房状，有多数密集的花；花梗长 4 ~ 17mm；萼片白色或外面带紫色，宽椭圆形，长 3 ~ 3.5mm，早落；雄蕊多数，长 6 ~ 9mm，花药长圆形，长约 1.2mm，先端钝，上部倒披针形，比花药宽或比花药稍窄，

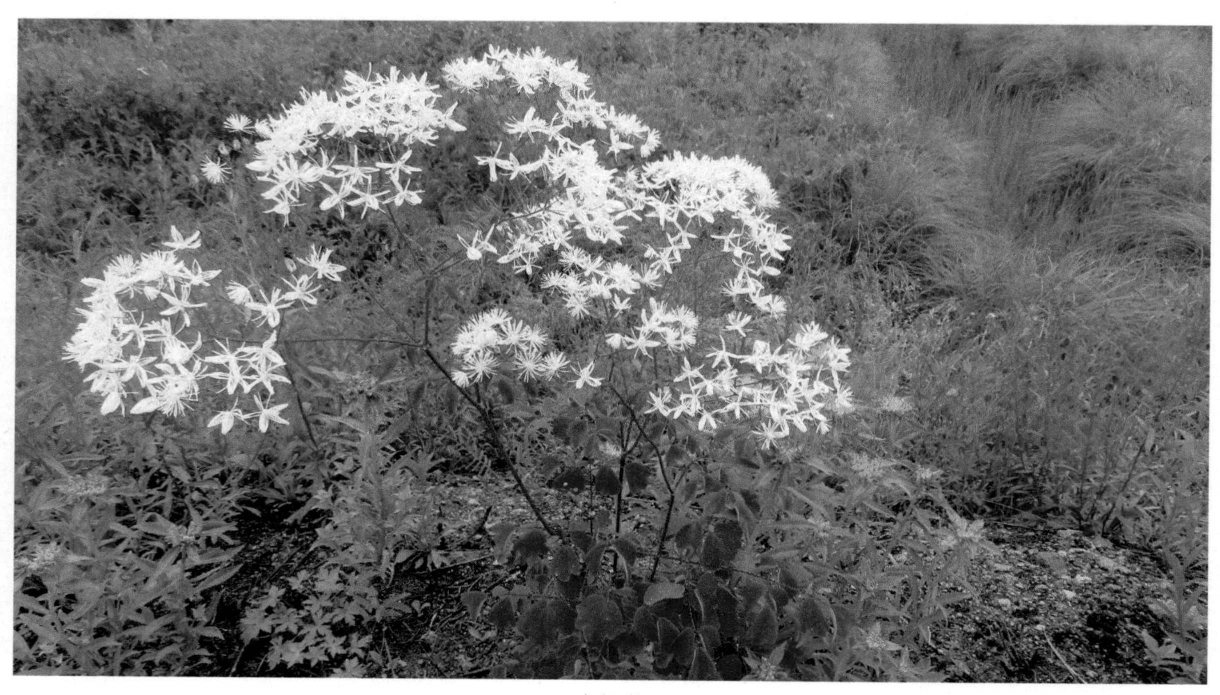

唐松草

下部丝形；心皮 6 ~ 8，有长心皮柄，花柱短，柱头侧生。瘦果倒卵形，长 4 ~ 7mm，有 3 条宽纵翅，基部突变狭，心皮柄长 3 ~ 5mm，宿存柱头长 0.3 ~ 0.5mm。花期 7 月。

| 生境分布 | 生于林间、草原、山地林边草坡或林中。以长白山区为主要分布区域，分布于吉林延边、白山、通化、吉林、辽源（东丰）等。

| 资源情况 | 野生资源较少。药材主要来源于野生。

| 采收加工 | 秋季茎叶枯萎时采挖，除去泥土及须根，干燥。

| 药材性状 | 本品先端有多个根茎，每个直径约 4mm，有残留茎痕，常包有鳞叶，表面棕褐色。下面密生成束的须根，形如马尾，长 13 ~ 25cm，直径 2 ~ 3mm；外表红黄色或金黄色，有光泽，具纵向细纹，老栓皮及皮层往往呈环节状脱落，尚未剥落者，以手搓之即脱；体轻，质脆，易折断，断面深黄色。气微，味微苦。

| 功能主治 | 苦，寒。清热燥湿，解毒止痢。用于膀胱热毒，阴囊肿胀，口舌生疮，结膜炎，扁桃体炎，脾胃实热，口渴烦热，痢疾。

| 附　　注 | （1）欧洲唐松草 *Thalictrum aquilegifolium* L. 分布于欧洲，与本种的区别在于瘦果梨形，基部渐变细成细长的心皮柄。

（2）本种幼苗为山野菜，俗名猫爪子幌子。

毛茛科 Ranunculaceae 唐松草属 *Thalictrum*

贝加尔唐松草 *Thalictrum baicalense* Turcz.

贝加尔唐松草

| 植物别名 |

球果唐松草。

| 药 材 名 |

马尾连（药用部位：根及根茎。别名：马尾黄连、金丝黄连、草黄连）。

| 形态特征 |

多年生草本，植株全部无毛。茎高45 ~ 80cm，不分枝或分枝。茎中部叶有短柄，为三回三出复叶；叶片长9 ~ 16cm；小叶草质，顶生小叶宽菱形、扁菱形或菱状宽倒卵形，长1.8 ~ 4.5cm，宽2 ~ 5cm，基部宽楔形或近圆形，3浅裂，裂片有圆齿，脉在背面隆起，脉网稍明显，小叶柄长0.2 ~ 3cm；叶柄长1 ~ 2.5cm，基部有狭鞘；托叶狭，膜质。花序圆锥状，长2.5 ~ 4.5cm；花梗细，长4 ~ 9mm；萼片4，绿白色，早落，椭圆形，长约2mm；雄蕊（10 ~）15 ~ 20，长3.5 ~ 4mm，花药长圆形，长约0.8mm，花丝上部狭倒披针形，与花药近等宽，下部丝形；心皮3 ~ 7，花柱直，长约0.5mm，柱头生花柱先端腹面，椭圆形，长0.2 ~ 0.3mm。瘦果卵球形或宽椭圆球形，稍扁，长约3mm，有 8 纵肋，心皮柄长约 0.2mm。花期 5 ～ 6 月。

| 生境分布 |

生于山地林下或湿润草坡。分布于吉林延边、白山、通化、长春、吉林、辽源等。

| 资源情况 |

野生资源较少。药材主要来源于野生。

| 采收加工 |

秋季茎叶枯萎时采挖，除去泥土及须根，干燥。

| 药材性状 |

本品根茎短粗，数个连生；细根数十条，形似马尾，长 5 ～ 10cm，直径 1 ～ 1.2mm。表面灰棕色至棕褐色，栓皮易脱落，脱落处呈鲜黄色。质脆，易折断，断面平坦，黄色。气微，味苦，嚼之粘牙。

| 功能主治 |

苦，寒。归心、肝、大肠经。清热燥湿，止痢，解毒。用于痢疾，肠炎，传染性肝炎，感冒，麻疹，痈肿疮疖，结膜炎。

| 用法用量 |

内服煎汤，3 ～ 15g；或研末冲服。

毛茛科 Ranunculaceae 唐松草属 *Thalictrum*

东亚唐松草 *Thalictrum minus* var. *hypoleucum* (Sieb. et Zucc.) Miq.

东亚唐松草

| 植物别名 |

小果白蓬草。

| 药 材 名 |

烟锅草（药用部位：根。别名：马尾黄连、金鸡脚下）。

| 形态特征 |

多年生草本，植株全部无毛。茎下部叶有稍长柄或短柄，茎中部叶有短柄或近无柄，为四回三出羽状复叶；叶片长达 20cm；小叶较大，长和宽均为 1.5 ~ 4（~ 5）cm，背面有白粉，粉绿色，脉隆起，脉网明显；叶柄长达 4cm，基部有狭鞘。圆锥花序长达 30cm；花梗长 3 ~ 8mm；萼片 4，淡黄绿色，脱落，狭椭圆形，长约 3.5mm；雄蕊多数，长约 6mm，花药狭长圆形，长约 2mm，先端有短尖头，花丝丝形；心皮 3 ~ 5，无柄，柱头正三角状箭头形。瘦果狭椭圆球形，稍扁，长约 3.5mm，有 8 纵肋。花期 6 ~ 7 月。

| 生境分布 |

生于丘陵、山地林下、山谷沟边或较阴湿处。以长白山区为主要分布区域，分布于吉林延边、白山、通化、吉林、辽源（东丰）、长春（九台）等。

| 资源情况 | 野生资源较丰富。药材主要来源于野生。

| 采收加工 | 秋季茎叶枯萎时采挖，除去泥土及须根，洗净，干燥。

| 药材性状 | 本品根茎下密生细根数十条，常缠绕成团。细根长 10 ～ 20（～ 30）cm，直径 1 ～ 1.5mm。表面浅棕色，栓皮脱落处现棕黄色木心。气微，味微苦。

| 功能主治 | 苦，寒；有小毒。清热解毒，燥湿。用于牙痛，急性皮炎，百日咳，痈疮肿毒，牙痛，湿疹。

| 用法用量 | 内服煎汤，6 ～ 9g。外用适量，焙干研粉撒敷；或煎汤洗；或捣敷。

毛茛科 Ranunculaceae 唐松草属 *Thalictrum*

瓣蕊唐松草 *Thalictrum petaloideum* L.

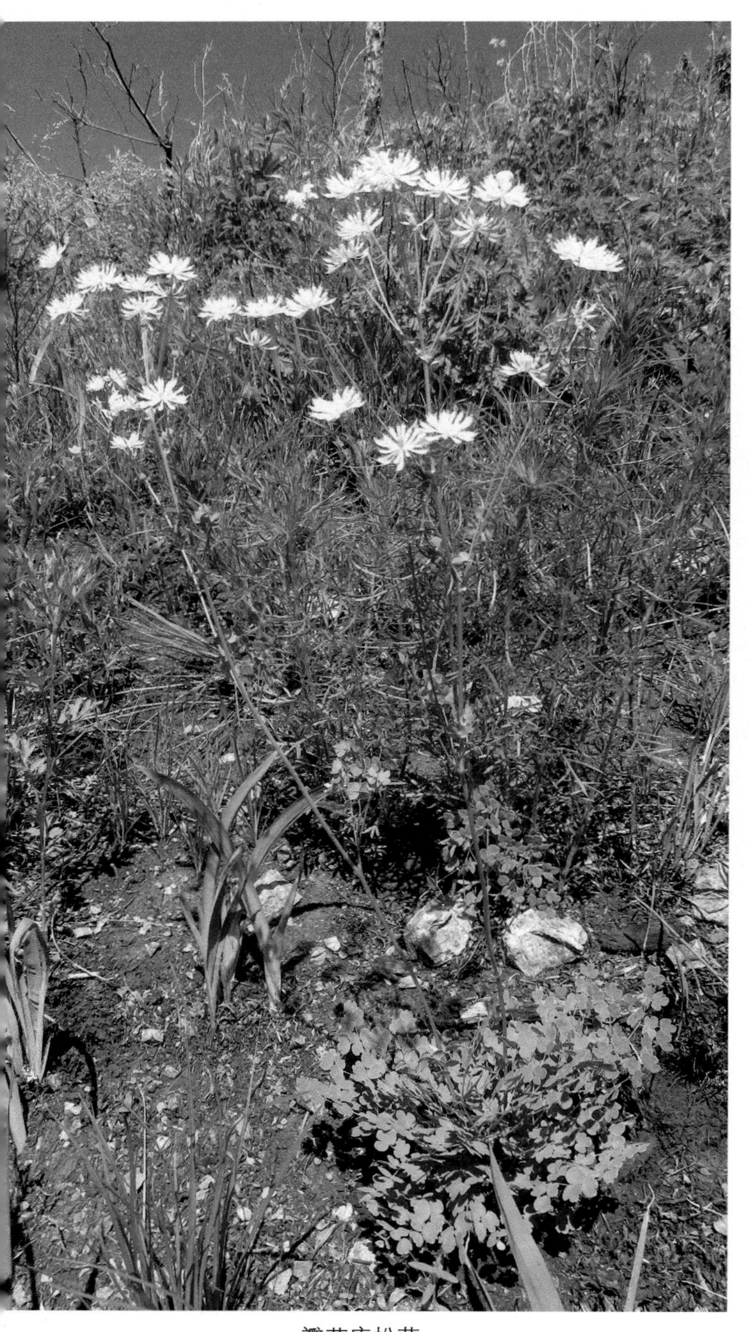

瓣蕊唐松草

| 植物别名 |

肾叶唐松草。

| 药 材 名 |

瓣蕊唐松草（药用部位：根及根茎。别名：花唐松草）。

| 形态特征 |

多年生草本，植株全部无毛。茎高20 ~ 80cm，上部分枝。基生叶数个，有短或稍长柄，为三至四回三出或羽状复叶；叶片长5 ~ 15cm；小叶草质，形状变异很大，顶生小叶倒卵形、宽倒卵形、菱形或近圆形，长3 ~ 12mm，宽2 ~ 15mm，先端钝，基部圆楔形或楔形，3浅裂至3深裂，裂片全缘，叶脉平，脉网不明显，小叶柄长5 ~ 7mm；叶柄长达10cm，基部有鞘。花序伞房状，有少数或多数花；花梗长0.5 ~ 2.5cm；萼片4，白色，早落，卵形，长3 ~ 5mm；雄蕊多数，长5 ~ 12mm，花药狭长圆形，长0.7 ~ 1.5mm，先端钝，花丝上部倒披针形，比花药宽；心皮4 ~ 13，无柄，花柱短，腹面密生柱头组织。瘦果卵形，长4 ~ 6mm，有8纵肋，宿存花柱长约1mm。花期6 ~ 7月。

| 生境分布 | 生于山坡草地。分布于吉林延边、白山、通化、长春、吉林、辽源、白城（镇赉、通榆、洮南）、松原（长岭、前郭尔罗斯）等。

| 资源情况 | 野生资源较少。药材主要来源于野生。

| 采收加工 | 秋季茎叶枯萎时采挖，除去泥土及须根，干燥。

| 药材性状 | 本品根茎极短，须根较稀疏，长 3 ~ 5cm，直径 1 ~ 1.2mm。表面褐色，具数条细纵棱。质脆，易折断。气微，味稍甜，嚼之粘牙。

| 功能主治 | 苦，寒。归肝、胃、大肠经。清热解毒，清肝明目。用于湿热泻痢，黄疸，肺热咳嗽，目赤肿痛，痈肿疮疖，渗出性皮炎。

| 用法用量 | 内服煎汤，9 ~ 15g。外用适量，研末撒；或鲜品捣敷。

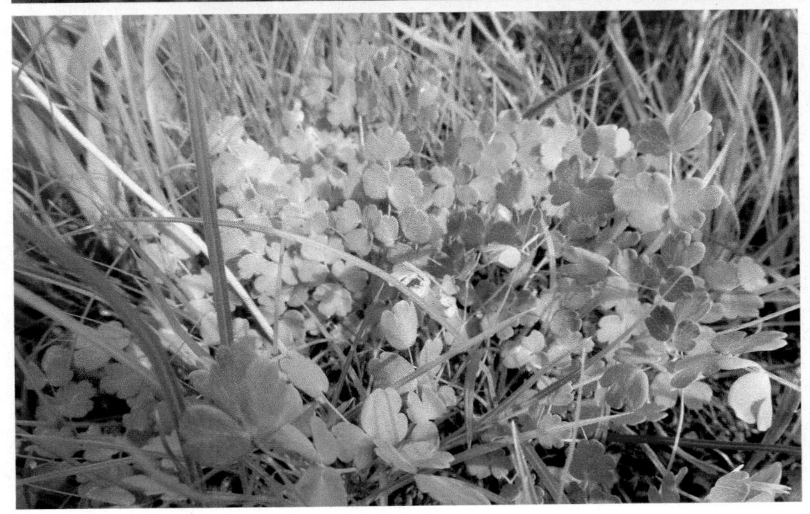

毛茛科 Ranunculaceae 唐松草属 *Thalictrum*

狭裂瓣蕊唐松草 *Thalictrum petaloideum* L. var. *supradecompositum* (Nakai) Kitag.

狭裂瓣蕊唐松草

| 植物别名 |

卷叶唐松草。

| 药 材 名 |

狭裂瓣蕊唐松草（药用部位：根）。

| 形态特征 |

多年生草本，植株全部无毛。茎高 20 ~ 80cm，上部分枝。基生叶数个，有短或稍长柄，为三至四回三出或羽状复叶；叶片长 5 ~ 15cm；小叶或小叶的裂片狭卵形、披针形或狭长圆形，边缘干时反卷，长 3 ~ 12mm，宽 2 ~ 15mm，先端钝，基部圆楔形或楔形，3 浅裂至 3 深裂，裂片全缘，叶脉平，脉网不明显，小叶柄长 5 ~ 7mm；叶柄长达 10cm，基部有鞘。花序伞房状，有少数或多数花；花梗长 0.5 ~ 2.5cm；萼片 4，白色，早落，卵形，长 3 ~ 5mm；雄蕊多数，长 5 ~ 12mm，花药狭长圆形，长 0.7 ~ 1.5mm，先端钝，花丝上部倒披针形，比花药宽；心皮 4 ~ 13，无柄，花柱短，腹面密生柱头组织。瘦果卵形，长 4 ~ 6mm，有 8 纵肋，宿存花柱长约 1mm。花期 6 ~ 7 月。

| 生境分布 | 生于低山干燥山坡、草原多砂草地或田边。分布于吉林白城（镇赉、通榆、洮南）、松原（长岭）等。

| 资源情况 | 野生资源较少。药材主要来源于野生。

| 采收加工 | 秋季茎叶枯萎时采挖，除去泥土及须根，干燥。

| 功能主治 | 苦，寒。用于黄疸，赤白痢疾，痈肿疮疖，浸淫疮，渗出性皮炎。

毛茛科 Ranunculaceae 唐松草属 *Thalictrum*

箭头唐松草 *Thalictrum simplex* L.

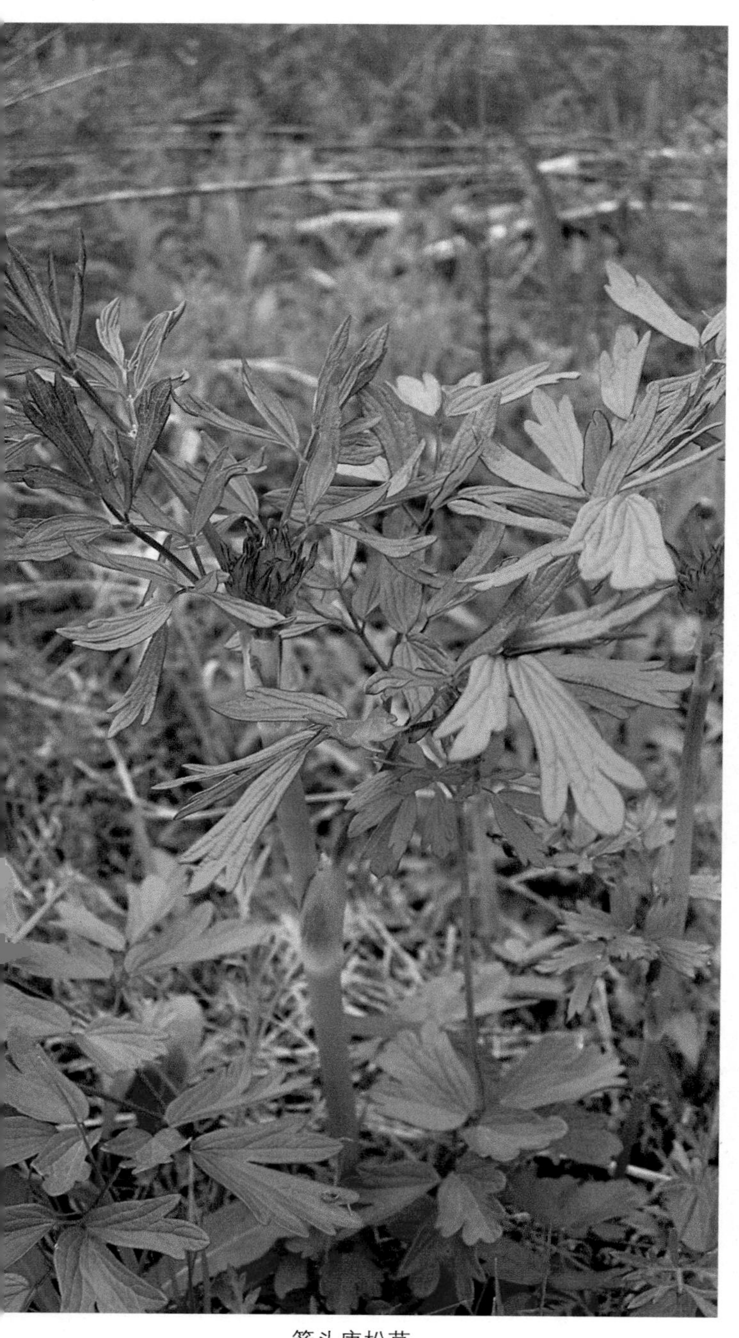
箭头唐松草

|植物别名|

箭头白蓬草、野唐松草、白唐。

|药 材 名|

水黄连（药用部位：全草。别名：黄脚鸡、硬水黄连、硬杆子水黄连）。

|形态特征|

多年生草本，植株全部无毛。茎高 54 ~ 100cm，不分枝或在下部分枝。茎生叶向上近直展，为二回羽状复叶；茎下部的叶片长达 20cm，小叶较大，圆菱形、菱状宽卵形或倒卵形，长 2 ~ 4cm，宽 1.4 ~ 4cm，基部圆形，3 裂，裂片先端钝或圆形，有圆齿，脉在背面隆起，脉网明显，茎上部叶渐变小，小叶倒卵形或楔状倒卵形，基部圆形、钝或楔形，裂片先端急尖；茎下部叶有稍长柄，上部叶无柄。圆锥花序长 9 ~ 30cm，分枝与轴成 45° 角斜上层；花梗长达 7mm；萼片 4，早落，狭椭圆形，长约 2.2mm；雄蕊约 15，长约 5mm，花药狭长圆形，长约 2mm，先端有短尖头，花丝丝形；心皮 3 ~ 6，无柄，柱头宽三角形。瘦果狭椭圆球形或狭卵球形，长约 2mm，有 8 纵肋。7 月开花。

| **生境分布** | 生于山地草坡或沟边。吉林各地均有分布。

| **资源情况** | 野生资源较少。药材主要来源于野生。

| **采收加工** | 春末夏初采收，洗净，晒干。

| **功能主治** | 苦，寒。清热，利尿。用于黄疸，腹水，小便不利；外用于眼结膜炎。

| **用法用量** | 内服煎汤，9 ~ 30g。外用适量，煎汤洗眼。

毛茛科 Ranunculaceae 唐松草属 *Thalictrum*

散花唐松草 *Thalictrum sparsiflorum* Turcz.

| 药 材 名 | 散花唐松草（药用部位：全草）。

| 形态特征 | 多年生草本，植株全部无毛。须根密集，长达 10cm 以上。茎高约 90cm，上部分枝。基生叶和茎下部叶在开花时枯萎。茎中部叶具短柄，为三至四回三出复叶；叶片长 6 ~ 9cm；小叶薄草质，顶生小叶倒卵形或近圆形，长 1.3 ~ 2cm，宽 1.2 ~ 1.8cm，先端圆形，有短尖，基部楔形或圆楔形，有时浅心形，3 浅裂，有疏圆齿，脉平，脉网不明显；叶柄长约 3cm。花序有少数花；花梗长 0.6 ~ 1.5cm，在结果时增长至 1 ~ 3cm，先端钩状反曲；萼片白色，卵形，长 2.5 ~ 3mm，雄蕊 10 ~ 15，花药卵形，长约 1mm，先端钝，花丝近丝形，上部稍变宽，心皮 4 ~ 7，花柱与子房近等长，腹面顶部有柱头组织。瘦果下垂，扁，斜倒卵形或半倒卵形，长约 7mm，两侧各有 3 弧状

散花唐松草

弯曲的纵肋，子房柄长 2 ~ 3mm，宿存花柱长约 1mm。6 月开花。

| **生境分布** | 生于山地草坡、林边或落叶松林中。分布于吉林延边、白山等。

| **资源情况** | 野生资源较丰富。药材主要来源于野生。

| **采收加工** | 春末夏初采收，洗净，晒干。

| **功能主治** | 清热解毒。用于咽喉肿痛。

| **附　　注** | 本种的形态与长柄唐松草 *Thalictrum przewalskii* Maxim. 极相似，区别点在于本种植株全部无毛，雄蕊数目较少，花丝较狭，果柄先端钩状反曲。

毛茛科 Ranunculaceae 唐松草属 *Thalictrum*

展枝唐松草 *Thalictrum squarrosum* Steph.

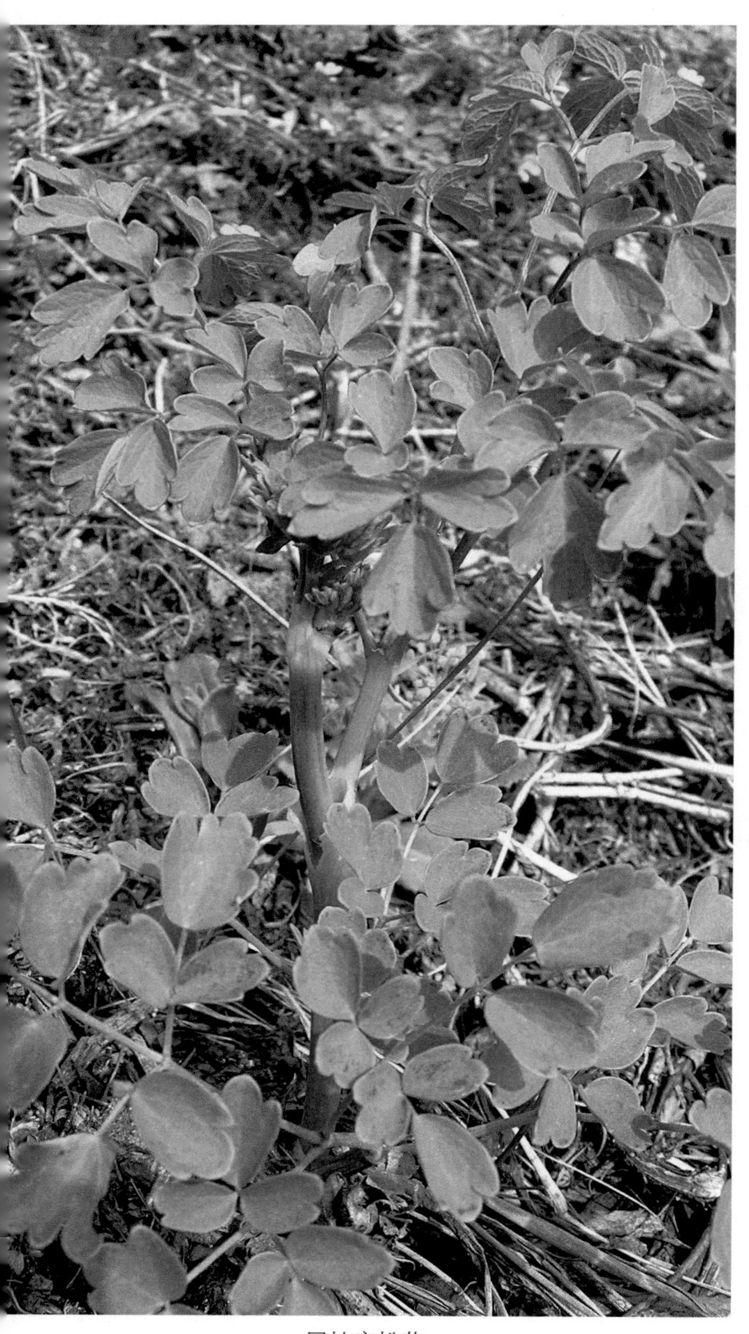

展枝唐松草

| 植物别名 |

麦展枝白蓬草、歧序唐松草。

| 药 材 名 |

猫爪子（药用部位：全草。别名：展枝白蓬、歧序唐松草、坚唐松草）。

| 形态特征 |

多年生草本，植株全部无毛。根茎细长，自节生出长须根。茎高 60 ~ 600cm，有细纵槽，通常自中部近二歧状分枝。基生叶在开花时枯萎；茎下部及中部叶有短柄，为二至三回羽状复叶；叶片长 8 ~ 18cm；小叶坚纸质或薄革质，顶生小叶楔状倒卵形、宽倒卵形、长圆形或圆卵形，长 0.8 ~ 2（~ 3.5）cm，宽 0.6 ~ 1.5（~ 2.6）cm，先端急尖，基部楔形至圆形，通常 3 浅裂，裂片全缘或有 2 ~ 3 小齿，表面脉常稍下陷，背面有白粉，脉平或稍隆起，脉网稍明显；叶柄长 1 ~ 4cm。花序圆锥状，近二歧状分枝；花梗细，长 1.5 ~ 3cm，在结果时稍增长；萼片 4，淡黄绿色，狭卵形，长约 3mm，宽约 0.8mm，脱落；雄蕊 5 ~ 14，长 3 ~ 5mm，花药长圆形，长约 2.2mm，有短尖头，花丝丝形；心皮 1 ~ 3（~ 5），无柄，柱头箭头状。瘦果狭倒卵球形或近纺锤形，稍斜，长 4 ~ 5.2mm，有 8 粗纵肋，柱头长约 1.6mm。7 ~ 8 月开花。

| 生境分布 | 生于山坡草地、林缘、林下、田边或干燥草坡。吉林各地均有分布。吉林部分地区有栽培。

| 资源情况 | 野生资源较丰富。药材主要来源于野生。

| 采收加工 | 夏、秋季采收，除去杂质，干燥。

| 药材性状 | 本品根茎结节状，细根数十条，长 10 ~ 15cm，直径 0.5 ~ 1mm；表面浅棕色，外皮常脱落，脱落处黄色；质脆，易折断，断面略呈纤维性。茎叶黄绿色，光滑、无毛，多碎断；叶柄基部呈膜质鞘状，叶片近革质，卵形或广倒卵形，先端具 3 钝齿或全缘。气微，味苦。

| 功能主治 | 苦，平；有毒。归肝、大肠经。清热解毒，健胃，制酸，发汗。用于头痛头晕，胃脘不适，吐酸水、烧心。

| 用法用量 | 内服煎汤，3 ~ 10g。

| 附　　注 | （1）本种的花药有短尖头，柱头有宽翅，呈正三角形，其形态与亚欧唐松草 *Thalictrum minus* L. 和箭头唐松草 *Thalictrum simplex* L. 的形态相似，但本种花序近二歧状分枝，向斜上方开展，整个花序较宽而短，不呈塔形，瘦果较大。

（2）本种幼苗为山野菜，俗名猫爪子，广泛食用。

毛茛科 Ranunculaceae 唐松草属 *Thalictrum*

深山唐松草 *Thalictrum tuberiferum* Maxim.

深山唐松草

| 植物别名 |

深山白蓬草。

| 药 材 名 |

深山唐松草（药用部位：根）。

| 形态特征 |

多年生草本，植株全部无毛。须根有纺锤形小块根。茎高 50 ~ 70cm，上部分枝。基生叶 1，长 25 ~ 30cm，通常为三回三出复叶；叶片长 13 ~ 23cm；小叶草质，顶生小叶有长柄，卵形或菱状椭圆形，长 4 ~ 4.5cm，宽约 3.5cm，基部圆形或浅心形，3 浅裂，背面脉不明显隆起；叶柄长 11 ~ 19cm。茎生叶 2，对生，有时 1，为三出复叶，长 3.5 ~ 6cm，为一或二回三出复叶。花序圆锥状；下部苞片三出；萼片椭圆形，长约 2mm，先端钝，早落；花药椭圆形，长约 0.5mm，花丝比花药宽 3 倍，上部倒披针形，下部丝形；心皮 3 ~ 5，子房下部渐变狭成细柄，柱头小，头形，无花柱。瘦果斜狭椭圆形，长 3.5mm，柄长 1.6mm。6 ~ 7 月开花。

| 生境分布 |

生于海拔 780 ~ 1100m 的山地草坡、林缘灌从边、杂木林内或林边。以长白山区为主要分布区域，分布于吉林延边、白山、通化、吉林、辽源（东丰）等。

| 资源情况 | 野生资源较少。药材主要来源于野生。

| 采收加工 | 秋季茎叶枯萎时采挖，除去泥土及须根，干燥。

| 功能主治 | 苦，平。清热解毒，消炎止痛。用于高热，惊风，肺炎。

| 附　　注 | 本种的形态与花唐松草 *Thalictrum filamentosum* Maxim. 相似，但后者的茎生叶都是 2，为单叶、对生。本种的形态也与尖叶唐松草 *Thalictrum acutifolium* (Hand.-Mazz.) Boivin 相似，但后者无小块根，茎生叶互生，瘦果纺锤形或稍镰状弯曲。

毛茛科 Ranunculaceae 金莲花属 *Trollius*

金莲花 *Trollius chinensis* Bunge

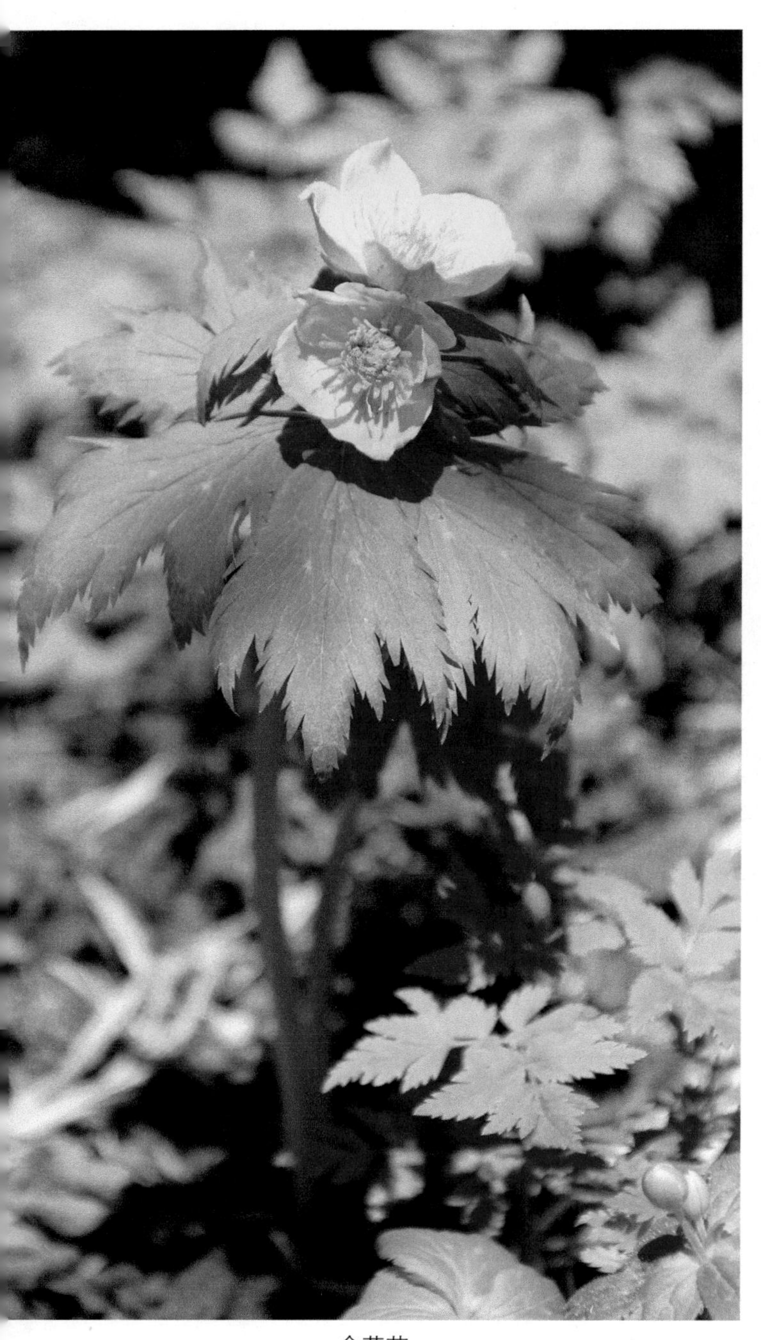
金莲花

| 植物别名 |

阿勒泰金莲花。

| 药 材 名 |

金莲花（药用部位：花。别名：金梅草、金疙瘩）。

| 形态特征 |

多年生草本，植株全体无毛。须根长达7cm。茎高30～70cm，不分枝，疏生（2～）3～4叶。基生叶1～4，长16～36cm，有长柄；叶片五角形，长3.8～6.8cm，宽6.8～12.5cm，基部心形，3全裂，全裂片分开，中央全裂片菱形，先端急尖，3裂达中部或稍超过中部，边缘密生稍不相等的三角形锐锯齿，侧全裂片斜扇形，2深裂近基部，上面深裂片与中全裂片相似，下面深裂片较小，斜菱形；叶柄长12～30cm，基部具狭鞘。茎生叶似基生叶，下部的具长柄，上部的较小，具短柄或无柄。花单独顶生或2～3组成稀疏的聚伞花序，直径3.8～5.5cm，通常在4.5cm左右；花梗长5～9cm；苞片3裂；萼片（6～）10～15（～19）片，金黄色，干时不变绿色，最外层的椭圆状卵形或倒卵形，先端疏生三角形牙齿，间或生 3 小裂片，其他的椭圆状倒卵形或倒卵形，先端圆形，生不明显的小牙齿，长 1.5 ~ 2.8cm，宽 0.7 ~ 1.6cm；花瓣 18 ~ 21，稍长于萼片或与萼片近等长，稀比萼片稍短，狭线形，先端渐狭，长 1.8 ~ 2.2cm，宽 1.2 ~ 1.5mm；雄蕊长 0.5 ~ 1.1cm，花药长 3 ~ 4mm；心皮 20 ~ 30。蓇葖果长 1 ~ 1.2cm，宽约 3mm，具稍明显的脉网，喙长约 1mm；种子近倒卵球形，长约 1.5mm，黑色，光滑，具 4 ~ 5 棱角。6 ~ 7 月开花，8 ~ 9 月结果。

| 生境分布 | 生于山地草坡或疏林下。分布于吉林延边、白山、通化、长春、吉林、辽源等。

| 资源情况 | 野生资源较少。药材主要来源于野生。

| 采收加工 | 夏季花开放时采摘，晾干。

| 药材性状 | 本品呈不规则团状，长 2 ~ 3cm。萼片与花瓣金黄色，花瓣数较多，线状披针形；通常带有灰绿色的花柄，长约 1.5cm；雄蕊黄白色，多数。气浓香，味微苦。以身干、色金黄、不带杂质者为佳。

| 功能主治 | 苦，凉。归肺、胃经。清热解毒。用于上呼吸道感染，扁桃体炎，咽炎，急性中耳炎，急性鼓膜炎，急性结膜炎，急性淋巴管炎，口疮，疔疮。

| 用法用量 | 内服煎汤，3 ~ 6g；或泡水代茶饮。外用适量，煎汤含漱。

毛茛科 Ranunculaceae 金莲花属 *Trollius*

长白金莲花 *Trollius japonicus* Miq.

| 植物别名 | 山地金莲花、金莲花。

| 药 材 名 | 长白金莲花（药用部位：花）。

| 形态特征 | 多年生草本，植株全部无毛。茎高 26 ~ 55cm，疏生 2 ~ 3 叶。基生叶 3 ~ 5，长 8 ~ 25cm，有长柄，有时在开花时枯萎；叶片五角形，长 2.7 ~ 4.5cm，宽 5 ~ 9cm，基部心形，3 全裂，中央全裂片菱形，3 裂近中部，中央 2 回裂片菱形，具少数小裂片及小锐牙齿，侧面 2 回裂片较小，斜三角形，侧全裂片斜扇形，2 深裂几达基部，上面深裂片与中全裂片相似并近等大；叶柄长 5.5 ~ 20cm，基部具狭鞘。茎下部叶与茎生叶相似，上部叶较小，具鞘状短柄。花单生或 2 ~ 3 组成疏松的聚伞花序，直径 2.7 ~ 3.2cm；苞片似茎上部叶，渐变小，花梗长 2 ~ 6cm；萼片 5，黄色，干时不变绿色，倒卵形或圆倒卵形，

长白金莲花

先端圆形，生少数小齿，长 1.4 ~ 1.6cm，宽 1 ~ 1.4cm；花瓣约 9，与雄蕊近等长，线形，先端钝，长 6 ~ 7mm，宽 1mm；雄蕊长 5 ~ 7.5mm，花药长 2 ~ 3mm；心皮 7 ~ 15。蓇葖果长达 1.1cm，宽约 3mm，喙长 1.5 ~ 2mm；种子椭圆球形，长约 1.5mm，黑色，有光泽，具不明显纵棱。7 ~ 8 月开花，9 月结果。

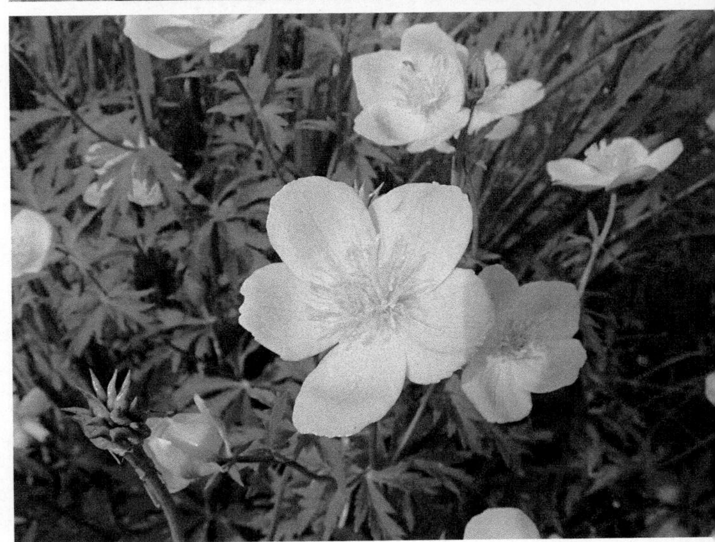

｜生境分布｜

生于高山潮湿草坡等。分布于吉林白山（抚松、靖宇、长白）等。

｜资源情况｜

野生资源稀少。药材主要来源于野生。

｜采收加工｜

夏季花开放时采摘，晾干。

｜功能主治｜

清热解毒，明目。用于目昏不明。

｜附　　注｜

本种为吉林省Ⅱ级重点保护野生植物。

毛茛科 Ranunculaceae 金莲花属 *Trollius*

短瓣金莲花 *Trollius ledebouri* Reichb.

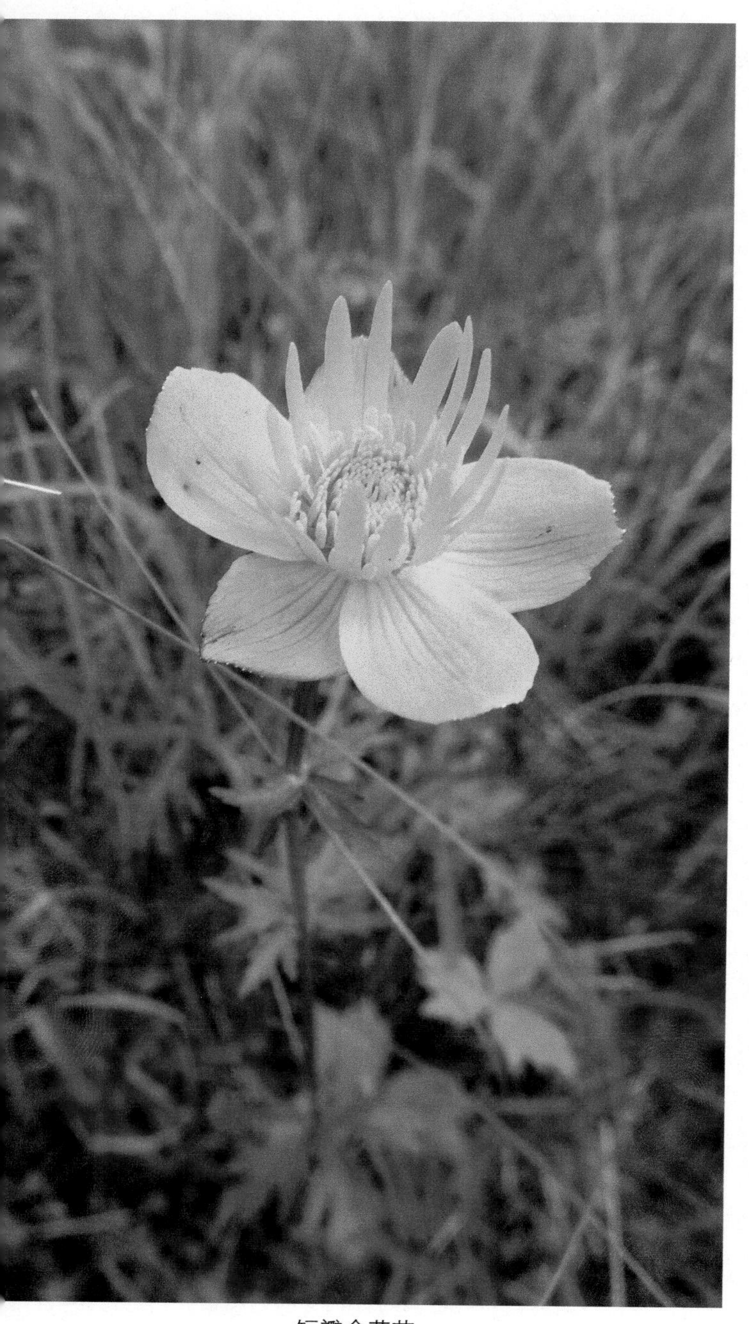

短瓣金莲花

|植物别名|

西伯利亚金莲花。

|药材名|

金莲花（药用部位：花。别名：旱地莲、金芙蓉、旱金莲）。

|形态特征|

多年生草本，植株全体无毛。茎高60 ~ 100cm，疏生3 ~ 4叶。基生叶2 ~ 3，长15 ~ 35cm，有长柄；叶片五角形，长4.5 ~ 6.5cm，宽8.5 ~ 12.5cm，基部心形，3全裂，全裂片分开，中央全裂片菱形，先端急尖，3裂近中部或稍超过中部，边缘有小裂片及三角形小牙齿，侧全裂片斜扇形，不等2深裂近基部；叶柄长9 ~ 29cm，基部具狭鞘。茎生叶与基生叶相似，上部的较小，变无柄。花单独顶生或2 ~ 3组成稀疏的聚伞花序，直径3.2 ~ 4.8cm；苞片无柄，3裂；花梗长5.5 ~ 15cm；萼片5 ~ 8，黄色，干时不变绿色，外层的椭圆状卵形，其他的倒卵形、椭圆形，有时狭椭圆形，先端圆形，生少数不明显的小齿，长1.2 ~ 2.8cm，宽1 ~ 1.5cm；花瓣10 ~ 22，长度超过雄蕊，但比萼片短，线形，先端变狭，长1.3 ~ 1.6cm，宽约 1mm；雄蕊长达 9mm，花药长约 3.5mm；心皮 20 ~ 28。蓇葖果长约 7mm，喙长约 1mm。6 ~ 7 月开花，7 月结果。

| 生境分布 | 生于草地、林间草地或河边。分布于吉林延边、白山、通化等。

| 资源情况 | 野生资源较少。药材主要来源于野生。

| 采收加工 | 夏季花开放时采摘，晾干。

| 药材性状 | 本品呈团状，直径 3.3 ~ 5.5cm。萼片黄色，外层的椭圆状卵形，其他的椭圆状倒卵形或椭圆形，顶部稍匙状增宽，长 1.3 ~ 2cm，宽 1 ~ 1.5cm；花瓣短于萼片，线形。气微香，味微苦。

| 功能主治 | 同“金莲花”。

| 用法用量 | 同“金莲花”。

毛茛科 Ranunculaceae 金莲花属 *Trollius*

长瓣金莲花 *Trollius macropetalus* Fr. Schmidt

| 植物别名 | 金莲花、大瓣金莲花。

| 药 材 名 | 长瓣金莲花（药用部位：花）。

| 形态特征 | 多年生草本，植株全部无毛。茎高 70 ~ 100cm，疏生 3 ~ 4 叶。基生叶 2 ~ 4，长 20 ~ 38cm，有长柄；叶片长 5.5 ~ 9.2cm，宽 11 ~ 16cm，与短瓣金莲花及金莲花的叶片均极相似。花直径 3.5 ~ 4.5cm；萼片 5 ~ 7，金黄色，干时变橙黄色，宽卵形或倒卵形，先端圆形，生不明显小齿，长 1.5 ~ 2（~ 2.5）cm，宽 1.2 ~ 1.5cm；花瓣 14 ~ 22，在长度方面稍超过萼片或超出萼片达 8mm，有时与萼片近等长，狭线形，先端渐变狭，常尖锐，长 1.8 ~ 2.6cm，宽约 1mm；雄蕊长 1 ~ 2cm，花药长 3.5 ~ 5mm；心皮 20 ~ 40。蓇葖果长约 1.3cm，宽约 4mm，喙长 3.5 ~ 4mm；种子狭倒卵球形，长

长瓣金莲花

约 1.5mm，黑色，具 4 棱角。7 ~ 9 月开花，7 月开始结果。

| 生境分布 | 生于林间湿草地。以长白山区为主要分布区域，分布于吉林延边、白山、通化、吉林、辽源（东丰）等。

| 资源情况 | 野生资源稀少。药材主要来源于野生。

| 采收加工 | 夏季花开放时采摘，晾干。

| 药材性状 | 本品呈皱缩团状，湿润展平，直径 2.5 ~ 4cm。萼片橙黄色，宽卵形或倒卵形，长 1.5 ~ 2cm，花瓣棕色，狭线形；花柱短尖，棕黄色。气微香，味苦。

| 功能主治 | 苦，寒。清热解毒。用于上呼吸道感染，急慢性扁桃体炎，咽炎，急性中耳炎，急性鼓膜炎，急性结膜炎，急性淋巴管炎，口疮，疔疮。

| 用法用量 | 内服煎汤，3 ~ 9g。

| 附　　注 | 本种与短瓣金莲花 *Trollius ledebouri* Reichb. 相似，但本种的花瓣比萼片长，蓇葖果的喙较长。